BEITRÄGE ZUR HISTORISCHEN THEOLOGIE
HERAUSGEGEBEN VON GERHARD EBELING

42

Philipp Jakob Spener und die Anfänge des Pietismus

von

Johannes Wallmann

1970

J. C. B. MOHR (PAUL SIEBECK) TÜBINGEN

©
Johannes Wallmann
J. C. B. Mohr (Paul Siebeck) Tübingen 1970

Printed in Germany
Satz und Druck: Gulde-Druck, Tübingen
Einband: Heinrich Koch, Großbuchbinderei, Tübingen

Best.-Nr. 13090

MEINER FRAU

VORWORT

Die vorliegende Arbeit untersucht und stellt dar die biographische und theologische Entwicklung Philipp Jakob Speners, des Begründers des Pietismus im Luthertum, und die Anfänge der pietistischen Bewegung bis zum Erscheinen der pietistischen Programmschrift, der Pia Desideria von 1675. Ihr soll ein zweiter Teil folgen, der die Pia Desideria selbst und die von ihnen ausgehenden Wirkungen behandeln wird.

Die Arbeit ist ein Vorstoß in ein noch immer recht dunkles, wenig erforschtes Gebiet der deutschen Kirchengeschichte. Wenn es richtig ist, daß der Pietismus die größte religiöse Erneuerungsbewegung im Protestantismus seit der Reformation darstellt, wenn der Satz Carl Mirbts auch nur annähernd richtig ist „Die Geschichte der Entstehung des Pietismus ist zum großen Teil die Geschichte des Lebens von Philipp Jakob Spener" (RE³ 15, 775), dann muß es mehr als verwundern, daß die Entstehung des Pietismus und die Entstehung der pietistischen Gedankenwelt Speners noch so wenig erforscht sind. Noch immer sind wir für die Kenntnis von Speners Leben und Wirken angewiesen auf den 1893 erschienenen ersten, biographischen Band von Paul Grünberg, Philipp Jakob Spener und seine Zeit (I—III, 1893 bis 1906). Die Erforschung der voraufgehenden lutherischen Orthodoxie und ihrer Reformbestrebungen sowie die Erforschung späterer Phasen des Pietismus, etwa des halleschen, des württembergischen und des Herrnhuter Pietismus, ist in diesem Jahrhundert weit vorangetrieben worden. Dazwischen klafft für jene Zeit, in der sich der Pietismus gebildet hat — eine Phase, die man wegen ihrer Hauptverbreitungsgebiete die reichsstädtische Phase des Pietismus nennen könnte — eine große Lücke in der Forschung. Sie ist durch einzelne, über Grünberg hinausgelangende Spezialuntersuchungen wie die von Willi Grün und Kurt Aland und durch die theologiegeschichtlich orientierten Aufsätze von Martin Schmidt eher deutlicher bewußt gemacht als geschlossen worden. Daß es mir freilich nicht nur um das Auffüllen einer Forschungslücke, sondern um die Vergegenwärtigung eines wichtigen, unserer Gegenwart in manchem nicht unähnlichen Abschnitts unserer Vergangenheit geht, wird hoffentlich der Leser merken. Im übrigen kann ich für die Forschungssituation auf meinen Beitrag in der Rückert-Festschrift verweisen.

Bei dem Bemühen, an das weitzerstreute, oft schwer festzustellende und nicht selten erst zu entdeckende Quellenmaterial heranzukommen, habe ich mit schriftlichen Anfragen und bei persönlichem Besuch den Rat und die Hilfe einer sehr großen Zahl von Personen, Archiven und Bibliotheken im In- und Ausland beansprucht. Ihnen allen kann ich meinen Dank nur in dieser allgemeinen Form aussprechen. Ausdrücklich danken möchte ich allerdings dem Straßburger Thomasstift und seinem Direktor Pastor Gustave Koch für die Gastfreundschaft, die ich auf mehreren, den Straßburger Bibliotheken und Archiven geltenden Reisen genossen habe. Auch schulde ich Professor Rodolphe Peter, Straßburg, besonderen Dank für Belehrung, Rat und Hilfe. Dem Leiter des Archivs der Franckeschen Stiftungen in Halle/S., Herrn Jürgen Storz, bin ich für seine regelmäßig prompten und genauen Auskünfte sehr verbunden. Durch freundliche Erlaubnis von Dr. Peter Schicketanz, Magdeburg, konnte ich vor der Drucklegung seine Abschrift der erst vor einigen Jahren aufgetauchten großen Spenerbiographie des Freiherrn von Canstein einsehen und vergleichen. Graf Ernstotto zu Solms-Laubach, Frankfurt a. M., danke ich den Hinweis auf die in der Gräfl. Solmsschen Bibliothek Laubach befindliche Bibliothek von Johann Jakob Schütz. Frau Dr. Noehte-Lind, Laubach, die sich um deren Identifizierung müht, hat mir den Zugang dazu vermittelt, wofür ich auch ihr herzlich danke.

Die zahlreichen Archiv- und Bibliotheksreisen, die für diese Arbeit notwendig waren, hätte ich nicht durchführen können ohne die Unterstützung durch ein Stipendium der Stiftung Volkswagenwerk und durch Beihilfen der Ruhr-Universität. Für die Drucklegung erhielt ich einen Zuschuß des Landes Nordrhein-Westfalen bewilligt. Landeskirchliche Stellen in Bielefeld und Stuttgart haben etwas dazugelegt. Auch hier habe ich zu danken.

Die Arbeit ist im Sommer 1967 als Habilitationsschrift der Abteilung für Evangelische Theologie der Ruhr-Universität Bochum vorgelegt worden. Professor Walter Elliger, der ihre Entstehung mit Anteilnahme und Wohlwollen förderte, hat das Referat, Professor Martin Tetz das Korreferat übernommen. Zum Druck ist die Arbeit, veranlaßt durch eine Reihe weiterer Quellenfunde, überarbeitet und ergänzt worden. Eine Edition einiger Quellen, vor allem der Briefe der Anna Maria van Schurman an Johann Jakob Schütz, wird von mir vorbereitet.

Nicht zuletzt danke ich den beiden Lehrern aus der Tübinger Studienzeit Professor Hanns Rückert und Professor Gerhard Ebeling. Nicht nur die Methode, sondern auch den Antrieb zu kirchengeschichtlichem Arbeiten habe ich von ihnen. Hanns Rückert hat überdies das Manuskript gelesen und es mir an seinem Rat für die endgültige Fassung nicht fehlen lassen. Und Gerhard Ebeling habe ich mehr zu danken als die Aufnahme der Arbeit in die Beiträge zur Historischen Theologie.

Während der Drucklegung erschien von Martin Schmidt, Wiedergeburt und neuer Mensch, Gesammelte Studien zur Geschichte des Pietismus (Arbeiten zur Geschichte des Pietismus 2, Witten 1969). Eine durchgängige Umstellung der Zitate aus den Aufsätzen von Martin Schmidt auf diese endgültige Ausgabe war nicht mehr möglich. Ebenfalls habe ich die beiden neuen Dissertationen über Spener von H. Reiner und M. Kruse nur noch ins Literaturverzeichnis aufnehmen können. — Herr Volker Weymann hat die Korrekturen mitgelesen, bei denen mich auch meine Frau tatkräftig unterstützt hat. Ihr ist auch das Register zu verdanken.

Bochum, Mai 1970 Johannes Wallmann

INHALTSVERZEICHNIS

ABKÜRZUNGEN

AFSt	Archiv der Franckeschen Stiftungen, Halle/S.
AST	Archives St. Thomas, Stadtarchiv Straßburg.
Bed.	Spener, Theologische Bedencken und andere briefliche Antworten, 3. Aufl., I–IV, Halle 1712–1715.
BM	British Museum, General Catalogue of printed books, London.
BN	Catalogue Général des livres imprimés de la Bibliothèque Nationale, Paris.
Cons.	Spener, Consilia et Iudicia theologica latina, I–II, Halle 1709.
EGS.	Spener, Erste Geistliche Schriften, I–II, Frankfurt a. M. 1699.
Evang. Sonntagsand.	Spener, Erbauliche Evangelisch- v. Epistolische Sonntagsandachten, Frankfurt 1716.
Epist. Sonntagsand.	Spener, Erbauliche Epistolische Sonntagsandachten, Frankfurt 1716 (= zweiter Teil des vorigen Werks mit eigenem Titelblatt).
Grünberg Nr.	Werknummer in der Spenerbibiliographie von Paul Grünberg, Philipp Jakob Spener, III, 1906, 211 ff.
KGS	Spener, Kleine Geistliche Schriften, I–II, Magdeburg und Leipzig 1741–1742.
LB	Landesbibliothek.
L. Bed.	Spener, Letzte Theologische Bedencken, 2. Aufl., I–III, Halle 1721.
PD	Spener, Pia Desideria, hg. Kurt Aland, Kleine Texte für Vorlesungen und Übungen, begründet von Hans Lietzmann, 170. 1964³.
UB	Universitätsbibliothek.
Zedler	Johann Heinrich Zedler, Grosses vollständiges Universal-Lexicon aller Wissenschafften und Künste, Leipzig und Halle 1732–1750 (Nachdruck Graz 1961 ff.).

Die übrigen Abkürzungen nach dem Verzeichnis der Abkürzungen in der RGG³.

Erster Teil

FRÖMMIGKEITS- UND REFORMBESTREBUNGEN DER STRASSBURGER ORTHODOXIE ZUR ZEIT DES KIRCHENPRÄSIDENTEN JOHANN SCHMIDT

Es sind die dunkelsten Zeiten des Dreißigjährigen Krieges für den deutschen Protestantismus, in die das Geburtsdatum Philipp Jakob Speners (geb. 13./23. 1. 1635) fällt. Vier Monate zuvor haben die Schweden bei Nördlingen eine vernichtende Niederlage erlitten, die ihre mehrjährige, von Gustav Adolf begründete Schutzherrschaft über das süddeutsche Luthertum mit einem Schlage beendet. Der unglückliche 6. September 1634 bringt die evangelischen Territorien und Städte südlich des Mains nahezu vollständig unter den Einfluß Kaiser Ferdinands und seines Militärs. Während die kaiserlichen Truppen Städte und Dörfer besetzen, die Bevölkerung durch Plünderung und Gewalttat unermeßliche Verluste an Menschenleben und Gut hinnehmen muß, gelingt es kleineren Gruppen, hauptsächlich Mitgliedern des Fürsten- und Adelsstandes, dem Verderben durch die Flucht zu entgehen. Jenseits des Rheins, an den Richelieu jetzt die Fühler der französischen Macht heranzustrecken beginnt, sucht man Sicherheit und Schutz. Straßburgs weite und feste Mauern nehmen die Flüchtenden auf, unter ihnen den jungen Herzog Eberhard III. von Württemberg, der erst im Vorjahr zur Regierung gelangt ist und nun sein Land für Jahre verlassen muß. Auch die meisten elsässischen Territorialherren ziehen den Schutz der großen Stadt ihren unsicheren Burgen und Schlössern vor[1]. So lebt Eberhard von Rappoltstein, Landesherr der oberelsässischen Herrschaft Rappoltstein, in der Spener geboren wird, jahrelang mit seiner Familie fern von seiner Residenz Rappoltsweiler in der Sicherheit, die ihm sein am Straßburger Finkweilerstaden gelegener Rappoltsteinscher Hof bietet[2]. Selten hat es wohl eine so vornehme Flüchtlingsgemeinde gegeben wie in den Jahren nach 1634 in Straßburg. „Eine große Anzahl hoher fürstlicher, gräflicher Herrenstands, adelicher und sonst vornehmer Personen, wie wir wis-

[1] J. Adam, Evangelische Kirchengeschichte der elsässischen Territorien, 1928, 13.
[2] AaO 369.

sen", so erinnert der Präses des Straßburger Kirchenkonvents Johann Schmidt nach dem Krieg seine Straßburger Predigthörer, „sind bei dem erschrecklichen Wetter, das über Deutschland ergangen, bei dem Donner, Hagel und Wassergüssen, bei uns untergetreten, und haben sich eine Zeitlang unter unserm Dach aufgehalten, das ist, haben Herberge bei uns genommen, bis sich die Gefahr etlichermaßen verloren"[3].

Wer die Geschichte der evangelischen Frömmigkeit im 17. Jahrhundert erforscht, wer den Wurzelboden aufsucht, aus dem die Anschauungen und Gedanken des Begründers des Pietismus erwachsen sind, der wird an solchen äußeren Ereignissen nicht vorbeigehen dürfen. Frömmigkeitsgeschichte läßt sich nicht als bloße Ideengeschichte begreifen. Das Grauen der Kriegsverwüstungen, der Zusammenbruch aller an die Gestalt Gustav Adolfs und die Schweden geknüpften Hoffnungen, Elend und Hunger schließlich in der von Flüchtlingen übervölkerten Stadt, das alles muß man als das tiefgehende Generationserlebnis derjenigen Männer ansehen, die der junge Philipp Jakob Spener als seine Erzieher, Lehrer und — wie im Fall des württembergischen Herzogs Eberhard III.[4] — als seine Gönner verehrt hat. Welchen Einfluß es auf Denken und Wollen der süddeutschen lutherischen Landesherren, die später an den Wiederaufbau ihrer verwahrlosten Gebiete gehen mußten, ausgeübt hat, daß sie sich in großer Zahl unter der Straßburger Münsterkanzel zusammenfanden und aus dem Mund des geistes- und sprachgewaltigen Johann Schmidt lernten, ihr Schicksal als das Gericht Gottes über die Sünden Deutschlands zu begreifen, das zu ermessen ist dem Historiker nicht möglich. Aus den Quellen können wir aber noch ersehen, mit welchem Ernst und welcher Ergriffenheit man diesen Predigten zugehört hat. Joachim Stoll, damals Magister an der Universität Straßburg, später rappoltsteinscher Hofprediger in Rappoltsweiler, wo er Speners Lehrer, schließlich auch sein Schwager wird[5], hat uns aus eigener Erinnerung ein lebendiges Bild dieser vornehmen Münstergemeinde festgehalten. „Ich sehe gleichsam noch vor Augen", so schreibt er viele Jahre später, „mit was Eyfer / damals / die Fürstliche und Grävliche Personen / die Hauptkirche in Straßburg mit dero Gegenwart und Andacht bezieret en; und was ungemeiner Andacht / Sie den scharpfen Buß-predigten zuhöreten. Welches bey denen / so solche Zeiten nicht erfahren / heut zu tage ein seltsames thun ist."[6]

---

[3] Fünfzehn Predigten über 1. Sam. 12,3. Straßburg 1653, 241 (zit. nach W. Horning, Ein Kleeblatt Rappoltsteinischer Gräfinnen, 1886, 15 f.).

[4] Vgl. unten S. 149. [5] Zu Stoll vgl. unten S. 49 ff.

[6] ZWIEFACHE ‖ ABRAHAMISCH – JACOBISCH = ‖ ERB- ‖ BEGRAEBNUS = HOELE ‖ AUF DEM ACKER EPHRONS . . . In Zweien Christ-Kirchlichen Grab-Predigten, 2°. 52 + 114 S. Straßburg (J. W. Tidemann) 1674. (Colmar, Archives Départementales du Haut-Rhin, Sign. E 1038). Enthält die Leichpredigten Joachim Stolls für Anna Claudina Gräfin zu Rappoltstein, geb.

Als Joachim Stoll dies niederschrieb, waren fast vierzig Jahre seit jener Unglückszeit vergangen. Die Worte stehen in der Leichpredigt für Anna Claudina Gräfin zu Rappoltstein, die 1673 gehalten wurde, 1674 — ein Jahr vor Speners Pia Desideria — zum Druck gekommen ist. Stoll umgreift mit diesen Erinnerungsworten also fast genau den vierzigjährigen Zeitraum, den wir im Verfolgen des Entwicklungsganges Speners bis zu den Pia Desideria zu durchmessen haben. Er qualifiziert zugleich die Endpunkte dieses Zeitraumes in einer aufschlußreichen Weise. Indem er die Kriegsjahre als eine Zeit allgemeiner Erschütterung und Bußfertigkeit in den oberen Ständen einer Zeit gegenüberstellt, in welcher Eifer und Andacht ein seltenes Tun geworden sind, macht er auf einen Zeitunterschied aufmerksam, den der Historiker des Pietismus in den Blick bekommen muß. Die Bewegung des deutschen lutherischen Pietismus ist nicht in und aus derjenigen Generation entstanden, die das Grauen des Krieges bewußt erlebt hat und mit diesen Erfahrungen nach dem Krieg an Reformen und an den Wiederaufbau herangegangen ist. Die pietistische Bewegung hat sich in der Generation derer gebildet, „so solche Zeiten nicht erfahren". Als Spener 1675 seine Pia Desideria schreibt, kann er mit seinem Reformprogramm nicht mehr unmittelbar an die Not und Erschütterung der Kriegsjahre anknüpfen. Zwar droht auch zu dieser Zeit Krieg an den Grenzen des Reiches, und die Gegenreformation ist in gefährlichem Vorrücken. Aber das Leben der regierenden Stände ist gekennzeichnet durch das weltliche Treiben des Hoflebens und die Einrichtung alles Handelns nach der Staatsraison[7]. Selbst von den frommen, um das geistliche Verderben der Kirche besorgten Christen wird gesagt, daß sie in einem äußeren, ruhigen „Wohlstand" leben[8]. Die Situation hat sich vollständig gewandelt. Es wird gut sein, den von Joachim Stoll markierten Unterschied der Zeiten im Blick zu behalten, wenn wir im folgenden in einzelnen Schritten, die je für sich diese Sicht nicht eröffnen können, den Weg nachzuschreiten versuchen, den Spener bis zur Veröffentlichung der Pia Desideria zurückgelegt hat. Dabei wenden wir uns zunächst demjenigen Manne zu, der für die Frömmigkeits- und Reformbestrebungen der Zeit, in der Spener geboren wurde, für Straßburg und darüber hinaus für den Raum des lutherischen Elsaß maßgebend und repräsentativ war. Es ist der Mann, den Spener später seinen in Christo

---

in der hochgräfl. Hofkirche zu Rappoltsweiler den 15./25. Heumonats 1673 und für Graf Johann Jacob von Rappoltstein, geh. 4./14. Wintermonats 1673. Vgl. *Grünberg Nr. 145* und *145 a.* Das Zitat aaO I, 39.

[7] Siehe die Kritik am Leben des obrigkeitlichen Standes PD 14,10—15,19.

[8] Nach seiner Analyse des verderbten Zustandes der Kirche kommt Spener auf das Ärgernis zu sprechen, das dadurch Juden, Papisten und „einigen guten Gemütern" gegeben wird (PD 36,38 ff.). Von letzteren heißt es: „Da kan etwa der in dem äußerlichen ruhige wolstand / wo sie GOtt damit gesegnet / sie nicht so sehr freuen / als solch allgemeiner jammer ihnen betrüblich zu hertzen gehet" (PD 39,21—24).

geliebten Vater genannt hat[9] und von dem er erzählt, daß er wie ein eigenes Kind von ihm geliebt worden sei[10]: der langjährige Präses des Straßburger Kirchenkonvents Johann Schmidt.

*

Johann Schmidt (1594–1658) ist unter den bedeutenden Straßburger Theologen der nachbucerischen Ära der einzige, der nicht aus dem alemannisch-schwäbischen Raum stammt[11]. Er ist 1594 in Bautzen geboren, die „sächsische Taube, die aus Sachsen nach Straßburg geflogen", nennt ihn Elias Veiel[12]. Aus Halle 1611 wegen der Pest nach Speyer geflohen, kommt der Achtzehnjährige 1612 erstmals in die Stadt, die ihn bis auf wenige Jahre auswärtiger Studienzeit und Reisen bis zu seinem Ende nicht mehr loslassen sollte. Von 1612–1615 studiert Johann Schmidt an der Straßburger Akademie die philosophischen Disziplinen, 1615 erwirbt er den Magistergrad. Das Studium der Theologie schließt sich an, 1617 durch eine Reise unterbrochen. Als Informator eines Sohnes des Colmarer Stettmeisters Buob bereist Schmidt sieben Monate lang Frankreich und England. Einzelheiten über diese Reise sind uns nicht bekannt. Da Schmidt sich später als einer der ersten lutherischen Theologen für die puritanische Erbauungsliteratur einsetzt[13], dürfte der Englandbesuch nicht ohne stärkere Eindrücke verlaufen sein. Wieder nach Straßburg zurückgekehrt, wird ihm neben seinem Studium die Aufsicht über die Alumnen im theologischen Studienstift (Collegium Praedicatorum) übertragen, unter denen sich der neun Jahre jüngere Johann Conrad Dannhauer befindet, dazu das Vicariat in den oberen Klassen des Gymnasiums, wo Johann Michael Moscherosch zu seinen Schülern zählt[14]. Im Jahre 1620 werden der Aufsicht des begabten,

---

[9] PD 69,9 ff.: „der Christliche und umb die Straßburgische Kirche so wol verdiente Sel. D. Johann Schmidt / mein in Christo geliebter Vatter".

[10] Cons. 1, 203 (1690): Memini celeberrimum quondam Theologum D. Johannem Schmidium, Argentoratensem, a quo quod instar filii amatus fuerim, in honore pono ...

[11] Die biographischen Angaben über Johann Schmidt entnehme ich aus: Programma funebre für Johann Schmidt vom 29. 8. 1658 von Rektor *Johannes Rudolf Saltzmann*, AST 446, Nr. 26; *Sebastian Schmidt*, Memoria annua obitus ... Johannis Schmidt ... in solenni Panegyri celebrata ... 27. Augusti Anni MDCLIX, Straßburg (Eberhard Zetzner) 1659 (UB Strasb.); *Georg Christoph Algeier*, Christlicher Leich-Sermon ... Herrn Johannis SCHMIDII, Straßburg 1658 (UB Tüb.); ausführliche Bibliographie bei Zedler. Vgl. auch Theophil Spizel, Templum honoris reseratum, 1673, 251–258; THOLUCK, Lebenszeugen, 217 bis 225; am ausführlichsten W. HORNING, Dr. Johann Schmidt (s. Lit.-Verz.). — Der Name ist übrigens SCHMIDT zu schreiben, wie aus den alten Drucken hervorgeht (latinisiert Schmidius), nicht SCHMID, wie fälschlich in RGG[2] und RGG[3] (dagegen richtig RE[3] und RGG[1]).

[12] THOLUCK, Lebenszeugen, 218.

[13] S. unten S. 21 ff.

[14] Johann Michael Moscherosch (1601–1669), Schriftsteller und Satiriker, Verfasser des „Philander von Sittewald", seit 1645 Mitglied der ‚Fruchtbringenden

aber mittellosen Studenten einige jüngere Kommilitonen anvertraut, als deren Reisebegleiter er Straßburg zum Besuch der berühmtesten lutherischen Universitäten verlassen kann. In Tübingen hört er besonders bei Theodor Thumm, dem Hauptgegner der Gießener Theologen im christologischen Streit, in Jena finden wir ihn das Jahr darauf unter dem Katheder von Johann Gerhard, dem unbestrittenen Haupt der lutherischen Theologie und Begründer jenes für die Orthodoxie doch wohl nicht untypischen Bundes von Arndtscher Mystik und aristotelischer Metaphysik. Von Jena zieht Johann Schmidt 1622 weiter nach Wittenberg zu Balthasar Meisner, wo er aber bald aus Straßburg die Berufung auf eine theologische Professur erhält. Die Straßburger Hohe Schule ist im Jahr zuvor von Kaiser Ferdinand II. mit den Privilegien einer Universität ausgestattet worden, 1623 tritt Johann Schmidt sein Amt an dieser neuen lutherischen Universität an, kurz darauf erwirbt er den theologischen Doktorgrad. Zu dem akademischen Lehramt gesellt sich seit 1629 das Amt des straßburgischen Kirchenpräsidenten, die oberste geistliche Stelle in der Freien Reichsstadt mit der Aufsicht über Kirche und Schule im gesamten städtischen und ländlichen Gebiet Straßburgs. Dieses Amt hat Johann Schmidt mit 35 Jahren — also nur vier Jahre älter als Spener beim Antritt des Frankfurter Seniorats — übernommen, und er hat es die beiden schwersten Kriegsjahrzehnte und darüber hinaus noch das Jahrzehnt nach dem Krieg ohne Schonung seiner Kräfte und zeitweise bis zum gesundheitlichen Zusammenbruch verwaltet. Anfang der vierziger Jahre ist er nach einem Nervenzusammenbruch für volle zwei Jahre untauglich zu jeder Amtsverrichtung gewesen[15]. Dann hat er, zum Erstaunen aller, die an seiner Genesung gezweifelt hatten, das Steuer der Straßburger Kirche mit neuer Kraft in die Hand genommen. Die akademische Lehrtätigkeit mußte bei solcher Beanspruchung durch das kirchliche Amt notwendig leiden; häufig hat sich Schmidt, der in den letzten zehn Jahren nur noch homiletische Vorlesungen gehalten zu haben scheint, von

---

Gesellschaft'. Seine „Insomnis Cura Parentum", Straßburg 1643 (Neudrucke deutscher Litteraturwerke des XVI. und XVII. Jahrhunderts Nr. 108 u. 109. Hg. L. Pariser, Halle 1893), widmet Moscherosch seinem „großen Patrono" Johann Schmidt. Vgl. unten S. 22, Anm. 94.

[15] Spener kommt mehrfach auf diese Krankheit von Johann Schmidt zu sprechen. So schreibt er 1691 in einem Bedenken über krankhafte Anfechtungen: „Wie mir das exempel bekant ist . . . von dem sel. Herr D. Johann Schmiden in Straßburg / der nachdem er mehrere jahr der Praesident des kirchen convents gewesen / nachmal in solchen stand gerieth / daß er zu predigen / reden / und allen seinen amts=geschäfften eine geraume zeit gantz untüchtig wurde / daß man auch kaum gedacht / daß er wieder zu recht kommen würde. Aber es hatte auch nur seine gewisse von GOtt bestimmte zeit / und fand sich der theure mann endlich völlig wieder / daß er nach der zeit noch mit mehr krafft des geistes sein amt und predigten verichtete." Bed. 3,889. Ähnlich Bed. 2,712 (1681) und 2,737 (1682).

akademischen Pflichten beurlauben lassen müssen. Seine ganze Kraft galt der Besserung von Frömmigkeit und Sittlichkeit im Raume der elsässischen Kirche, der Überwindung der geistigen und moralischen Verwahrlosung der Kriegszeiten durch Predigten wie durch öffentliche Verordnungen, die er über den Magistrat – etwa in der Frage der Sonntagsheiligung – durchzusetzen suchte. Sein Werk, so rühmt Dannhauer nach seinem Tod, sei es gewesen, „Straßburg wieder aus dem Schmutz, der Asche und dem Tod durch Sinais Blitze oder durch Zions Evangelium zum Leben, an's Licht des Tages, zur Furcht Gottes, zur Zucht und Ordnung zurückzuführen“[16]. Am 27. August 1658 ist er, vierundsechzigjährig, mit einem „cupio dissolvi“ auf den Lippen gestorben.

Johann Schmidt gehört zu denjenigen Gestalten, deren Bedeutung ganz im Wirken für ihre Zeit aufgeht und die sich der Nachwelt nicht durch große literarische Werke in Erinnerung gehalten haben. Er hat weder eine Dogmatik oder Ethik geschrieben noch sonst ein für die Theologiegeschichte bedeutsames Werk hinterlassen. Seine Zeitgenossen haben ihn gleichwohl zu den hervorragendsten Theologen der Zeit gerechnet. In Theophil Spizels „Templum honoris“ von 1673, einer Galerie illustrer Theologen und Philologen des 17. Jahrhunderts, wird von Johann Schmidt gesagt, er habe die wissenschaftlichen Bibliotheken nicht deshalb mit einer größeren Menge von Schriften zu vermehren gesäumt, weil es ihm an Ingenium, Fleiß und Auftrag – den Bedingungen rechten Büchermachens – gefehlt habe, sondern allein, weil die vielfältigsten Anforderungen seines kirchlichen Amtes ihn von den wissenschaftlichen Aufgaben ferngehalten hätten[17]. Seine Bibliographie zählt gleichwohl 55 Disputationen, die zu verfassen er nach den Universitätsstatuten verpflichtet war, daneben fünf wissenschaftliche lateinische Werke und schließlich 38 deutsche Schriften, meist Predigtbände, von denen er sagt, sie seien nur dadurch zustande gekommen, daß ihm der Magistrat den Buchdrucker geradezu ins Haus schickte, er selbst hätte seine Predigten lieber im Pult vergraben.

Über die Bedeutung von Person und Wirken Johann Schmidts gewinnt man aber erst dann ein Bild, wenn man auf die vielfältigen Zeugnisse hört, in denen Männer dieser Zeit von ihm reden. Für den Straßburger Raum mag neben Speners Verehrung die Dankbarkeit Moscheroschs stehen, der „nächst Gott“ das meiste zu seiner Glückseligkeit seinem Lehrer Johann Schmidt zu verdanken gesteht[18]. Der Rostocker Joachim Lütkemann, Verfasser des „Vorschmack göttlicher Güte“, der ersten Lektüre des Frankfurter Collegium pietatis, hat gesagt, Johann Schmidt sei es gewesen, von dem er „den Samen der Frömmigkeit“ empfangen habe, und wenn sich die

---

[16] Dannhauer in der Einladung zur Parentation 1659, zit. nach Horning, Beiträge II,107. [17] Spizel, Templum honoris (s. oben Anm. 11), 410.

[18] Insomnis Cura Parentum (s. oben Anm. 14), Widmung an Johann Schmidt, 6.

Frömmigkeit durch seinen Dienst in Rostock auf andere fortpflanze, so gebühre der Ruhm nächst Gott Johann Schmidt[19]. Der Nürnberger Johann Saubert schreibt, er verehre, schätze und liebe Johann Schmidt vor allen anderen Theologen[20]. Der Württemberger Johann Valentin Andreä, der, als er 1637 seinen Herzog im Straßburger Exil aufsucht, mit Johann Schmidt in engen persönlichen Kontakt kommt, sieht in Johann Schmidt neben Saubert seinen vorzüglichsten Bundesgenossen im Kampf um eine Reformation von Frömmigkeit und Sittlichkeit[21]. Bis zum Tode Andreäs stehen beide in freundschaftlichem Briefwechsel.

Diese Zeugnisse sind anderer Art als die Lobsprüche, mit denen sich die Gelehrten des 16. und 17. Jahrhunderts gegenseitig hochzuloben pflegen. Tatsächlich muß sich in der Gestalt Johann Schmidts in einzigartiger Weise das Ideal lutherisch-orthodoxer Gelehrsamkeit mit dem Ideal ungeheuchelter Herzensfrömmigkeit verbunden haben. Aber nun so, daß, im Unterschied zu Johann Gerhard, den man einen frommen Gelehrten nennen wird, dessen Wirkungen überwiegend in das Feld der theologischen Gelehrsamkeit einfließen, Johann Schmidt ein gelehrter Frommer genannt werden muß, der seiner Wirkung nach in die Frömmigkeitsgeschichte des Luthertums gehört. Man hat ihn wohl fast als einen Heiligen angesehen, zu dem man pilgert, um an seinem Licht die Flamme der eigenen Frömmigkeit sich entzünden zu lassen. Der Leipziger Johann Hülsemann, neben Calov als streitbarster Theologe gegen den Helmstedter Synkretismus bekannt, bittet Schmidt, er möge den Sohn des Wittenberger Mediziners Sennert in seine Hausgemeinschaft aufnehmen, „damit er schon an deinem Antlitz und an deinem Umgang zur christlichen Sanftmut und Demut erzogen werde“[22]. Und noch nach dem Krieg kommt Friedrich Breckling, der nach dem Besuch von sieben lutherischen Universitäten eigentlich nichts mehr in der Theologie zu lernen hatte, zudem innerlich schon dem Spiritualismus zuneigte, im Jahre 1655 von Hamburg nach Straßburg gereist, nur um „den alten D. Smid“ zu hören[23].

Johann Schmidt ist, wenn man auf seine *Theologie* blickt, ein echter Vertreter lutherischer Orthodoxie. Er führt das von Johannes Marbach (1521 bis 1581) und Johannes Pappus (1549—1610) in Straßburg durchgesetzte strenge Luthertum fort, kommt darüber auch in anhaltende Streitigkeiten mit dem dem Calvinismus versöhnlich begegnenden Kreis um Matthias Bernegger[24]. Die vielen Lutherzitate, die er in seine Predigten einstreut,

---

[19] Lütkemann, Joachim Lütkemann, Ein Gedenkblatt zu seinem 300jährigen Geburtstage, NKZ 19, 1908, (1003—1015) 1004.

[20] Tholuck, Lebenszeugen, 218. [21] AaO 322. [22] AaO 218.

[23] Breckling an Spizel (undatiert, circa 1681): „Wie des S. Joh. Val. Andreae Pansophica Scripta mir viele anleitung zum tieffern nachdencken gaben, da ich zu Straßburg Anno 1655 studirte und den alten D. Smid zu hören dahin von Hamburg reissete . . .“ (Augsburg, Staats- und Stadtbibliothek, Cod. Aug. 407, bl. 143).

[24] Johann Schmidt an Joh. Val. Andreä (nach Horning, Beiträge III, 391, dort

weisen ihn als einen vorzüglichen Kenner der Werke des Reformators aus; nach einer Nachricht seines Schülers Anton Reiser hat er zu den lateinischen Bänden der Jenaer Lutherausgabe ein alphabetisches Sachregister verfaßt, in dem er nicht weniges anzeigte, was anderen unbemerkt geblieben war[25]. In der Lutherkenntnis übertrifft Johann Schmidt seinen jüngeren Amtsbruder Dannhauer jedenfalls bei weitem, der erst in den letzten Lebensjahren zu einer intensiveren Beschäftigung mit Luther geführt wird[26]. Im übrigen teilt Schmidt die Normallehren der Orthodoxie, wie sie um 1620 auf den hauptsächlichen lutherischen Hochschulen Jena, Wittenberg und Gießen einigermaßen einhellig gelehrt werden, einschließlich der den Theologen jetzt wichtig werdenden Lehre von der unio mystica[27].

Die *Frömmigkeitsanschauungen* Schmidts lernt man aus seinen Predigten kennen, die er unter großem Zulauf im Straßburger Münster gehalten hat und die ihm im lutherischen Deutschland den Beinamen des „Chrysostomus Argentoratensis“ eingetragen haben[28]. Vertieft man sich in diese Predigten, so fällt auf, in welch weitem Maße sie von denjenigen Anschauungen und Begriffen gesättigt sind, die man in der Regel als „pietistisch“ ansieht und jedenfalls bei einem Prediger der strengen Richtung lutherischer Orthodoxie nicht vermutet. Das gilt bereits für denjenigen Hauptbegriff, von dem der Pietismus seinen Namen hat, für den Begriff der „pietas“ und sein deutsches Äquivalent, die „Gottseligkeit“. Schmidt hat 1640 einen Predigtband herausgegeben, in dem er in einer Reihe von 12 Predigten nichts anderes als Anleitung zur Übung wahrer Gottseligkeit geben will und dem er den Titel gibt „Zelus pietatis oder eifrige Übung wahrer Gottseligkeit“[29]. Der Band ist, wie auf dem Titelblatt zu lesen, zum Unterricht und Trost gedacht für die „Gottseelig-einfältigen Hertzen“, aber auch zur Warnung denen, „welche den blossen Schein eines Gottseeligen Wesens führen“. Schmidt treibt hier die nach seinen Worten fast unbekannt gewor-

---

o. D.): „Bernegger ist bis an's Ende seines Lebens mir eine Geißel gewesen. Gleich vom ersten Jahre meines Amtes an, wurde er, weil er den Calvinisten gewogen, mein Feind, und brauchte seine Zunge und seine Feder, wo er konnte gegen mich.“ Zu Bernegger vgl. unten S. 64.

[25] Spizel, Templum honoris, 411. [26] Vgl. unten S. 114 f.

[27] Siehe die von Johann Schmidt stammende: „Dissertatio de unione mystica Christi et fidelium, quam . . . Praeside Dn. Johanne Schmidt . . . solenniter proponit . . . Daniel Pfeiffius, Straßburg (Fr. Spoor) 1648. 4°. 9 Bl. + 88 S. (UB Strasb.).

[28] Spizel, Templum honoris, 253.

[29] ZELUS PIETATIS || Oder || Eiverige ubung wahrer || Gottseeligkeit / worinn dieselbe be= || stehe / welcher gestalt sie anzustellen || vnd fortzusetzen. || Nach anleitung deß 4. vnd 5. Versiculs im 119. Psalm . . . in zwelff Predigten erkläret / || Vnd jetzo || Gottseelig=einfältigen Hertzen zum Vnterricht || vnd Trost: || Den Heuchlern aber / welche den blossen Schein eines || Gottseeligen Wesens führen / zu trewher= || tziger Warnung || Auff begehren in Truck gegeben, Straßburg (Eberhard Zetzner) 1640. 4°. 238 S. + Reg. (UB Strasb.).

dene Lehre, daß die Christen nicht nur zur Sorge für ihre eigene Seele, sondern auch zur Erbauung ihres Nächsten verpflichtet sind[30]. Es ist eines der bei Schmidt immer wiederkehrenden Kernstücke, daß die Christen sich untereinander „unterreden" und sich dadurch wechselseitig in ihrem Christentum „bauen" müssen[31]. Die „Unterredung", die „ Besprechung", das „auferbauliche Gespräch", das sind Mittel, wie das daniederliegende Christentum zu pflanzen und zu bessern ist[32]. Damit, daß der Hausvater den Katechismus abfrage, sei es nicht getan. Auch kann sich Schmidt in seinen Predigten gegen die unnützen Fragen der Schultheologie wenden, die, mag immer der Anlaß dazu in der Heiligen Schrift gegeben sein, doch keinen „Nutzen" für den Glauben „oder erbawung in der Gottseligkeit" haben[33]. Eindringlich mahnt er, das göttliche Wort in „gottseliger Einfalt" zu be-

---

[30] Die achte Predigt des Zelus Pietatis behandelt „Welcher gestalt ein jeder seinen Nechsten zur fleissigen haltung Göttlicher Befehle anmahnen vnd treiben solle" (140). Dabei wird ausgeführt, „wie uns Gott nicht nur vnsere eigene Seelen / sondern auch / in gewisser maß / die Seelen anderer Personen / bey vnd mit denen wir leben vnd vmbgehen / vertrawet vnd anbefohlen / daß wir sie zur Seeligkeit gewinnen vnd erhalten . . . Bekennen müssen wir / daß . . . solche Lehre bey vielen gantz frembd vnd vnbekant / als die mit jhren Gedancken auch so weit nie gestiegen / daß sie geglaubet / sie seyen auß Göttlichem Befehl darzu verpflichtet / daß sie / nächst jhrer eigenen Seelen / auch an daß Nechsten Seelen bawen solten . . ." (154).

[31] Schmidt gebraucht neben „erbauen" noch häufig das einfache „bauen". Vgl. vorige Anm. und Zelus Pietatis 154, wo von den Gottlosen geredet wird, „die nicht allein andere nicht bawen / sondern . . . das / was sie an dem Nechsten gebawet finden / so viel an jhnen / destruiren vnd abbrechen". Die Beziehung des „bauens" auf die Seele, also den inneren Menschen, geht aus den in der vorigen Anm. zitierten Texten hervor. Außerdem aaO 155: „ein jeder soll an dem andern mit Gebett / Vermahnung / Warnung vnd guten Exempeln bawen / daß er ihn sampt sich seelig mache . . ."; 156: „ . . . vnd bawe je einer an dem andern . . . damit wir alle beysammen leben in Gottseeligkeit vnd Erbarkeit." 159: „So aber alle in gemein gegeneinander der gestalt verbunden / daß je einer dem andern / zu Christlicher aufferbawung dienen sol . . ."

[32] Nach dem im Straßburger Thomasarchiv liegenden handschriftlichen Gutachten der Straßburger Fakultät von 1636 (näheres unten S. 24 ff.), das aus der Feder Johann Schmidts stammen dürfte, sind Mittel zur Wiederaufrichtung des gefallenen Christentums „das vertrauliche aufferbauliche gespräch" (AST 165 bl. 440 r), „die öffentliche unterredung" (aaO bl. 440 r und 441 v), „Privat gespräche" (aaO bl. 448 v).

[33] AGON CHRISTIANUS, || Oder || Christliches Ringen || nach der engen Pforten || der Seeligkeit . . . Aller weltlichen Sicherheit / welche zu diesen letzten || Zeiten vberhand genommen / zustewren . . . In zwelff vnterschiedenen Predigten einfältig erkläret . . . Von Johanne Schmidt / der H. Schrifft Doct. Prof. vnd deß Kirchen-Convents Praeside in Straßburg, Straßburg (Eberhard Zetzner) 1640. 4°. 234 S. + Reg. (UB Strasb.). S. 22: „vnnütze Fragen sind . . . die / zu welchen zwar etlicher massen auß Gottes Wort anlaß vnd gelegenheit gegeben wird / die aber keinen nutzen zur bestettigung deß Glaubens / oder erbawung in der Gottseligkeit vnd Christlichen Tugenden / haben".

wahren[34]. Für ihn besteht die Übung wahrer Gottseligkeit darin, daß der „innerliche Mensch“ zu Gott gerichtet ist und täglich in ihm zu wachsen begehrt. Wo dieses fehlt, da hilft es auch nichts, wenn man dreimal täglich eine Predigt hört[35]. Auch über die Wiedergeburt predigt Schmidt nicht nur am Trinitatisfest, wo durch das Sonntagsevangelium Joh. 3 dieser Locus traditionell an der Reihe ist, sondern er nimmt Röm. 6,4 (Epistel 6. Sonntag n. Trin.) zum Anlaß, um die „neue Geburt“, die „geistliche Wiedergeburt“ zu betrachten, wobei er sich ausdrücklich das Recht nimmt, einmal abweichend von der dogmatischen Terminologie, die zwischen Wiedergeburt und Erneuerung unterscheidet, das Ganze des Heilsvorganges als „Wiedergeburt“ zu begreifen[36]. Wir haben, wenn wir auf die Frömmigkeitssprache der Predigten Schmidts achten, mit den Stichworten „eifrige Übung der Gottseligkeit“, „Erbauung des Nächsten“, „Einfalt“, „auferbauliche Gespräche“, Wachstum des „innerlichen Menschen“ und „Wiedergeburt“ eigentlich schon diejenige Nomenklatur ziemlich vollständig beisammen, die man als Eigenheit der Spenerschen Pia Desideria und typisch für das in ihnen propagierte Frömmigkeitsstreben des Pietismus anzusehen gewohnt ist.

Nun besagt das Vorkommen solcher Begriffe und Gedanken, die später vom Pietismus bevorzugt werden, für sich genommen noch nicht viel. Wir befinden uns damit ja nur in dem Sprachraum, der durch die Bibelübersetzung Martin Luthers eröffnet worden ist. Die Worte „Gottseligkeit“ und „gottselig“ sind sogar eigene Wortbildungen Luthers, die erst durch seine Bibelübersetzung verbreitet werden und übrigens noch lange Zeit in ihrer Verwendung auf den protestantischen Sprachbereich Deutschlands beschränkt bleiben[37]. Trotzdem zeigt die Häufigkeit und die Art der Verwen-

[34] Zelus Pietatis, 71.

[35] „Es hilfft einem Menschen nicht / wenn er täglich dreymal die Predig hörete / brauchte alle Monat / oder auch ehe das Sacrament / wo nicht der innerliche Mensch zu Gott gerichtet ist / und in ihm täglich begehrt zu wachsen.“ Dies Wort Johann Schmidts aus einer Predigt über Ps. 130 zitiert Elias Veiel in seinem 1678 anonym herausgegebenen „Hundert-Jährig Bedencken deß Redlichen Alten Theologi D. Jacobi Andreae . . . Neben einem Unvorgreiflichen Beytrag an die Bekandte Pia Desideria“, Ulm 1678, 187.

[36] Johann Schmidt, Christliche Festpredigten, Ander Theil, Straßburg 1644. Predigt über Röm. 6,4: „Was da sey der newe / widergeborne Mensch / oder das newe Leben“ (712—731). „ . . . so wird zwar sonsten . . . die geistliche Widergeburt von dem newen Leben vnd wandel / als wie der Baum von seinen Früchten vnterschieden / also / daß die newe oder Widergeburt vorher gehet / das newe Leben oder der newe Wandel drauff folget . . . Kürtzlich ist die newe Geburt ein . . . Werck Gottes . . . Das newe Leben aber oder der newe Wandel ist / eigentlich zureden / eine übung eines widergebornen / gerechtfertigten / glaubigen Menschens . . . Allhie aber an diesem Ort neemen wirs beeden zusammen / nemlich die Buß mit jhren Früchten / die Wiedergeburt samt der Ernewerung / den newen Menschen samt dem newen Wandel . . .“ (715 f.).

[37] Grimm, Deutsches Wörterbuch, Artikel „Gottseligkeit“ und „gottselig“. Lei-

dung bei Johann Schmidt, daß sich innerhalb des gleichen Sprachbereichs eine bedeutsame Veränderung gegenüber der Reformationszeit vollzogen hat. Der Begriff der „Gottseligkeit" bekommt bei ihm eine Auszeichnung, die er im näheren Umkreis der Theologie Luthers jedenfalls nicht besessen hat. Ohne daß an der Wichtigkeit der reinen Lehre der geringste Abstrich vorgenommen wird, rückt das Dringen auf „Gottseligkeit" doch in eine vorrangige Stellung. In der Leichpredigt auf Christian Pfalzgraf bei Rhein vom 6. März 1655 – der junge Spener ist zu dieser Zeit Informator der beiden Söhne desselben[38] – sagt Johann Schmidt von dem Verstorbenen, seine „erste und fürnembste Sorge / wie billich / ist gewesen für die wahre Gottseligkeit / vnd gründliche Erkandnüß der reinen seeligmachenden Lehr"[39]. Diesem Voranstellen der Gottseligkeit vor die Erkenntnis der reinen Lehre entspricht die folgende Charakterisierung des Pfalzgrafen, die in ihrer Gegenüberstellung von bloßer Wissenschaft und Praxis bereits sichtlich die Bestrebungen Speners vorwegnimmt: „Habens aber bey der blossen theorie vnd Wissenschaft nicht bleiben lassen / sondern alles / wie es dann seyn soll / in die praxin vnd übung gebracht / das Wort Gottes fleissig gehöret / die hochwirdigen Sacramenta danckbarlich betrachtet vnd gebraucht / im Gebet andächtig gewesen / dem Fürstlichen Hauß erbaulich vorgestanden."[40] Vom Bild eines Adligen der frühen pietistischen Zeit unterscheidet sich das von Johann Schmidt gezeichnete Porträt des um „gottseelige Aufferziehung" seiner Kinder besorgten Pfalzgrafen eigentlich kaum, höchstens insofern, als er, was man bei einem Pietisten kaum mehr finden wird, ständig ein Druckexemplar der Confessio Augustana bei sich trug[41].

Man kann, wenn man die Frömmigkeitsbestrebungen Johann Schmidts an der reformatorischen Theologie mißt, von einer Schwerpunktverlagerung sprechen, die das Gewicht von der Rechtfertigung auf die Wiedergeburt, vom Wort Gottes auf dessen Aneignung, vom Glauben auf die Frömmigkeit, von der Lehre aufs Leben verschiebt. Es ist für die Beurteilung der Entstehung des Pietismus von entscheidender Wichtigkeit, daß man sieht, wie eine zum Pietismus hinführende Frömmigkeitsentwicklung mitten durch die Orthodoxie hindurch führt. Es bedarf noch eingehender Untersuchung, um ihre geistigen Wurzeln bloßzulegen. Mit dem Verweis auf Martin Bucer und seine Betonung des „studium pietatis" ist es nicht getan[42]. Für Johann Schmidt scheinen zum Beispiel die Einflüsse des Nie-

---

der fehlen beide Worte in dem sonst verdienstvollen Werk A. LANGEN, Der Wortschatz des deutschen Pietismus, 1954 (1965²).

[38] Vgl. unten S. 81.

[39] Christliche Lehr- und Trost-Predigt. Vber den seeligen Abschied Des Durchleuchtigen / Hochgebornen Fürsten vnd Herrn / Herrn Christian / Pfaltzgraven bey Rhein . . . den 6. Martii 1655 . . . in dem Fürstlichen Schloß zu Bischweiler . . . Gehalten . . ., Straßburg (Eberhard Zetzner) 1655. 4°. 48 S. (UB Strasb.) 41.

[40] AaO 45.

[41] AaO 44.

[42] Der von A. LANG (Der Evangelienkommentar Martin Bucers und die Grund-

derdeutschen Erasmus Sarcerius wesentlich stärker gewesen zu sein als solche Bucers[43]. Auch ist das Drängen auf „Gottseligkeit" gar nicht eine Eigentümlichkeit des Straßburger Luthertums, dem sich der Sachse Johann Schmidt anbequemt haben würde. An dem Beispiel Johann Gerhards in Jena ließe sich gleichfalls jene auf Gottseligkeit und auf den inneren Menschen zielende Frömmigkeitsrichtung als eine Eigentümlichkeit gerade der lutherischen Orthodoxie nachweisen. Dieser bedeutendste Kopf der lutherischen Orthodoxie in der ersten Hälfte des 17. Jahrhunderts hat nicht nur ein „Exercitium pietatis" und eine „Schola Pietatis" geschrieben[44], er hat auch ausdrücklich jene vom Pietismus erstrebte Predigtweise befördert, die sich befleißigt des „Modus docendi mysticus, da man nemblich insonderheit auff die Erbauung des jnnerlichen Menschen sihet"[45]. Bucers Wirkung ist

züge seiner Theologie, 1900, 8. 137) als „Pietist unter den Reformatoren" gewürdigte Martin Bucer kann bei dem geringen Ausmaß der Kenntnis seiner Schriften in der lutherischen Orthodoxie kaum wesentlichen Einfluß auf das Vordringen des „Gottseligkeitsideals" im Luthertum gehabt haben.

[43] Erasmus Sarcerius (1501—1559) ist einer der am häufigsten zitierten Autoren in dem unten S. 24 ff. behandelten Straßburger Reformgutachten. Auch Spener zitiert ihn in seinen Pia Desideria (PD 46,8). Vgl. über ihn RGG³ V, 1370.

[44] Johann Gerhard, Excercitium pietatis, Coburg 1612; Schola Pietatis, das ist: Christliche und Heilsame Unterrichtung, was für Ursachen einem jeden wahren Christen zur Gottseligkeit bewegen sollen, Nürnberg 1663. Außerdem noch: Meditationes sacrae ad veram pietatem excitandam et interiorem hominis profectum promovendum, Coburg 1606.

[45] Vorrede Johann Gerhards vom 17. 9. 1615 zu: Johann Arndt, POSTILLA Oder Auslegung der Sontages und aller Festen Evangelien, Lüneburg 1645, bl. b 4 r: „Christliebender guthertziger Leser / Du hast dich freundlich und günstig zu erinnern / daß in der Vorrede meiner Postill unter den mancherleyen Arten in der Gemeine Gottes zu lehren /einer sonderbaren Art und Weise ist gedacht worden / welche genennet Modus docendi mysticus, da man nemblich insonderheit auff die Erbauung des jnnerlichen Menschen sihet . . . und in den Lehrpuncten vornemblich darauff bedacht ist / daß man die wahre Erkäntnis der jnnerlichen Verderbung unserer Natur / den wahren lebendigen Glauben an Christum / die brünstige Liebe GOttes und des Nehesten / Verschmähung des Irdischen / Verlangen nach dem Himlischen / demütige Furcht Gottes / jnnigliche Gelassenheit / gründliche Demut / und dergleichen Christliche Tugenden ins Hertz pflantze / Darbey auch dieses erinnert worden / daß solche Art zu lehren heutiges Tages / da bey dem meisten Theil der Menschen der Glaube erloschen / und die Liebe erkaltet / hochnötig were / worauff . . . ich . . . zum öfftern . . . Herrn Johann Arndt . . . Schrifftlich erinnert / daß er der lieben Kirchen zum Besten diese Mühewaltung auff sich nehmen / und eine solche Postill verfertigen wolle." — Überhaupt zeigt Johann Gerhards Vorrede zur Arndtschen Postille überaus deutlich, daß der Pietismus bereits in der Orthodoxie der ersten Hälfte des 17. Jahrhunderts angelegt ist, und zwar mehr als nur in schwachen Ansätzen: „Die Vereinigung der Gläubigen mit Christo / welche in diesen Predigten oft gerühret wird / ist eine sehr hohe vortreffliche Lehre / dahin fast die gantze Schrifft gehet / denn zu welchem Ende wird sonsten Gottes Wort gepredigt / die H. Sacramenta gebrauchet / als daß wir dadurch mit Gott und Christo in Krafft des heiligen Geistes vereiniget werden / daß wir in Christo / und Christus in uns lebe / herrsche

das nicht. Für die Frömmigkeitsbestrebungen Johann Schmidts wie diejenigen Johann Gerhards läßt sich jedoch der Einfluß eines Mannes nachweisen, an dessen Namen man mit gewissem Recht jene frömmigkeitsgeschichtliche Wende knüpfen kann, die das 17. Jahrhundert vom vorgehenden Jahrhundert der Reformation trennt. Es ist dies ein Mann, der im Unterschied zu Johann Gerhard und Johann Schmidt ein akademisches Amt nie bekleidet hat, dessen Einfluß auf Frömmigkeit und Gedankenbildung des protestantischen Deutschlands aber größer gewesen sein dürfte als der Einfluß irgendeines Theologen seit Martin Luther: der Verfasser der „Vier Bücher vom wahren Christentum", der langjährige lüneburgische Generalsuperintendent *Johann Arndt* (1555—1621).

Wilhelm Koepp, der Biograph und vorzügliche Kenner Johann Arndts, hat behauptet, nicht Spener, sondern Johann Arndt sei der große „Zeitwender" in der Geschichte der nachreformatorischen evangelischen Frömmigkeit gewesen[46]. Man kann gegen Koepp einwenden, daß er die Originalität Arndts oft überschätzt und manches durch ihn in die evangelische Kirche eingeführt sieht, was nicht nur Vorstufen, sondern sachliche Entsprechungen im reformatorischen und unmittelbar nachreformatorischen Luthertum besitzt[47]. Man muß auch darauf hinweisen, daß Arndt nicht isoliert werden darf und man neben ihm wichtige Gestalten ähnlicher Bestrebungen wie Philipp Nicolai oder Valerius Herberger sehen muß[48]. Trotzdem gibt die ganz einzigartig schnelle und breite Rezeption des Werkes von Arndt, die sich in einer Vielzahl von Auflagen seines „Wahren Christentums" und seines „Paradiesgärtleins" in allen Teilen Deutschlands

---

/ regiere / wohne / wircke . . . darinn auch die höchste Würde und Herrligkeit der Kinder Gottes in diesem Leben / und der höchste Trost stehet / daß sie GOtt und das gantze Reich GOttes in ihnen selbst haben . . . Aus diesem Brunnen fleusset die wahre Gottseligkeit / und jnnerliches / göttliches / heiliges Leben / denn die der Geist Gottes treibet / die sind Gottes Kinder / und die den Geist Christi nicht haben / die sind nicht sein . . . (Bl. b 4 v); . . . Ein anders ists / wenn man handelt vom Artickel der Rechtfertigung für GOtt dem HErrn / da werden die geängsteten Hertzen einig und allein auff Gottes Barmhertzigkeit und Christi Verdienst billich gewiesen . . . Ein anders ists / wenn man von guten Wercken und wahrer Gottseligkeit handelt / da wird die rechte Eigenschafft des wahren lebendigen Glaubens erkläret / daß er nicht sey eine bloße Wissenschafft / viel weniger ein eusserlicher Ruhm ohn alle Enderung unnd Verneuerung des Hertzens / sondern eine lebendige kräfftige Bewegung / dadurch der gantze Mensch geändert wird . . ." (bl. b 5 r).

[46] W. Koepp, Johann Arndt, Klassiker der Religion II, Berlin 1912, 11. Vgl. derselbe, Johann Arndt, eine Untersuchung über die Mystik im Luthertum, 1912.

[47] Vgl. die scharfe Kritik von W. Elert an Koepps Herleitung der orthodoxen Lehre von der ‚unio mystica' von Johann Arndt (Morphologie des Luthertums I, 1958² [1931] 135, Anm. 1 und 140, Anm. 3).

[48] Elert, Morphologie I, 140 Anm. 3. Vgl. W. Zeller, Der Protestantismus des 17. Jahrhunderts, XXIII ff., wo Philipp Nicolai, Johann Arndt und Valerius Herberger als die Begründer der „neuen Frömmigkeit" genannt werden.

schon während der ersten Jahrhunderthälfte dokumentiert[49], der Behauptung von Koepp recht. Nicht erst durch Spener und den Pietismus, sondern durch Johann Arndt hat sich in der lutherischen Kirche eine Frömmigkeit durchgesetzt, die zwar an der Lehre von der Rechtfertigung unbedingt festhält, die aber das Zentrum der christlichen Existenz in die „Gottseligkeit" rückt. Reiche Anleihen aus der mittelalterlichen Mystik[50], vor allem aus den Predigten Taulers, haben Johann Arndt geholfen, das Ideal einer ungeheuchelten innerlichen Herzensfrömmigkeit zu bilden, in der der Seele eine über die Vergebungsgewißheit der Rechtfertigung hinausreichende nähere Verbindung mit Gott zuteil wird, die durch fromme Übungen und Betrachtungen gepflegt und praktiziert wird und die im täglichen Leben die Früchte eines gottseligen Wandels erkennen läßt. Versteht man unter Pietismus seinem Wortsinn nach eine Frömmigkeitsrichtung, die die christliche Existenz auf das Ideal der „Gottseligkeit" orientiert, so wird man nicht umhin können, als dessen Begründer nicht Spener, sondern Johann Arndt anzusehen[51].

---

[49] Eine zuverlässige Arndtbibliographie fehlt leider. KOEPP bietet eine „Sammlung der Ausgaben der Arndtschen Hauptschriften" (Johann Arndt, Eine Untersuchung über die Mystik im Luthertum, 302 ff.). Sie beruht für das 17. und 18. Jahrhundert überwiegend auf Aufstellungen der älteren Literatur und erhebt für diesen Zeitraum keinen Anspruch auf Vollständigkeit. Immerhin werden für die uns interessierende Zeit bis zum Erscheinen der Spenerschen Pia Desideria allein vom *Wahren Christentum* nahezu fünfzig (ich zähle 49) verschiedene Ausgaben und Drucke genannt! Dabei kann diese Aufzählung bei weitem nicht vollständig sein. Von fünf frühen Straßburger Ausgaben, die bei W. HORNING (Handbuch der Geschichte der evang.-luth. Kirche in Straßburg, 1903, 85, s. unten Anm. 53) notiert werden, fehlen *drei* in der Liste von KOEPP. Von den acht Ausgaben aus der Zeit vor Spener, die ALAND (PD 82,15 Anm.) als in deutschen Bibliotheken vorhanden aufführt (doch wohl nur ein Teil des vorhandenen Bestandes!), sucht man *vier* bei KOEPP vergebens. Darüberhinaus stößt man in der älteren Literatur, aber auch in Bibliotheken und Antiquariatskatalogen immer wieder auf Ausgaben, die in KOEPPS Sammlung nicht erfaßt sind. Aber auch diese unvollständige Liste vermag schon eine hinreichende Vorstellung von der einzigartigen Verbreitung der Werke Arndts zu geben und zu dokumentieren, wovon die protestantische Frömmigkeit des 17. Jahrhunderts nächst der Bibel und dem Katechismus gelebt hat. Vgl. auch Speners Urteil: „Es ist das erste Buch vom wahren Christenthum 1605 . . . herausgekommen / und alsobald mit solchem wohlgefallen . . . auffgenommen worden / daß er die andere drey auch herausgehen lassen mußte; Welche vier Bücher nachmalen fast unzählige mal und offter als einiges andern Theologi Schrifften / an vielen orthen . . . edirt worden" (Predigten über Arndts Wahres Christentum, 1706, 5).

[50] Siehe dazu zuletzt H.-J. SCHWAGER, Johann Arndts Bemühen um die rechte Gestaltung des neuen Lebens der Gläubigen, Theol. Diss. Münster 1961.

[51] So hat es Spener selbst ebenfalls angesehen. Vgl. Speners Wahrhaftige Erzählung dessen was wegen des sogenannten Pietismi in Teutschland vorgegangen, Frankfurt, 2. Aufl. 1698, wo er es für richtig hält, zur Beschreibung der Anfänge des Pietismus „gar biß auff den anfang / des nun zu ende lauffenden jahrhundert

Nicht erst Johann Schmidt hat die Arndtsche Frömmigkeitsrichtung in Straßburg eingeführt. Die Vier Bücher vom wahren Christentum haben in der Stadt, in der Arndt einen Teil seiner Studienzeit verbracht hatte, von selbst einen Siegeslauf sondergleichen erlebt. Aus Straßburg war Johann Arndt, nachdem er zunächst nur das erste Buch des Wahren Christentums hatte erscheinen lassen, im Sommer 1607 von dem Juristen Edling geschrieben worden, sein Werk werde von vielen vornehmen Standespersonen und in göttlichen Schriften eifrigen Leuten mit herzlichem Verlangen aufgenommen und gelesen und man bäte allgemein, er möge doch die versprochenen übrigen Bücher bald in den Druck kommen lassen[52]. Als Johann Schmidt 1629 das Amt des Kirchenpräsidenten antrat, war das 1610 erstmals vollständig erschienene Werk bereits in einer ganzen Reihe von Auflagen in Straßburg nachgedruckt worden[53]. In sehr vielen Straßburger Bürgerhäusern müssen damals Johann Arndts Schriften vorhanden gewesen sein. Nichts spricht deutlicher für die Wertschätzung Arndts, als daß im Jahre 1640 Johann Conrad Dannhauer von der Münsterkanzel herab die

zurück (zu) gehen / zu zeigen / daß was sich bißher begeben / gleich als nur eine folge des vorigen gewesen seye" (aaO 7). Spener setzt dann bei Johann Arndt ein: „Vor andern hat zu anfang dieses jahrhundert der theure Johann Arnd das werck GOttes mit ernst geführet / und auff die übung der Gottseligkeit getrieben" (aaO 12). – Mit einem gewissen Recht hat P. SCHATTENMANN für die Periode zwischen Arndt und Spener den Begriff des „Frühpietismus" gebildet (Eigenart und Geschichte des deutschen Frühpietismus, Blätter f. württemb. Kircheng. 40, 1936, 1 ff.). SCHATTENMANN konstatiert zutreffend: „Orthodoxie und Pietismus können in diesem Zeitraum als Ausdruck bestimmter geistiger Strömungen und Frömmigkeitstypen überhaupt nicht streng voneinander geschieden werden, weder zeitlich noch inhaltlich. Die eine Richtung ist in den allermeisten Fällen nur die Kehrseite der anderen, beide fließen oft in ein und derselben Persönlichkeit ineinander" (aaO 6). Begrenzt man im Sinne dieser Sätze den Begriff „Frühpietismus" auf die Bezeichnung der Gemeinsamkeit des *Frömmigkeitstypus*, so hat SCHATTENMANN gegenüber seinen Kritikern (vgl. zuletzt G. SCHRÖTTEL, Johann Michael Dilherr, 1962, 3) völlig recht, und es gibt keinen Grund, warum man nicht von einem „Frühpietismus" in der lutherischen Orthodoxie des 17. Jahrhunderts vor Spener reden sollte. Dagegen dürfte es nicht am Platze sein, die *Reformbestrebungen* der Orthodoxie „frühpietistisch" zu nennen, weil ihnen das Wesensmerkmal der pietistischen Bestrebungen, die Konventikelbildung, fehlt. – Aus einer rein am Frömmigkeitstypus orientierten Sicht kommt neuerdings der Amerikaner F. Ernest STOEFFLER (The Rise of Evangelical Pietism, 1965, 202) zu der Behauptung: „The father of Lutheran Pietism is not Spener but John Arndt."

[52] F. ARNDT, Johann Arndt, 1838, 76; F. WINTER, Johann Arndt, 1911, 56.

[53] W. HORNING, Handbuch, 85, nennt Straßburger Ausgaben des Wahren Christentums von 1612. 1616. 1624. 1625. 1626. W. KOEPP (aaO 302) führt daneben Straßburger Ausgaben von 1609 und 1628 an. Außerdem wurde 1623 in Straßburg Arndts Postille gedruckt (aaO 302), und 1615 und 1621 erschienen hier zwei Auszüge aus Arndts Wahrem Christentum, veranstaltet von Joh. Val. Andreä (aaO 306).

Straßburger warnen muß, die Lektüre Arndts nicht dem Bibellesen vorzuziehen[54].

Johann Schmidt hat also, wenn er die „eifrige Übung der Gottseligkeit" in Straßburg betrieben wissen wollte, nichts Neues in die Stadt eingeführt. In der Rezeption des Gottseligkeitsideals stimmte er mit den frommen Kreisen der Bürgerschaft und ihrer Arndtverehrung überein. Neu dagegen in der Zeit Johann Schmidts ist etwas anderes, für dessen Aufnahme der Straßburger Arndtianismus allerdings einen empfänglichen Boden bilden mußte. Es ist dies die offizielle Übernahme *englischer Erbauungsliteratur* in den Gebrauch der lutherischen Kirche, wofür wir in Straßburg die frühesten Zeugnisse im Bereich des orthodoxen Luthertums finden.

Es ist hinlänglich bekannt, wenn auch bibliographisch noch nicht ausreichend erfaßt, in welch gewaltigem Umfang in der zweiten Hälfte des 17. Jahrhunderts und den ersten Jahrzehnten des 18. Jahrhunderts englische Erbauungsliteratur in die lutherischen Gemeinden eindringt und Übersetzungen der Schriften von Lewis Bayly, Daniel Dyke, Joseph Hall, Richard Baxter, um nur einige der wichtigsten zu nennen, in den lutherischen Territorien nachgedruckt werden[55]. Hans Leube hat von einer wahren „Massenübersetzung" in den letzten Jahrzehnten des 17. Jahrhunderts gesprochen[56]. Er ist auch der Geschichte dieser Übersetzungen nachgegangen und hat gezeigt, daß man keine unmittelbare Übernahme aus der englischen Kirche anzunehmen hat, sondern daß fast überall eine Vermittlung durch den deutschsprachigen Calvinismus vorliegt, an dessen Orten die englischen Schriftsteller schon in der ersten Hälfte des Jahrhunderts übersetzt werden, als erster William Perkins[57]. Die Anfänge des Eindringens der englischen Literatur in den Gebrauch der lutherischen Kirche reichen ebenfalls in die erste Jahrhunderthälfte zurück, wenn es nach Leube auch nur zwei Erbauungsbücher gibt, die schon seit den dreißiger Jahren im lutherischen Bereich nachgedruckt werden. Es sind dies die „Praxis Pietatis" von Lewis Bayly und das „Güldene Kleinod der Kinder Gottes" des Emanuel Sonthomb[58]. Da Spener ebendiese Bücher neben Johann Arndts „Wahrem Christentum" als seine erste Lektüre nennt, lohnt es sich, den Spuren ihres Eindringens in die lutherische Kirche einmal gründlicher nachzugehen.

Des anglikanischen Bischofs *Lewis Bayly* (1565–1631) „Practice of Piety", erstmals erschienen um 1610, hatte vor der Übersetzung ins Deutsche schon eine lange Reihe von Auflagen erlebt und konnte als eines der meist-

---

[54] Johann Conrad Dannhauer, Katechismusmilch, Erster Teil, 2. Aufl., Straßburg 1657 (1642), 379. Vgl. unten S. 118 f. Anm. 133.

[55] Vgl. H. Beck, Die religiöse Volkslitteratur der evangelischen Kirche Deutschlands, 1891; H. Leube, Reformideen, 1924, 3. Abschnitt § 5 (162–180): Die Einwirkung anglikanischer religiöser Literatur auf die deutschen Reformbestrebungen.

[56] AaO 166.

[57] AaO 167.

[58] AaO 167 f.

gelesenen puritanischen Erbauungsbücher gelten[59]. Im Jahr 1625 erschien bei Chouët in Genf eine französische Ausgabe, übersetzt von Jean Vernuilh, die ebenfalls schnell Neuauflagen und Nachdrucke nach sich zog[60]. Genf muß als der Brückenkopf angesehen werden, von dem aus Baylys Werk auf dem Kontinent vordrang. Der Weg nach Deutschland führte über die deutschsprachige Schweiz. Die erste feststellbare deutsche Ausgabe ist 1628 bei König in Basel erschienen und trägt bereits den in allen späteren deutschen Ausgaben gleichbleibenden latinisierten Titel „Praxis Pietatis"[61]. In den folgenden beiden Jahren 1629 und 1630 erschienen im reformierten Bereich weitere Neuauflagen in Zürich, Basel und Bremen[62]. Das Buch machte also recht schnell seinen Weg. Schon 1631 läßt sich erstmals an einem lutherischen Ort eine Ausgabe feststellen, sie ist in Lüneburg im Verlag der Gebrüder Stern erschienen[63]. Für den Erfolg dieser lutherischen Ausgabe, die von einem Bearbeiter von calvinistischen Lehren gereinigt und „nach Form der Augspurgischen Confession ... beschnitten" wurde[64], spricht, daß sich bis 1635 aus jedem Jahr Auflagen nachweisen lassen[65]. Auch später wurden bei den Brüdern Stern in Lüneburg, dem um die Jahrhundertmitte neben Endter in Nürnberg größten lutherischen Erbauungsverlag, immer neue Auflagen herausgegeben[66].

Die Lüneburger Ausgabe der Praxis Pietatis ist der verlegerischen Initiative der Brüder Johann und Heinrich Stern zu verdanken, die bei der Leipziger Messe von einem Adeligen auf einen lutherischen Prediger auf-

---

[59] Die Erstausgabe ist unbekannt. Erste bisher nachweisbare Ausgabe die 3. Aufl. von 1613 (Katalog BM). Bereits für 1635 verzeichnet der Katalog des British Museum die 35. Aufl. Die Angaben über Auflagen und Druckjahr in den großen Katalogen und in der Literatur differieren erheblich und lassen sich schwer in Übereinstimmung bringen. Eindeutig falsch ist aber die Angabe in Art. *„Bayly"*, RGG³ I, 948, die für 1636 erst die 24. Aufl. nennt (vielleicht Druckfehler statt 34. Aufl. ?).

[60] Weitere Aufl. Paris 1626, Rouen 1631. Im Jahr 1634 erschien in Genf bei Chouët die 6. *édition francoise,* 1645 die zehnte. Es handelt sich immer um die zuerst 1625 erschienene Übersetzung von Jean Vernuilh.

[61] Diese Ausgabe verzeichnet der Preußische Gesamtkatalog. Danach sind die Artikel „Bayly" in RGG² und RGG³, sowie LEUBE, Reformideen, 167 f. Anm. 6, wo sämtlich die Ausgabe Zürich 1629 als erste deutsche Ausgabe genannt wird, zu verbessern.

[62] Sämtlich im Preußischen Gesamtkatalog.

[63] Preußischer Gesamtkatalog. Danach sind die Ausführungen LEUBES (aaO 169 f.), die davon ausgehen, daß die Lüneburger Ausgabe des Bayly erst 1632 erschien, zu verbessern. Richtig bereits RGG³, Artikel „Bayly".

[64] Vorrede der Buchhändler Stern von 1632. LEUBE (170) vermutet hinter dem ungenannten Bearbeiter Justus Gesenius.

[65] Der Preußische Gesamtkatalog verzeichnet Lüneburger Drucke von 1631, 1633, 1634, 1635. Eine Ausgabe 1632 ist aus der Vorrede der Buchhändler von 1632 zu erschließen (LEUBE 167, Anm. 6).

[66] Vgl. Preußischer Gesamtkatalog; LEUBE 167, Anm. 6.

merksam gemacht wurden, der die Schrift durchgesehen hätte und nur noch auf einen Verleger wartete. Dieser Bearbeiter der Praxis Pietatis hat dem Sternschen Verlag auch noch ein zweites Manuskript verschafft, eine von ihm angefertigte lutherische Bearbeitung von *Emanuel Sonthombs* Güldenem Kleinod der Kinder Gottes[67]. Die Herkunft dieser Schrift ist dunkel. Es hat sich bislang noch keine frühere Ausgabe, weder eine englische noch eine deutsche, auffinden lassen. Bei unserer sehr lückenhaften Kenntnis der Drucke der Erbauungsliteratur des 17. Jahrhunderts ist daraus noch nicht zu schließen, daß es eine frühere Druckausgabe nicht gibt[68]. Auch das Dunkel über dem Namen Emanuel Sonthomb läßt sich nicht aufhellen. Ein englischer Autor dieses Namens ist nicht festzustellen[69]. Nach dem Brauch der Zeit könnte es ein als Pseudonym benutztes Anagramm sein. Es ist aber noch nicht einmal sicher, ob Sonthomb als der Verfasser oder nur als der erste Übersetzer der Schrift zu gelten hat[70]. Herkunft aus einem englischen Original wird man aber mit Sicherheit annehmen können[71]. — Von dem Güldenen Kleinod ist eine bei Stern erschienene Lüneburger Ausgabe von 1632 bekannt[72]. Der „Sonthomb" ist also ziemlich gleichzeitig mit Baylys Praxis Pietatis erschienen.

Diese Lüneburger Drucke des Bayly und des Sonthomb sind die ältesten bekannten Ausgaben englischer Erbauungsliteratur für den Gebrauch in der lutherischen Kirche. Sie sind nun überraschend schnell in Oberdeutschland nachgedruckt worden, und zwar in Straßburg. Sonthombs Güldenes Kleinod läßt sich in Straßburger Ausgaben von 1632[73] und 1633[74] nach-

---

[67] Vorrede der Buchhändler von 1632 zur Praxis Pietatis.

[68] Dies tut John T. McNeill (Modern Christian Movements, Philadelphia 1954, 53) und nimmt deshalb Übersetzung aus einem unveröffentlichten englischen Manuskript an. [69] Ebd.

[70] Letzteres vermutet Leube (168 Anm. 1), da Sonthomb in der Lüneburger Ausgabe von 1632 auf dem Titelblatt als *Übersetzer* genannt wird und erst in den späteren Ausgaben als *Verfasser* erscheint. Damit käme allerdings zu dem *unbekannten* Verfasser auch noch ein *nichtidentifizierbarer* Übersetzer. Wenn Leube annimmt, daß wegen des englisch klingenden Namens Sonthomb später irrigerweise als der Verfasser angesehen wurde, so beachtet er nicht, daß dies bereits geschieht in der Nürnberger Ausgabe des Güldenen Kleinods von 1657 (Collegium Wilhelmitanum Strasb. G. 13), die Johann Michael Dilherr besorgte, den Leube am gleichen Ort einen Kenner englischer Literatur nennt. Es ist eher anzunehmen, daß Dilherr die Sache richtiggestellt hat. Dafür spricht auch, daß die Buchhändler Stern in der Vorrede zur Ausgabe der Praxis Pietatis Baylys von 1632 bereits über „Emanuelis Sonthombs Güldenes Kleinod" reden, wobei sie doch sicherlich an den Verfasser der Schrift denken.

[71] So auch Leube, 168, Anm. 1. — Ganz irrig ist aber die von A. Lang (Puritanismus und Pietismus, 109) ausgesprochene Vermutung, es handle sich beim Güldenen Kleinod um eine deutsche Ausgabe von William Perkins „A Golden Chaine". [72] Nachweis bei Leube, 168, Anm. 1.

[73] Gulden Kleinodt der Kinder Gottes / ‖ Das ist: DEr ware Weg ‖ zum Christentum / ‖ zu erst auß dem ‖ Englischen ins Deutsche vbersetzt / ‖ Durch

weisen, also bereits aus demselben Jahr, aus dem der älteste Lüneburger Druck bekannt ist. Baylys Praxis Pietatis ist in einer Straßburger Ausgabe von 1634 vorhanden[75]. Beiden Werken liegen die Lüneburger Ausgaben zugrunde. Im Vorwort zur Straßburger Ausgabe der Praxis Pietatis wird der Nachdruck eigens damit begründet, daß es wegen der Kriegsläufte — es ist das Jahr der Schlacht von Nördlingen — schwierig geworden sei, Exemplare des Buches von Lüneburg zu beziehen[76].

Bei der Praxis Pietatis hat man sich in Straßburg mit dem bloßen Nachdruck der Lüneburger Ausgabe nicht begnügt. Man hat diese einmal auf stehengebliebene reformierte „Fehler" nochmals durchgesehen, vor allem aber hat man sie durch einen beträchtlichen Zusatz erweitert[77]. Die Straßburger Ausgabe von 1634 bringt nämlich noch einen sogenannten „Zweiten Teil der Praxis Pietatis", der in der ersten Lüneburger Ausgabe wie übrigens im englischen Original fehlt. Das Vorwort zur Straßburger Ausgabe sagt hierzu, man habe neu hinzugefügt und zweiten Teil der Praxis Pietatis genannt ein kürzlich zu Frankfurt erschienenes „Büchlein von der Kunst zu betrachten", dessen Autor „der vortreffliche vnd berümbte Englische Scribent Josephus Hall" sei[78]. Es wird dann auf die Notwendigkeit hingewie-

---

Emanuel Sonthomb. || Jetzo aber auffs newe in || etlichen vndeutschen / vnd der || Lehre halber verdächtigen Reden / || . . . an vielen Orten geändert / vnd mit einem nützlichen || vnd nötigen Zusatz gemehret vnnd gebessert / Durch einen Liebhaber deß wahren vnnd reinen Evangelischen Christenthumbs. Dem am End mit angehencket ein Edles Büchlein / wider die jnnerliche geistliche Hoffart . . . Straßburg / Gedruckt bey Caspar Dietzeln / Im Jahr MDCXXXII. 12°. 720 S. (Stadtbibl. Ulm).

[74] Titel gegenüber dem Druck von 1632 um die Angabe des Anhanges gekürzt, sonst gleichlautend. 1633. 12°. 720 S. (Collegium Wilhelmitanum Strasb.).

[75] Praxis Pietatis || Das ist: || Ubung der || GOttseligkeit / || Erster vnd Ander Theil: || Vor diesem auß dem Englischen || ins Teutsche || vbergesetzet / || Jetzo aber mit fleiß durchgelesen / || vnd allen Liebhabern der wahren || Gottseligkeit zur erbawlichen || Nachrichtung an vielen Orten gebessert. || Darbey zu End mit angehängt || ein sehr schönes Tractätlein / || Von der wahren Christlichen Andacht. || Straßburg / || Gedruckt bey Caspar Dietzeln || Im Jahr / M.DC.XXXIV. 12°. 630 + 117 + 84 S. (Collegium Wilhelmitanum Strasb.).

[76] Vorrede an den Christlichen Leser bl. 2 v. Die Straßburger Vorrede gibt als Grund der Herausgabe einer Übersetzung der Praxis Pietatis an, daß „auch die jenigen / welche außländischer Sprachen nicht kundig / solches lesen / vnd in jhrem Christenthumb dadurch mögen erbawet werden". Daraus ergibt sich, daß das Hereinwirken ausländischer Erbauungsliteratur nicht erst vom Erscheinen der Übersetzungen ab datiert werden darf, sondern daß eine Kenntnis dieser Literatur unter den lutherischen Gebildeten immer schon den Übersetzungen vorausging. Vgl. auch unten S. 22 f., Anm. 94.

[77] Dies und das folgende aus der „Vorrede an den christlichen Leser" bl. 2 v bis 6 r.

[78] Hiernach ist Leube zu korrigieren (aaO 171: „Mit keinem Worte verraten die Herausgeber der deutschen Ausgaben, daß jener zweite Teil gar nicht von Bayly stammt, sondern wie sich aus einer Vergleichung ergab — eine Übersetzung der

sen, die Kunst der Betrachtung zu lernen, worüber es zwar manche lateinischen, jedoch keine deutschen Bücher gebe, ausgenommen Johann Arndts Wahres Christentum, wo hin und wieder, vor allem Buch I, Kapitel 6, davon gehandelt werde. Bei dem 117 Seiten starken zweiten Teil der Praxis Pietatis handelt es sich um eine Übersetzung von „The art of Divine Meditation" des zu dieser Zeit als Bischof von Exeter amtierenden, stark aus den Traditionen altkirchlicher und mittelalterlicher Mystik schöpfenden *Joseph Hall* (1574—1656). In die späteren Lüneburger Ausgaben hat dieser zweite Teil der Praxis Pietatis ebenfalls Eingang gefunden[79], doch ging durch den Wegfall der Straßburger Vorrede die Kenntnis von der Autorschaft Joseph Halls verloren. Neben Bayly und Sonthomb wird man aber Joseph Hall als den dritten englischen Erbauungsschriftsteller nennen müssen, der bereits in der ersten Hälfte des 17. Jahrhunderts in die lutherische Kirche Eingang gefunden hat[80]. Lüneburg und Straßburg sind dabei als die Einfallstore der englischen Literatur in die lutherische Orthodoxie anzusehen. Zu diesen beiden Städten kommt — aber erst nach einer Reihe von Jahren — Nürnberg dazu, wo ebenfalls durch Ausgaben des Bayly und des Sonthomb der spätere „Siegeszug der englischen Erbauungsliteratur in der lutherischen Kirche"[81] eingeleitet wird[82].

Während die Lüneburger Ausgaben allein der Verlegerinitiative der Brüder Stern entsprungen sind und der kirchlichen Approbation entbehren, so daß sogar der Bearbeiter seinen Namen nicht nennen wollte, läßt sich von den Straßburger Ausgaben mit Sicherheit feststellen, daß sie auf offizielle kirchliche Veranlassung hin nachgedruckt wurden. Beide Werke sind von dem Straßburger Drucker Caspar Dietzel gedruckt[83]. Dietzel hat 1632 auch ein anderes Werk aus dem Lüneburger Verlag der Brüder Stern nachgedruckt, die „Kleine Katechismus-Schule" des Justus Gesenius[84]. Justus Ge-

---

Schrift „The art of Divine Meditation" von Joseph Hall ist"), dessen Angaben nur für die ihm allein bekannten späteren Ausgaben zutreffen.

[79] LEUBE, 171.

[80] Damit sind die Angaben LEUBES, der Großgebauers Übersetzung von Joseph Hall, Die alte Religion, Rostock 1667, als frühesten Beleg für die Übernahme einer Schrift Halls anführt (aaO 168, Anm. 4), überholt.

[81] LEUBE, 169.

[82] Der Preußische Gesamtkatalog nennt von der Praxis Pietatis Nürnberger Ausgaben (bei Endter) von 1641. 1658/59. 1669. Das Güldene Kleinod gab Dilherr 1657 mit einer eigenen Vorrede bei Endter in Nürnberg heraus (s. oben Anm. 70). Weitere Auflagen der Dilherrschen Ausgabe Nürnberg 1664 (Katalog BN), Nürnberg 1718 (nach Zedler) u. ö.

[83] Über Dietzel vgl. J. BENZING, Die Buchdrucker des 16. und 17. Jahrhunderts im deutschen Sprachgebiet, 1963, 425.

[84] Kleine || Catechismus- || Schule. || Das ist: || Kurzer Vnterricht / wie || die Catechismus-Lehren bey der || Jugend vnd den Vnwissenden || zutreiben . . . Sampt || einer Vorred || Johannis Schmidt . . . o. O. (Straßburg) bei Caspar Dietzeln, 1632. 12°. 436 S. (Seyfriedsche Bibl. Memmingen 16,7,11). — Das Werk

senius ist derjenige, der nach Leube als der lutherische Bearbeiter der Praxis Pietatis und des Güldenen Kleinods anzunehmen ist. Der Nachdruck des Werkes von Gesenius ist nun aber nicht von buchhändlerischer Seite betrieben worden. Dem Werk ist eine Vorrede von Johann Schmidt vorangestellt, in welcher dieser ausdrücklich erklärt, er habe es für ratsam gehalten, weil während der Kriegszeit der Buchversand von Niedersachsen unsicher sei, „ohnverzüglich zu verschaffen / daß es allhier nachgedruckt ... würde“[85]. Mit der gleichen Begründung wird in der Vorrede des ungenannten Straßburger Theologen zu der Ausgabe der Praxis Pietatis von 1634 erklärt, Dietzel sei zu dem Nachdruck veranlaßt worden, „wie er denn schon mit anderen nützlichen Büchern gethan“[86]. Auch hier fällt also verlegerische Initiative fort. Sprache und Stil beider Vorreden lassen auf denselben Verfasser schließen. Dazu kommt, daß Johann Schmidt bereits in der Vorrede zur „Katechismusschule“ auf die Lüneburger Ausgabe der Praxis Pietatis zu sprechen kommt und sie als eine nach Maß der Augsburger Konfession von reformierten Irrtümern gereinigte Ausgabe den Lesern empfiehlt[87]. Auf diese erste offizielle Empfehlung eines englischen Erbauungsbuches durch einen als strengen Lutheraner bekannten Theologen hat bereits Leube aufmerksam gemacht[88]. Mit großer Wahrscheinlichkeit läßt sich annehmen, daß Johann Schmidt der Veranlasser des Nachdrucks der Praxis Pietatis gewesen ist und vielleicht die Vorrede dazu von ihm selbst stammt. Daß Schmidt bereits den Nachdruck des Güldenen Kleinods betrieben hat, kann man vermuten. Bei der in Straßburg im 17. Jahrhundert streng gehandhabten Zensur für alles kirchliche und theologische Schrifttum ist ein Erscheinen ohne Approbation des Kirchenpräsidenten ohnehin nicht denkbar.

Johann Schmidt hat dem englischen Erbauungsschrifttum als erster Theologe der lutherischen Orthodoxie offiziellen Eingang in die lutherische Kirche verschafft. Erst Jahre darauf ist ihm der Nürnberger Johann Michael Dilherr darin nachgefolgt[89]. Darüber hinaus ist aber auch Johann Schmidt selbst von Gedanken der englischen Literatur in hohem Maße beeinflußt worden. Eine Beeinflussung durch die Gedanken Baylys läßt sich an dem Predigtband „Abbildung der Gerechten und Gottlosen“, der 1634 — im gleichen Jahr wie die Straßburger Ausgabe der Praxis Pietatis — erschien, mühelos nachweisen[90]. Baylys praktische Vorschriften für die Sonntagsheiligung werden von Schmidt an vielen Stellen bis in die Einzelheiten übernommen. Übereinstimmend reden beide zum Beispiel über das Ver-

---

ist in der Lüneburger Erstausgabe von 1631 anonym erschienen (vgl. Leube, 170) und trägt deshalb auch in diesem Straßburger Nachdruck noch nicht den Namen des Gesenius, der sich erst in der späteren Lüneburger Ausgabe von 1635 (Collegium Wilhelmitanum Strasb.) mit einem Vorwort vom 1. 11. 1634 öffentlich dazu bekannt hat. [85] Vorrede bl. 5 v. [86] AaO, Vorrede an den christlichen Leser.

[87] AaO bl. 10 r. [88] AaO 170. [89] S. oben Anm. 82; Leube, 170.

[90] Abbildung || Beedes der Ge- || rechten vnnd Gottlosen || Straßburg 1634.

halten beim Gottesdienst. Beide behandeln die drei Punkte, was man vor, in und nach der Predigt beobachten solle[91]. Beide beginnen dabei mit der Vorbereitung am Samstagabend, beide widerraten das lange Schlafen am Sonntag, beide fordern die Selbstprüfung des eigenen Verhaltens in der vergangenen Woche vor dem Gang zur Kirche, beide empfehlen das Gebet um Heiligung des Gedächtnisses, damit man die Lehren behalte, beide empfehlen beim Betreten des Gotteshauses das Gedenken an die Worte Jacobs Gen. 28, 16, 17[92]. Die Übereinstimmung in dieser Gedankenreihe, die sich noch weiter fortsetzen läßt, macht es evident, daß der lutherisch-orthodoxe Straßburger Kirchenpräsident ganz erheblich unter dem Einfluß der Praxis Pietatis Baylys und der in ihr enthaltenen puritanischen Sabbatfrömmigkeit steht.

Das Verfolgen der Spuren, auf denen die englische Erbauungsliteratur Eingang in den Gebrauch der lutherischen Kirche gefunden hat, führt also außer nach Lüneburg zum Verlag der Brüder Stern in die lutherische Kirche Straßburgs. Der in die zwanziger Jahre fallenden breiten Arndtrezeption[93] ist hier unter der Förderung des Kirchenpräsidenten Schmidt eine Welle der Aufnahme puritanischer Frömmigkeit in den dreißiger Jahren gefolgt. Der Verweis auf Johann Arndt in der Straßburger Vorrede zur Praxis Pietatis zeigt, daß man die englischen Bücher als Förderung auf dem von Arndt gewiesenen Weg des Gottseligkeitsstrebens verstanden hat. Ihre praktikablen Anleitungen zur Übung der Gottseligkeit empfahlen sie in dem gleichen Maß, in dem Arndts Wahres Christentum wohl den Grund wahrer Frömmigkeit zu legen vermochte, für das alltägliche Leben jedoch keine Frömmigkeitskasuistik bot, wie man sie jetzt offensichtlich brauchte. Daraus ergibt sich, daß man für Straßburg und das von Straßburg beeinflußte elsässische Luthertum bereits für die Zeit um Speners Geburt mit einer breiten Aufnahme puritanischer Frömmigkeitsanschauungen rechnen muß. Die englischen Bücher sind sicherlich auch in andere Teile des lutherischen Deutschland gelangt. Kaum sonst dürften sie aber zu dieser Zeit solche Verbreitung erfahren haben wie im Elsaß. Sowohl in der Bibliothek der Herren von Rappoltstein in Rappoltsweiler, den Landesherren Speners, als auch im Haus der Eltern Speners waren die Praxis Pietatis und das Güldene Kleinod vorhanden[94]. Wenn dem jungen Spener diese beiden Bücher in seiner

[91] Vgl. Abbildung, 94: „was ein jeder vor / in vnd nach der Predigt in acht zunemmen hat" mit Praxis Pietatis, Straßburg 1634, 282: „was man vor der Anhörung Göttliches Worts in der Kirchen / vnd vor der Predigt, Darnach in der Predigt, Vnd denn 3. nach der Predigt thun vnd vornemen solle."

[92] Bei Johann Schmidt, Abbildung, 87–94. Bei Bayly, Praxis Pietatis, 283–295.

[93] S. oben S. 15, Anm. 53.

[94] S. unten S. 40 und 46. Johann Michael Moscherosch empfiehlt in seiner „Insomnis Cura Parentum" (s. oben S. 5, Anm. 14) ebenfalls die Lektüre der Praxis Pietatis (aaO 32) und des Sonthomb (63). Außerdem empfiehlt Moscherosch „dz hoch-fürtreffliche Buch Nosce te ipsum Herrn Jeremiae Dycke Engel-

frühen Jugend nächst der Bibel am meisten in den Händen waren, so darf man nicht einfach von frühen Fremdeinflüssen aus dem außerlutherischen Bereich reden. Spener hat diese Bücher aus der Hand der Straßburger lutherischen Orthodoxie empfangen, die sich diese puritanischen Bücher zuvor selbst angeeignet hatte.

Nachdem die Besonderheit der Frömmigkeitsanschauungen der Straßburger Orthodoxie zur Zeit Johann Schmidts mit den Stichworten Johann Arndt und englische Erbauungsliteratur umrissen worden ist, ist nun zu fragen, in welchem Ausmaß und in welcher Art sich in der Straßburger Orthodoxie Bestrebungen zu einer *Kirchenreform* entdecken lassen, die man als Vorbereitung der pietistischen Reformbestrebungen Speners ansehen kann.

Überblickt man das weite Feld der Reformliteratur der lutherischen Kirche, wie es von Leube am vollständigsten ans Licht gestellt worden ist, so fällt auf, daß die Straßburger Theologen sich an diesem Schrifttum nicht beteiligt haben. Johann Schmidt hat keine Schrift herausgegeben, die unter die Reformliteratur einzureihen wäre[95]. Auch von Johann Conrad Dannhauer liegt keine Reformschrift vor[96]. Johann Georg Dorsche hat 1645 literarisch den Plan des Nikolaus Hunnius unterstützt, eine Zensurbehörde zur Eindämmung der theologischen Streitigkeiten zu schaffen[97]. Nach seinem Weggang von Straßburg hat er 1654 in Rostock eine Rektoratsrede „De pessimorum temporum emendatione“ gehalten, die sich ausschließlich mit dem Pennalismus beschäftigt[98]. Neben diesen auf den Bereich akademischer Reformen beschränkten Äußerungen gibt es in seinem sich fast nur auf wissenschaftliche Themen erstreckenden Schrifttum ebenfalls keinen Beitrag zur Reformliteratur.

Mit diesen drei Theologen ist aber der Kreis der Straßburger Theologischen Fakultät in den beiden Jahrzehnten vor Speners Studienbeginn schon abgeschritten[99]. Als 1653 Johann Schmidt im Namen der Fakultät dem Rostocker Pfarrer Joachim Schröder ein Gutachten über dessen der

---

ländischen Predigers“, von dem er eine gesäuberte Ausgabe wie bei der Praxis Pietatis erhofft (32). Danach ist auch die reformierte Ausgabe des von Spener in seiner Jugend ebenfalls gelesenen „Nosce te ipsum oder das Geheimnis des Selbstbetrugs“ von Dyke in Straßburg verbreitet gewesen.

[95] Leube, 104: „Schmid hat mit Ausnahme des Rundschreibens an die Geistlichkeit Straßburgs im Jahre 1638 keine Schriften verfaßt, die unter die Reformliteratur der Zeit einzureihen wären.“ Bei diesem Rundschreiben handelt es sich um ein erst 1692 in Leipzig gedrucktes Manuskript (Leube, 106, Anm. 2).

[96] AaO 107. [97] AaO 106. [98] AaO 64.

[99] Sebastian Schmidt wird erst nach dem Weggang von Dorsche 1653 – als Spener bereits studiert – Professor in Straßburg (s. unten S. 91). Die einzige von Sebastian Schmidt bei Leube aufgeführte Schrift stammt aus dem Jahre 1684, ist also wesentlich später als die Pia Desideria erschienen und außerdem keine Reformschrift (Leube, 158).

Kirchenreform gewidmete „Geistliche Zuchtposaune" ausstellt, beklagt er ausdrücklich, daß die Straßburger Theologen bisher noch keine Wege gefunden haben, ihre Vota und Wünsche anderen Kirchen zu kommunizieren[100]. Inmitten der ausgedehnten Literatur zur Kirchenreform in der lutherischen Kirche des 17. Jahrhunderts sind Speners Pia Desideria tatsächlich der erste monographische Beitrag eines Straßburger Theologen.

Von der Notwendigkeit einer allgemeinen Reform sind nun aber die Straßburger Theologen durchaus überzeugt gewesen. In dem genannten Gutachten über Schröders Zuchtposaune schreibt Johann Schmidt, die Straßburger Theologen hätten schon seit langen Jahren mit ihren Vermahnungen dahin gezielt, wie „eine allgemeine Reformatio, durch alle Respublicas in allen Ständen / ohne Unterscheid / Geistlichen und Weltlichen" angestellt werden möge[101]. Leider sei es „bißher fast bey den Wünschen verblieben". Woran Schmidt hierbei gedacht hat, können wir, wenigstens in einem Fall, noch feststellen. Es ist nämlich ein Dokument erhalten, in dem die Reformvorstellungen der Straßburger Theologen programmatisch und vollständig niedergelegt sind. Es ist dies ein aus dem Jahre 1636 stammendes deutschsprachiges Gutachten über die der Straßburger Theologischen Fakultät von Herzog Ernst dem Frommen vorgelegte Frage, „wie das heutigen Tages tief gefallene Christentum aufzurichten und ein gottseliges Leben und Wesen zu pflanzen sei"[102]. Dieses handschriftlich im Straßburger Thomas-Archiv aufbewahrte Gutachten, das mit seinen 82 engbeschriebenen, durchschnittlich 50zeiligen Folioseiten den Umfang der Spenerschen Pia Desideria um einiges übersteigt, ist bisher nur von August Tholuck eingesehen worden[103], aus dessen wenigen, überdies verstümmelnden Angaben sich die magere Kenntnis nährt, die in der Literatur zuweilen davon

---

[100] Abgedruckt bei Joachim Schröder, Hellklingende Zucht-Posaune, Frankfurt 1671, bl. XI r: Aber es ist bißher fast bey den Wünschen verblieben / wie auch noch. Denn ob schon / bey dieser Stadt / und denen uns anbefohlenen Gemeinen / durch ernstliche Vermahnungen von den Kantzeln / auch oberkeitliche Policey-Ordnung / zu Zeiten etwas verbässert worden (dessen wir uns gleichwohl nicht hoch zu rühmen haben) hat doch die Krafft unserer Predigt an andere Ort nicht hinauß langen mögen / haben auch bißher nicht finden können / welcher Gestalt wir unsere Vota und Hertzens-wünsche / mit andern weit abgelegenen Kirchen / bequem- und fruchtbahrlich communiciren möchten / massen wir annoch anstehen.

[101] AaO bl. X v.

[102] AST 165, Stück 56, bl. 386—415: Epistola Ernesti Pii, Ducis Saxo-Gothani ad Theologos Argent. 1636, 20. Februar. „Christliches und in Gottes Wort wohlgegründetes Bedencken Wie daß heutiges Tages tieff gefallene Christenthum bey den erwachsenen und versäumbten sonderlich wird aufzurichten und ein gottseliges Leben und wesen bey ihnen zu pflantzen." Die Antwort der Straßburger Theologen AST 165, Stück 57, bl. 416—456: Responsum Facult. Theol. Argent. über das fürstl. Bedencken de Anno 1636 (nach bl. 456 v: A. 1636 d. 26. Jun.).

[103] Tholuck, Lebenszeugen, 224.

anzutreffen ist[104]. Leube, der sich auf die Reform*literatur* beschränkte und die Reformäußerungen der Straßburger Theologen mühsam aus ihren Predigtbänden und Schriften zusammensuchen mußte[105], hat von diesem Reformgutachten keine Kenntnis gehabt. Das im Blick auf Speners Pia Desideria sicherlich wichtigste Dokument der Reformbestrebungen der Straßburger Orthodoxie ist bis heute praktisch unbekannt.

Das Straßburger Gutachten, als dessen Verfasser Tholuck Johann Schmidt nennt, an dem Johann Georg Dorsche und Johann Conrad Dannhauer aber vielleicht mitgearbeitet haben, beginnt, ehe es die Heilmittel zur allgemeinen Besserung nennt, mit einer Darstellung des Elends der Kirche und mit der Erörterung der Ursachen desselben. Die Gliederung des Gutachtens ist nicht für die Bestimmung seiner Eigenart auszuwerten, denn in der Reihenfolge der erörterten Punkte ist es von der ausführlichen Anfrage Herzog Ernsts abhängig, von der ich annehmen möchte, daß sie der Feder seines Beraters für Kirchen- und Schulfragen Sigismund Evenius entstammt[106]. August Beck, der gründliche Biograph Ernsts des Frommen[107], hat übrigens von diesen Dingen keine Kenntnis gehabt.

Mit Ernst dem Frommen ist man sich 1636 in Straßburg darin einig, daß das mit dem Krieg über Deutschland hereingebrochene Elend als ein göttliches Strafgericht verstanden werden muß, das zwingt, den Blick auf die eigenen Sünden zu richten[108]. Aber man will die Ursachen für den Einbruch des gottlosen Lebens nicht allein in einer Versäumnis der Amtspflichten der Pfarrer suchen, wobei in Gotha besonders an die Versäumnisse in der Jugenderziehung gedacht worden war. Zwar sei das auch richtig, aber damit sei, wie die Straßburger betonen, der „gantze und völlige quell alles unwesens in Wahrheit noch nicht erörtert"[109]. Denn auch von seiten der beiden anderen Stände, der Regenten wie der Untertanen und Zuhörer, habe die Pflichtvergessenheit überhandgenommen. Abweichend von Gotha meint man in Straßburg zu sehen, daß die Ursachen des Elends in der Verderbnis aller drei Stände liegen. Über den Rahmen der von Gotha geplanten

---

[104] Heppe, Geschichte des Pietismus, 499; Ritschl, Geschichte des Pietismus II, 129; Aland, Spener-Studien, 58 (Aland, der die im Krieg verlagerten Straßburger Archivbestände nicht erreichen konnte, schreibt Heppe aus, ohne anzumerken, daß Heppe wiederum nur Tholuck ausschreibt).

[105] Leube, 104—109.

[106] Über Evenius siehe Leube, 112 ff.; NDB 4, 691.

[107] A. Beck, Ernst der Fromme, I—II, 1865. Eine umfassende, aus den thüringischen Archiven gründlich erarbeitete Darstellung, die bis heute nicht überboten ist.

[108] Bl. 421 r: Darnach seind wir auch gäntzlich der meinung, daß die grausamen unerhörten straffen und plagen, damit Deutschland nun eine so lange Zeit angestrenget worden, ein unfehlbares ken und merckzeichen seind aller obgedachter in schwang gehender sünden, und unverantwortlicher undanckbarkeit wider Gott und seine gutthaten.

[109] Bl. 425 r.

Kirchen- und Schulreform hinaus drängt man deshalb auf eine allgemeine Reformation aller Stände[110].

Die Straßburger geben dann eine Analyse des verderbten Zustandes der gegenwärtigen Christenheit. Sie läuft darauf hinaus, daß die Mehrzahl der Christen im Herzen der Liebe zur Welt verfallen sind, nach außen aber ein heuchlerisches und scheinheiliges Gehabe zur Schau tragen. „Die Summ des jetzigen Christenthumbs anlangend müssen wir bekennen, daß ihrer viel und zwar der größere Theil sich mechtig auff erwelte zweyen Seulen stützen, nemblich im hertzen auff die liebe des Zeitlichen, im eusserlichen Wesen aber auff die heucheley und scheinheiligkeit."[111] Dieses der Weltliebe verfallene Christentum zeitige sich in zwei Formen, wie sie ähnlich auch Spener später einerseits bei der großen Masse, andererseits bei den Gelehrten beklagt: auf der einen Seite „muthwillige unwissenheit", auf der anderen Seite „fürwitziges grübeln ohne krafft und nachfolg des lebens"[112]. Den Lästerungen, die die Ursache des Verderbens in der lutherischen Predigt suchen, müsse man jedoch entgegentreten. Es könne nicht geleugnet werden, daß viele evangelische Prediger von Luthers Zeit an bis jetzt ihren Amtspflichten eifrig nachgekommen seien, „sonderlich neben der reinigkeit der lehr auch auff die praxin pietatis gesehen" hätten[113].

Was die Heilmittel betrifft, so weisen die Straßburger vor der Erörterung der speziellen Fragepunkte zunächst allgemein darauf hin, daß dem Unwesen nur abzuhelfen sei, wenn wahre Erkenntnis Gottes geweckt und „wahres Christentum" gepflanzt werde[114]. So wahr und klar das in sich selbst sei, so könne man den Leuten doch auch einige Gründe nennen. Hierzu empfehlen sie — neben der Erinnerung an den Taufbund und dem Hinweis auf Atheismusverdächtigkeit —, den Leuten zu zeigen die Beschaffenheit des „wahren, lebendigen Glaubens", der seiner Natur nach ohne Eifer, Liebe und Heiligung nicht bestehen könne[115]. Es falle ihnen allerdings schwer, gründlichen Rat mitzuteilen, wie man die Sache endlich ins Werk setzen solle, da die Dinge in Straßburg noch wenig erörtert worden seien, „auch dergleichen praxis oder übung noch nirgend furgenommen und angestellet"[116]. In der Heiligen Schrift, in den Schriften Luthers, überdies auch in den Kirchenordnungen gebe es Anleitung genug. Auch habe es, wie man im Blick auf den Pietismus mit Interesse liest, in früherer Zeit an

[110] Bl. 425 r ff. Vgl. auch oben bei Anm. 101.

[111] Bl. 427 r.

[112] Bl. 427 r (Fortsetzung des Zitats bei Anm. 111): da entweder muthwillige unwissenheit oder fürwitziges grübeln ohne krafft und nachfolg des lebens mit unterlauffet . . . [113] Bl. 428 v. [114] Bl. 429 r.

[115] Bl. 429 r: Indoles fidei daß der wahre lebendige Glaube nicht ohne innigli-chen eyffer für und zu Gottes ehre zu laboriren seiner natur nach seyn könne, so wenig als er ohne liebe Gottes und seiner heiligung besteht.

[116] Bl. 429 v.

manchen Orten besondere Frömmigkeitsübungen gegeben. Diese seien aber durch die Kriegsläufte zerstört und in Abgang gebracht worden[117].

Es werden dann die zwölf speziellen Heilmittel („Media“) erörtert, durch die „bey diesen unsern letzten schwärigen und verderbten Zeiten das wahre Christenthumb . . . zu pflantzen“ ist[118]. Es sind dies der Reihe nach: 1. Bußpredigten[119]; 2. Öffentliche Katechismuslehre, an der auch die Erwachsenen teilnehmen sollen[120]; 3. Häusliche Katechismusübung[121]; 4. Nachfrage der Prediger nach der häuslichen Katechismusübung[122]; 5. Hausbesuche der Pfarrer[123]; 6. Das vertrauliche erbauliche Gespräch bei den Hausbesuchen[124]; 7. Das erbauliche Gespräch bei zufälliger Begegnung mit den Gemeinde-

---

[117] Bl. 429 v: zu welchem auch die hin und wider von eyffrigen und gottseligen Kirchenlehrern wohlbedachte und gründlich erörterte anstalten bey ihren gemeinen und zuhörern komen derer hin und wider unterschiedliche anzutreffen gewesen, aber durch dieses langwierige und ungeheure Kriegs Wesen guten Theils wider zerstöret und in abgang gebracht worden.

[118] Bl. 430 r. Vorangestellt ist den einzelnen Heilmitteln ein allgemeiner Hinweis auf die Notwendigkeit der Bußpredigt, die dann als erstes Heilmittel nochmals genannt wird: Ins gemein ist die Buß Predigt das einige mittel von dem bösen ärgerlichen gottlosen und schändlichen Welt Wesen dieser Zeit ab und zum Wahren Christenthumb und Wandel der Heiligen zu führen. Das ist Gotteswort. Das sagen alle Propheten Apostel und Evangelisten, daß ist der uhralten und unverfälschten Kirchenlehrer lehr (bl. 430 r). Außerdem gehen den ‚Media‘ voraus noch zwei ‚Präparatoria‘: 1) die Leute sind an ihr ewiges, nicht zeitliches Ziel zu erinnern (bl. 430 v); 2) der rechte Gebrauch der zeitlichen Güter ist den Leuten anzuzeigen (bl. 431 v).

[119] Bl. 432 v: Das erste die rechtschaffene anstalt der ordentlichen Wochen und Sontäglichen Predigten, daß man in beyden in gemein drauff sehen möchte, wie der buß nothwendigkeit, rechter ernst, angehörige wesentliche stück, darauß quellende frucht etc. auffs einfältigste zu erklären und für zu mahlen, wie die faule dahin zu bringen, daß sie nicht nur in generalibus bleiben, sondern auch ad specialia gehen. — In der ausführlichen Entfaltung dieses Vorschlages verdienen im Blick auf den Pietismus besondere Beachtung folgende Gedanken (bl. 433 v): Also soll auch vom glauben nicht allein in gemeinhin allein geprediget werden, sondern die lehr ad usum accomodirt werden, daß ein ieder sich selber probiren lerne ob er im glauben seye oder nicht . . . wer allein den glauben in genere für war hält, der hat darumb noch nicht den wahren seeligmachenden glauben.

[120] Bl. 436 r: Das ander mittel zur pflantzung Christlichen wesens fürgeschlagen, ist die öffentliche Catechismuslehre.

[121] Bl. 438 v: Das dritte mittel ist der Eltern und haußherren auch haußfrauen cooperation und behülff (sc. in der Katechismuslehre) . . . Domesticae Catecheseos praxis.

[122] Bl. 439 r: Das vierde mittel ist die dem Prediger aufferlegte nachfrag auff die häußliche Catechismusübung.

[123] Bl. 439 r: Das fünfte mittel welches ist die gerade und ohnmittelbar auff die Eltern gerichtete haußsuchung, in welcher der haußvätter, haußmütter, Kinder und des gesindes glauben und leben erkundigt wird.

[124] Bl. 440 r: Das sechste Mittel ist das vertrauliche aufferbauliche gespräch welches bey der haußsuchung der lehrer absonderlich anzustellen.

gliedern[125]; 8. Das Gespräch bei öffentlichen Zusammenkünften und Feiern[126]; 9. Die christliche Erbauung, worunter Frömmigkeitsübungen verstanden werden, die die Gemeindeglieder auch bei Abwesenheit des Pfarrers vornehmen können[127]; 10. Die Erforschung der Fortschritte, die die Gemeindeglieder in ihrem Christentum machen[128]; 11. Das Anlegen von Seelenregistern, in denen die Gemeindeglieder vollständig aufgenommen und ihre Fortschritte im Christentum verzeichnet werden[129]; 12. Die Wiederholung der Predigten in den Katechismusübungen und in Privatgesprächen[130].

Diesen zwölf Heilmitteln zur Besserung des gefallenen Christentums sind eine Reihe von weiteren Punkten angefügt, die hier nicht vollständig aufgeführt werden sollen. Die Frage der Universitätsreform, die freilich „außer den schrancken einer particular anstalt" laufe[131], wird aufgegriffen, besonders die Frage einer Reform des Theologiestudiums[132]. Daß die Theologiestudenten nicht einseitig in der Kontroverstheologie ausgebildet werden sollten, das Studium vielmehr auf die Praxis ausgerichtet werden müsse[133], daß bei Ausarbeitung der Predigten mehr auf die Beschaffenheit der Zuhörer als auf gute Disposition zu achten sei[134], das sind Punkte, in denen die Straßburger grundsätzlich mit den Gothaer Ansichten übereinstimmen. Bemerkenswert ist jedoch, daß es die Straßburger für nötig halten, einer zu weitgehenden Bevorzugung der Frömmigkeit vor der Gelehrsamkeit, wie sie sie in der Anfrage Herzog Ernsts erblicken, mit Entschiedenheit entgegenzutreten. Daß die christliche Lehre gefaßt und verstanden wird, das müsse die Hauptaufgabe des theologischen Studiums bleiben, die nicht durch eine zu

[125] Bl. 441 v: Das siebende Mittel ist die öffentliche unterredung entweder im begegnen oder spaziren gehen oder bey und unter der feldarbeit, etc. daß ein zuhorer sich nicht scheue bey solcher gelegenheit entweder den Prediger anzusprechen, und von allerhand zu seiner erbauung dienlichen mitteln mit ihm zu reden, oder der Prediger selbst anlaß nehme . . .

[126] Bl. 442 v: Das achte Mittel ist die fernere öffentliche unterredung mit den Zuhörern bey mehreren zusammenkünfften, als bey Verlöbnüssen, hochzeiten, tauffen oder traueressen, geburtstagen, Kirchweihen . . .

[127] Bl. 442 v: Das neunte Mittel ist die Christliche erbauung derer ursprung ist daß die Zuhörer gewehnet seind, nicht nur in an- sondern auch in abwesenheit ihres Pfarrers mit göttlichen Christlichen übungen umbzugehen.

[128] Bl. 443 v: Das zehende mittel ist die hochnothwendige erforschung der profectuum bey den Zuhörern in unterschiedenen gelegenheiten da man ambtshalber mit ihnen zu handeln.

[129] Bl. 448 v: Das elffte mittel ist das Seelen register in welchem der Prediger nicht allein alle und iede seine Zuhörer grose und kleine ordentlich verzeichnet halte sondern auch eines ieden profectus oder zunehmen, beschaffenheit und zustand . . .

[130] Bl. 448 v: Das zwelfte mittel zum Christlichen pflantzen und erbauen ist die behaltung und widerholung der Predigten (sc. teils in Katechismusübungen, teils in „Privat gesprächen", teils bei der Beichte).

[131] Bl. 450 v. [132] Bl. 450 r ff. [133] Bl. 451 r. [134] Bl. 452 r.

frühe Ausrichtung auf die Praxis zurückgedrängt werden dürfe[135]. Ja das gründliche Verstehen der christlichen Lehre sei überhaupt das beste Mittel der Vorbereitung zum Predigtamt. „Wan ie besser einer die Christliche lehr gefasset und verstehet, ie leichter er nachmahlen andern von der selbigen communiciren kan ....“[136] Theologisches Privatstudium der Pfarrer, Disponieren der Predigten, Bücher gegen die Ketzer schreiben, so bekräftigen die Straßburger gegenüber den Ansichten Herzog Ernsts, seien auch Mittel zum Kirchendienst und dürften nicht verworfen werden[137]. Bei der Frage nach der Reform des Schulwesens fühlen sie sich sogar zum offenen Widerspruch genötigt. Die Anfrage, ob man in den Schulen nicht weniger Zeit auf weltliche Kunst und Sprachen, „sondern viel mehr auff die Pflantzung der gottseligkeit oder zum wenigsten gleiche zeit auff diese“ verwenden solle, wird von ihnen rundweg verneint[138]. Es müsse auf jeden Fall mehr Zeit auf die Erlernung der Sprachen und Künste gelegt werden, da dies allein in der Schule geschehe, die Katechismusunterweisung aber von Kindheit an, außerdem in den Predigten, der öffentlichen Kinderlehre, bei der Visitation der Prediger geübt werde. Das sei ausreichend, zumal man für das Christentum nicht eine solche Qualifizierung nötig habe wie für einen Beruf, in welchem „singularis et excellens eruditio“ erfordert wird[139]. Im übrigen seien die Sprachen, Wissenschaften und Künste nicht so steril und dürr, daß nicht auch sie genug „materi von der geistlichen erbauung zu reden an die hand geben“ könnten[140].

Die Straßburger führen am Ende ihres Gutachtens noch besondere „Additamenta“ an, die über den Kreis der Anfragen Herzog Ernsts hinausgehen[141]. Sie zerfallen in Vorschläge zur Reform des weltlichen Regiments und Vorschläge zur Reform des kirchlichen Regiments. Die Additamenta der ersten Gruppe[142] fordern die Gottseligkeit der Fürsten als ein Mittel zur Erhaltung der wahren Religion, eine scharfe und ernste Reformation an den Fürsten- und Adelshöfen, mehr Hofpredigerstellen, Verbesserung der Konsistorien, Maßnahmen gegen die unrechtmäßige Verwendung der geistlichen Güter und eine Verbesserung des Justizwesens. Die das kirchliche Regiment betreffenden Additamenta[143] fordern mehr Pfarrer und Prediger und eine größere Spezialisierung im Hirtenamt nach den verliehenen Gaben; Bestellung von Katecheten für die Katechismuslehre in den volkreichen Gemeinden; Verbesserung der Stellung der Kirchendiener; größeren Ernst bei der Kirchenzucht; die allgemeine Einführung der Konfirmation[144]; Bil-

---

[135] Bl. 451 r. [136] Ebd. [137] Bl. 452 r. [138] Bl. 453 v.

[139] Bl. 454 r.

[140] Bl. 454 r. Fortsetzung des Zitats: und auff diese weiß wird es Christliche Linguisten, Christliche artisten, Christliche Philosophen, Christliche Juristen und medicos geben ... [141] Bl. 454 v ff. [142] Bl. 454 v. [143] Bl. 455 r ff.

[144] Bl. 456 r: Ob nicht die in vielen Kirchen übliche confirmation aller enden zu introduciren? Davon reden fast alle Kirchenordnungen. Die Hessische fol. 138,

dung eines gesamtkirchlichen Ausschusses aus allen Ministerien und Konsistorien, um über die allgemeine Verbesserung zu beraten[145]; Einführung eines einheitlichen Katechismus und einer einheitlichen Kirchenordnung in Deutschland, was schon wegen der Reisenden wünschenswert sei; Empfehlung eines „methodicus processus in pietatis praxi" in den Leichpredigten, damit die Leute Vorbilder haben[146]. Mit dem allgemeinen Wunsch, nach erhaltenem Frieden möge das evangelische Wesen in Deutschland neu geordnet werden, schließt das am 26. Juni 1636 unterschriebene Gutachten der Straßburger Fakultät ab.

Es ist unschwer zu sehen, daß dieses Straßburger Reformgutachten ebenso wie die Predigten Johann Schmidts entscheidend von jener Frömmigkeitsanschauung geprägt ist, für die Johann Arndt repräsentativ ist und für die er die Parole des „wahren Christentums" in Umlauf gebracht hatte. Das Drängen auf „wahres Christentum", auf die Übung der Gottseligkeit oder die Praxis pietatis, die Prüfung, ob man im Stande des lebendigen Glaubens sei, der Vorschlag erbaulicher Gespräche wie überhaupt die Abzielung alles kirchlichen Handelns auf die Erbauung, die Beobachtung der Fortschritte und des Zunehmens im Christentum – alle diesen pietistischen Topoi sind hier – ein Jahr nach Speners Geburt – bereits anzutreffen und als die Grundgedanken eines kirchlichen Reformplanes zu erkennen. Auch ein erheblicher Teil jener Forderungen, die Spener später zur Reform der Gemeindearbeit und des Theologiestudiums in den Pia Desideria vorbringen wird oder – wie die Konfirmation – in seiner Amtstätigkeit durchzusetzen sucht, sind hier schon vorhanden. Daß die Straßburger gegen eine aus dem Gottseligkeitsstreben erwachsende Wissenschaftsfeindlichkeit Front beziehen, ist übrigens auch eine Gemeinsamkeit und kein Unterschied zu Spener, der sich gegen ein wissenschaftsfeindliches Verständnis der apostolischen „Einfalt", wie es im mystischen Spiritualismus herrschte, eindeutig abgegrenzt hat[147]. Das Straßburger Reformgutachten muß als ein wichtiges Dokument einer Entwicklung gewertet werden, die sich als Vorbereitung der pietistischen Reformbewegung in der lutherischen Orthodoxie der

---

Braunschweigische pag. 55, Chursächsische Generalarticul art. 7 . . . Es reden auch darvon andere Theologi, sonderlich Sarcerius in Pastorali p. 478. Es hat das ansehen wan alle und iede von den iungen leuten, wan sie nur ihre iahr erreichet, und in der Christlichen lehr unterwiesen, für der gantzen gemein öffentlich examinirt werden und ihr bekantnuß thun sollen, daß es ein mächtiger trieb bey den jungen Leuten sein würde . . .

[145] Bl. 456 r: Ob es nicht gut, wan autoritate superiorum unter den Theologicis Collegiis in Academiis und dan auch den vornehmen Ministeriis et Consistoriis principum eine vertrauliche nähere correspondenz gestifftet und in derselben iederweilen der lauff guter gedancken communication zu gemeiner verbesserung erhalten auch zu practiciren hin und wider berathschlagt würde? [146] Ebd.

[147] Vgl. Speners „Einfältige Erklärung der Christlichen Lehre" von 1677, Frage 60; Epist. Sonntagsand. II, 298 (1665).

ersten Jahrhunderthälfte erkennen läßt. Spener hat dieses Dokument offenbar nicht gekannt, wenigstens findet sich bei ihm keine Erwähnung desselben. Da er aber mit Johann Schmidt während seiner Studienzeit im vertrautesten Umgang gestanden hat, können ihm dessen Reformgedanken kaum verborgen geblieben sein.

Es ist jedoch darauf zu achten, daß sich in dem Straßburger Reformgutachten wie überhaupt in dem Schrifttum von Johann Schmidt Gedanken finden, die Spener später nicht wiederaufgenommen hat. Der wichtigste ist der Gedanke des unmittelbar bevorstehenden Endes der Welt, der für die lutherische Orthodoxie in der Kriegszeit wie auch nach Ende des Krieges durchweg charakteristisch ist[148]. Von ihm ist auch das Reformgutachten der Straßburger Fakultät geprägt. Sämtliche Reformvorschläge zielen darauf, „wie nämlich bey diesen unsern letzten und verderbten Zeiten das wahre Christenthumb zu pflantzen" sei[149]. Für eine Hoffnung besserer Zeiten für die Kirche ist hier kein Platz[150]. Die Zeit, in welcher man lebt, ist die „letzte welt"[151]. In seinen Predigten sucht Johann Schmidt zu der Erkenntnis zu führen, daß das allgemeine Ende nahe sei und die Welt nicht mehr lange bestehen könne[152]. In dieser Situation kann es sich für den einzelnen Christen nur darum handeln, seine Seele unbefleckt von der Welt zu erhalten, um beim allgemeinen Ende in die ewige Seligkeit einzugehen[153]. So wird bei allem Drängen auf eine allgemeine Reformation aller Stände in dem Straßburger Reformgutachten die Ansicht Luthers bekräftigt, daß die Welt nicht fromm zu machen ist, woraus man dann schließt, es könne sich bei aller Besserung nur darum handeln, daß „allenthalben ja etliche selig werden"[154].

---

[148] LEUBE hat in einem besonderen Paragraphen „Der Glaube an das Ende der Zeiten" (aaO 152 ff.) umfassende Nachweise dafür erbracht, in welchem Maße die lutherische Orthodoxie des 17. Jahrhunderts, vor allem am Ausgang des Dreißigjährigen Krieges, von dem von der Reformation übernommenen Glauben an das nahe Ende der Welt bestimmt ist. [149] Bl. 430 r.

[150] Zu Speners Hoffnung besserer Zeiten für die Kirche s. unten S. 307 ff.

[151] Johann Schmidt, Außgang auß Sodom / Oder Christlicher einfältiger Vnterricht; Welcher gestalt ein jeder / der seine Seel begehrt zuerretten auß der heutigen verkehrten argen Welt / geistlicher weise außgehen soll. Straßburg, 1642. Vorrede C 1 v: daß wir das heutige Sodom / die letzte Welt / die gantz und gar im argen ligt / in welcher wir gleichwol leben müssen / recht verstehen vnd erkennen . . . damit / wann dieses Sodom vnter- und zu grund gehet / wie ihm dann das Ende einmal nahe ist / vnsere Seelen auß aller Gefahr errettet / zum ewigen seeligen Leben erhalten werden mögen.

[152] Außgang auß Sodom, 73: wir . . . haben auß dem Tag vnd der Erfahrung gezeiget / wie sie beede in Sünden . . . gleich / ja die heutige Sodom in etlichen Stücken ärger / als vor Zeiten ihre Schwester gewesen . . . damit Böse und Fromme . . . erkennen / das allgemeine Ende sey . . . vor der Thür / die Welt werde nicht lang mehr stehen . . . [153] s. oben Anm. 151.

[154] AaO Bl. 429 v f.: Es ist zwar wahr, was Lutherus sagt über das 15. c. Joh. fol. 14. b. f. b. Es wird doch nichts darauß, daß man solt alle welt fromb machen,

Der andere Punkt liegt bei den Reformvorschlägen selbst, die immer die ganze volkskirchliche Gemeinde im Blick haben und nirgendwo darauf abzielen, einen engeren Kreis der Frommen zu besonderer Erbauung zu sammeln. Der Kerngedanke des Spenerschen Reformprogramms, das Bilden von Ecclesiolae in Ecclesiis, hat im Straßburger Reformgutachten keine Entsprechung. Es wird ja nicht einmal empfohlen, jene besonderen Frömmigkeitsveranstaltungen, die durch den Krieg in Abgang gekommen sind[155], neu wieder einzurichten. Die Straßburger Reformvorschläge kennen nur einerseits Gemeindeveranstaltungen, wie die Predigten und die öffentliche Katechismuslehre, andererseits das individuelle Gespräch zwischen Pfarrer und dem einzelnen Gemeindeglied, beziehungsweise das Gespräch einzelner Christen untereinander im Rahmen ihrer Familie und ihres Standes. Von den zur Reformationszeit in Straßburg durch Martin Bucer für einige Jahre eingeführten besonderen Versammlungen einer „christlichen Gemeinschaft"[156] findet sich in dem Straßburger Gutachten wie auch sonst im Umkreis der Straßburger Theologen zu dieser Zeit keine Kenntnis, es wird auch nichts dergleichen vorgeschlagen. In den Predigten Johann Schmidts finden sich allerdings zuweilen Ansätze zu einer stärkeren Bemühung der Pfarrer um die Frommen unter Zurücksetzung der anderen Gemeindeglieder. So wie Gott zwar gegen alle Menschen gnädig gesinnt sei, die Gläubigen und Gottseligen ihm aber mehr befohlen seien als die Ungläubigen und Gottlosen, genauso müßten auch seine Stellvertreter im Predigtamt zwar gegen den „gantzen Hauffen" ein liebreiches Gemüt haben und für die ganze Gemeinde sorgen, im besonderen sich aber der Gläubigen und Gottseligen in ihrer Gemeinde annehmen und sie auch „bisweilen absonderlich ermahnen / lehren / trösten vnd unterrichten"[157]. Hier liegt in der Tat ein Ansatz vor, durch den auch die von Spener gewünschten Ecclesiolae in Ecclesiis vorbereitet sind. Um so bedeutsamer aber ist es, daß Schmidt diesen Gedanken nicht zum Vorschlag besonderer Versammlungen ausgebaut hat. Das „absonderlich ermahnen" der Frommen vollzieht sich bei Schmidt in der Predigt, die die ganze Gemeinde anzuhören hat. Mit der besonderen Verpflichtung für die Frommen rechtfertigt er nämlich die Anlage einer von ihm im Straßburger Münster gehaltenen Reihe von Bußpredigten, von denen die ersten drei unterschiedslos an Gottselige und Gottlose gerichtet sind, um

---

so wenig als den teuffel der ihr Gott und Herr ist, . . . gleichwohl aber muß das gute werck im nahmen Gottes hin und wider mit ernst und eyffer geführet werden, damit allenthalben ia etliche selig werden. [155] S. oben S. 27, Anm. 117.

[156] S. dazu W. Bellardi, Die Geschichte der christlichen Gemeinschaft in Straßburg 1546–1550, QFRG 18, 1934.

[157] Außgang auß Sodom, 71 f. Vgl. die Zusammenfassung 69 ff.: Deus omnes homines vult salvos fieri . . . Nihilominus fidelium et piorum singularem curam agit . . . Idem facere fideles Ecclesiae ministri debent, ut 1. In genere eorum (cj. omnium) salutem curent. 2. In specie tamen pios sibi commendatos habeant.

ihnen die Nähe des allgemeinen Endes anzukündigen, während die folgenden vier Predigten nur für die Frommen und Gottseligen bestimmt sind und ihnen Anleitung geben, wie sie bei dem Untergang der Welt sich unverletzt in Sicherheit bringen können[158]. Von einer Sammlung oder näheren Vereinigung der Frommen ist auch in den Predigten Schmidts nirgendwo die Rede.

Schließlich muß man auch darauf achten, daß die Erfüllung fast aller Reformforderungen Johann Schmidts an der Durchführung durch die weltliche Obrigkeit hängt. Das Straßburger Reformgutachten ist für Herzog Ernst von Gotha erstellt, und es soll Richtlinien für den staatlichen Wiederaufbau des Kirchen- und Schulwesens geben. Zwar widerraten die Straßburger, manche der das Gemeindeleben betreffenden Reformen einfach durch Erlasse einzuführen. Sie schlagen vor, „nach möglichkeit dieselbigen allmählig bey den zuhörern zu practiciren biß nach erhaltener solcher praxi die offentliche einführung mit weniger offension und ärgernüß geschehen könne“[159]. Daß die Reform durch den Arm der Obrigkeit bewerkstelligt werden muß, bleibt dabei außer Diskussion. Eine allgemeine Reformation aller Stände im Weltlichen wie im Geistlichen, wie man sie in Straßburg erstrebt, ist anders als durch das Wirken der Obrigkeit auch gar nicht möglich. Die Straßburger gehen dabei, was die Reformation des Geistlichen, also der kirchlichen Dinge betrifft, davon aus, daß hierbei das landesherrliche Kirchenregiment bzw. das Fürsorgeamt der Magistrate für die Kirche in Aktion treten muß. Das Vertrauen auf das Funktionieren der obrigkeitlichen Kirchenfürsorge – deren Problematik ein Johann Valentin Andreä schon deutlich sieht – ist zu dieser Zeit doch nicht einfach illusionär. Es kann kaum bestritten werden, daß die Wahrnehmung des Kirchenregiments durch einen Mann wie Herzog Ernst von Gotha für den kirchlichen Wiederaufbau und die Wiederherstellung von moralischer Ordnung und kirchlicher Sitte in den thüringischen Landen Erhebliches und Vorbildliches geleistet hat. Auch in Straßburg sind in Zusammenarbeit von Kirchenkonvent und Magistrat Reformen durchgeführt worden – etwa durch strenge Erlasse zur Sonntagsheiligung – die die Stadt neben Nürnberg zur ober-

[158] AaO 73: in den ersten drei Predigten „ist allen vnd jeden / ohne vnterscheid gepredigt worden / damit Böse vnd Fromme / Gottseelige vnnd Gottlose erkennen / das allgemeine Ende sey . . . vor der Thür . . . In dem übrigen vnd andern Theil wird nun etwas absonderlicher mit rechten / wahren / glaubigen / frommen Christen / denen die Seeligkeit jhrer Seelen recht angelegen / durch Göttliche Gnade / gehandelt vnd angezeiget werden . . . wie sie sich verhalten sollen / damit sie dem schrecklichen Zorn vnd Verderben . . . entfliehen / aller Gefahr entgehen / vnd zur Seeligkeit bewahret werden mögen.“ Vgl. aaO 163: „ . . . wie wir unsere Sach anstellen müssen / damit wir gegen dem instehenden Ende vnd Vntergang der Welt ohnverletzt auß der Welt kommen/ vnd zu erwünschter Sicherheit gelangen mögen.“

[159] AaO Bl. 449 v.

deutschen Musterstadt gemacht haben[160]. Johann Schmidt in Straßburg, sein Freund Johann Saubert in Nürnberg und dessen Nachfolger Johann Michael Dilherr, nicht zuletzt Johann Valentin Andreä in Württemberg – dies sind die großen Reformer der oberdeutschen lutherischen Kirche am Ausgang des Dreißigjährigen Krieges, die auf dem Wege obrigkeitlicher Verordnungen eine allgemeine Reformation und Besserung des Lebens durchzusetzen versuchen. Vor der Notwendigkeit, angesichts des Versagens der obrigkeitlichen Fürsorge ein Reformprogramm zu entwickeln, das in seiner Erfüllung unabhängig vom staatlichem Eingreifen war, standen sie noch nicht. Das macht dann die Eigenart des pietistischen Programms Speners aus[161]. Aber es ist doch nicht zu übersehen, daß eine durch obrigkeitliche Ordnungen durchgeführte Kirchenreform, wie sie der Straßburger Kirchenpräsident betrieben hat, einen gesetzlichen Zug tragen muß, der einer von der reformatorischen Entdeckung des Evangeliums lebenden Kirche schlecht ansteht. Zu der Verehrung, die Johann Schmidt von Spener und anderen Frommen entgegengebracht worden ist, steht in seltsamem Kontrast das Aufatmen, das nach dem Tod des Straßburger Kirchenpräsidenten durch einen Teil der Bevölkerung der Stadt gegangen ist. Es gibt sehr zu denken, daß beim Leichbegängnis für Johann Schmidt in einer von vielen Hunderten besuchten Feier in der Thomas-Kirche der Prediger Allgeyer am Ende der Leichpredigt ausruft: „Niemand sage oder gedencke, es were besser, er were eher gestorben ... Niemand meine, es werden jetzt lautere guldne Zeiten folgen, man werde größere Freyheit zuleben haben, vnd nicht mehr so gar sich einschrancken lassen dörffen."[162] Es sind sicherlich nicht die Besten gewesen, die solches gedacht und gesagt haben. Daß es aber überhaupt gesagt werden konnte, macht die Problematik eklatant, in welche ein obrigkeitlich verordnetes Gottseligkeitsstreben und ein unmittelbar auf Besserung der Volkskirche ausgerichtetes Reformstreben geraten mußte. Diese Dinge muß man jedenfalls gesehen haben, ehe man dem pietistischen Programm der Pia Desideria Speners einen Vorwurf daraus macht, daß es nicht in der gleichen Weise wie die Orthodoxie die Reform der ganzen Volkskirche betreibt.

---

[160] Vgl. das Lob Moscheroschs, Insomnis Cura Parentum, aaO 123: „Straßburg, Nürnberg (diese herrliche Stätte gehen mir vber alles, wegen jhrer vortrefflichen Policey, in Geistlichen vnnd Weltlichen sachen)".

[161] Daß der Pietismus und schon Spener selbst den Arm der Obrigkeit für die Ordnung kirchlicher Belange später allzu willig wieder in Anspruch nahmen, steht auf einem anderen Blatt. Siehe dazu K. Deppermann, Der hallesche Pietismus und der preußische Staat unter Friedrich III. (I.), 1961. (Für Spener vor allem 45 ff.).

[162] Christlicher Leich-Sermon (oben S. 4, Anm. 11), 36.

Zweiter Teil

DIE ELSÄSSISCHE ZEIT PHILIPP JAKOB SPENERS (1635–1666)

I. Jugendzeit in Rappoltsweiler

Philipp Jakob Spener wurde am 13. 1. 1635 in dem am Ostrand der Vogesen gelegenen Rappoltsweiler, der Residenz der Herren von Rappoltstein, geboren[1]. In seinem Eigenhändigen Lebenslauf gibt Spener, was er bei keinem anderen Lebensdatum tut, beide während des 17. Jahrhunderts in Deutschland gebräuchlichen Datierungen an, diejenige nach dem julianischen (13. 1.) und die nach dem gregorianischen (23. 1.) Kalender. Das hat seinen besonderen Grund. Die Herren von Rappoltstein hatten ihre über das Oberelsaß verstreute Herrschaft fast ausschließlich als Lehen von Österreich und den Bistümern Straßburg und Basel[2]. In Rappoltsweiler, das der Jurisdiktion des Bischofs von Basel unterstand, galt deshalb bereits der gregorianische Kalender. Spener hat bis auf die Jugendjahre in Rappoltsweiler immer in Gebieten des julianischen Kalenders gelebt, seine sonstigen Angaben sind durchweg nach dem „alten Stil" zu verstehen[3].

Der Vater, *Johann Philipp Spener* (ca. 1588–1657), stammte aus Straßburg[4]. Er war Sohn eines Goldschmiedes Michael Spener, der das Straß-

---

[1] Kirchenbuch der Hofgemeinde Rappoltsweiler (vorh. Ribeauvillé, Mairie). Das Kirchenbuch ist geführt ab 1636, beginnt aber mit Nachträgen aus den unmittelbar vorhergehenden Jahren. Eigenhändiger Lebenslauf *(Grünberg Nr. 11)*, in: K. G. Blanckenberg, Das Leben der Gläubigen, Leichenpredigt auf Spener, Frankfurt 1705 (UB Tübingen), 22 ff.

[2] Adam, Evangelische Kirchengeschichte der elsässischen Territorien, 348 ff. (Die Herrschaft Rappoltstein).

[3] Nur die letzten Lebensjahre Speners in Berlin fallen in die Zeit des 1700 in Preußen eingeführten gregorianischen Kalenders. Für die vorliegende Arbeit, die sich bis auf die Darstellung der Rappoltsweiler Jugendjahre ausschließlich mit Zeugnissen aus protestantischen Gebieten befaßt, habe ich die Datierung nach dem julianischen Kalender (alten Stil) beibehalten. Sie ist auch sonst die in der Spenerforschung (z. B. bei Grünberg) übliche, ohne daß dies freilich vermerkt zu werden pflegt.

[4] Die Angaben über Speners Vater und seine Großeltern väterlicherseits entnehme ich dem Promotionsprogramm Speners vom 20. Juni 1664 (AST 453) und

burger Bürgerrecht besaß und 1573 in die Zunftliste der Straßburger Goldschmiedemeister aufgenommen wurde[5]. Der Name Spener (oder Spenner) taucht im 16. Jahrhundert in den Straßburger Bürgerbüchern nicht selten auf. Es ist aber schwierig, den Stammbaum weiter zurückzuverfolgen. Michael Spener war verehelicht mit Catharina Rihel, einer Tochter des Buchdruckers Josias Rihel (1525–1598), Enkelin jenes Wendelin Rihel, der die meisten Werke Bucers und die berühmte zweite Auflage der Institutio Calvins gedruckt hat. Die Heirat mit der Tochter des geachteten Straßburger Buchdruckers, der seit 1559 zum Rat gehörte, 1588 Scholarch und 1590 Dreizehner, also Mitglied des höchsten Ratskollegiums wurde, lassen darauf schließen, daß Michael Spener in gutem bürgerlichen Ansehen stand. Bei seinem frühen Tod – er starb 1592 – hinterließ er außer seinem Sohn Johann Philipp noch eine 1590 geborene Tochter Ursula. Sie ist in erster Ehe mit einem Beisitzer des großen Rats, in zweiter Ehe mit einem Professor der Straßburger Universität verheiratet gewesen und hat mit letzterem zusammen ein aus der Familie Rihel erworbenes Haus bewohnt, in dem der junge Philipp Jakob Spener während seiner Straßburger Studienzeit Aufnahme gefunden hat[6].

Über die Jugend des früh verwaisten Johann Philipp Spener wissen wir nichts Näheres. Er muß gegen 1590 geboren sein, seiner späteren Stellung nach hat er – sicherlich an der Straßburger Akademie – Jurisprudenz studiert[7]. Einige Jahre vor Beginn des Dreißigjährigen Krieges nahm er die Stelle eines Informators und Hofmeisters bei Philipp Ludwig von Rappoltstein, dem ältesten Sohn des regierenden Herren Eberhard von Rappoltstein, an, den er auch auf seinen Reisen begleitete. Vielleicht hat er an jener Reise teilgenommen, die zwei Söhne des Herren von Rappoltstein im Jahre 1610 nach Paris führte und sie dort weilen ließ, als Heinrich IV. durch die Hand

---

dem Leichprogramm der Ursula Rebhan geb. Spener, der Schwester von Speners Vater (AST 447). Das Promotionsprogramm von 1664, das bisher – auch Horning und Grünberg – unbekannt geblieben ist, enthält die älteste, bis zur Doktorpromotion reichende Vita Speners, zu der dieser selbst den Entwurf geliefert hatte. Über die Angaben in Speners späterem Eigenhändigen Lebenslauf geht diese frühe Vita nur in der Aufzählung der Ahnen wesentlich hinaus. – Die weiteren Angaben über den Vater entnehme ich dem Eigenhändigen Lebenslauf.

[5] S. das Verzeichnis der Goldschiedemeister in: H. Meyer, Die Straßburger Goldschmiedezunft von ihrem Entstehen bis 1861, Staats- und sozialwissenschaftliche Forschungen III, 2, Leipzig 1881, 214 ff. Dort (217) für das Jahr 1573: Michael Spenner.

[6] Ursula Spener, geb. 21. 10. 1590, gest. 30. 7. 1667. In erster Ehe 1618–1638 verh. mit Johann Carl Herlin, Beisitzer des großen Rats in Straßburg. Zwei Kinder, vierzehn Enkelkinder. Nach dem Tod des Gatten wiederverheiratet am 17. 6. 1639 mit Johann Rebhan, Prof. jur. in Straßburg. Aus dieser Ehe keine Kinder. (Nach Leichprogramm AST 447). Vgl. unten S. 69.

[7] Im Rappoltsweiler Kirchenbuch (p. 561) wird er als „hochgelehrter Herr" aufgeführt.

Ravaillacs starb[8]. Johann Philipp Spener muß sich als Ephorus bewährt haben, denn der regierende Herr Eberhard von Rappoltstein nahm ihn anschließend in seine eigenen Dienste auf, wo er als rappoltsteinscher Rat und mit der Aufsicht über das Archiv beauftragter Registrator einer der höchsten Verwaltungsbeamten in der aus den verschiedenartigsten Lehens- und Besitzverhältnissen zusammengestückelten, nicht leicht zu verwaltenden Herrschaft geworden ist[9]. Mehr als vierzig Jahre hatte er im Dienst des Hauses Rappoltstein gestanden, als er 1657 in Rappoltsweiler starb.

Im September 1633 ist Johann Philipp Spener in Rappoltsweiler mit der mehr als zwanzig Jahre jüngeren *Agatha Saltzmann* (ca. 1612–1683) in den Ehestand getreten[10]. Agatha Saltzmann war die Tochter des rappoltsteinschen Rates und Stadtvogtes von Rappoltsweiler *Johann Jacob Saltzmann* (1585–1656) und seiner aus Colmar kommenden Ehefrau Cäcilia geb. Mayherr[11]. Der zu der bekannten Straßburger Familie gehörende Johann Jacob Saltzmann, ein Bruder des Medizinprofessors Johann Rudolf Saltzmann, hat wie sein wenige Jahre jüngerer Schwiegersohn ebenfalls vierzig Jahre in rappoltsteinschen Diensten gestanden, ehe er die Stelle eines Syndicus in der nahen Reichsstadt Colmar annahm, wo er in Speners Jugendzeit als angesehener und vermögender Bürger lebte. Daß er die Gemahlin Eberhards von Rappoltstein für seine Tochter zur Patin erbitten durfte, nach der sie ihren Vornamen Agatha bekam, zeugt für die enge Verbundenheit, die schon Jahrzehnte vor Speners Geburt zwischen den Saltzmanns und der herrschaftlichen Familie bestand und die sich in gleicher Weise auch auf die Familie Johann Philipp Speners ausdehnte. Spener hat ebenfalls die Gräfin Agatha zur Taufpatin bekommen, also mit seiner Mutter zusammen die gleiche Patin gehabt. Von der Mutter, die nach dem Tode ihres Gatten 1664 eine zweite Ehe mit dem colmarischen Rat und Waisenvogt Ludwig Barth einging, nach dessen Tod zu ihrem Sohn Philipp Jakob nach Frankfurt zog und dort 1683 starb, läßt sich so wenig wie von dem Vater Speners ein Charakterbild gewinnen. Spener berichtet, daß die Eltern an „gottseliger Auferziehung" nichts mangeln ließen, und er hat ihnen dies, und daß sie keine Kosten für die Erziehung der Kinder gescheut haben – acht weitere Kinder folgten dem erstgeborenen Philipp Jakob nach –, zeitlebens und noch kurz vor seinem Tode gedankt[12]. Sonst hat er so gut wie keine Er-

---

[8] Vgl. dazu die oben S. 2, Anm. 6 genannte Leichpredigt auf Johann Jakob von Rappoltstein, in der die Anwesenheit beim Königsmord erwähnt wird.

[9] Nach seinem Tod wird er im Kirchenbuch als „der weyland veste und hochgelehrte Herr Philipp Johann Spener, der Herrschafft Rappoltsteins wohlbestaltter Raht und Registrator" bezeichnet (p. 561).

[10] Kirchenbuch, p. 509 (6. Sept. nach dem gregorian. Kal.).

[11] Cäcilia Mayherr (so Speners Promotionsprogramm) oder Meyer (Grünberg III, 393) bzw. Meier (Bopp, Die evangelischen Geistlichen, 521) war Tochter des Dr. med. Johann Baptist Mayherr in Colmar (Promotionsprogramm).

[12] Lebenslauf, 22. Vgl. Speners Widmung an die Mutter und den Stiefvater zu:

innerungen an seine Eltern mitgeteilt. Er mag zu Vater und Mutter in einem ähnlichen „Amtsverhältnis“ gestanden haben wie später zu seinen eigenen Kindern.

Die Stadt Rappoltsweiler war, obwohl unter der Oberhoheit des Bistums Basel stehend, ihrer Bevölkerung nach zu einem guten Teil lutherisch. Zur Zeit von Speners Geburt wird man mit ungefähr paritätischer Zusammensetzung der Bevölkerung aus dem lutherischen und dem katholischen Bekenntnis rechnen müssen, eher mit einem Übergewicht der Evangelischen[13]. Doch hatten die evangelischen Bürger weder lutherischen Gottesdienst noch eine lutherische Schule. Allein in der Schloßkapelle konnte lutherischer Gottesdienst gehalten werden, an welchem aber nur die herrschaftliche Familie samt ihren Beamten und der Dienerschaft teilnehmen durfte. Die übrigen lutherischen Familien besuchten den Gottesdienst in dem benachbarten, zur württembergischen Herrschaft Reichenweier gehörenden Hunaweier. Dagegen war von katholischer Seite früher heftig protestiert worden, doch scheint der Kirchgang ins lutherische Ausland in Speners Jugendzeit ohne Schwierigkeiten möglich gewesen zu sein. Die Kinder der evangelischen Bürger besuchten seit der Mitte des 17. Jahrhunderts ebenfalls die Schule in Hunaweier, was von dem katholischen Stadtpfarrer nur widerwillig und nur, weil er diese Bürger durch die rappoltsteinsche Kanzlei gedeckt wußte, hingenommen wurde[14].

Die Familie Spener gehörte dank der Beamtenstellung Johann Philipp Speners zu dem Kreis derer, die sich zur Hofgemeinde halten durften und in dem Hofprediger, den sich die Herren von Rappoltsweiler seit der Mitte des 16. Jahrhunderts hielten, ihren lutherischen Pfarrer und Seelsorger besaßen. Philipp Jakob Spener konnte fünf Tage nach der Geburt in der Rappoltsweiler Schloßkapelle das Sakrament der Taufe empfangen (18. 1.), wurde also nicht, wie die Kinder der übrigen evangelischen Familien Rappoltsweilers, nach katholischem Ritus in der Stadtkirche getauft. Ob die Gottesdienste in der Schloßkapelle zur Zeit von Speners Geburt regelmäßig gehalten wurden, ist sehr zweifelhaft. Die herrschaftliche Familie hielt sich der Pest und der Kriegsunruhen wegen über einige Jahre hinweg in Straßburg auf – die Paten ließen sich bei der Taufe vertreten[15] –, und auch der Hof-

---

Der Gläubigen . . . ewiges Leben, 1671 (abgedr. EGS I, 1 ff.). Namen und Lebensdaten von Speners Geschwistern bei Grünberg III, 393 f.

[13] Der Stadtrat bestand im Jahr 1628 je zur Hälfte aus Katholiken und Protestanten (Adam, 367). Für das Jahr 1697 wird eine Gesamtbevölkerung von 2200 Seelen angegeben, von der ein Drittel katholisch und zwei Drittel evangelisch seien (aaO 372).

[14] AaO 373.

[15] Nach Horning, Spener in Rappoltsweiler, 4. Horning nennt als Paten Philipp Ludwig von Rappoltstein; Agatha von Rappoltstein, geb. Gräfin von Solms-Laubach-Wildenfels; die Gemahlin des Herrn Georg Friedrich von Rappoltstein Maria, geb. Gräfin zu Hanau; Rudolf Saltzmann, Doktor und Professor der Medizin in Straßburg.

prediger Dilger befand sich in Straßburg. Wahrscheinlich hat Spener durch Pfarrer Jakob Selbmann aus Jebsheim die Taufe empfangen[16]. Dieser hat auch nach der völligen Zerstörung seiner Pfarrei bis zu seinem Tod 1647 die Hofpredigerstelle in Rappoltsweiler mitversehen[17]. Daß Selbmann auf den jungen Spener irgendeinen Einfluß ausgeübt hat, ist nicht bekannt.

Die Eltern hatten den erstgeborenen Philipp Jakob von seiner Geburt an zum Dienst des Herrn, also zum zukünftigen Theologen bestimmt, und sie hatten ihn dies auch beizeiten wissen lassen[18]. Da es in Rappoltsweiler keine evangelische Schule gab und der Weg in die Dorfschule Hunaweier nicht in Frage kam, wurde Philipp Jakob Spener wie später seine Geschwister durch Hauslehrer unterrichtet. Von dem fünften Lebensjahr an erhielt Spener privaten Unterricht. Eine öffentliche Schule hat er nie besucht. Über seine Privatlehrer sagt Spener nur so viel, daß sie nach dem Pfund, das jeder von ihnen gehabt, die ersten Gründe der Studien bei ihm gelegt hätten. Da sich sehr früh ein starker Lerneifer und eine wache Intelligenz zeigten und die noch beim alten Spener bewunderte Gedächtnisstärke jedenfalls schon in der frühesten Kindheit aufgefallen sein muß, dürfte er seine Alterskameraden in Rappoltsweiler bald weit hinter sich gelassen haben. Auch die Privatlehrer konnten ihm in seinen letzten Rappoltsweiler Jahren nicht mehr viel bieten. Er hat sie seinen jüngeren Geschwistern überlassen und sich „propria industria" weitergebildet.

Neben Eltern und Privatlehrern hat auf den heranwachsenden Jungen der enge Verkehr mit der herrschaftlichen Familie eingewirkt, ein Umgang, in dem Spener mit den Sitten und Formen der höheren Stände, mit denen man ihn sein Leben lang in vielfältigen Beziehungen findet, früh vertraut wurde. Nachdem Eberhard von Rappoltstein und sein ältester Sohn Philipp Ludwig im selben Jahr 1637 gestorben waren, standen Georg Friedrich und Johann Jakob von Rappoltstein dem Hause vor. Von ihnen ist nur *Johann Jakob von Rappoltstein* (1598—1673), der letzte männliche Sproß der Familie, mit dem die Linie 1673 ausstarb, von Bedeutung für Spener gewesen. Er war 1628, im Alter von dreißig Jahren, mit der kaiserlichen Armee nach Italien gezogen und von dort mit einer Krankheit zurückgekehrt, die zu völliger Erblindung führte[19]. An weltlichen Geschäften gehindert, verwandte er viel Zeit auf das Studium von Büchern, wobei er sich Vorleser hielt, die ihm aus geographischen, historischen, politischen Schriften und auch aus „sinnreichen Gedichtbüchern" vorlesen mußten. Sein Hauptinteresse galt aber neben dem Bibellesen der Lektüre von theologischer Literatur und Andachtsbüchern. Er muß am Ende seines Lebens eine stattliche

---

[16] Horning, 4. [17] Ebd.; vgl. Bopp, Die evangelischen Gemeinden, 301.

[18] Lebenslauf, 22 f. Daraus auch das folgende.

[19] Das folgende nach der (oben S. 2, Anm. 6 genannten) Leichpredigt Joachim Stolls für Johann Jakob von Rappoltstein.

Bibliothek besessen haben. „Was Commentariis, Postillen / Aufmunterungs- und Andachts-Schrifften betrifft / wurden deren so viele geschicket / gekaufet / und mehreren theils gelesen / als viele man haben kundte“, so berichtet der Hofprediger Joachim Stoll in seiner Leichpredigt[20]. Stoll gibt an diesem Ort auch eine Aufzählung der wichtigsten vorgelesenen Werke, woraus sich ein einzigartiger Einblick in die am rappoltsteinschen Hof herrschende religiöse Gedankenwelt gewinnen läßt. Es werden der Reihenfolge nach genannt: Martin Chemnitz, Examen Concilii Tridentini; Johann Arndt, Wahres Christentum; Bayly, Praxis Pietatis; Sonthomb, Güldenes Kleinod; Dieterich, Catechetische Ausführungen. Die Aufzählung zeigt die gleiche eigentümliche Verbindung von lutherischer Orthodoxie mit Arndtscher und puritanischer Frömmigkeit, die schon bei dem Straßburger Kirchenpräsidenten Johann Schmidt begegnete. Den Grund zu dieser Frömmigkeitsrichtung am rappoltsteinschen Hof hat wohl der Hofprediger *Nathanael Dilger* (ca. 1604–1679) gelegt[21], ein Freund und Schüler von Johann Schmidt[22], der von Straßburg 1629 nach Rappoltsweiler gekommen war. Er stammte aus Danzig, wo sein Vater einer der eifrigsten Vorkämpfer der Arndtschen Anschauungen war und zusammen mit seinem Kollegen Rahtmann deshalb in Auseinandersetzungen mit orthodoxen Amtsbrüdern geriet, die weit über Danzig hinaus das Luthertum erregten[23]. Nathanael Dilger dürfte es vornehmlich gewesen sein, der die Frömmigkeitsanschauungen des erblindeten Grafen geprägt und auf die Linie der Arndtschen Richtung und der Bestrebungen Johann Schmidts geleitet hat. Joachim Stoll nennt ihn unter denjenigen Gelehrten, mit denen Johann Jakob von Rappoltstein sich zu unterreden pflegte, an erster Stelle[24]. Wie ernst es der Graf mit den Frömmig-

---

[20] AaO 90.

[21] Nathanael Dilger, Hofprediger in Rappoltsweiler von 1629–1635 (bzw. 1637). Nach Horning (Beiträge III, 378) soll er 1635 bereits von Rappoltsweiler in seine Heimatstadt Danzig zurückgekehrt sein. Spener bezeugt aber 1679 (Cons. 2, 215), daß er seine 1636 geborene Schwester Agatha Dorothea getauft hat (Taufdatum 4. 1. 1637, Kirchenbuch p. 290). Sein Danziger Pfarramt soll er 1638 angetreten haben (Tholuck, Lebenszeugen, 297 f.). Er ist also wohl bis 1637 rappoltsteinscher Hofprediger gewesen. Spener stand mit ihm in Briefwechsel und bedauert 1679 seinen Tod (Cons 2,214 f.). Vgl. Grünberg I, 63, Anm. 1.

[22] Dilger schreibt an Johann Schmidt, daß er an ihm „wie Jonathan an David“ hänge (Tholuck, Lebenszeugen, 298), er nennt ihn „compater meus“ (Horning, Ein Kleeblatt Rappoltsteinischer Gräfinnen, 10, Anm. 1).

[23] Daniel Dilger (1572–1645), seit 1598 bis zu seinem Tod Pfarrer in Danzig, 1605 Pastor zu St. Katharinen, 1626 zu St. Marien. Autor von: Herrn Johann Arndts richtige und in Gottes Wort wohlbegründete Lehre in den vier Büchern vom Wahren Christentum, 1620 (Ritschl, Geschichte des Pietismus II, 38). Spener druckt Warhafftige Erzehlung, 13 ff., einen ausführlichen Brief Daniel Dilgers an Johann Arndt ab. Vgl. Grünberg I, 63. Zum sog. „Rahtmannschen Streit“ vgl. Art. „Rahtmann“, RGG³ V, 770.

[24] Leichpredigt auf Johann Jakob von Rappoltstein, aaO 87. Auch Spener be-

keitsempfehlungen der Erbauungsbücher nahm, mag man daraus ersehen, daß er, obwohl reich an Weinbergen, selbst stete Nüchternheit beachtet und keinen Tropfen Wein getrunken hat. Bei festlichen Anlässen ließ er sich sein Glas mit Wasser füllen. Diese Form des Puritanismus ist also nicht erst mit dem Pietismus in die lutherische Kirche gedrungen[25].

Spener hat seinem Landesherren Johann Jakob von Rappoltstein und seiner Gemahlin Anna Claudina, einer geborenen Wild- und Rheingräfin, von Kindheit an bis in seine Studien- und Freipredigerzeit an Wohlwollen und Förderung viel zu danken gehabt[26]. Er hat beide häufig auf ihren Reisen begleiten dürfen, zur Sauerbrunnenkur ins rappoltsteinsche Weyer im Gregoriental, einmal auch auf die weitere Reise nach Stuttgart, und noch 1664 ist Johann Jakob von Rappoltstein, der als einziger seines Geschlechts ab 1651 den Grafentitel trug, zur Doktordisputation seines Landeskindes in Straßburg persönlich erschienen[27]. Für die Kindheit ist daneben in besonderer Weise zu nennen der erzieherische Einfluß der Stiefmutter Johann Jakobs und Patin Speners *Agatha von Rappoltstein* (1585—1648), geborene Gräfin von Solms-Laubach-Wildenfels. Die Gräfin, die sich in dem Jahrzehnt ihres Witwenstandes der Fürsorge für die Armen und der Erziehung von Kindern angenommen haben soll, hegte zu ihrem begabten und durch seine Lernbegierde auffallenden Patenkind eine ganz besonders „gnädige Liebe". In dem von ihr bewohnten neben dem Stadtschloß gelegenen „Meierhaus" hat sie den aufgeweckten Jungen viel um sich gehabt, ihn mit Ermahnungen zum Guten angehalten, ihn über seine Fortschritte im Lernen „examiniert", ihm manche leiblichen Wohltaten erwiesen und dadurch, wie Spener im Lebenslauf schreibt, „den guten Funcken, den sie in mir wahrnahm, auffblasen zuhelffen gesucht".

Seit Tholuck wird in der Literatur von einem erwecklichen Einfluß der Gräfin Agatha auf den jungen Spener gesprochen, nach Grünberg soll ihm ein weiches, weltflüchtiges Christentum von dieser Seite entgegengetreten sein. In Speners Lebenslauf — der einzigen Stelle, wo er der Patin gedenkt — ist von einem besonderen religiösen Einfluß der Patin freilich nichts zu lesen[28]. Macht man sich einmal die Mühe, in den Quellen nach dem Cha-

richtet von einer Freundschaft, die Dilger mit seinen Eltern geschlossen hatte: Cons. 2,214 f.

[25] Leichpredigt, aaO 87.

[26] Vgl. die Vorrede zum Opus Heraldicum, Pars generalis, 1690. Den Leichpredigten beider (oben S. 2, Anm. 6) hat Spener Leichengedichte und „Sarckschriften" beigegeben.

[27] S. unten S. 175.

[28] Nach Tholuck (Art. „Spener", RE[1] 14,614) soll Spener ihr „für die Erwekkung seiner Frömmigkeit viel zu verdanken" haben. Bei Wagenmann (Art. „Spener", RE[2] 14,500) liest man sogar, er hätte ihr seine „Erweckung zu danken". Grünberg (I, 129) schreibt: „In religiöser Beziehung wurde Spener in dieser Periode (sc. seiner Jugend) . . . durch zwei Personen beeinflußt, seine Pathin, Agathe von Rappoltstein, und seinen Lehrer, den Hofprediger Stoll." Weiter: „Sie hat, wie Spener sagt, . . . ihn von der Eitelkeit der Welt abzuziehen gesucht."

rakterbild dieser Frau zu suchen, so findet man keineswegs das Bild einer weltflüchtigen Mystikerin, sondern man stößt auf eine Frauengestalt, in der sich Frömmigkeit und Weltfreude noch in ungebrochener Einheit beieinander finden und von der man fragen muß, ob sie nicht ebensoviel Anteil am Geist der Renaissance wie am Geist des Luthertums gehabt hat. Das Bild, das der Hofprediger Joachim Stoll in seiner Leichpredigt von ihr gezeichnet hat, läßt jedenfalls erkennen, daß Agatha von Rappoltstein nichts mit dem Quietismus des 17. Jahrhunderts zu tun hat[29]. Eher ist sie ein Kind des 16.

GRÜNBERGS Darstellung ist für alle neueren Darstellungen maßgebend geworden, wobei man über ihn hinaus den Einfluß der Patin allmählich immer stärker betont als denjenigen Stolls. Bei STEPHAN-LEUBE (Handbuch der Kirchengeschichte IV, Die Neuzeit, 1931², 43) heißt es bereits: „In Rappoltsweiler (Oberelsaß) geboren... erhielt der Knabe durch seine Patin Agathe von Rappoltstein eine streng religiöse und zwar quietistisch-mystische Erziehung, die durch den Hofprediger Stoll im Sinne einer nüchternen Praxis verstärkt wurde". In neueren Darstellungen wird dann Stoll meist übergangen und nur noch vom Einfluß der Patin gesprochen (z. B. M. SCHMIDT, Das Zeitalter des Pietismus, 1965, 1; F. W. KANTZENBACH, Orthodoxie und Pietismus, 134 f.). — Ich stelle dazu fest: 1. Von einem besonderen religiösen Einfluß der Patin ist im Unterschied zu dem von Spener mehrfach mit besonderer Betonung bezeugten religiösen Einfluß Stolls (s. unten S. 50 f.) nirgendwo in den Quellen die Rede. 2. Der Einfluß von Stoll, der ein Jahr vor dem Tod der Patin überhaupt erst nach Rappoltsweiler kommt, wird von Spener so bestimmt, daß dieser die *ersten* Funken der wahren Gottseligkeit in ihm *erweckt* habe. 3. Von seiner Patin redet Spener überhaupt, soweit ich irgend sehen kann, nur in dem für die Verlesung beim eigenen Begräbnis bestimmten Eigenhändigen Lebenslauf. Zu dieser Erwähnung bewegt ihn aber weniger die Erinnerung an ihre Person als die Erinnerung an ihren Tod, der für den jungen Spener offensichtlich das entscheidende Jugenderlebnis war und in ihm selbst eine heftige Todessehnsucht weckte. 4. GRÜNBERG berichtet falsch, daß *sie* ihn von der Eitelkeit der Welt abzuziehen gesucht habe. Nicht sie tat dies nach Speners Worten, sondern ihr Tod. Spener schreibt deutlich: „So hat Gott auch sie zu einem sonderbahren Mittel / meine Seele zeitlicher von der Eitelkeit der Welt abzuziehen / also gebrauchet . . ." (es folgt der Bericht über ihren Tod und Speners dadurch erweckte Todessehnsucht). 5. Ob die 1585 geborene Gräfin sich auf ihre alten Tage noch stark von der englischen Erbauungsliteratur hat beeinflussen lassen, wie das die jüngere Generation am rappoltssteinschen Hof — vor allem der blinde Johann Jakob — tat, wissen wir gar nicht. Auch daß sie eine mystisch-quietistische Frömmigkeit pflegte, ist nicht bezeugt. 6. Wenn Spener von der Patin außerdem sagt, daß sie „den guten Funcken / den sie in mir wahrnahm / auffblasen zuhelffen gesucht", so geht das über das kurz zuvor von den Hauslehrern Gesagte („sie unterließen . . . nicht / mit Zucht und Vermahnung mich zu dem Guten anzutreiben") nicht hinaus. Von einem besonderen religiösen Einfluß der Gräfin Agatha kann also keine Rede sein. Ganz abwegig ist es, die Eigenart der Jugendreligiosität Speners durch ihren Einfluß erklären zu wollen.

[29] ΤΑΦΟΣ ΑΘΑΜΒΟΣ. || das ist: || Leich- oder Leucht-Predigt || und || Christenthums-Ruhm / || Uber den Wohl-seligen Hintrit; und bey Gräflichem Begräbnuß || Weyland der Hoch-Wohl-gebohrnen Gräfinn und Frawen / || Frawen || AGATHAE / || Frawen zu Rappoltstein / Hohenack / und Geroltzeck am || Wassichin ec. Gebohrner Gräfinn zu Solms . . . von JOACHIMO STOLLIO Rappolt-

Jahrhunderts zu nennen, hat sie doch mehr als die Hälfte ihres Lebens in den glücklichen Jahrzehnten vor dem großen Krieg verleben können.

Aufgewachsen auf Schloß Laubach in Hessen, wo sie im Jahre 1585 als sechzehntes Kind des Grafen Johann Georg zu Solms geboren wurde, muß Agatha zu Solms ihrer Mutter, der Gräfin Margaretha, nachgeschlagen haben, die „eine weit gepriesene Hof- und Haußhaltungs-verständige Matron" genannt wird und ihre zahlreichen Töchter so vorzüglich herangebildet haben soll, daß sie allesamt begehrte Partien wurden und „alle oben Stand-mäßig" verheiratet werden konnten. Ihre im Jahre 1609 mit dem verwitweten Eberhard von Rappoltstein eingegangene Ehe blieb kinderlos. Doch hat sie sich ihrer Stiefkinder mütterlich angenommen, ist von ihnen, später auch von ihren Familien als Mutter des rappoltsteinschen Geschlechts geehrt und respektiert worden, vor allem hat sie sich durch ihre allen Volksschichten gleichmäßig zugewandte Tatkraft und Fürsorge den Ruhm einer vorbildlichen Landesmutter erworben. Joachim Stoll hat das Prophetenwort ‚Rühme dich, du Unfruchtbare, denn du hast mehr Kinder als die, so geboren hat' auf sie angewandt und das in Sprüche 31 von einer tugendsamen und tüchtigen Ehefrau aufgestellte Ideal in ihr erfüllt gesehen. Durch ihre Kunst im Zubereiten von Arzneien soll sie sich weiten Ruf verschafft haben. Bestaunt wurde ihre Fertigkeit in Handarbeiten, vermöge welcher „dero Hände gleichsam machen kunten, was die Augen sahen" und wovon nach ihrem Tode viele Wirkarbeiten und „Kunst-Stücke" Zeugnis gaben. Daß sie eine resolute Frau gewesen ist, zeigt eine Episode aus der schwedischen Besatzungszeit, als sie, weil es in Rappoltsweiler am Nötigsten fehlte, dem schwedischen General Horn ihren Schmuck übersandte mit der Bitte, ihr dafür Geld zu geben. Horn, als Beschützer des lutherischen Elsaß auf seine Ehre angesprochen, soll ihr das Geld geschickt, den Schmuck aber zugleich zurückgesandt haben.

Der Tüchtigkeit und Kunstfertigkeit ihrer Hände standen ihre geistigen Gaben nicht nach. Die Gräfin muß eine außergewöhnlich kluge und belesene Frau gewesen sein. Ihr erst im letzten Lebensjahr durch Krankheit geschwächtes Gedächtnis soll von vielen „als ein lebendiges memorial befunden" worden sein. Künstler und Gelehrte schätzten ihren Umgang, und ein Johann Valentin Andreä konnte sich in seinen späten, vergrämten Jahren nicht dankbar genug der Gespräche erinnern, die er mit der verständigen

---

steinischem Hof-Prediger. Straßburg (J. Ph. Mülbe und Josias Städel) 1649. 4°. 43 S. + 25 (unpag.) S. – Diese Leichpredigt, nach der Horning in Straßburg und Colmar vergeblich geforscht hat (Kleeblatt, 24) und von der Grünberg nichts wußte, habe ich nach dem alten Katalog der Familienpredigten in der LB Stuttgart finden können. Sie enthält auf S. 30–43 die Personalia der am 16. 9. 1585 geborenen und am 13./23. 11. 1648 gestorbenen Patin Speners, darunter eine bis in die kleinsten Einzelheiten gehende Beschreibung ihrer letzten Tage und ihres Todes.

Gräfin Agatha hatte führen können[30]. Mehr als alles andere ist wohl diese Freundschaft mit Andreä erhellend für die geistige Welt, in der die Gräfin lebte. Gelegentlich eines Kuraufenthalts im württembergischen Liebenzell hatte sie zusammen mit ihrem Gatten im Jahre 1630 Andreä kennengelernt, der damals im nahen Calw als Superintendent wirkte. Der mit Andreä befreundete Hofprediger Dilger hatte die Bekanntschaft vermittelt. Andreä zeigte ihnen die reiche Sammlung seiner Bücher und Kunstschätze, die er in seinem Calwer Pfarrhaus zusammengetragen hatte. Aus dieser Bekanntschaft hat sich dann eine Art Gönnerverhältnis entwickelt, wie es Andreä ja an manchem Adels- und Fürstenhof anzuknüpfen verstand. Als er 1634 nach der Zerstörung der Stadt den Verlust seiner Sammlungen zu beklagen hatte, war die Gräfin Agatha eine der ersten, die ihm mit Geschenken und Zuwendungen unter die Arme griff. Im Jahre 1636 schenkte sie ihm einen kostbaren silbernen Globus, woran Andreä in seinem Leichcarmen auf Agatha von Rappoltstein und auch in seiner Lebensbeschreibung mit besonderer Dankbarkeit zurückdenkt. Bei seinem Straßburger Aufenthalt will er den Umgang und die Gespräche mit ihr ganz außerordentlich genossen haben. — Es ist anzunehmen, daß der junge Spener durch seine Patin den Namen Johann Valentin Andreäs gehört, vielleicht auch Näheres über diesen außergewöhnlichen Mann und seine Schriften erfahren hat. Seine Hochschätzung des großen Württembergers geht sicherlich zurück auf die Jugendeindrücke am rappoltsteinschen Hof, lassen sich doch im weiteren Bildungsgang Speners keine Spuren einer Beschäftigung mit den Schriften Andreäs mehr erblicken[31]. Denkwürdig ist auch, daß das früheste literarische Zeugnis, das wir von Spener besitzen, neben einem Produkt der Feder Johann Valentin Andreäs steht. Die zu Beginn des Jahres 1649 in Straßburg gedruckte Leichpredigt auf Agatha von Rappoltstein enthält neben einigen unbedeutenden Beiträgen zwei auffallende Epizedien: eine la-

---

[30] Vgl. die mehrmalige Erwährung der Gräfin Agatha von Rappoltstein in der Selbstbiographie Andreäs (hg. von Seybold in deutscher Übersetzung und leicht gekürzt, Winterthur 1799; im latein. Original hg. von F. H. Rheinwald, Berlin 1849), vor allem 156 und 186, vgl. aber auch 121 und 128 der deutschen Ausgabe. Außerdem Andreäs Leichcarmen zu der oben Anm. 29 genannten Leichpredigt der Gräfin Agatha.

[31] Speners besonderes Lob Andreäs, wonach es niemand gäbe, den er lieber von den Toten auferwecken würde als ihn, datiert erst aus seinen späten Jahren (Cons. 3,731 [1692]; Warhafftige Erzehlung 1698, 31). In den Pia Desideria werden die Schriften Andreäs nur ganz summarisch erwähnt (PD 25,1), übrigens aufgrund einer literarischen Vorlage: die gleiche summarische Erwähnung der Schriften Andreäs findet sich auch in dem Katalog von Zeugen für den Verfall des evangelischen Christentums bei Heinrich Varenius, Rettung der vier Bücher vom wahren Christentum (vgl. PD 21,12), den Spener an dieser Stelle breit ausschreibt (vgl. den Nachweis der Abhängigkeit Speners von Varenius bei ALAND, Spener-Studien, 50 ff., wo aber die Übernahme des Verweises auf Andreä nicht notiert ist. S. dazu Varenius (unten S. 117, Anm. 126) II, 145.

teinische Elegie des 62jährigen Stuttgarter Konsistorialrats Andreä und die ebenfalls lateinischen, in der Form des Anagramms, der Elegie und des im Barock beliebten Echos abgefaßten Trauergedichte des vierzehnjährigen Philipp Jakob Spener[32].

Der Tod der alten Gräfin Agatha (13./23. 11. 1648) muß für den jungen Spener ein Erlebnis von tiefer und langanhaltender Erschütterung gewesen sein. Die Gräfin hat ihn im November 1648, auf dem Totenbett liegend, zu sich rufen lassen, brachte aber den Segen, den sie dem ihr ans Herz gewachsenen Jungen wünschen wollte, nicht mehr über die Lippen. Sie starb noch am gleichen Tage. Spener berichtet in seinem Lebenslauf, daß ihn ihre vergeblichen Bemühungen, mit ihm zu reden, so gerührt hätten, daß danach in ihm die Sehnsucht und Begierde erwuchsen, auch aus dieser Welt zu scheiden. Eine geraume Zeit habe er täglich um seine „Auflösung" gebetet, ja diese von Gott durch Gebete zu „erzwingen" gesucht. Spener hat später dieses Todesverlangen seiner Jugendjahre getadelt, hat aber doch gemeint, Gott habe den Tod der Gräfin als ein Mittel gebraucht, um seine Seele schon früh von der Eitelkeit der Welt abzuziehen[33].

Wir wissen außerdem noch von einem zweiten Jugenderlebnis Speners, das, wenn auch nicht in gleicher Weise erschütternd, doch für den Charakter seiner Jugendfrömmigkeit aufschlußreich ist. Dieses Erlebnis ist uns durch den Freiherrn von Canstein überliefert, der Spener in seinen letzten Jahren gefragt hat, ob er denn wohl in seiner Jugend auch einmal böse gewesen sei. Darauf soll Spener mit großer Bestürzung geantwortet haben: „Freylich wäre er böse gewesen, dann er erinnerte sich noch wol, daß im 12ten jahr seines alters er einige leute hätte tantzen gesehen, und von andern überredet worden wäre mitzutantzen, kaum hätte er angefangen, so hätte ihn eine solche angst überfallen, daß er aus dem tantz wäre weggelauffen, auch nach der zeit dergleichen sich niemalen wieder unternommen." Das sei alles gewesen, fügt Canstein hinzu, dessen er sich aus seiner Jugend an Bösem hätte erinnern können, anderes sei ihm nicht bewußt gewesen[34].

Dieses andere Erlebnis ist, wenn Canstein zuverlässig berichtet, von Spener in sein zwölftes Lebensjahr datiert worden. Es liegt also vor dem Tod der Gräfin, bei welchem Spener knapp vierzehn Jahre alt war. Schon hier zeigt sich jene ängstliche und scheue Zurückgezogenheit von der Welt, die

---

[32] Speners Leichgedichte aaO (oben S. 42, Anm. 29) 63–65. Sie liegen vier Jahre vor der bei GRÜNBERG als frühestes Selbstzeugnis aufgeführten Magisterdissertation!

[33] Lebenslauf, 23: Ob nun wohl darinnen zu weit gegangen seyn mag / der ich eine gute Zeit täglich meine Aufflösung von GOtt mit Gebet zu erzwingen mich bemühet / welchen Fehler ich billich erkenne / hat GOtt dennoch auch solche meine Schwachheit dazu gebrauchet / viele Lüsten der Eytelkeit / welche in solcher Zeit bey der Jugend sich finden / bereits damahl zu schwächen / und das Gemüthe zu den künfftigen Gütern zu lencken.

[34] Canstein, Vorrede zu Letzte Theol. Bed., 10.

durch den Tod der Gräfin also nicht verursacht sein kann. Beides, das Angsterlebnis des Zwölfjährigen bei der Berührung mit dem Treiben der Welt wie die Todessehnsucht des fast Vierzehnjährigen wird man wohl in Beziehung setzen müssen zu den geistigen Einflüssen, die durch Lektüre frommer Bücher auf den frühreifen Jungen gewirkt haben[35].

Das Suchen nach den geistigen Kräften, die die Frömmigkeit des heranwachsenden Philipp Jakob Spener geprägt haben, ist uns dadurch erleichtert, daß Spener selbst in seinem Lebensbericht diejenigen Bücher nennt, die er als Kind gelesen hat und die, wie er angibt, den gleichen Erfolg wie der Tod der Patin bei ihm bewirkten, nämlich ihn von der Eitelkeit der Welt abzuziehen. Es sind dies die beiden *englischen Erbauungsbücher* Praxis Pietatis von Lewis Bayly und Güldenes Kleinod von Emanuel Sonthomb[36]. Von dem Weg, auf dem diese Bücher in den Gebrauch der lutherischen Gemeinden des Elsaß drangen, ist oben gehandelt worden[37]. Speners Vater besaß sie persönlich, neben der Bibel bildeten sie zusammen mit den Schriften Arndts und der Epitome credendorum des Nicolaus Hunnius seine „theologische Bibliothek“[38]. Spener sagt, daß ihm beide Bücher „in weiter Ansehung des Arndts wahren Christenthums / nechst der Bibel meistens in den Händen waren“[39]. Wenn er später an den englischen Büchern tadelt, daß in ihnen nicht recht zwischen Gesetz und Evangelium unterschieden werde, so hat er sich, wie Grünberg mit Recht annimmt, dem Eindruck des Bayly und Sonthomb in seiner Kindheit ganz unbefangen hingegeben[40]. Von einer Bevorzugung Johann Arndts, den er später den englischen Schriftstellern weit voranstellt, ist in der frühesten Zeit noch nichts zu merken. Nach dem Bericht im Lebenslauf scheint es eher umgekehrt, daß die

---

[35] Wenn ich den Einfluß der Gräfin Agatha ganz entschieden hinter den Einfluß der von Spener gelesenen Erbauungsliteratur zurückstelle, so ziehe ich nur die Konsequenz aus der richtigen Beobachtung Grünbergs (I, 130), daß Spener „sein ganzes Leben hindurch, unter Büchern und mit Büchern lebend, gerade durch Bücher wesentlich in seinen Auffassungen bestimmt und gebildet wurde.“ Speners Kindheit ist nicht nach dem Modell der Jugend Zinzendorfs zu begreifen.

[36] Lebenslauf, 23 (Fortsetzung des Zitats von Anm. 33): Nicht weniger hat auch GOtt zu solchem Zweck gesegnet die fleissige Lesung zweyer aus dem Englischen übersetzten Büchern / nemlich des güldenen Kleinods Immanuel Sontoms und der Praxis Pietatis Bayly, so mir eben in weiter Ansehung des Arndts wahren Christenthums / nechst der Bibel meistens in den Händen waren: Sonderlich aber wurde in der Praxi Pietatis, durch die Vorstellung des bey den Glaubigen seligen / bey den Gottlosen aber unseligen Zustandes in dem Leben / in dem Tode / und nach dem Tode / vermittelst Göttlichen Seegens zimlich kräfftig gerühret / daher auch in solcher Jugend ein Theil Capitel von der Seligkeit der Glaubigen in und nach dem Tod in Teutsche Verse gebracht habe.

[37] S. oben S. 18 ff.

[38] Cons. 3,137 (An Stenger 10. 8. 1676): Interim Sonthomium a juventute mea dilexi: & ille cum Bailio, Arndio atque Hunnii epitome credendorum post Sacram Scripturam B. Parentis mei, qui JCtus (= Jurisconsultus) fuit, bibliothecam Theologicam constituit, eique fuit in pretio.

[39] S. oben Anm. 36.

[40] Grünberg I, 132.

englischen Bücher auf den heranwachsenden Knaben einen stärkeren Einfluß ausgeübt haben als Arndts Wahres Christentum.

Spener gibt an, daß ihm in Baylys Praxis Pietatis besonders die Ausführungen beeindruckten über den seligen Zustand der Gläubigen und den unseligen Zustand der Gottlosen im Leben, im Tode und nach dem Tode. Den Teil über die Seligkeit der Gläubigen in und nach dem Tode habe er in seiner Jugend in deutsche Verse gebracht[41]. Daß ihn gerade dieser Teil — es handelt sich um die Kapitel 5—11 in der deutschsprachigen Ausgabe — besonders angesprochen hat, ist für das religiöse Interesse des jungen Spener besonders aufschlußreich. Die Praxis Pietatis ist so aufgebaut, daß, weil wahre Gottesfurcht aus der Erkenntnis Gottes und der Erkenntnis unserer selbst besteht, zuerst die beiden „Grundfesten" der wahren Gottseligkeit betrachtet werden, die Erkenntnis der göttlichen Majestät und die Erkenntnis des menschlichen Elends. Dann folgt der eigentlich praktische Teil, der den größten Raum des Bandes umfaßt und die verschiedenartigsten Regeln für ein gottseliges Leben, darunter bis ins einzelne gehende Anweisungen für die Sonntagsheiligung enthält. Die Übernahme dieses Buches und seine Empfehlung durch Johann Schmidt erklärt sich, wie wir gesehen hatten, aus dem Bedürfnis einer Ergänzung des Arndtschen Werkes nach der Richtung praktikabler Anleitungen zur Übung der Gottseligkeit. Man sollte also vorzüglich den praktischen Hauptteil beherzigen. Was den jungen Spener dagegen fesselte, ist der theoretische Teil, und zwar dessen zweite Hälfte, die von der Erkenntnis unserer selbst und unseres Elends handelt. Hier zeigt sich bereits jene bei Spener später immer wieder zu beobachtende Art, die Dinge der Frömmigkeit nicht von der Praxis, sondern von ihrer theoretischen Begründung her anzugehen, zugleich aber auch das besondere Interesse am Schicksal des frommen und des gottlosen Menschen. Bei der Vorliebe für die genannten Kapitel der Praxis Pietatis konnte es kaum ausbleiben, daß die seltsam phantastische Art, in der Bayly im Anschluß an spätmittelalterliche Traditionen das Leben der Seligen im Himmel mit den heitersten Farben malt und die dort zu erwartenden Wonnen geradezu schwelgerisch beschreibt, über den jungen Spener Gewalt bekam. Wenn er dort las: „Welcher gottselige junge Mensch wolte sich nun nicht gerne das Alter wünschen, damit er desto ehe von hinnen abscheiden, und in das himmlische Paradeiß kommen möchte"[42], so braucht man nicht lange zu fragen, wo die geistigen Wurzeln seiner jugendlichen Todessehnsucht liegen.

Die gleiche, auf das Jenseits ausgerichtete Frömmigkeit, die gleiche, eher noch sinnlichere Ausmalung all der Freuden, die den Frommen bereitet sind, „wenn sie in den Himmel kommen"[43], fand der junge Spener in Son-

---

[41] S. oben Anm. 36. [42] Praxis Pietatis, Lüneburg 1689, 448.

[43] Sonthomb, Güldenes Kleinod, Berlin 1738, 226 (Aus dem 10. Kap. des ersten

thombs Güldenem Kleinod. Im Untertitel nennt sich dies Buch „Der wahre Weg zum Christenthum", was an Johann Arndts Hauptwerk erinnert. Das in drei Teile zerfallende Werk führt zuerst die Ursachen und Motive auf, die den Menschen zur Buße und zur durchgreifenden Besserung seines Lebens ermuntern sollen (I), dann setzt es sich mit den Gegengründen und Hindernissen auseinander, die solcher Besserung des Lebens entgegenstehen (II). Neben der Liebe zur Welt wird vor allem die Meinung, man könne die Lebensbesserung von einem Tag zum andern aufschieben, als eines der gefährlichsten Hindernisse beschrieben und eindringlich dargelegt, wie gefährlich es sei, die Buße zu verschieben. Schließlich wird (III) von dem, was die Buße eigentlich sei, und von den rechten Früchten der Buße gehandelt, wobei in einer ganzen Reihe von Regeln und Ermahnungen eine Art christliche Tugendlehre entwickelt wird. Man hat das Güldene Kleinod neben die Vier Bücher vom wahren Christentum gestellt[44], doch fehlt ganz jene Arndt eignende Mystik, die das Reich Gottes nicht bloß in ein fernes Jenseits verlegt, sondern es im Innern der Seele, in der Wiederherstellung des göttlichen Ebenbildes im Menschen diesseitig hereinbrechen sieht. Sonthombs Frömmigkeit ist reine Jenseitsfrömmigkeit. Dabei bietet er neben der Schilderung himmlischer Freuden eine sehr drastische Ausmalung der Höllenqualen, auf die dadurch ein ganz besonderes Gewicht fällt, weil seiner Meinung nach Gott die Erwägung der Strafen als das größte und kräftigste Mittel gebraucht, um die Menschen zum Vorsatz eines gottgefälligen Lebens zu bewegen. Es ist von der Reformation fast unberührte spätmittelalterliche Frömmigkeit — die wenigen Einschübe der lutherischen Bearbeitung ändern hieran nichts —, die der junge Spener hier in sich aufgenommen hat. Neuzeitlich ist höchstens das rationale Gewand, in das sie gekleidet ist, meint doch Sonthomb, daß jeder Leser durch die Lektüre seines Buches unfehlbar zur Lebensänderung geführt werden müßte.

Den hauptsächlich durch Lektüre empfangenen Frömmigkeitsanschauungen der frühen Jugend tritt in den letzten Rappoltsweiler Jahren zur Seite der Einfluß eines Mannes, der die wichtigste Rolle in Speners Jugendzeit gespielt hat. Es ist der bereits mehrfach erwähnte Magister Stoll, der nach dem Tod des Pfarrers Selbmann im Oktober 1647 die Stelle eines rappoltsteinschen Hofpredigers angetreten hat.

Teils, welches die Überschrift trägt: „Von der großen Herrlichkeit und milden Belohnung, die allen Gottesfürchtigen und Frommen zugesagt, und von Ewigkeit bereitet ist").

[44] So Johann Michael Dilherr in seiner vielen Ausgaben des Sonthombs vorgedruckten Vorrede vom 31. 8. 1657. — Übrigens hat noch knapp hundert Jahre nach Spener der junge Johann Salomo Semler in Saalfeld das „Güldene Kleinod" als Sonntagserbauung gelesen (s. dessen Lebensbeschreibung, von ihm selbst abgefaßt, I, 1781, 44; die von Semler zugleich gelesene „Pilgerreise" John Bunyans ist im englischen Original erst 1678 erschienen, hat also auf die *Entstehung* des Spenerschen Pietismus keinen Einfluß ausüben können).

Joachim Stoll (1615–1678)[45], zwanzig Jahre älter als Spener, ist ein Mann, der seinen glänzenden Gaben nach längst auf einem philosophischen oder theologischen Lehrstuhl sitzen mußte, hätte nicht der Krieg seine Pläne durchkreuzt und ihn ins überfüllte Straßburg verschlagen. Er ist aus Pommern gebürtig, Sohn eines Offiziers, mütterlicherseits böhmischer Abstammung. Früh durch seine Begabung auffallend, hat er durch den späteren Greifswalder Theologieprofessor Micraelius privaten Unterricht empfangen, ehe er 1630 in das herzögliche Pädagogium in Stettin aufgenommen wurde. Dort lehrte noch der Theologe Daniel Cramer (1568–1637), der während seiner Wittenberger Zeit einst als erster Lutheraner ein Lehrbuch der aristotelischen Metaphysik herausgegeben hatte[46], sich später aber nur noch der Theologie, speziell der Kirchengeschichte und der biblischen Exegese widmete[47]. Stoll hat Cramer zum Lehrer gehabt und ist von ihm mit einer Disputation über die Prädestinationslehre zum Magister promoviert worden. Besuche mehrerer norddeutscher Universitäten, darunter Frankfurt a. O. und Leipzig, blieben wegen der Kriegsunruhen ohne Erfolg, so daß sich Stoll von Stettin nach Süddeutschland wandte. Er ging nach Tübingen, wo er die Katastrophe des Jahres 1634 und die „Zerscheuchung" der Universität erlebte, dabei auch sein ganzes Vermögen verlor. So kam er als mittelloser Flüchtling nach Straßburg. Hier konnte er, indem er sich seinen Unterhalt durch Privatkollegs verdiente, seine theologischen Studien unter Jo-

---

[45] Die Angaben über Stoll entnehme ich den Personalia seiner Leichpredigt, gehalten am 24. 4. 1678 in Hunaweier von Johann Heinrich Ottho, gedruckt Frankfurt (Zunner) o. J. (vorh. in der Stolbergschen Leichpredigtsammlung, die im Hauptstaatsarchiv Düsseldorf, Zweigarchiv Kalkum, aufbewahrt wird). Danach ist Joachim Stoll geboren in Gartz/Pommern 2. 8. 1615 als Sohn von Peter Stoll, hochfürstl. pommerschen Befehlshaber und der aus Wogna/Böhmen stammenden Elisabeth geb. Bürsen. Gestorben 21. 4. 1678. Vgl. über ihn auch W. Horning, Joachim Stoll, Straßburg 1889 (mit vielen Fehlern, u. a. falschem Todesjahr, das bei Bopp, Die evangelischen Geistlichen, 1959, 533 wiederkehrt, in Bopp, Die evangelischen Gemeinden, 1963, 655 jedoch korrigiert ist). — Spener über Stoll: Bed. 1 I,234; 1 II,89; 3,189. 251. 308; 4,326; L. Bed. 1,467, 470; 3,3. 70; Cons. 1,158. 356. 387. 447. 463; 2,23; 3,137. Vgl. Grünberg I,130.

[46] M. Wundt, Die deutsche Schulmetaphysik des 17. Jahrhunderts, 51 f. Cramers „Isagoge in Metaphysicam Aristotelis" erschien 1594.

[47] Vgl. Daniel Cramer, Biblische Außlegung. Darinnern nicht allein ein jedes Buch und Capitel der Bibel richtig verfasset und getheilet, Sondern auch der Nutz darauff . . . kürtzlich vnd dannoch reichlich . . . erklärt wirdt, Straßburg 1627. — Die Tübinger theologische Fakultät bescheinigt Cramer in einer Vorrede, „daß er nicht krause / verschraubte vnd verdrehete Außlegungen / der Heyligen Schrifft herfür suchet / wie etwa auffgeblasene Geister thun / denen die Schrifft / jhren Geist sehen zu lassen / viel zu eng" sondern daß er die Christen erinnere, „bey der rechten Apostolischen seligen Einfalt zu bleiben". Es ist für die Beurteilung der vorspenerschen Zeit aufschlußreich, daß Interesse an der aristotelischen Metaphysik und Drängen auf apostolische Einfalt noch zusammengehen können, nicht — wie bei Spener — in einem Gegensatz auseinandertreten.

hann Schmidt, Dannhauer und Dorsche vollenden, sich gleichzeitig aber auch in der Geschichte und der Jurisprudenz weiterbilden. Seine eigenen, „von seltenen und gelehrtesten materien" handelnden Kollegs fanden solchen Anklang, daß ihm die philosophische Fakultät nach einigen Jahren das Halten von Collegia publica erlaubte. Daneben hat er, der nach Beendigung seiner theologischen Studienzeit als Prediger in Dorf und Stadt ausgeholfen hat, in der theologischen Fakultät Privatkollegs gehalten. Das Thomas-Archiv enthält eine handschriftliche Denkschrift Stolls an Kanzler und Scholarchen der Universität über die Möglichkeiten zur Vermehrung der Bibliothek, die aus dem Jahre 1643 stammt[48]. Vielleicht hat er eine Zeitlang die Universitätsbibliothek verwaltet. Ohne Lehrstuhl und ohne Bindung an ein bestimmtes Fach hat Stoll mehr als ein Jahrzehnt Vorlesungen über Gebiete gehalten, wie sie in diesem Umfang wohl von keinem anderen Dozenten vorgetragen wurden. Er soll „alle Scientias und neben der Historie (alle) partes philosophiae theoreticas et practicas", dazu die Theologie behandelt haben. Es verwundert nicht, daß noch 1670 Johann Heinrich Horb, der dem jungen Leibniz in Mainz von den vielfältigen wissenschaftlichen Plänen des rappoltsteinschen Hofpredigers berichtet, ihn einen Gelehrten „in omni scibili versatissimum" nennt[49]. Für die naturwissenschaftlichen Experimente Stolls hat sich Leibniz sehr interessiert gezeigt und auch brieflich Dritten davon mitgeteilt. Leider ist, soweit wir sehen können, nichts von diesen Plänen bis zur Druckreife gediehen. Außer seinem Beitrag zu den Spenerschen Pia Desideria und einigen Leichpredigten auf Glieder der Familie von Rappoltstein ist nichts Literarisches von ihm festzustellen.

Spener spricht von Stoll als einem Mann, den er seit seinem zwölften Lebensjahr wie einen Vater geehrt habe. Stoll, dem die außergewöhnliche Begabung des jungen Spener sofort aufgefallen sein wird, hat ihn zusammen mit anderen im Katechismusunterricht gehabt und hat ihn vorbereitet, als er das erste Mal zum Tisch des Herrn ging. Dabei hat Stoll nach Speners Bericht sich sehr darum bemüht, „das wahre Christenthum uns vorzustellen und einzupflantzen"[50]. Spener nennt ihn später zu verschiedenen Malen denjenigen Menschen, dem er die ersten Funken eines wahren Christentums[51], einer herzlichen Gottseligkeit[52] und eines heiligen Eifers[53] zu danken habe. Bei der Dürftigkeit der Quellen ist kaum auszumachen, ob es der

[48] AST Nr. 353, Univ. 30 (4. 4. 1643).

[49] Leibniz, Sämtliche Schriften und Briefe (Akademieausgabe) I, 1, 109 f. (23. 12. 1670).

[50] Lebenslauf, 23.

[51] Bed. 3,251 (12. 10. 1678): „deme ich auch unter menschen die erste igniculos eines wahren Christenthums . . . zu dancken habe."

[52] Bed. 3,189 (1677): „derjenige, durch den GOTT die erste igniculos einer hertzlichen gottseligkeit bey mir hat entzündet werden lassen . . .".

[53] Cons. 3,137 (10. 8. 1676): „cui primos fere, quo in me DEUS igniculos sancti zeli excitavit, in juventute mea debui . . .".

persönliche Eindruck oder der Inhalt seines Vortrages war, was auf Spener besonders wirkte. Nimmt man, was am wahrscheinlichsten ist, beides zusammen, so ist zu erwägen, ob es nicht überhaupt erst Stoll gewesen ist, durch den Spener den Zugang zu Arndts Wahrem Christentum fand. Spener hat später die Praxis Pietatis Baylys und das Güldene Kleinod Sonthombs für Anfänger empfohlen, das Wahre Christentum Arndts dagegen für Fortgeschrittene[54]. Es liegt nahe, daß dieser Rat aus den eigenen Erfahrungen mit diesen Büchern geschöpft ist. Mit den Angaben im Lebenslauf, die von der Frühzeit nur sagen, daß Gott die Lektüre des Bayly und des Sonthomb an ihm gesegnet habe, die aber von einer Wirkung des Wahren Christentums nichts berichten, würde das gut zusammenstimmen. Stoll wäre dann derjenige gewesen, dem Spener zwar nicht die Bekanntschaft mit Arndts Wahrem Christentum, das er ja in der Bibliothek seines Vaters vorfand, wohl aber den Zugang zu diesem Werk, das er zeitlebens neben der Bibel wie kein zweites Buch geschätzt hat, zu verdanken hat.

Durch Stoll ist Spener noch auf ein anderes Buch hingewiesen worden, welches er später zuweilen neben dem Bayly und dem Sonthomb als das dritte englische Erbauungsbuch seiner Jugendjahre nennt[55]. Es ist *Daniel Dykes* „Nosce te ipsum oder das Geheimnis des Selbstbetrugs“[56]. Es besteht kein Anlaß, die Lektüre dieses Buches erst in die Studienzeit Speners zu legen, er hat es sicherlich bereits in Rappoltsweiler gelesen[57]. Da den deutschsprachigen Ausgaben regelmäßig auch eine zweite Schrift Dykes „Die wahre

[54] An Spizel 25. 11. 1671 (Augsburg, 2°. Cod. Aug. 409, Nr. 339): „ . . . optarim, ut hi (sc. die Predigthörer) adsuefiant lectioni diligenti S. Scripturae, & post hanc librorum piorum, in quibus ego quidem incipientibus Bailii praxin pietatis & Sonthomii aureum cimelion filiorum Dei (utrumque quidem a Reformato scriptum, sed repurgatione nostrae Ecclesiae assertum) atque ex nostris Andr. Crameri opuscula, proficientibus vero Arndii Christianismum commendo“ (Zit. nach dem Abdruck Cons. 1,342).

[55] Bed. 4,461 (6. 7. 1682): „ . . . und nicht läugnen kan / daß so bald in meiner jugend GOtt das lesen des Bailii übung der gottseligkeit / Sonthoms gülden kleinods und Dyke selbs betrug / nicht wenig zu meiner eigenen erbauung gesegnet habe . . .“. Siehe auch unten Anm. 60.

[56] Nosce te ipsum: Das große Geheimnus deß Selbs-betrugs . . . vbersetzet . . . durch D. H. P. Göttlichen Worts inbrünstigen Liebhaber. Basel (Georg Decker) 1638. 8°. 672 S. (Strasb. Coll. Wilh.). Weitere Ausgaben: Frankfurt a. M. 1643 (UB Strasb.); Frankfurt a. M. 1671 (in meinem Besitz) u. ö.; Leube kennt eine 5. Aufl. Frankfurt 1652 (aaO 167, Anm. 5).

[57] Grünbergs Angabe (I,131), Spener habe Dykes „Selbstbetrug“ wahrscheinlich erst als Student kennengelernt, beruht auf seiner irrigen Annahme, das Buch sei erst 1652 ins Deutsche übersetzt. Das Buch wurde aber (s. vorige Anm.) bereits 1638 in Übersetzung in Basel gedruckt. Grünberg hat in den Nachträgen den Baseler Druck noch erwähnt (III,394), die dadurch fällige Sachkorrektur aber versäumt. Für die Verbreitung von Dykes „Selbstbetrug“ in Straßburg um das Jahr 1640 zeugt die Empfehlung bei Moscherosch (s. oben S. 22, Anm. 94).

Buße“ beigedruckt oder beigebunden ist[58], wird Spener auch diese Schrift gelesen haben[59]. Dykes Schriften enthalten nicht Anweisungen zur Übung der Gottseligkeit wie der Bayly oder der Sonthomb, sie malen auch nicht die Schrecken und Freuden einer Hölle und eines himmlischen Paradieses, sie enthalten vielmehr eine profunde religiöse Psychologie, die sich allein mit dem menschlichen Herzen und der Erkenntnis von seiner wahren Beschaffenheit beschäftigt. Dabei leiten sie zur ständigen Selbstbeobachtung und Selbstprüfung an und suchen alle die Hindernisse und Täuschungen aufzuweisen, denen das menschliche Herz bei dem Versuch der Selbsterkenntnis unterliegen kann. Der „Selbstbetrug“ Dykes behandelt den gleichen Themenkreis, der auf Spener in Baylys Praxis Pietatis den stärksten Eindruck gemacht hatte: die Erkenntnis des Menschen von sich selbst. Aber im Unterschied zu der gewissermaßen objektiven Methode, mit der Bayly den „Zustand“ der Frommen und Gottlosen im Leben und nach dem Tode beschreibt, geht Dyke über den Umkreis dessen, was im menschlichen Herzen geschieht, nicht hinaus. Damit hängt zusammen, daß der bei Bayly zentrale Begriff der Wiedergeburt zurücktritt hinter den der „Bekehrung“. In der „Wahren Buße“ wird eine ausgeführte Lehre von der Bekehrung gegeben, in der man diesen später im Pietismus zentralen Begriff schon monographisch analysiert und psychologisch eingehend erörtert findet. Spener hat, wie er später berichtet, von Dyke sehr viel zu seiner eigenen Besserung gelernt und stellt ihn überhaupt unter den englischen Schriftstellern, die er kennt, an die erste Stelle[60]. Daß er aus Dyke mehr gelernt habe als aus dem Sonthomb, hat er gegenüber Johann Melchior Stenger, der Sonthomb über alles schätzte, klar zu verstehen gegeben[61]. Es ist gut denkbar, daß Stoll

[58] Betrachtung und Beschreibung der Wahren Buss Als Deß ersten vnd fürnehmbsten Grundwercks zum wahren Christenthumb, Frankfurt a. M. (J. F. Weiß), 1637. 8°. 265 S. (Strasb. Coll. Wilh. angebunden an den Baseler Druck des „Selbstbetrugs“ von 1638, oben Anm. 56). Weitere Drucke: Frankfurt a. M. 1643 (gleichzeitig mit „Selbstbetrug“, bei Matthäus Kempffer); Frankfurt a. M. 1671 (als Anhang zum „Selbstbetrug“ mit durchlaufender Paginierung, bei J. G. Seyler). Vgl. oben Anm. 56.

[59] Dagegen gehört Richard Baxters „Selbstverleugnung“ nicht zur Jugendlektüre Speners. Spener hat es durch die 1665 in Hamburg (Grünberg I,131 Anm. 4; Leube, 168, Anm. 2) erschienene Übersetzung seines Freundes, des späteren Generalsuperintendenten Johann Fischer kennengelernt (vgl. Bed. 4,411), also frühestens im letzten Straßburger Jahr, möglicherweise auch erst in Frankfurt. Es empfiehlt sich nicht, die Lektüre von Baxters „Selbstverleugnung“, die ungefähr zwanzig Jahre später liegt als die Lektüre der anderen oben genannten englischen Bücher, mit diesen zusammen zu behandeln (gegen Grünberg I,131) oder sie gar zu den bestimmenden Jugendeinflüssen zu rechnen (gegen M. Schmidt, Das Zeitalter des Pietismus, 1).

[60] Cons. 1,158 (o. D.): . . . multum Dykii tractatui, Nosce Te ipsum, debeo ob propriam aedificationem, & eum autorem ipso illo suasore Stollio meo legi, qui pluribus eum commendare solebat. Cons. 3,351 f. (1680): . . . plurimum me ejus lectione emendatum.

[61] Cons. 3,137 (1676).

dem jungen Spener den Dyke als Gegengewicht gegen die Jenseitsfrömmigkeit des Bayly und Sonthomb empfohlen hat. Merkwürdig bleibt aber, daß Stoll später in seinem Bedenken zu den Pia Desideria die Lektüre nicht nur des Bayly und Sonthomb, sondern auch des Dyke widerrät[62].

Neben dem Katechismusunterricht und der Empfehlung von Büchern sind es die Predigten Stolls gewesen, die auf den jungen Philipp Jakob Spener einen bleibenden Eindruck machten[63]. Spener rühmt Stoll eine herrliche Predigtgabe nach, und er dankt seinen Predigten die Anfänge seines Eindringens in die Schrift. Er hat den alten Brauch des Predigtnachschreibens fleißig geübt und sich dadurch allmählich die Methode der Stollschen Predigten selbst angeeignet. Auf der Universität will er, wie er später berichtet, sich mit keiner anderen Predigtmethode beschäftigt haben, weil ihm die Stollsche bereits in Fleisch und Blut übergegangen war und er sich auf eine andere nicht verstehen konnte. Er hat deshalb zeit seines Lebens Stoll als seinen homiletischen Lehrer angesehen.

Die erhaltenen zwei Leichpredigten Stolls auf den Grafen Johann Jakob von Rappoltstein und seine Gemahlin Anna Claudina[64] lassen nun freilich kaum eine Ähnlichkeit mit der Spenerschen Predigtweise erkennen. Sie sind geradezu Musterbilder der barocken Schwulstpredigt und mit all dem Zierat an Rhetorik und zur Schau gestellter Gelehrsamkeit beladen, den der Pietismus gerade bekämpft hat. Zufällig ist Speners Urteil über diese beiden Predigten erhalten, in dem zwar die Tiefe der Gedanken gelobt, der nur den Gelehrten verständliche Stil aber nachdrücklich kritisiert wird[65]. Daß Stoll normalerweise einfacher gepredigt hat als in diesen zum Druck gegebenen Prunkpredigten, wird man zwar annehmen können. Wenn man aber seinen Beitrag zu Speners Pia Desideria liest und auf den auch hier zutage liegenden barocken Sprachmanierismus achtet, so wird man kaum vermuten wollen, daß der Verzicht auf alle rhetorische Kunst und die Bemühung um Einfalt der Predigtsprache, wodurch sich bereits Speners frühe elsässische Predigten auszeichnen, in entscheidendem Maße durch die Stollsche Predigtweise beeinflußt worden sind. Spener bestimmt, wo er hier-

---

[62] Pia Desideria, Frankfurt 1676, 341: Ich wundere mich / warum doch die Praxis Pietatis Anglica, der Sonthomb / Dicke (= Dyke) / ec. vor Gerhardo, Cramero, Hunniis, & c. sollen den Vorzug haben: Da doch ein heimlich Gifft in allen stecket.

[63] Das folgende nach dem Eigenhändigen Lebenslauf. Vgl. außerdem Cons. 3,16.

[64] Oben S. 2, Anm. 6.

[65] Bed. 3,308 (24. 4. 1679): Was aber seine edirte predigten anlangt, darvon allein hierbey seine zwey letzte dismal communiciren kan, wird sich zwar darin ein reicher schatz tiefer gedancken über die fürgenommene texte finden . . . aber ich hätte wünschen mögen, daß er seinen stylum auf eine verständlichere art hätte zu temperiren gewust, damit nicht nur gelehrte sondern auch andere dieselbe besser verstehen möchten.

über Rechenschaft ablegt, den Einfluß Stolls auch gar nicht nach dieser Richtung, sondern sagt, er habe von Stoll gelernt, immer dicht bei dem Text zu bleiben, das Fundament der Predigt in einer sauberen Erklärung der nach ihrem Verbalsinn verstandenen Schriftworte zu legen, schließlich die einzelnen Lehren folgerichtig aus dem Text zu deduzieren[66]. Die enge Bindung der Predigt an den Text, wobei man „kein Wörtlein oder Particul unerwogen übergehen soll“[67], dies ist offensichtlich das Wesentliche, was Spener von Stoll übernommen und worin er ihm in seiner eigenen Predigtweise allerdings sein Leben lang gefolgt ist. Eine andere Eigenart der Predigt, zu der Stoll durch äußere Umstände gezwungen war, hat Spener später ebenfalls übernommen. Stoll durfte, weil Rappoltsweiler unter der Jurisdiktion des Bistums Basel stand, auf der Kanzel keine Namen von „Papisten“ nennen[68]. Das zwang ihn, der die konfessionelle Polemik keineswegs vernachlässigte und an dem in Rappoltsweiler gefeierten Fronleichnamstag regelmäßig contra transsubstantiationem predigte[69], die Widerlegung der römischen Lehre allein aus der Sache heraus zu führen. Diesen Verzicht auf nominelle Polemik hat Spener in seiner eigenen Predigt später freiwillig geübt und so aus der Not seines Lehrers eine eigene Tugend gemacht.

Über den religiösen Bereich hinaus hat Stoll aber auch auf die allgemeine Weiterbildung des jungen Spener Einfluß genommen. Spener berichtet in seinem Lebenslauf, daß er in den letzten zwei Rappoltsweiler Jahren unter der Aufsicht und dem Rat von Stoll die meisten Teile der Philosophie durchgearbeitet und auch eine Reihe der alten Autoren gelesen habe. Er stellt dies als etwas Außerordentliches hin und begründet es mit dem Hinweis darauf, daß ihm „von Gott ein nicht eben unfähiges ingenium beschehret zu seyn sich allgnug hervor thate“. Nun liegt aber noch nichts Außerordentliches darin, daß jemand vor dem Universitätsstudium sich mit den philosophischen Wissenschaften befaßt — das war auf den oberen Klassen der alten Gymnasien durchaus üblich. Außerordentlich ist dagegen, daß dieses Selbststudium in Rappoltsweiler bereits als der Beginn seines akademischen Lebens anzusehen ist. Spener hat sich nämlich während des Sommersemesters 1648 in die Matrikel der Philosophischen Fakultät der Universi-

---

[66] Lebenslauf, 23 f.: . . . daß unvermerckt an dem Exempel seiner Predigten gesehen / wie man einen Text Göttlichen Worts ansehen / und wie man die Lehren darauß ziehen müsse. Vgl. Cons. 3,16; Bed. 3,251.

[67] Dies soll Spener von Stoll gelernt haben nach der Vorrede Johann Balthasar Ritters zu den Evang. und Epist. Sonntagsandachten, 1716. Vgl. Grünberg II,46. In seinem Bedenken zu den Pia Desideria meint Stoll im Blick auf die mit Theologiestudenten anzustellenden Collegia pietatis: „Es müssen die Texte auffgeschlossen seyn / und auch auß einem Jota subscripto die Krafft gezogen werden . . . Dann / es ist kein Buchstab / darauß ein Schrifft-liebender Leser nicht seiner Seelen Erbauung zu nehmen hätte“ (Pia Desideria, 1676, 343).

[68] Cons. 1,356. 447; L. Bed. 1,467.

[69] Bed. 1 II, 769.

tät Straßburg eingeschrieben[70]. Aus dem eigenhändigen Eintrag, der auf den 11. September datiert und im Original noch erhalten ist[71], geht hervor, daß er bereits 1648 als Student der Universität Straßburg zu gelten hat. Vermutlich geht diese Inskription auf die Veranlassung der Gräfin Agatha zurück, die, nach einem ersten Schlaganfall ihres nahen Todes gewiß, im September 1648 eine letzte Reise nach Straßburg unternahm, „umb die alda habende Sachen etwas zu berichtigen"[72]. Sie wird die Gebühren entrichtet und ihrem Patenkind damit das akademische Bürgerrecht erkauft haben, so daß man Speners Immatrikulation zu den von seiner Patin erfahrenen „leiblichen Wohltaten" rechnen kann. Auch wenn die Immatrikulation nichts über den tatsächlichen Studienbeginn besagt[73], so war Spener doch dadurch unter die Jurisdiktion der Universität gestellt, und es ist sehr wohl möglich, daß man angesichts der unsicheren Zeitläufte gestattet hat, daß der begabte Junge unter der Aufsicht des in Straßburg zum Magister promovierten Stoll sein Studium in Rappoltsweiler beginnen durfte. Daß er bereits eindreiviertel Jahr nach dem Beziehen der Universität den Magistergrad erwerben konnte, wäre dann nicht mehr so erstaunlich.

Spener hat über dieses philosophische Selbststudium in seinem Lebenslauf nur sehr summarisch berichtet. An entlegener, in der Spenerforschung nie bemerkter Stelle hat er aber sehr genau angegeben, nach welchen Wer-

---

[70] Matricula studiosorum philosophiae 1648: Sept. 11. Philippus Jacobus Spener, Rappolsvillensis Alsatus (G. C. Knod, Die alten Matrikeln der Universität Straßburg 1621–1793, I 1897, 327).

[71] AST 424, p. 70. Für das Jahr 1651, in dem Spener nach Straßburg zog, findet sich kein Eintrag.

[72] Leichpredigt (s. oben S. 42, Anm. 29), 37 („im Monat Septembri").

[73] Vgl. dazu W. Wille, Die Matrikeln der Universität Tübingen, Bd. 2, 1953, VII f.: „Die Eintragung in die Matrikel . . . bedeutete nicht den Beginn des Studiums in Tübingen; so ließen sich die Bebenhäuser Klosterschüler lange vor Übersiedlung in die Universitätsstadt einschreiben . . . frühzeitige Immatrikulation war besonders häufig bei Tübinger Familien. Einmal finden wir einen 6–7jährigen Knaben, der sich einschreiben läßt . . ." — Wieweit ähnliches von Straßburg gilt, entzieht sich meiner Kenntnis. Im Umkreis Speners und seiner Lehrer sind mir ähnliche Fälle nicht begegnet. Grünberg hat sich hinsichtlich des ihm erst nachträglich bekanntgewordenen Matrikeleintrags mit einem Achselzucken begnügt (III,394). Ausgeschlossen ist der von Henri Barbier (Philippe-Jacques Spener, 1936, 14, Anm. 10 und 16, Anm. 12) unternommene Versuch, Spener bereits 1648 zum ständigen Besuch der Universität nach Straßburg ziehen zu lassen und Speners eigene Angaben, daß er 1651 nach Straßburg gegangen sei, für Irrtum zu erklären. Es ist zwar richtig, daß der Besuch eines Dreizehnjährigen auf der Universität nichts Außerordentliches ist. Man kann aber die Jahresangaben des Lebenslaufes, die durch zahlreiche andere Angaben gestützt werden, nicht ohne große Verwirrungen ändern. Wenn man mit Barbier (14, Anm. 10) annimmt, daß Spener dann auch nicht 1650, sondern bereits 1647 nach Colmar gegangen sei, so müßte Spener ja Rappoltsweiler zu der Zeit schon verlassen, zu der Joachim Stoll erst nach Rappoltsweiler kommt, und beim Tod der Gräfin Agatha — November 1648 — wäre er gar nicht mehr zu Hause, sondern bereits in Straßburg gewesen!

ken er in seinem Privatstudium, wie er es selber nennt, vorgegangen ist. Es ist dies die im Jahre 1700 geschriebene Vorrede zu einer Schrift Balthasar Köpkes, in der Spener gegenüber dem Vorwurf eines verbohrten orthodoxen Aristotelikers, er habe seine Lehre aus dem Plato und dem Platonismus geschöpft, sehr präzis die philosophischen Traditionen angibt, an denen er sich gebildet hat[74].

Danach hat Spener sich bei seinem Privatstudium im allgemeinen der Lehrtafeln des Johannes Stier bedient, dazu speziell eine Reihe von Lehrbüchern zu Einzeldisziplinen durchgearbeitet. Er führt an: Lehrbücher von Konrad Horneius für die Ethik, von Justus Lipsius für die Politik, von Johannes Scharf für die Metaphysik und schließlich von Johann Sperling für die Physik[75]. Daneben habe er die Anfänge der Mathematik, vor allem die hierunter mitzubegreifende Geographie studiert. Diese Aufzählung nennt dem Zweck des Berichts entsprechend nur die im engeren Sinn philosophischen Disziplinen. Nach dem Lebenslauf ist zu ergänzen, daß sich Spener in seinem Selbststudium auch mit der Historie und der Poetik befaßt hat, zwei Disziplinen, welchen sein besonderes Interesse gegolten haben wird, hat er sich in ihrer Ausübung später doch erheblich mehr betätigt als in der Philosophie. Über die von Spener hierfür benutzte Literatur erfahren wir nichts. Nicht unbegründet ist die Vermutung, daß in ihm durch den Verkehr mit der herrschaftlichen Familie bereits die Neigung zu genealogischen und heraldischen Studien, mit denen er sich später ausgiebig befaßte, geweckt wurde. Nur für die Poetik nennt Spener einen besonderen Lehrer. Bei seinem Großvater Saltzmann hielt sich einige Zeit *Georg Sigismund Vorberg* (1624—1669) auf, ein Dichter, von dem mehrere Lieder in die Gesangbücher des 18. Jahrhunderts gekommen sind[76]. Spener rühmt es Vorberg nach, daß er ihm beigebracht habe, gute Gedichte zu machen, ohne heidnische Götternamen anzuführen, es sei denn zu ihrer Schande[77]. Das heißt doch

---

[74] Balthasar Köpke, Sapientia Dei in Mysterio Crucis Christi abscondita, Halle (Waisenhaus), 1700. (UB Basel). Vorrede Speners vom 18. 8. 1700, Bl. 1—41. *Grünberg Nr. 266.* — Nachträglich stelle ich bei der Einsicht in die von P. Schicketanz aufgefundene unveröffentlichte Spenerbiographie Cansteins (AFSt D 69 u. B 4) fest, daß Canstein die Angaben dieser Vorrede benutzt, allerdings nicht ausgewertet hat.

[75] AaO bl. 3 v: Dann ich zwahr nicht allein / ehe auff die universität Straßburg gezogen / privato Studio, und mit weniger anweisung / weil zu schulen keine gelegenheit gehabt / bereits die disciplinas philosophicas, theils aus Stierii tabulis, theils nebst einem wenigen anfang der matheseos, vornemlich Geographiae, absonderlich die Ethic aus Hornejo, Politic aus Lipsio, Metaphysic aus Scharfio, physic aus Sperlingio tractirt, sondern auch von 1651 die erste zeit zu Straßburg solchen disciplinen / wie ich die collegia haben können / nebenst den sprachen gewidmet habe.

[76] A. Fischer — W. Tümpel, Das deutsche evangelische Kirchenlied des 17. Jahrhunderts (1904—1916), Neudruck 1964, V, 494 ff.

[77] Bed. 2,26.

wohl, daß Spener durch seinen poetischen Lehrer Vorberg in einer Weise beeinflußt wurde, die ihn zu den Poetiken des Humanismus und des Barock, soweit diese die poetischen Stoffe aus der antiken Mythologie zu nehmen lehrten, in Gegensatz brachte. Daß Spener bereits in der Art einer nachbarocken Erlebnisdichtung gedichtet hat, kann man auf Grund der von ihm erhaltenen Verse nicht behaupten. Seine Gedichte, ohne Ursprünglichkeit der Empfindung und des Gedankens, verdienen nicht, der Vergessenheit entrissen zu werden[78]. Für bedeutsam wird man es höchstens ansehen können, daß Spener durch Vorberg bereits in jene Distanz zum Ideal der klassischen Antike gebracht worden ist, durch die sich Spener selbst wie auch der sich an ihn anschließende Pietismus von den vorangehenden humanistischen Erneuerungsbewegungen unterscheiden.

Spener hat, wenn man auf die genannten philosophischen Autoren blickt, vor allem den Aristotelismus der Schulphilosophie des 17. Jahrhunderts kennengelernt. Das gilt schon im Blick auf die philosophischen Lehrtafeln des *Johannes Stier* (1599–1648). Schüler Johann Gerhards und später thüringischer Pfarrer, hat Stier während seiner fast siebenjährigen Magistertätigkeit an der Universität Jena (1620–1627) eine Reihe von philosophischen Lehrbüchern verfaßt, die die Fächer der Logik, Physik, Metaphysik und Ethik, daneben auch der Sphärik behandeln[79]. Ihre Beliebtheit, die sich in zahlreichen Auflagen während des 17. Jahrhunderts widerspiegelt, verdanken sie ihrer faßlichen Form. Stier hatte den Inhalt jeder Disziplin übersichtlich in Tabellen angeordnet, Speners Vorliebe zur tabellarischen Darstellung mag aus dem jugendlichen Studium dieser Tabellen herrühren.

---

[78] Zwei Verse aus dem Lied „Soll ich denn mich täglich kränken“ mögen eine Probe von Speners geistlichen Dichtungen geben. Man erkennt an ihnen den Verzicht auf alle barocke Künstelei, inhaltlich den Einfluß der Praxis Pietatis Baylys. Dichterischen Wert wird man ihnen kaum beilegen wollen:

Sol ich viele jahre zehlen /
Und also mich lange quälen;
So gescheh deß HErren will /
Dem ich gern auch halte still.
Er wird doch genade geben /
Daß in diesem trauer-leben
Je zuweilen komm ein tag /
Der mich noch erfreuen mag.

Bin ich aber bald vorüber /
Ist mir solches desto lieber /
Daß ich denn von sünden frey /
Und in solchem stande sey /
Wo ich meinem Gott in allen /
Stücken möge wol gefallen /
So hier nicht geschehen kan /
Weil die sünd mir hänget an.

(Zit. nach der in Frankfurt 1673 bei Balthasar Wust erschienenen und mit einem Vorwort der Frankfurter Evangelischen Prediger vom 17. 9. 1673 versehenen Neuauflage von Johann Crügers und Peter Sohrens Praxis pietatis melica, S. 650).

[79] Die Angaben über Stier nach Zedler. M. Wundt, Die deutsche Schulmetaphysik des 17. Jahrhunderts, XXIV, führt sieben verschiedene Auflagen seiner „Praecepta metaphysicae“ an. – Wundt (129) gibt für Stier 1588 als Geburtsjahr an. Ich entscheide mich für die Angabe bei Zedler, weil nur sie mit den übrigen dort aufgeführten Lebensdaten zusammenstimmt.

Johannes Stier ist seiner Philosophie nach Schüler von Daniel Stahl[80], der zur Zeit Johann Gerhards den Lehrstuhl für Logik und Metaphysik in Jena innehatte und einer der bedeutendsten protestantischen Vertreter der aristotelischen Philosophie, vor allem der Metaphysik, gewesen ist[81]. Stier ist ebenfalls Aristoteliker, aber er ist nur der Magister, der die Philosophie als einen auswendig zu lernenden Stoff weiterreicht. Man kann nicht erwarten, daß dem jungen Spener durch diese Tabellen der Sinn für die Philosophie geweckt werden konnte.

Ähnliches ist auch von Scharfs „Exemplaris Metaphysica" zu sagen, die Spener speziell für das Studium der Metaphysik benutzt hat[82]. *Johannes Scharf* (1595–1660)[83], Nachfolger Jakob Martinis auf dem Lehrstuhl für Logik in Wittenberg, hat mit diesem Werk das unter den Lutherischen verbreitetste metaphysische Lehrbuch geschrieben. Das Buch ist aber nur ein für den Lerngebrauch hergestellter Auszug aus einem größeren Werk metaphysischer Disputationen, das keine weitere Verbreitung fand. Max Wundt hat darin, daß Scharf sein Hauptaugenmerk auf die Schaffung philosophischer Lehrbücher richten mußte und daß dieser kurze Abriß so viele Neuauflagen erlebte, bereits einen Rückgang des philosophischen Interesses gesehen[84]. Bemerkenswert ist, daß in Scharfs „Exemplaris Metaphysica" erstmals in der lutherischen Schulphilosophie die Lehre von Gott, den Engeln und der anima separata fehlt. Daß die religiösen Gegenstände bei Scharf aus der Metaphysik hinausverlegt werden, mag Speners späteres Urteil über die Metaphysik als einer bloßen Begriffslehre mitbestimmt haben[85].

Aristoteliker und Metaphysiker ist auch *Konrad Horn* (1590–1649)[86]. Er hat in Helmstedt wesentlich dazu beigetragen, daß die aristotelesfeindliche Richtung des Ramismus im Gebiet des Luthertums nicht Fuß faßte, und er hat während seiner philosophischen Lehrtätigkeit durch die Veröffentlichung einer Reihe von Lehrbüchern dem Aristotelismus weite Verbreitung verschafft. Auch seine von Spener offensichtlich studierten „Disputationes

---

[80] S. dazu WUNDT, 129.

[81] Zu Daniel Stahl (1585–1654) s. WUNDT, 126 ff.

[82] Nachweise über acht verschiedene Auflagen der in Wittenberg 1625 erstmals gedruckten „Exemplaris Metaphysica" des Johannes Scharf bei WUNDT, XXI.

[83] Über ihn WUNDT, 115 ff. [84] AaO 115.

[85] Für das Verständnis der Metaphysik als ein ὁρολογία beruft sich Spener gewöhnlich auf Dannhauer (Bed. 1 I, 420; Cons. 1,214), der darin vielleicht selbst von Scharf abhängig ist. Wenn Spener später abfällig über die Metaphysik redet, so hat er nicht die philosophische Erarbeitung einer natürlichen Gotteserkenntnis im Blick, deren Nutzen er jederzeit anerkannt hat, sondern stets nur eine mit bloßen Begriffen operierende Wissenschaft (vgl. Cons. 1,213 f.).

[86] Konrad Horn (Hornejus) war seit 1619 Professor für Ethik, seit 1621 daneben auch für Logik in Helmstedt. Ab 1629 Professor für Theologie neben Georg Calixt. Vgl. WUNDT, 104 f.; Art. „Horn", RGG³ III, 452.

ethicae" schöpfen ganz aus der Nikomachischen Ethik[87]. Dagegen stammt nicht aus dem Raum des protestantischen Aristotelismus die „Politik" des Niederländers *Justus Lipsius* (1547–1606)[88]. Lipsius gehört dem die Philosophie der Stoa erneuernden Späthumanismus des endenden 16. Jahrhunderts an. Mit seinen durch das ganze 17. und 18. Jahrhundert viel gelesenen staatspolitischen Werken, unter denen die „Politik" einen hervorragenden Platz einnimmt, hat er entscheidend auf die Bildung der Theorie des neuzeitlichen Machtstaates eingewirkt. Das in fast alle bedeutenden Sprachen Europas übersetzte Buch war 1641 auch in Straßburg auf Betreiben der dortigen philosophischen Fakultät nachgedruckt worden[89]. Durch diese Lektüre wurde Spener früh mit der philosophischen Bewegung des Neustoizismus bekannt, die ihm während seines Studiums durch die Beschäftigung mit den Schriften des Hugo Grotius zur bevorzugten philosophischen Tradition werden sollte.

Ein Werk besonderer Geistesrichtung ist nun aber das von Spener benutzte Lehrbuch der Physik von Sperling. *Johann Sperling* (1603–1658)[90] ist Schüler des Wittenberger Professors der Medizin Daniel Sennert (1572 bis 1637), welcher als der erste unter den Universitätsprofessoren im Bereich des Luthertums gilt, der in der Physik die Bindung an Aristoteles verlassen hat[91]. Sennert steht dabei unter dem Einfluß der naturphilosophischen Ideen des Paracelsus, die er mit dem System des Galen zu verbinden sucht. Sein Schüler Johann Sperling, der mit Sennert zusammen wegen der Beeinflussung durch Paracelsus bereits von Aristotelikern angegriffen wurde, hat in seinen „Institutiones Physicae" von 1647[92] aus seiner Verachtung der Aristoteliker kein Hehl gemacht. Ihm geht es um eine Naturlehre, deren Quellen die Heilige Schrift und die Beobachtung der Natur bilden. Den Consensus Patrum et Scholasticorum verspottet er, und er macht sich in bissigen Worten über die Physiker lustig, die nicht die Sachen selbst erforschen, sondern Begriffe untersuchen, die nicht Anhänger der Natur, sondern Anhänger des Aristoteles

---

[87] Disputationes ethicae X, depromptae ex Eth. Aristot. ad Nicomachum . . ., Frankfurt 1648 (BN).

[88] Vgl. G. OESTREICH, Justus Lipsius als Theoretiker des neuzeitlichen Machtstaats, HZ 181, 1956, 31–78.

[89] Politicorum libri sex . . . ex instituto Matthiae Berneggeri, edebat Jo. Freinshemius. Straßburg 1641.

[90] Der Artikel „Sperling" in ADB 35, 136 ist ganz ungenügend und würdigt nur die „Zoologia physica", Leipzig 1661. Die Nachrichten über Sperling entnehme ich Zedler.

[91] Über ihn vgl. K. VORLÄNDER, Geschichte der Philosophie II (bearb. H. KNITTERMEYER), 1955[9], 57 f. Zedler meldet von ihm (Artikel ‚Sennert'): „Er ist . . . der erste gewesen, der das Studium Chimicum von den Paracelsisten entlehnt und auf Universitäten eingeführt hat. Er hat auch zuerst den Aristotelem in der Natur-Lehre verlassen, und eclectice philosophirt." Vgl. ADB 34, 34 (ungenügend). Sein Sohn studierte in Straßburg bei Johann Schmidt (s. oben S. 7).

[92] Institutiones Physicae, Lübeck 1647, 1309 S. 8°. (UB Göttingen).

sind[93]. Sperling schöpft übrigens, soweit ich sehen kann, in seiner Physik nirgendwo unmittelbar aus Paracelsus, er zitiert vielmehr neben seinem Lehrer Sennert vorwiegend humanistische Autoren wie Scaliger, Franz Piccolomini, Cardanus. Speners Lektüre des Sperling ist deshalb nicht im Sinne einer direkten Beeinflussung mit paracelsischem Gedankengut aufzufassen[94]. Wohl aber trat ihm hier eine Philosophie entgegen, die der auf den lutherischen Universitäten herrschenden aristotelischen Schulphilosophie den Kampf ansagte. Es muß deshalb gefragt werden, ob nicht Speners Abneigung gegen Aristoteles und die aristotelische Schulphilosophie bereits aus diesem frühen, dem Besuch der Universität voraufgehenden Rappoltsweiler Selbststudium herrührt.

Spener hat selbst die Antwort hierauf gegeben. In der gleichen Vorrede, in der er über die Autoren seines philosophischen Privatstudiums berichtet, erzählt er, wie er vergeblich versucht hätte, zu seiner philosophischen Magisterdissertation von 1651 Belegstellen für die theologia naturalis aus Aristoteles zu finden. Die Erfolglosigkeit hätte „einen eckel an Aristotele, den bereits vorher aus Sperlingio gefasset hatte / um vieles vermehrt"[95]. Hier ist klar gesagt, daß die Lektüre der Sperlingschen Physik bereits eine Abneigung gegen Aristoteles bei Spener geweckt hat. Daraus ergibt sich zugleich, daß Spener dem massiven Aristotelismus, der ihm in den Tabellen von Johannes Stier und in den Lehrbüchern von Scharf und Horneius entgegentrat, innerlich eigentlich nur ablehnend gegenübergestanden haben kann, auch wenn er sich deren Inhalt gedächtnismäßig vollkommen aneignete. Sperling hat jedenfalls von allen durchgearbeiteten philosophischen Werken wenn nicht den stärksten, so doch den folgenreichsten Einfluß auf Spener ausgeübt. Wie weit Joachim Stoll, auf dessen Rat Spener diese Bücher durchgenommen hat, diesen Einfluß unterstützte, ist schwer zu erkennen. Ein strenger Aristoteliker wird er, der den Grotius über alles schätzte[96], kaum gewesen sein; auch seine Neigung zu naturwissenschaftlichen Experimenten läßt ihn eher als einen Anhänger der neuen Physik erscheinen. Spener selbst aber kann nach diesen Zeugnissen seines frühen

---

[93] Praefatio bl. a 6 v: At quam miram & miseram nobis reliquere Physicam Interpretes! Hi iam non rerum scrutatores, sed verborum lancinatores sunt. Hi non Naturae, sed Aristotelis sectatores sunt. Aristotelis placita propinant, explicant, conciliant, ventilant . . . Sequator hos, qui volet: non ego, non mei. Vale Lector Amice, & Fave.

[94] Es mag aber darauf hingewiesen werden, daß der junge Spener durch die Lektüre des vierten Buchs des Wahren Christentums von Johann Arndt bereits mit paracelsischen Gedanken bekanntgeworden sein muß (vgl. die namentliche Zitierung des Paracelsus im vierten Kapitel des ersten Teils von Buch IV). Allerdings hat Spener zeitlebens zu diesem von der Erkenntnis Gottes durch die Werke der Natur handelnden Buch keinen rechten Zugang gefunden. Vgl. L. Bed. 2,148 (1697).

[95] AaO (s. oben S. 56, Anm. 74) bl. a 4 r.

[96] S. unten S. 78.

Selbststudiums zu keiner Zeit seines Lebens ein Anhänger des orthodoxen Aristotelismus gewesen sein.

Im Mai 1650 nahm Johann Jacob Saltzmann den fünfzehnjährigen Enkel zu sich nach Colmar, um ihn weiter auf den Besuch der Universität vorzubereiten[97]. Spener spricht von seiner ersten „Außflucht" aus Rappoltsweiler; ob sich der Colmarer Aufenthalt bis zum Straßburger Studienbeginn, also bis zum Sommer 1651, ausgedehnt hat, wissen wir nicht. In Johann Ernst Varnbüler, dem Stiefsohn Saltzmanns, fand Spener einen Freund und Förderer seiner Studien[98]. Mit ihm, der Jurist wurde und zu Speners Frankfurter Zeit Kanzler der Grafschaft Hanau war, ist er auch später in guter Freundschaft verbunden geblieben. Vermutlich zusammen mit Varnbüler empfing Spener im großväterlichen Haus privaten Unterricht durch den Magister *Joachim Klein* (1603—1662). Klein, der 1632 bei der Wiedereinführung des lutherischen Gottesdienstes durch die Schweden von dem Kirchenpräsidenten Johann Schmidt als Diakon installiert und inzwischen zum Prediger und Gymnasiarchen aufgerückt war[99], übte sie in Latein, Griechisch, Philosophie, Deklamieren und Disputieren. Das Colmarer Gymnasium hat Spener nicht besucht[100], doch wurde er formell in dessen oberste

---

[97] Lebenslauf, 24.

[98] Johann Jacob Saltzmann hatte in zweiter Ehe Maria Regina Varnbüler geb. Ostringer geheiratet, deren Sohn Johann Ernst Varnbüler war. Spener widmet ihm 1681 seine Predigten von der Rechtfertigung *(Grünberg Nr. 57)* und erinnert dabei an die gemeinsam im Hause Saltzmanns verlebte Zeit.

[99] Adam, Evangelische Kirchengeschichte der elsässischen Territorien, 484.

[100] Meine Darstellung weicht an diesem Punkt von derjenigen Grünbergs ab, der (nach dem Vorbild von Horning, Spener in Rappoltsweiler, 28 ff., vgl. auch schon Walch, Einleitung in die Religionsstreitigkeiten der Evangelisch-Lutherischen Kirchen I, 1733², 557) Spener in Colmar aufs Gymnasium gehen läßt. Nun spricht aber Spener nicht nur nirgends von einer Gymnasialzeit in Colmar, sondern er erklärt zu den verschiedensten Malen ausdrücklich, er habe niemals eine öffentliche Schule besucht (Bed. 3,376 [1680]: „Ich bin mein lebtag in keiner öffentlichen schul gewesen / als der ich unter privat-Praeceptoribus in meiner lieben Eltern hauß erzogen worden / also habe von andern niemal gesehen / wie mit der jugend in der schul gehandelt werden müsse . . ."; vgl. ebenso Bed. 3,151. 376. 396). Horning scheint diese Äußerungen nicht gekannt zu haben. Grünberg kennt sie wenigstens zum Teil, vermutet aber, daß die Schulzeit auf Spener keinen großen Eindruck gemacht und er sie später wieder vergessen hat (aaO I,124). Grünberg wird darin bis in die Gegenwart gefolgt. (vgl. zuletzt H. Appel, Philipp Jakob Spener, 1964, 13: „Die Erinnerung war ausgelöscht."). Aber kann denn jemand völlig vergessen, daß er einmal zur Schule gegangen ist? Diese Vorstellung ist mir, zumal bei einem Mann von der vielbewunderten Gedächtniskraft Speners, zu verwegen, um sie nachvollziehen zu können. Man muß also nach einer anderen Auflösung des scheinbaren Widerspruchs zwischen den Quellenzeugnissen suchen. Diese findet man bei näherer Erkundung der Verhältnisse am Colmarer Gymnasium (zum folgenden vgl. den Abriß: „Das Protestantische Gymnasium in Colmar", in: Bopp, Die evangelischen Gemeinden, 475 ff.). An der Spitze dieses Gymnasiums standen der Rektor und der Gymnasiarch. Der Rektor war zugleich Leh-

Klasse, den „ordo publicus" aufgenommen[101]. Weiteres läßt sich über Speners Colmarer Aufenthalt nicht feststellen.

Überblickt man das, was wir über die Jugendzeit Speners vor seinem Besuch der Straßburger Universität wissen, also die Zeugnisse für die Zeit bis zum 16. Lebensjahr, so ist erstaunlich, wieviel von den Elementen seiner pietistischen Anschauung der Wurzel nach in diese Zeit zurückzuverfolgen ist. Spener hat 1693 dankbar bekannt, daß ihm bereits vor dem Besuch der Universität alle weltliche Eitelkeit verleidet war und er bei sich selbst bereits „viele gute bewegungen" verspürte, durch die Gott an seiner Seele zu wirken begann[102]. Die pietistische Frömmigkeitsrichtung ist ihm durch die englischen Erbauungsbücher und die Schriften Arndts während dieser Zeit vermittelt worden. An Stoll bildet er sich die Methode seines späteren Predigens. Vom theologischen System der lutherischen Orthodoxie hat er durch die Epitome des Hunnius einen gewissen Begriff[103]. In der Philosophie zeichnet sich bereits die Ablehnung der aristotelischen Philosophie deutlich ab. Dagegen dürfte die Kenntnis des Reformators in dieser Zeit kaum hinausreichen über den Katechismus, einige Lieder und die Vorreden in der Bibel, zu denen allerdings die für den Pietismus später so wichtige Römerbriefvorrede gehört[104].

II. Straßburger Studienzeit (1651-1659)

1. Studium in der Philosophischen Fakultät

Die Straßburger Hohe Schule, an der einst Bucer, Capito und Calvin gelehrt hatten und die 1621 durch Privileg Kaiser Ferdinands II. mit Namen und Rechten einer Universität versehen worden war, erlebte in der Mitte des 17. Jahrhunderts eine zweite Blütezeit. Der Krieg hatte zwar wie über-

---

rer am Gymnasium, und zwar war er immer auch der Praeceptor der obersten Klasse (ordo publicus). Von 1640–1658 war Emanuel Binder Rektor (Bopp, 478). Hätte Spener die oberste Klasse besucht, so hätte er ihn als Lehrer nennen müssen. Der Gymnasiarch war dagegen kein Lehrer. Er war derjenige, dem als Geistlichen die oberste Leitung und Beaufsichtigung des Gymnasiums oblag, „der aber keinen Unterricht erteilte" (Bopp, ebd.). Gymnasiarch war zu dieser Zeit Joachim Klein (ebd.). Da Spener *ihn* als Lehrer nennt, muß er bei ihm Privatunterricht bekommen haben. Es besteht also kein Grund, zwischen dem Bericht im Lebenslauf und den Behauptungen, nie eine Schule besucht zu haben, einen Widerspruch zu sehen. — Was die Bezahlung des Schulgelds für Spener durch die Stadt Colmar betrifft (Grünberg I,134), so ist damit nichts über einen wirklichen Schulbesuch bezeugt. Im 17. Jahrhundert gilt vielerorts — auch im Elsaß — die Ordnung, daß für schultüchtige Kinder Schulgeld bezahlt werden muß, auch wenn die Eltern die Kinder nicht in die Schule schicken (vgl. z. B. Bed. 4,225).

[101] Lebenslauf, 24. Vgl. dazu Bopp, aaO 476. [102] Bed. 3,947 (1693).

[103] S. oben S. 46, bei Anm. 38. [104] Vgl. unten S. 246 f.

all den Zuzug der akademischen Jugend gehemmt. Aber nach 1649 stiegen die Studentenzahlen, die sich neben denen großer deutscher Landesuniversitäten freilich immer bescheiden ausgenommen haben, wieder beträchtlich an. Wenn man zu Speners Studienzeit mit einer Frequenz von 300 bis 400 Studenten rechnet[1], so ist das eine eher zu niedrig als zu hoch gegriffene Zahl. Straßburg wurde wieder, wie schon zu Zeiten der Akademie, das bevorzugte Studienziel der Söhne des Fürstenstandes und des Adels. Seine Universität bekam allgemein den auszeichnenden Beinamen einer „Prinzenuniversität"[2]. Reichsadel und vornehmes Bürgertum schickten ihre Söhne nach Straßburg, nicht nur zur Erlernung der Wissenschaften und Künste, sondern auch, damit sie dort die feine Lebensart einer hochstehenden Stadtkultur kennenlernten.

Ordnung und Sitte, für welche Straßburg neben Nürnberg in der Mitte des 17. Jahrhunderts vor allen anderen Städten Oberdeutschlands gerühmt wird, waren dank der Wachsamkeit des Magistrats auch unter den Studierenden gewährleistet. Von dem Pennalismus und den üblen Nachkriegserscheinungen des Studentenlebens, über welche kleinere Universitätsstädte nach dem Dreißigjährigen Krieg ständig zu klagen haben, ist Straßburg verschont geblieben. Duelle waren, wie Spener sich später erinnert, sehr selten[3]. Dafür griff der akademische Senat schon bei kleineren Delikten scharf durch. Johann Georg Gichtel, der spätere Herausgeber der Werke Jakob Böhmes und Gründer einer mystisch-spiritualistischen Sekte, wird 1659 vom Rektor mehrfach gerügt und bestraft, weil er einen Kommilitonen mit übler Nachrede belästigt hat[4]. Das scheint nach den Universitätsprotokollen schon ein schwerer Fall gewesen zu sein. Es wundert nicht, daß in den Jahrzehnten nach dem Dreißigjährigen Krieg die Straßburger Universität als eine Art Musterausbildungsstätte im lutherischen Deutschland gilt.

Eine weitere Eigenart der Straßburger Universität bestand in ihrer *humanistischen* und *historischen* Ausrichtung. Sie hing eng mit ihrem Charakter als Prinzenuniversität zusammen. Im Jahre 1619 schreibt Joachim Cluten, Professor Pandectarum an der Akademie: „Wann eine Professio in dieser Academi hochnötig, sonderlich wegen der zimlichen anzahl wohlgeborner herrn und vom Adel, auch anderer furnehmer leute kinder, so ist es die Professio Historiarum"[5]. In der Stadt, die bereits einen Sleidanus in ihren Dienst genommen hatte, hat sich zu einer Zeit, zu der auf den meisten deutschen Universitäten die Geschichtswissenschaft noch nicht einmal mit eigenen Lehrstühlen vertreten war, eine bedeutende historische Schule

---

[1] Grünberg I, 137 (nach den Angaben Tholucks, Akadem. Leben II, 121 ff.).

[2] Ebd.

[3] Cons. 3,75 (1675): Argentorati Duellorum rarissima exempla, cum omnibus securitatem praestet Magistratus urbici in provocatores rigor summus.

[4] Im September und Oktober 1659. Protocoll. Academ., AST 383.

[5] Fournier-Engel, 369 f.

gebildet. Als ihr Begründer kann der Späthumanist *Matthias Bernegger* (1582–1640)[6] gelten, der seit 1613 den Lehrstuhl für Geschichte innehatte und an der Akademie wie später an der Universität einer am taciteischen Ideal orientierten humanistischen Geschichtswissenschaft die Bahn gebrochen hat. In Bernegger, der mit vielen der führenden Gelehrten des europäischen Späthumanismus — darunter mit Hugo Grotius — in Briefwechsel stand, besaß die Straßburger Universität ihren bedeutendsten Kopf und einen in der gesamten wissenschaftlichen Welt anerkannten Gelehrten. Es ist wohl sein Verdienst, daß der gesunde Utilitarismus des Humanismus an der Straßburger Universität das Feld behielt und die Auswüchse des aristotelischen Scholastizismus hier keine Stätte fanden. Bernegger hat 1619 gefordert, daß die dem Professor der Logik in den Statuten gemachte Vorschrift, er solle alle überflüssigen Fragen abschneiden und der Jugend stets den rechten Nutzen vor Augen stellen, *allen* Professoren zur Vorschrift gemacht werden solle. Zu sehr sei es auf den Akademien dahin gekommen, daß „spinosae et difficiles nugae", die keinen Nutzen für das Leben haben, vorgetragen würden und darüber der wahre Kern der Wissenschaften unberührt bleibe[7]. Vornehmlich Berneggers Werk sind wohl die Universitätsstatuten von 1621, die überall auf die Praxis und den Nutzen der Wissenschaften zielen und den Professoren die Aufsicht über die Studenten zumuten, damit diese zu fleißigem Besuch der Vorlesungen, Disputationen, Deklamationen, „besonders auch zu dem Studio pietatis" angehalten werden[8]. Berneggers Schüler und Nachfolger in der historischen Professur, Johann Heinrich Boecler, hat von 1640 bis zu seinem Tode 1672 die humanistische Tradition der Straßburger historischen Schule weitergeführt[9]. Bei ihm hat Spener studiert und in ihm einen seiner eifrigsten Förderer gewonnen. Daß der junge Spener eine gründliche Ausbildung als Historiker erhielt, daß er sich mit der Geschichtswissenschaft lange Zeit intensiver als mit der Theologie eingelassen hat, daß er schließlich seine Bestimmung in einer Professur für Geschichte zu finden meinte, das alles hat seine Erklärung in Umständen, die, abgesehen vielleicht von Helmstedt, zu dieser Zeit wohl nur auf der Straßburger Universität bestanden.

---

[6] Über Bernegger vgl. NDB 2, 106 f.

[7] M. Berneggers Vorschlag zur Reform des Gymnasiums und der Akademie 1619, bei FOURNIER-ENGEL 363 f.: „In Legibus Professoris Logici stehen under andern dise wort: Er, der Logicus, soll alle überflüssige unnotwendige fragen abschneiden und dahin arbeiten, daß der usus praeceptorum der jugent wol eingebildet werde. Dise sehr nützliche ordnung solte billich generaliter auf alle andere Professiones accomodirt sein: weil es in Academiis dahin kommen, das bisweilen spinosae et difficiles nugae, die im gantzen menschlichen leben kein einigen nutzen haben, der jugent vorgetragen, aber der beste nucleus scientiarum wenig angerhürt wirdt: das mancher, so er zu verstendigen Jahren kombt, die zeit, so er mit solchen frivolis tricis zugebracht, hefftig bejammert." — Vgl. Speners Pia Desideria (etwa PD 25, 3 ff.). [8] FOURNIER-ENGEL, 414 b. [9] Zu Boecler s. unten S. 80 f.

Neben der in Straßburg einzigartig geachteten Geschichtswissenschaft hatte innerhalb der philosophischen Fakultät die *Philosophie*, also das Korpus der aristotelischen Wissenschaften, ebenfalls ihren Platz, stand aber deutlich im Schatten derselben. Die aristotelische Metaphysik, die seit ungefähr 1600 wieder als philosophische Disziplin in die lutherischen Hochschulen Deutschlands Eingang fand, ist früh auch in Straßburg gelehrt worden, besaß jedoch keinen bedeutenden und eigenständigen Vertreter[10]. Der humanistischen Ausrichtung der Studien entsprach es, wenn in Straßburg die praktische Philosophie, also die philosophische Ethik, mit Vorrang gefördert und bearbeitet wurde. Als Spener 1651 die Straßburger Hochschule bezog, lehrten Philosophie (im engeren Sinn) die Professoren Espich und Schaller. *Jacob Valentin Espich* (1590–1651)[11], der aus Wittenberg stammte und seit 1633 den Lehrstuhl für Logik und Metaphysik innehatte, starb aber im September dieses Jahres. Einen Nachfolger erhielt er erst 1658 in Johannes Faust. So ist während Speners philosophischer und dem größten Teil seiner theologischen Studienzeit die aristotelische Metaphysik in Straßburg durch einen Professor publicus überhaupt nicht repräsentiert worden. *Jacob Schaller* (1604–1676)[12] hatte 1633 als Nachfolger seines Lehrers und Promotors Walliser die Professur für Praktische Philosophie erhalten, die er während Speners gesamter Straßburger Zeit und noch darüber hinaus innegehabt hat. Schaller war seinem Studiengang nach Theologe. Er hat nach dem Erwerb des Magistergrades unter Walliser bei Wegelin und Fröreisen in Straßburg Theologie studiert, darauf die nahen reformierten Universitäten Basel und Zürich und ebenfalls die lutherischen Universitäten Tübingen, Marburg, Jena, Leipzig und Wittenberg besucht. Allein in Jena weilte er zwei Jahre und wurde mit Johann Gerhard so vertraut, daß ihn dieser in seine Tischgemeinschaft aufnahm. Von Schaller sind theologische Schriften bekannt, darunter Kontroversschriften gegen Bellarmin. Der weitaus größte Teil seines umfangreichen Schrifttums behandelt aber die an seinen Lehrstuhl gebundene Thematik der Ethik und Politik[13]. Schaller gehört zu den ersten deutschen Gelehrten,

[10] Der Arzt und Philosoph Johann Ludwig Hawenreuter, der seit 1574 an der Straßburger Akademie lehrte, hat als erster Metaphysik gelesen. Von ihm erschienen Commentarii in libros Metaphysicorum Aristotelis sex priores, Frankfurt 1604 (Wundt, Schulmetaphysik, XVI). Nach ihm bekam Daniel Rixinger, seit 1600 Professor für Logik, im Jahre 1605 den Lehrauftrag für die Disziplin der Metaphysik. Seit 1605 gab es in Straßburg statt des Professors Logicae den Professor Logicae et Metaphysicae. Einen eigenen Lehrstuhl nur für Metaphysik hat es in Straßburg im 17. Jahrhundert nicht gegeben, Professoren für Metaphysik tauchen erst Anfang des 18. Jahrhunderts auf. – Max Wundt ist bezeichnenderweise bei seiner Darstellung der protestantischen Schulmetaphysik in dem großen Abschnitt „Die einzelnen Hochschulen“ (aaO 69–143) ohne Straßburg ausgekommen.

[11] Die Daten nach dem Leichprogramm für Espich, AST 446, Stück 23.

[12] Nach dem Leichprogramm AST 446, Stück 33. Vgl. ADB 30, 561.

[13] Eine große Zahl von Schriften Schallers befinden sich in der UB Strasb.

die sich mit der Philosophie des Thomas Hobbes auseinandergesetzt haben. Er ist der einzige Philosophieprofessor — einen Philosophen wird man ihn kaum nennen —, der auf den jungen Spener Einfluß gehabt hat. Joachim Crell (gest. 1655), Professor für Rhetorik, einer Wissenschaft, für die Spener nach seinem eigenen Zeugnis nie Interesse verspürt und womit er sich auch nie befaßt hat, ist für Speners Studiengang ohne Bedeutung gewesen.

Besaß die philosophische Fakultät Straßburgs dank einem Mann wie Bernegger schon vor dem Dreißigjährigen Krieg und während desselben einen hervorragenden Ruf, so läßt sich von der theologischen Fakultät das gleiche nicht sagen. Hier muß man in den ersten Jahrzehnten des 17. Jahrhunderts eher von einem Niedergang reden. Im Jahre 1619 klagte der Mathematikprofessor Melchior Sebitz: „Solte die Theologica Facultas besser bestelt werden, in welcher es allein hincken wil . . . was florirt am meisten zu Wittenberg und Tübingen? die Theologie. Was florirt aber weniger zu Straßburg als die Theologie?“[14] Daß dieses Nachhinken behoben und die Straßburger theologische Fakultät gegen die Jahrhundertmitte zu einer der angesehensten und berühmtesten im lutherischen Deutschland wurde, das ist jenem Dreigestirn zu danken, aus dem sich bei Speners Antritt auf die Straßburger Hochschule die Fakultät zusammensetzte: den Professoren Johann Schmidt, Johann Conrad Dannhauer und Johann Georg Dorsche[15].

In Anlehnung an ein ähnliches Kuriosum in Jena, wo neben Johann Gerhard die Theologen Johann Major und Johann Himmel lehrten, hat man im 17. Jahrhundert von der Straßburger „Johanneischen Trias“ gesprochen[16]. Über die nominale Analogie hinaus wollte man damit zum Ausdruck bringen, daß jene glückliche Verbindung von Orthodoxie und Frömmigkeit, durch die sich die theologische Fakultät Jenas zur Zeit Gerhards ausgezeichnet hatte, nun eine Heimstatt in Straßburg gefunden hatte. Die Straßburger Theologen einschließlich des Philosophieprofessors Schaller hatten sämtlich unter dem Katheder Johann Gerhards gesessen und sich des vertrauten Umgangs mit ihm erfreut. Es verwundert nicht, daß, nachdem der Ruhm Jenas nach dem Tod Gerhards (1637) schnell dahinging, Straßburg an seine Stelle trat und nun auch für Theologen weit entfernt gelegener Gebiete attraktiv wurde.

---

[14] Fournier-Engel, 376.

[15] Johann Georg Dorsche (1597—1659), geb. in Straßburg, Studium in Straßburg, Tübingen, Jena (daselbst im vertrauten Verkehr mit Johann Gerhard). 1627 bis 1653 Professor der Theologie in Straßburg, 1654—1659 in Rostock. Über ihn: W. Horning, Johann Dorsch, 1886; NDB 4,87. Ein Artikel in RGG fehlt bedauerlicherweise. — Zu Dannhauer s. unten S. 96 ff.

[16] Im Jahre 1646 schreibt der alte Johann Major aus Jena an Johann Schmidt nach Straßburg: „Die johanneische Trias, die einst in Jena war, ist bis auf einen aufgelöst und ist auf Straßburg übergegangen“ (zit. nach Horning, Spener in Rappoltsweiler, 40).

Vor allem die reichsstädtischen Theologiestudenten zogen, wie ein Blick in die theologische Matrikel lehrt, mit Vorliebe nach Straßburg, aber auch aus dem mittel- und niederdeutschen, selbst dem außerdeutschen Luthertum ist nach dem Krieg ein starker Zug dorthin festzustellen[17]. Viele von Speners Freunden, Bekannten und auch späteren Gegnern haben in seiner Straßburger Zeit dort studiert. Die meisten dürfte er persönlich gekannt haben. Das gilt von dem Leipziger Johann Benedikt Carpzov[18], den Spener später als den Haupttreiber der gegen ihn streitenden Spätorthodoxie ansah, ebenfalls von Johann Fecht, der nach Speners Tod gegen den Pietismus schrieb[19]. Die Freundschaft mit dem Ulmer Elias Veiel, mit dem Spener in engem Briefwechsel blieb und der literarisch für die Pia Desideria eingetreten ist, geht auf gemeinsame Straßburger Studienjahre zurück[20]. Auch der spätere Brieffreund Theophil Spizel aus Augsburg hat die Straßburger Universität besucht, allerdings zu einer Zeit, als Spener in Basel weilte[21]. Johann Heinrich Horb, Speners späterer Schwager und Verfasser des ersten Bedenkens zu den Pia Desideria, hat

---

[17] Für die Immatrikulationen von Studenten der Theologie ergibt sich nach KNOD (oben S. 55, Anm. 70), Matricula studiosorum facultatis theologiae, für die Straßburger Zeit Speners einschließlich der vorhergehenden Jahre ab 1645 folgendes Bild: 1645: 13; 1646: 13; 1647: 23; 1648: 18; 1649:31; 1650: 30; 1651: 28; 1652: 41; 1653: 29 (einschl. WS 1653/54);1654: 21; 1655: 59; 1656: 32; 1657: 37; 1658: 36; 1659: 33; 1660: 50; 1661: 40; 1662: 34; 1663: 53; 1664: 36; 1665: 55; 1666: 47. Die Zahl der immatrikulierten Theologiestudenten nimmt nach 1670 stark ab: 1670: 42; 1671: 13; 1672: 21; 1673:12; 1674: 13; 1675: Matrikel fehlt; 1676: 9. Die Zahlen, die tatsächlich noch um einiges höher gelegen haben müssen (vgl. z. B. unten Anm. 20), zeigen, daß Speners Straßburger Zeit mit der Blütezeit der theologischen Fakultät ziemlich genau zusammenfällt.

[18] Über Johann Benedikt Carpzov II. (1639–1699) s. RGG³ I, 1623. Eintrag in die Straßburger theologische Matrikel 6. 1. 1657 (KNOD, I, 626). Spener erwähnt gelegentlich die gemeinsame Studienzeit mit ihm (L. Bed. 3,565).

[19] Johann Fecht (1636–1716), studierte 1655–1661 in Straßburg. Über ihn GRÜNBERG III, 16 ff. und RGG³ II, 892.

[20] Elias Veiel (1635–1706), Superintendent in Ulm. Vgl. PD 55, 3 f.: „Herr D. Elias Veyel / mein werthester vor deme gewesener Commilito zu Straßburg." Eintrag in die Matrikel fehlt. Spener hat Elias Veiel c. 1658 kennengelernt, wie aus der Widmung an Veiel in Speners Sciagraphia doctrinae fidei von 1688 *(Grünberg Nr. 19)* hervorgeht. Sechzehn Briefe Speners an Veiel aus den Jahren 1667 bis 1687 im Freien Deutschen Hochstift Frankfurt a. M. Abschriften dieser und drei weiterer verschollener Briefe Speners an Veiel in UB Tüb. Mc. 344. Vgl. außerdem GRÜNBERG I, 178, Anm. 1.

[21] Theophil (Gottlieb) Spizel (1639–1691), Pfarrer in Augsburg. Eintrag in die theol. Matr. 21. 10. 1660 (KNOD I, 631). Spener widmet ihm 1677 neben Johann Ludwig Hartmann seine Schrift „Das geistliche Priestertum", erklärt in der Widmung aber, daß er von ihnen „keinen dem Leibe nach zu sehen das glück oder die ehre gehabt" (bl. 8 r). Danach sind GRÜNBERG (I, 153 f. Anm. 1) und ALAND (PD 78, 20 Anm.), die Bekanntschaft aus der Straßburger Zeit vermuten, zu korrigieren. Über ihn RGG³ VI, 260.

seine Studien in Speners Straßburger Jahren begonnen[22]. Schließlich haben auch Männer wie Friedrich Breckling[23] und Johann Georg Gichtel[24], die sich später vom lutherischen Kirchentum trennten, oder ein Johann Melchior Stenger[25], der früh von der Orthodoxie aus dem Amt gedrängt wurde, mit Spener zusammen in Straßburg studiert. Ein Blick auf diese Namen zeigt, daß Theologen aller drei großen Gruppierungen, die sich in der zweiten Hälfte des 17. Jahrhunderts im Bereich des Luthertums anfinden, der strengen Orthodoxie, des Pietismus und des mystischen Spiritualismus, in den Jahren nach dem Dreißigjährigen Krieg gemeinsam die Hörsäle der Straßburger Alma mater füllten.

Am 2. Mai 1651 hat Spener, wie er in seinem Lebenslauf angibt, die Universität Straßburg bezogen. Wichtige Lebensdaten hat er sich stets gemerkt, um der jährlichen Wiederkehr des Tages im Gebet zu gedenken. Man kann sich auf seine präzisen Angaben deshalb in der Regel verlassen. Joachim Stoll gab ihm ein Empfehlungsschreiben für die Straßburger Professoren mit, worin er zugleich seine Wünsche für Speners Zukunft ausspricht und ihm „hirmit den gantzen 128. Psalm wünschlich geschenkt haben will"[26]. Im Juli setzte er sich in einem Brief an Dannhauer noch einmal für den hervorragenden jungen Mann ein, der sich durch beste Veranlagung und einen ebenso fähigen wie unverdorbenen Geist auszeichne. Aus dem Staub des Trivialstudiums habe er sich ans Licht der Straßburger Universität begeben und sei von großem Verlangen erfüllt, mit den Herren Professoren bekannt zu werden. Besonders dringend habe er von Stoll verlangt, bei Dannhauer empfohlen zu werden[27].

---

[22] Johann Heinrich Horb (1645–1695), geb. in Colmar, erwarb 1664 in Straßburg den philosophischen Magistergrad. Über ihn RGG³ III, 450 f. Vgl. unten S. 309, Anm. 12.

[23] Friedrich Breckling (1629–1711). Eintrag in die theologische Matrikel 18. 6. 1655 (Knod I, 623). Vgl. oben S. 7, Anm. 23. Über ihn RGG³ I, 1393 f. (wo leider die Straßburger Studienzeit übergangen ist).

[24] Johann Georg Gichtel (1638–1710). Vgl. oben S. 63, bei Anm. 4. Über ihn RGG³ II, 1568 f.

[25] Johann Melchior Stenger (1638–1710). Von 1660–1670 Prediger in Erfurt, wo er wegen perfektionistischer, von englischer Literatur beeinflußter Lehren amtsentsetzt wurde. 1675–1710 Inspektor in Wittstock. Spener stand mit ihm in Briefwechsel, das Frankfurter Ministerium stellte 1670 im Gegensatz zu Jena und Wittenberg ein positives Gutachten über ihn aus (vgl. Grünberg I, 505 f.; K. Holl III, 325 ff.; Leube, 169). – Eintrag in die theologische Matrikel 1658 (s. d.) (Knod I, 628).

[26] Schicketanz, Cansteins Beziehungen zu Spener, 116 f.

[27] Joachim Stoll an J. C. Dannhauer, Rappoltsweiler 8./18. Juli 1651: Ceterum, quum non ita pridem juvenis eximius, Philippus Jacobus Spennerus, bimo optimae indolis, et animi, ut capacissimi, ita integerimi, ex pulvere Trivialium, quos vocant, ad Universitatis Argentinensis lucem se contulerit, et Excellentissimis Dominis Professoribus innotescere summopere gestiat: Excell. Amplis. potissimum uti amenderetur a me enixe flagitavit. Quamquam autem illud adjumenti limen, a

Besonderer Empfehlung bedurfte, wie Stoll selbst wußte, der sechzehnjährige Student eigentlich nicht. Unter den kaum anderthalb Dutzend Professoren der Straßburger Universität besaß er mehrere Verwandte. Der Mediziner Johann Rudolf Saltzmann (1574—1656), im Sommer 1651 Dekan der medizinischen Fakultät, war ein Bruder seines Großvaters mütterlicherseits und außerdem sein Pate; dessen Sohn Johann Rudolf Saltzmann (1611—1678) war seit 1643 Professor für Physik. Der Jurist Johann Rebhan (1604—1689), ebenfalls zu dieser Zeit Dekan seiner Fakultät und im folgenden Semester Rektor der Universität, war verheiratet mit der Schwester seines Vaters. Rebhan nahm den Neffen seiner Frau in sein nahe der Thomaskirche gelegenes Haus auf[28], in welchem er bereits einem eigenen Neffen, dem Rechtsstudenten Johann Andreas Frommann, seit einigen Jahren Logis gewährte. Spener schloß mit dem neun Jahre älteren Frommann bald gute Freundschaft, es ist die erste Freundschaft seiner Straßburger Studienzeit[29]. Während des ganzen Studiums und danach bis zu seiner Verheiratung 1663 hat Spener — von einigen Unterbrechungen abgesehen — im Rebhanschen Haus gewohnt. Den für die Straßburger Theologen normalen, später auch von seinem jüngeren Bruder durchlaufenen Weg durch das Collegium Wilhelmitanum ist er nicht gegangen. Wie er nie eine öffentliche Schule besucht hat, so ist ihm auch das studentische Gemeinschaftsleben des Straßburger Konvikts, das fast alle berühmten Elsässer Theologen geprägt hat, fremd geblieben.

Johann Rebhan[30] galt als einer der besten Rechtslehrer seiner Zeit. Sein

---

viro Ampl(issi)mo et Consult(issi)mo D(omi)no Rebhan, quo hospite utitur, longe fructuosius haud dubio factum, cernerem potius quam crederem, petitis etiam tam cari mihi capitis stare omnino volui ac debui . . . (Hamburg, Sup. ep. 88, 245).

[28] Nach Barbier, aaO 17, bewohnte Rebhan das Haus Rue de la Monnaie Nr. 12 (an der Stelle der heutigen Nr. 2).

[29] Johann Andreas Frommann (1626—1690) stammte aus Coburg. Seit 1646 Studium der Rechtswissenschaften in Straßburg (Knod II, 243), wo er 1655/56 den Grad eines Dr. juris utriusque erwirbt (vgl. Knod II, 512). Anschließend — als Nachfolger Speners — Begleiter der Herren Christian und Johann Carl, Pfalzgrafen bei Rhein, auf einer Reise durch Frankreich, England, die Niederlande und Dänemark (vgl. unten S. 82). In einem September 1656 aus Frankreich an Johann Schmidt gerichteten Brief verweist Frommann auf ausführlichere Berichte, die er an Spener gesandt hat (Hamburg, Sup. ep. 11, 253). Später Prof. Juris in Tübingen, wo er Spener bei dessen dortigen Aufenthalt 1662 (s. unten S. 152) beherbergt. Spener widmet ihm 1673 den dritten Teil seines „Theatrum nobilitatis" (s. unten S. 231) und gedenkt dabei ihrer zweiundzwanzigjährigen Freundschaft. Die Pia Desideria nahm er zustimmend auf (vgl. seinen von Spener abgedruckten Antwortbrief in: Gründliche Beantwortung des Unfugs, 1693, 46 f.). Vgl. auch Cons. 1,276 a (statt Troman lies Frommann); 2,131 a.

[30] Johann Rebhan, geb. in Römhild bei Coburg als Sohn eines lutherischen Superintendenten. Seit 1630 in Straßburg, 1638 Professor Juris, 1639 verh. mit Ursula Herlin geb. Spener. Über ihn Horning, Spener in Rappoltsweiler, 42 ff.; ADB 27, 481.

Haus, in dem er seine Vorlesungen zu halten pflegte und in dem später auch Spener als Magister seine Kollegs gehalten hat, wurde eine Fürstenschule genannt, in der sich die lernbegierige Jugend aller Teile Europas, darunter viele Adlige und Fürstensöhne, versammelte. Er war zugleich ein frommer Mann, der eine 1634 gekaufte kleine Handbibel in seinem Leben 34mal ganz durchgelesen haben soll. Seine „wohlbestallte Bibliothek" hat Rebhan dem Neffen stets offen gehalten, manchen Rat, Zuspruch und Anweisung für das Studium hat er ihm gegeben, und von seinen juristischen Kenntnissen führt Spener später manches auf die Belehrung durch den „alten Vetter und Gastgeber" zurück[31]. Das Entscheidende, was ihm Spener zu danken hat, bleibt aber die Großzügigkeit, mit der Rebhan ihn unentgeltlich aufnahm und beköstigte und ihm, unter keiner anderen Bedingung, als daß er seine Zeit nützlich verwendete, die Möglichkeiten für ein sorgenloses, freies Studium gewährte. Dem im Sterben liegenden Rebhan, der seine vierzehn Jahre ältere Frau um mehr als zwei Jahrzehnte überlebte, hat Spener 1689 von Dresden aus in einem überaus herzlich gehaltenen „letzten Abschied" noch einmal für alle väterlichen Wohltaten gedankt[32].

Spener begann sein Studium in der philosophischen Fakultät, indem er sich eifrig auf die beiden biblischen Sprachen stürzte. Unter der Anleitung von *Balthasar Scheidt* (1614—1670), dem Professor für die klassischen und orientalischen Sprachen[33], lernte er Hebräisch. Er las das Alte Testament bald im Urtext und konnte, da man nach der erst im 19. Jahrhundert aufgegebenen Methode die alten Sprachen anhand von kleinen Dialogen übte, mit seinen Kommilitonen nach einem Dreivierteljahr bereits hebräisch disputieren. Im Griechischen übte er sich selbständig und las neben dem Neuen Testament die bedeutendsten griechischen Historiker. Spener, der später regelmäßig den Vorrang der Philologie vor der Philosophie in der Grundausbildung des Theologen verfochten hat, hat sich also solide sprachliche Kenntnisse angeeignet. Allerdings hat er eine Vertiefung dieser Studien nicht mehr in Straßburg finden können. Am Ende seines philosophischen Studiums, während einiger Sommermonate des Jahres 1653, hat er in Rappoltsweiler Unterricht bei einem Juden genommen und sich ins rabbinische Schrifttum und in den Talmud einführen lassen[34]. Die hebräischen Studien, die sich auch auf das Arabische ausdehnten, haben dann nach der theologischen Straßburger Studienzeit bei Johann Buxtorf in Basel ihre Vervollkommnung erfahren[35].

---

[31] Bed. 2,304; Gründliche Beantwortung des Unfugs, 1693, 189. [32] Bed. 4,629 ff.

[33] Schüler Dannhauers und Abraham Calovs, bei dem er 1637 in Königsberg studierte. Seit 1644 in Straßburg, 1649 Professor des Hebräischen, 1651 auch des Griechischen. Verfaßte eine große Anzahl von Disputationen und ein ungedrucktes Werk über den Talmud. Über ihn ADB 30, 709 f. [34] Lebenslauf, 24.

[35] S. unten S. 124 ff. — Canstein, Vorrede zu L. Bed., 12: In Arabicis war er auch nicht wenig beschlagen.

Dem Studium der Philosophie hat sich Spener in Straßburg nicht mit gleichem Eifer gewidmet. Er wird bei Jacob Schaller[36], unter dem er den philosophischen Magistergrad erwarb, vielleicht auch bei einem oder mehreren der Magister Kolleg gehört haben. Spener berichtet hierüber nichts einzelnes. Da er sich in seinem Selbststudium in Rappoltsweiler mit dem Grundwissen fast aller Disziplinen vertraut gemacht hatte, wird er das Kolleghören auf das Notwendigste beschränkt haben. Aus späteren Äußerungen geht hervor, daß er sich mit der Rhetorik, gegen die er einen heftigen Widerwillen hegte, überhaupt nicht beschäftigt hat[37], daß er dagegen die aristotelische Logik sehr geschätzt habe[38]. Mit besonderem Eifer warf sich Spener aber auf die Anfertigung seiner philosophischen Magisterdissertation. Joachim Stoll hatte ihm geraten, sich die Theologia naturalis als Thema zu nehmen[39]. Spener las daraufhin eifrig die antiken Autoren und exzerpierte, was er über die natürliche Theologie Nützliches bei ihnen fand. Seneca und Cicero unter den Lateinern, Plutarch, Diogenes Laertius und Xenophon (Apomnemoneumata) waren die Autoren, die er vor allem studierte. Eine Platonausgabe konnte er nicht erreichen, mußte sich deshalb mit Platonzitaten aus neueren Autoren begnügen. Dagegen lieh er sich von seinem Verwandten Balthasar Friedrich Saltzmann, Freiprediger und später Münsterpfarrer, den Aristoteles aus, fand in ihm aber nichts Brauchbares. Es scheint, daß Spener mit seiner Arbeit schon beträchtlich vorangeschritten war, möglicherweise einen Entwurf schon fertig hatte, als Jacob Schaller, der die Dissertation anzunehmen hatte, eine Erweiterung der Schrift durch die Hereinnahme einer aktuellen Polemik wünschte[40]. Seit kurzem erregten in der philosophischen Welt die Schriften des *Thomas Hobbes* (1588—1679) Aufsehen, Schaller wünschte eine Auseinandersetzung mit den Prinzipien dieser neuen, zum Angriff auf die klassische natürliche

---

[36] Vgl. oben S. 65 f.

[37] Vorrede zu Köpke, Sapientia Dei (oben S. 56, Anm. 74), bl. a 5 r: . . . daß ich von jugend auff am wenigsten an der rhetoric lust gehabt / da ich doch / der ein liebhaber der Dannhauerischen schrifften gewest / so viel gedult nicht von mir erlangen können / nur desselben rhetoric, geschweige andre / mir bekannt zu machen. — Völlige Abfertigung Pfeiffers, 1697, 270: also habe mein lebenlang und von jugend auff zu keinem studio weniger lust gehabt / als der Rhetoric, was anlangt die zierlichkeit der rede. Vgl. ebd. 237.

[38] Vorrede zu Köpke, Sapientia Dei, bl. a 5 r: Und weil er (Speners Gegner F. C. Bücher) Aristotelem so hochhält / versichre er sich / daß mir derselbe . . . deswegen nicht zuwider jemal gewesen seye / weil er in disputiren accurat seye / sondern vielmehr das einige / das ich in dem mann aestimire, ist allein seine logic, und was zum syllogismo und der demonstration gehöret / also gar daß ich solches vor die gabe halte / die Gott vornehmlich durch solches werckzeug der welt gegeben habe . . .

[39] Dies und das folgende aus der von GRÜNBERG nicht ausgewerteten Vorrede zu Köpke, Sapientia Dei, bl. a 4 r.

[40] Lebenslauf, 24. Vgl. unten Anm. 48.

Theologie antretenden Philosophie. So hat sich der junge Spener wohl als einer der ersten Lutheraner mit den Gedanken Hobbes' zu befassen gesucht. Den 1651 erschienenen „Leviathan" hat er noch nicht zur Hand gehabt, dagegen benutzte er die „Elementa philosophica de Cive", die — zuerst nur privat verbreitet — 1647 bei Elzevier in Amsterdam erstmals in einem für die Öffentlichkeit bestimmten Druck erschienen waren. Die Prinzipien der Hobbesschen Philosophie sind hier schon vollständig enthalten, überhaupt hat wohl „De Cive" die Gedanken Hobbes' schneller und stärker verbreitet als der Leviathan. Daneben hat sich Spener mit einer anonymen Schrift eines Hobbesanhängers „Apologia pro Hobbeo" befaßt, wohl derselben Schrift, gegen die Schaller 1656 öffentlich polemisiert hat.

Am 17. März 1653 hat Spener im Sommerauditorium der Straßburger Universität in solenner Disputation seine Arbeit verteidigt[41]. Am folgenden Tag hat er sich als neu kreierter Magister in die Magistermatrikel der philosophischen Fakultät eingeschrieben[42]. Spener hat also nach noch nicht einmal zweijährigem Aufenthalt in Straßburg die Berechtigung erhalten, in der philosophischen Fakultät Vorlesungen zu halten, was nicht so sehr wegen der Jugendlichkeit des Achtzehnjährigen — hierfür gibt es genug ähnliche Beispiele — als wegen der Kürze des Universitätsaufenthaltes erstaunlich früh ist und vielleicht mit seiner vorzeitigen Immatrikulation in Zusammenhang gebracht werden darf.

Den Text seiner Magisterdissertation hatte Spener wie üblich zum Tag der Disputation im Druck vorgelegt. Er hat die Arbeit seinem Landesherren Johann Jakob von Rappoltstein und sechs Bürgern der Stadt Colmar, darunter seinem Großvater Johann Jacob Saltzmann, gewidmet. Es ist seine erste selbständige literarische Veröffentlichung, für eine Reihe von Jahren bleibt sie die einzige. Für das Eindringen in die Gedankenwelt des jungen Spener und das Erfassen der sie bestimmenden Traditionen ist diese Schrift von einzigartigem Quellenwert.

Die Arbeit ist betitelt „Dissertatio de Conformatione creaturae rationalis ad creatorem". Bei der Themaerläuterung grenzt Spener den Begriff der „Conformatio" als ethischen Begriff ab gegen den Begriff „Conformitas", der in die theoretische Philosophie gehöre und in Abraham Calovs Noologie seine Behandlung gefunden habe[43]. Nicht um die Ähnlichkeit oder Gleichheit der vernünftigen Kreatur mit ihrem Schöpfer, die man betrachten kann, sondern um die Ähnlichwerdung oder Angleichung — Spener gebraucht synonym mit conformatio „assimilatio" — an den Schöpfer, die

---

[41] Dissertatio de Conformatione creaturae rationalis ad creatorem, Thom. Hobbei eiusque hyperaspistis quibusdam ψευδογραφήμασι magna ex parte opposita, Praeside . . . Dn. Iacobo Schallero, Amicae Doctiorum συζητήσει solenniter exponet die 17. Martii in Auditorio Aestivo. Straßburg (Johann Peter von Heyden) 1653. 4°. 53 S. (UB Strasb.). *Grünberg Nr. 163.*

[42] KNOD I, 539.

[43] AaO § 9.

man durch Tun bewirken muß, geht es in Speners Arbeit. Und zwar um eine solche Angleichung, die sich ohne das Licht der Offenbarung und abgesehen von der Wiederherstellung des göttlichen Ebenbildes aus bloßen natürlichen Prinzipien ergeben soll[44]. Die natürliche Theologie wird hier also unter dem Gesichtspunkt der Ethik und insoweit sie praktischen Charakter hat, abgehandelt. Man kann auch umgekehrt sagen, daß der junge Spener die Ethik aus den Prinzipien der natürlichen Theologie zu begründen sucht. Das ist in der durch Melanchthon begründeten Tradition protestantischer philosophischer Ethik nichts Neues. Für den Entwicklungsgang Speners, dessen theologisches Denken später so völlig von der Ausrichtung auf die Praxis bestimmt wird, ist es aber sicherlich nicht ohne Einfluß gewesen, daß sich bereits seine philosophischen Studien auf das Gebiet der praktischen Vernunft richten und er die zur Philosophie gehörende natürliche Theologie nur als praktische Disziplin bearbeitet hat. Die Gotteserkenntnis aus theoretischer Vernunft hat Spener zwar nie bestritten, er hat ihr aber wie allen rein theoretischen Fragen nie ernsthaftes Interesse zugewendet. Metaphysik, bloße Theorie, mystische Spekulation – das alles scheint schon dem jungen Straßburger Studenten der Philosophie in weiter Ferne zu liegen. Daß ihm später der Zugang zu Jakob Böhme, der doch viele der besten Köpfe der Zeit in seinen Bann zog, fehlte und er zur Mystik kein inneres Verhältnis gewann, das kann den, der Speners frühes Studium der Philosophie beobachtet, nicht in Erstaunen setzen.

Bei der Beurteilung der Arbeit muß man beachten, daß sie nicht den Charakter einer rein philosophischen Abhandlung hat im Sinne der neuzeitlichen, gegenüber der Offenbarungstheologie sich autonom verstehenden Philosophie. Spener geht aus von Römer 1,19 f. und weist der natürlichen Theologie von der geoffenbarten Theologie ihre Aufgabe und ihre Sphäre zu[45]. Die natürliche Theologie ist also von der geoffenbarten Theologie her legitimiert, nicht legitimiert sie ihrerseits die geoffenbarte. Vorausgesetzt ist dabei die Harmonie zwischen der Sphäre des lumen naturae und der Sphäre der revelatio. Philosophie kann also, wenn sie recht betrieben wird, mit der Theologie niemals in Konflikt kommen. Tut sie es doch, so ist es keine recht betriebene Philosophie. Von hier aus erklärt sich Speners Verfahren, an die griechischen und lateinischen Autoren wie auch an Hobbes Zensuren auszuteilen, je nachdem ihre Behauptungen in Entsprechung oder im Widerspruch zur Offenbarung stehen. Ein eigentlich philosophisches Verfahren ist das nicht, obwohl dieser Schein gewahrt und mit der Offenbarung selbst nicht argumentiert wird. So wird die epikureische Lehre durch die Argumente der Platoniker und Stoiker für widerlegt gehalten. Und gegen Hobbes wird eingewandt, er zerstöre den ordo bonorum sub-

---

[44] AaO § 8.

[45] AaO § 1.

stantialium und hebe die κοιναὶ ἔννοιαι auf[46]. Gerade die Auseinandersetzung mit Hobbes zeigt nun aber, in welchem Maße Spener der eigentlich philosophische Sinn abgeht. Statt einer gedanklichen Auseinandersetzung wiederholt er nur die alten Formeln der melanchthonisch-orthodoxen natürlichen Theologie. Daß diese Philosophie eine Herausforderung an das philosophische *Denken* darstellt, hat er nicht gemerkt. Man vergleiche, was die Lektüre von Hobbes nur wenige Jahre später für den jungen Leibniz bedeutet hat! Lambert van Velthuysen in Utrecht hat 1670 einmal an Leibniz geschrieben, wenn Hugo Grotius Hobbes' De Cive gekannt hätte in einem Alter, wo ein Mensch noch Neues zu lernen fähig ist, so hätte er seine Philosophie gründlicher entwickelt[47]. Spener war immerhin bei seiner Magisterdissertation in einem solchen Alter. Er hat aber nicht einen Hauch verspürt davon, daß man dieser Philosophie gegenüber nicht einfach alte Formeln wiederholen konnte. Erst als während seiner Frankfurter Zeit die Arbeiten von Pufendorf bekannt wurden, hat Spener — vielleicht vorbereitet durch den persönlichen Umgang mit Leibniz — eine Ahnung von der epochalen Wirkung der Philosophie Hobbes' bekommen. Er hat dann immerhin zugegeben, ihn während seines Studiums gar nicht richtig verstanden zu haben[48]. Wenn Spener später, auf philosophische Fragen angesprochen, erwidert, daß er seit der Zeit seines Kirchendienstes keine Zeit mehr dafür übrig hatte und nur während seiner Straßburger Studienzeit sich mit Philosophie beschäftigt habe, so muß man angesichts der Magisterdissertation fragen, ob Spener überhaupt jemals über das bloße Zurkenntnisnehmen philosophischer Meinungen hinaus für die Philosophie offen gewesen ist. Das Verhältnis zur Philosophie oder besser das allermeist fehlende Verhältnis zur Philosophie, das den von Spener ausgehenden Pietismus kennzeichnet, ist in der Art des Spenerschen Philosophiestudiums geradezu vorgebildet.

Die Magisterdissertation Speners ist demnach für die Erforschung der Genesis der Spenerschen Theologie vornehmlich in zweierlei Hinsicht in-

---

[46] AaO § 33 („Hobbeus totum ordinem bonorum substantialium eliminat") und § 55, wo dagegen polemisiert wird, daß Hobbes von Unsterblichkeit und allgemeinem Gericht leugne das „ἐκ κοινῶν ἐννοίων (quas omnes tollit) proficisci" und nur ihre Kenntnis „ex discursu" zugestehe.

[47] Lambert van Velthuysen an Leibniz, Mai 1670 (Leibniz, Sämtliche Schriften und Briefe, Akademieausgabe II, 1; 45): Attamen mihi nullum dubium est, quin si summo illi viro (sc. Grotius) oblatus fuisset tractatus Hobbesii de cive, ea tempestate, qua aetas hominis adhuc idonea est addiscendis novis principiis, nonnulla solidiora nobis traditurus fuisset.

[48] Bed. 1 I, 233 (1687): Hobbes war damals (sc. zur Studienzeit Speners) neue / es haben mir aber seine hypotheses nicht sehr gefallen / daher auch in meiner Disputation vor dem Magisterio zu Straßburg aus veranlassung des praesidis unterschiedliche blätter wider ihn geschrieben: sorge aber ietzo selbs / ob ich ihn zur gnüge in solcher jugend assequirt habe. — Vgl. Cons. 3,552.

teressant. Einmal zeigt sie, wie stark der junge Spener in der melanchthonischen Tradition der natürlichen Theologie und einer in ihrem Rahmen entwickelten Ethik steht. Daß die natürliche Gotteserkenntnis von Spener nicht in der Form einer metaphysischen Abhandlung, sondern in einer Grundlegung der Ethik bearbeitet wird, entstammt der auf die praktische Philosophie ausgerichteten Tradition der vom Späthumanismus bestimmten Straßburger philosophischen Fakultät. Was für den jungen Abraham Calov die Metaphysik war, ist für den jungen Spener die Ethik gewesen. Dabei kann nichts darüber hinwegtäuschen, daß mit der praktischen Ausrichtung der natürlichen Gotteserkenntnis deren metaphysische Verankerung nicht gelöst und auch nicht neu durchdacht ist. Wenn in Speners Magisterdissertation von Gott geredet wird, so heißt es „Summum beatissimum Ens"[49], „Ens invariabile"[50], „Summum bonum"[51], „omnium causarum principium"[52]. Das sind nicht Eierschalen der Schulphilosophie, die der Vater des Pietismus allmählich abgestreift hat. Wenn Spener später von der natürlichen Gotteserkenntnis spricht, so gebraucht er neben dem Wort Gott fast regelmäßig den Begriff „höchstes Wesen". Und noch in seinen Berliner Jahren kann Spener in seelsorgerlichen Bedenken die natürliche Theologie fast in der gleichen Form vortragen wie fünfzig Jahre zuvor in seiner Magisterdissertation[53]. Ein gedankliches Abrücken von der natürlichen Theologie der Orthodoxie läßt sich bei Spener nicht beobachten. Indem er gegen Hobbes gerade diejenige Begründung der natürlichen Gotteserkenntnis zu verteidigen hatte, die innerhalb der altlutherischen Orthodoxie mehr auf dem humanistischen Flügel der Helmstedter als auf dem streng lutherischen Flügel der Wittenberger und Jenaer Theologen vertreten wurde, nämlich die von Elementen der Stoa beeinflußte Theorie einer *angeborenen,* nicht erst aus Erfahrung geschöpften Gottesidee, hat er den in der altlutherischen Orthodoxie sehr ungleich, in der streng orthodoxen Richtung nämlich nur schwach angelegten Zug zur Ausbildung einer besonderen natürlichen Theologie mit seiner Arbeit sogar verstärkt und damit jenen Ausbau dieser Lehre, wie er nach 1700 in der vom westeuropäischen Empirismus sich absetzenden deutschen Aufklärung zu beobachten ist, vorbereitet[54].

---

[49] AaO § 14. [50] AaO § 20. [51] AaO § 25. [52] AaO § 17.

[53] Bed. 1 I, 32 ff. (1691). Vgl. zur natürlichen Theologie noch Bed. 1 I, 38 ff., 45 ff. mit der häufigen Rede vom „höchsten Wesen". GRÜNBERG (I, 387) weist noch auf Bußpredigten 2,252 ff. hin.

[54] Bezeichnenderweise ist Speners Magisterdissertation im Jahre 1716 in Leipzig neu aufgelegt worden (GRÜNBERG III, 238, *Nr. 163*). — In diesem Zusammenhang muß auf die im Pietismus weiterwirkende Anschauung von dem nach dem Fall dem Menschen verbliebenen „Funken" der Gotteserkenntnis in der Seele hingewiesen werden. Diese Lehre wird vom Pietismus doch erheblich mehr gepflegt als in der streng lutherischen Orthodoxie. Der Verweis auf die Herkunft aus mystischer Tradition reicht nicht aus. Ihre Ausbildung muß man wohl zu einem guten Teil aus der Frontstellung gegenüber der Bestreitung einer angebore-

In dieser Richtung können vielleicht auch Speners Äußerungen verstanden werden, daß er als Straßburger Magister seine Kommilitonen darauf hingewiesen hätte, wie in Zukunft die Auseinandersetzung mit den Atheisten eine wichtigere Aufgabe sein würde als die konfessionellen Kontroversen mit Papisten und Reformierten[55]. Spener scheint also in seinen Straßburger Jahren einer Schwerpunktverlagerung der theologischen Arbeit auf das Gebiet der natürlichen Theologie bereits das Wort geredet zu haben.

Es läßt sich bei Spener jedoch noch eine andere, der bisher gezeigten entgegenlaufende Gedankenrichtung feststellen, bei der noch zu untersuchen wäre, ob sie seiner mangelnden philosophischen Denkkraft oder nicht vielmehr einer tieferen Einsicht in die Eigenart religiöser Gotteserkenntnis zuzuschreiben ist. Es hat sich bei Spener nämlich eine Wandlung in der Einschätzung des Wertes einer natürlichen Theologie vollzogen, indem ihm immer deutlicher zum Bewußtsein gekommen ist, daß einem Gottesleugner mit dem Vortrag der natürlichen Theologie nicht beizukommen ist. Der nach dem Vorbild der Scholastik in der altprotestantischen Dogmatik etwa des Georg Calixt der natürlichen Theologie zugewiesenen Funktion, im Vorhof des Offenbarungsglaubens die Stringenz einer vernünftigen Gotteserkenntnis zu sichern, traut Spener in späterer Zeit keine den Menschen seiner Zeit überzeugende Kraft zu. Er beruft sich dafür auf Erfahrungen, die er bereits in seiner Straßburger Zeit mit ebenso klugen wie hartnäckigen Gottesleugnern gemacht hat[56]. Versuche einer denkerischen Auseinandersetzung mit dem theoretischen Atheismus, wie sie sein Freund Theophil Spizel in Augsburg oder wie sie Leibniz unternahm, hat er begrüßt. Er hat aber den Optimismus beider nicht geteilt[57]. Als Theologe hat Spener gegenüber dem Phänomen des theoretischen Atheismus resigniert. Einen Atheisten von seinem Atheismus wegzuführen, das ist nach Spener kein geringeres Werk, als einen Toten aufzuwecken[58]. Solches zu tun, hat er nicht als seine Aufgabe angesehen. Er hat statt dessen seine Bestrebungen darauf konzentriert,

---

nen Gotteserkenntnis im modernen westeuropäischen Denken (z. B. Hobbes, Spinoza) begreifen. Für Speners Lehre vom Seelenfunken vgl. die vorige Anm. genannten Stellen.

[55] Bed. 3,451; L. Bed. 1,334. [56] Bed. 1 I,33; 3,451; L. Bed. 1,334.

[57] Bed. 3,451 f. (1681): So ists auch mit solchen leuten (sc. den theoretischen Atheisten) so leicht nicht umzugehen / als man sich bey einer so guten und gewissen sache / wie wir wider sie haben / einbilden solte . . . Es ist kaum zu glauben / wie scheinbar die leute aus der verderbten vernunfft / alles was aus der philosophie und vernunfft-lehr ihnen entgegen gehalten zu werden pfleget / abzulehnen wissen / daß mir alle tela u. argumenta gegen sie in dem ernstlichen kampff fast unbrauchbar worden sind: Dahero ich sorge / ob andere auch hierinnen fertiger wären / es gleichwol ihnen sehr schwer werde werden / mit solcher art waffen etwas gegen sie auszurichten. Ob wol wenn es einige vermögen / darüber mich sehr freuen solte / dergleichen zu sehen und zu wissen . . . Vgl. auch Bed. 3,326 (1679). [58] Bed. 1 I,55.

die bloß praktischen Atheisten, denen „der allgemeinste natürliche concept von Gott“[59] noch geblieben ist, die aber durch gottloses Leben praktische Gottesleugner sind, zum lebendigen Glauben und zur Gottseligkeit zu führen. Auf diese Linie hat er die Bewegung des lutherischen Pietismus geführt, und so ist er seinem *kirchlichen Wirken* nach wiederum kein unmittelbarer Förderer jener aufklärerischen, zum Teil auch von pietistischen Theologen betriebenen natürlichen Theologie des 18. Jahrhunderts gewesen. Gegenüber dieser späteren Entwicklung Speners muß man aber der Magisterdissertation zuschreiben, daß in ihr die natürliche Theologie noch mit unproblematischer Selbstverständlichkeit vorgeführt wird.

Der andere an der Magisterdissertation interessante Befund ist der, daß Spener aus der Verbindung von aristotelischen und stoischen Denkelementen, aus denen sich die Philosophie Melanchthons eklektisch gebildet[60] und aus der die lutherische Orthodoxie des 17. Jahrhunderts einseitig die aristotelische Tradition bevorzugt hatte, seinerseits nun deutlich die philosophische Tradition der Stoa begünstigt und Aristoteles ebenso deutlich zurückstellt. Es ist beachtlich, diese Umschichtung der beiden in der altprotestantischen Aera wichtigsten philosophischen Traditionen, die für den älteren Pietismus, aber auch für die frühaufklärerische Philosophie typisch ist und beide vom altprotestantischen Aristotelismus unterscheidet, bereits in Speners früher Magisterdissertation anzutreffen. Daß Seneca und Cicero diejenigen Autoren sind, die er bei der Vorbereitung der Arbeit am fleißigsten studiert hat, und daß er von der Aristoteleslektüre nur angewidert war, haben wir bereits erfahren. Die Arbeit selbst bestätigt, daß Spener trotz mancher Einzelkritik an der stoischen Ethik (z. B. in der Frage des Eigentods und der Affektlosigkeit) in dieser Denktradition am ehesten Zeugnisse der recta ratio findet, der allenfalls noch die Platoniker an die Seite gestellt werden können, während er mit Aristoteles nichts anzufangen weiß[61]. Die Originalität des Achtzehnjährigen darf man hier freilich nicht überschätzen. Über den Rahmen der in der Straßburger philosophischen Fakultät gehegten Ansichten gehen diejenigen Speners wohl kaum hinaus. Bedeutsam ist aber, daß Spener die Bevorzugung der Stoiker und des mehrfach von ihm zitierten Plutarch teilt mit dem einzigen zeitgenössischen Autor, den er neben Hobbes und Abraham Calov öfters anführt. Es ist dies *Hugo Grotius* (1583 bis 1645) mit seinem „De jure belli ac pacis“[62]. Dieses berühmte Buch, das Gustav Adolf ständig bei sich geführt haben soll, hat der junge Spener in seinen ersten Studienjahren gründlich und mit Begeisterung studiert, und

[59] Vgl. Bed. 1 I,48.

[60] Vgl. Dilthey, Weltanschauung und Analyse des Menschen seit Renaissance und Reformation, Ges. Schriften II, 1923, 162 ff.

[61] Vgl. hierzu besonders § 51 der Magisterdissertation, wo beklagt wird, daß man aus Aristoteles im Unterschied zu Plato und den Stoikern nichts über die Unsterblichkeit entnehmen könne.

[62] Häufig zitiert im § 40.

es gibt kein zweites Buch, das auf die Ausbildung seiner philosophischen Ansichten stärker gewirkt hat.

Die Begeisterung für Hugo Grotius kann bei einem um 1650 in Straßburg studierenden Studenten nicht verwundern. Unter den deutschen Universitäten hat es keine zweite gegeben, die sich dem Gedankengut des großen Holländers so willig geöffnet hat wie diejenige Straßburgs. Der Anstoß kam aus dem humanistischen Kreis der philosophischen Fakultät um Matthias Bernegger. Bernegger hat, wie bereits erwähnt, mit Grotius in vertrautem Briefwechsel gestanden[63]. Sein Nachfolger Johann Heinrich Boecler hat als einer der ersten Gelehrten die Werke des Grotius kommentiert[64]. Auch den Straßburger Theologen wurde auf diese Weise der Grotius bekannt. Wenn dessen Arminianismus seinem Ansehen bei den Reformierten hindernd im Wege stand, so konnte der Gegensatz zur Dordrechter Synode einem auf Melanchthon festgelegten Luthertum nur als Empfehlung dienen. So ist Spener bereits in Rappoltsweiler von Joachim Stoll auf Grotius hingewiesen worden[65]. Auf Grund dieser Empfehlung, so berichtet er, habe er sich denselben so sehr angelegen sein lassen, daß es wenig Bücher gäbe, die er in seinem Leben so fleißig traktiert habe wie diejenigen des Grotius[66].

Den Einfluß der Grotiuslektüre auf Speners geistige Entwicklung wird man in seinem Ausmaß nur schwer abschätzen können. Spener selbst gesteht, daß ihn die intensive Beschäftigung mit Grotius nie gereut habe[67]. Das ist deshalb beachtlich, weil er sonst zu erzählen pflegt, daß intensives philosophisches Studium dem Theologen später meist als verlorene Zeit leid tue. Andererseits hat Spener mit Verwunderung gehört, daß man aus seiner Predigtweise auf gründliche Grotiuskenntnis zurückgeschlossen hat, und er

---

[63] Der Briefwechsel beider wurde ein Jahr nach Speners Berufung nach Frankfurt in Straßburg herausgegeben: Hugonis Grotii et M. Berneggeri Epistolae mutuae, Straßburg 1667 (BM).

[64] S. den Art. Boecler in NDB 2,372 f. Von Boecler erschienen: Dissertationes quinque ad commentationem Grotianum, Straßburg 1663 (BN); In Hugonis Grotii Jus belli et pacis commentatio, Straßburg 1663 (BN).

[65] Bed. 1 I,234 (1687): Wie mich in meiner jugend gehört zu haben erinnere / daß mein seel. Schwager Hr. Stollius . . . darüber offt klagte, / daß fast nur das Studium juris Romani getrieben . . . führte auch offt an / wie es auf den friedenstractaten zu Münster und Oßnabrück mühe gekostet . . . ex principiis communibus zu handeln. Dabey er allezeit den Grotium zu recommendiren pflegte / und ich also aus solcher anweisung mir denselben so angelegen habe seyn lassen.

[66] Bed. 1 I, 233 (1687): . . . ohne was Grotius gethan / den ich ohne ruhm zu melden so fleißig tractiret habe / als ich mein lebetag wenig bücher behandlet / so mich auch nicht reuet.

[67] Vgl. vorige Anm.; außerdem Canstein, Vorrede zu den Letzten Theol. Bedencken, 12: Dabey hat er des berühmten Grotii buch de jure belli & pacis ungemein viel gelesen, wie er sich dessen gegen mich öffters mit besonderem vergnügen erinnert, und den nutzen davon gerühmet.

hat den Zusammenhang selbst nicht sehen können[68]. Grünberg urteilt nicht unrichtig, daß der vom Scholastizismus sich abwendende empiristische Zug das Gemeinsame zwischen Grotius und Spener bildet[69]. Es ist aber sehr zu fragen, ob sich der Einfluß des Grotius darin erschöpft. Man kann doch eine ganze Reihe von Punkten der Gemeinsamkeit zwischen beiden nennen, von denen sehr wohl möglich ist, daß Spener hierin von Grotius beeinflußt wurde[70]: der Wunsch nach konfessionellem Frieden und Wiedervereinigung der großen christlichen Konfessionen, der Toleranzgedanke, der Gemeinschafts- und Genossenschaftsgedanke, die Begrenzung einer absoluten Staatsgewalt durch die natürlichen Rechte des Einzelnen wie der Kirche, überhaupt das Operieren mit *naturrechtlichen* Gedankengängen, wie sie Spener später zur Rechtfertigung der Collegia pietatis benutzt[71]. Schließlich doch auch jene antiaristotelische Denkrichtung, wie sie sich in „De jure belli ac pacis" deutlich kundgibt, kann auf Spener zur Zeit der Abfassung seiner Magisterdissertation und des Widerwillens gegen Aristoteles kaum ohne Eindruck geblieben sein. Die Physik des Johann Sperling kann den „Ekel" gegen Aristoteles geweckt haben, kaum aber konnte dieses im übrigen für Spener nicht sehr interessante Buch gegen den massiven Aristotelismus, wie ihn Spener später bei Dannhauer kennenlernte, immun machen. Der Grotiuslektüre ist das eher zuzutrauen. Es ist jedenfalls eine aufschlußreiche Tatsache, daß Spener zu einer Zeit, als im übrigen lutherischen Deutschland die Gedanken des großen niederländischen Naturrechtlers noch kaum zu wirken begonnen hatten und, wo sie bekannt wurden, bei den protestantischen Scholastikern allermeist auf Ablehnung stießen[72], unter dem Einfluß des Straßburger Späthumanismus sich einer so begeisterten und intensiven Grotiusbeschäftigung hingegeben hat. Die aufklärerischen Züge in seiner Theologie werden wohl am ehesten aus dieser Beschäftigung erklärbar[73].

---

[68] Canstein, ebd.

[69] Grünberg I, 141.

[70] Für Grotius vgl. die mit umfassenden Lit.-Angaben versehene Darstellung bei Erik Wolf, Große Rechtsdenker, 1963[4], 253 ff. – Den Einfluß von Grotius auf Gottfried Arnold untersucht E. Seeberg, Gottfried Arnold, 315 ff.

[71] Vgl. Grünberg II, 178.

[72] Siehe Erik Wolf, aaO 289 (hier wird Johann Heinrich Boecler irrtümlich zu den Juristen gezählt). Wolfs Mitteilung, daß die deutschen Lutheraner Grotius ablehnten, ist zu pauschal. Joachim Stolls Grotiusempfehlung und das Grotiusstudium des jungen Spener – zeitlich übrigens noch erheblich vor den von Wolf genannten ersten Zeugnissen für die Grotiusrezeption in Deutschland liegend! – wie auch das günstige Urteil Johann Valentin Andreäs (Grünberg I, 86) zeigen doch ein differenzierteres Bild.

[73] Nur am Rande sei vermerkt, daß die ganz ungenügende Beurteilung der Grotiuslektüre bei Grünberg (I,141) wohl die Schuld daran trägt, daß in der neueren Literatur von einem Einfluß des Grotius auf Spener kaum noch die Rede ist. Eine Ausnahme macht Hirsch (II,94 und 101), obgleich er nur Speners überraschend positive Stellung zum Naturrecht notiert.

Nach seiner Magisterdissertation hat Spener, wie er in seinem Lebenslauf berichtet, sich mit Eifer auf das Studium der Geschichte gelegt. Dabei hat er sich besonders der deutschen Geschichte zugewandt und die älteren deutschen Geschichtsschreiber gelesen. Wahrscheinlich hat er sich von Anfang an der Anleitung *Johann Heinrich Boeclers* (1611–1672)[74] bedient, den er später den vornehmsten Veranlasser, Helfer und Förderer seiner historischen und politischen Studien nennt[75]. Der aus Cronheim in Mittelfranken stammende Boecler, 1637 mit sechsundzwanzig Jahren bereits Professor für Rhetorik in Straßburg, hatte 1640 als Nachfolger Berneggers, dessen Lieblingsschüler er gewesen sein soll, die Professur für Geschichte erhalten. Im Jahre 1649 folgte er einem Ruf der Königin Christine nach Uppsala. Nach einem Jahr siedelte er von dort nach Stockholm über, wo er als Hofhistoriograph der Gelehrtenkorona angehörte, mit welcher sich die wissensdurstige Tochter Gustav Adolfs in dem Jahrzehnt ihrer Regierung zu umgeben liebte. Da Boecler aber das nordische Klima nicht vertrug und sich das Schicksal Descartes' ersparen wollte, erbat er sich nach zwei Jahren die Gnade, in seine Heimat zurückkehren zu dürfen. Die Straßburger, die nach seinem Weggang die historische Professur anderweitig besetzt hatten, konnten ihm, der seit 1652 wieder in Straßburg lebte, erst im März 1654 die historische Professur antragen. Daß sie ihm erneut das Bürgerrecht verliehen, zeigt, daß die Stadt wußte, was sie an diesem in der europäischen Wissenschaft hochgeschätzten Mann hatte. Zu dem Titel eines königlichen Hofhistoriographen und einer Pension von 800 Imperialen, die er aus Schweden mitbrachte, gesellte sich 1662 der Titel eines erzbischöflichen und kurfürstlich mainzischen Rates, im Jahre darauf verlieh ihm Ferdinand III. den Titel eines Comes palatinus Caesareus. Schließlich nahm ihn Ludwig XIV. wegen seiner einzigartigen „Erudition" in die Zahl der Gelehrten seines Wohlwollens auf, die er mit einem jährlichen Ehrensold bedachte. Boecler ist in den Jahrzehnten nach dem Dreißigjährigen Krieg der angesehenste Lehrer der Straßburger Universität gewesen, um dessentwillen viele – unter ihnen der junge Leibniz – eine Reise nach Straßburg unternahmen. Mit den berühmtesten Männern ganz Europas soll er, wie es in seinem Leichprogramm heißt, in Verbindung gestanden haben. Zu seinem Freundeskreis gehörte der Helmstedter Jurist Hermann Conring und der zeitweilige kurmainzische Kanzler Johann Christian Freiherr von Boyneburg. Mit beiden zusammen bildete er den Kern jener kleinen Gruppe politischer Humanisten, die das Deutschland des 17. Jahrhunderts beses-

---

[74] Über Boecler s. NDB 2,372; F. E. Sitzmann, Dictionnaire de Biographie I, 1909. Ich benutze für die biographischen Angaben das Programma funebre des Rektors Marcus Mappus vom 13. 9. 1672 (AST 446 Stück 31).

[75] Spener nennt ihn in der Vorrede zu den Insignia familiae saxonicae (1668) „studiorum meorum historicorum et politicorum praecipuum autorem, adiutorem, promotorem".

sen hat und die sich nach dem Krieg unter der Führung Boyneburgs für eine innere und äußere Reform des Reiches eingesetzt haben[76]. Im Alter von 61 Jahren ist Boecler 1672 —im gleichen Jahr wie Boyneburg — in Straßburg gestorben.

Boecler und sein Schülerkreis, zu dem auch Veit Ludwig von Seckendorff gehört, bilden im 17. Jahrhundert die mächtigste Historikerschule, die der deutsche Universitätsraum kennt. Zum ersten Mal wird hier in Straßburg systematisch die Suche nach den Quellen zur frühen deutschen Geschichte aufgenommen. Boecler ist dabei alles andere als ein Vorkämpfer der Prinzipien neuzeitlich-kritischer Historie. Er ist wie sein Lehrer Bernegger Humanist, und er kennt für die Kunst geschichtlichen Forschens und Darstellens kein größeres Vorbild als Tacitus. Seine Werke sind — mit der einen Ausnahme der Geschichte des dänisch-schwedischen Krieges, für die ihm die Königin Christine wertvolles Material ihrer königlichen Archive zur Verfügung gestellt hatte — von der Fachwissenschaft mit Recht vergessen. Aber wichtig bleibt doch, daß inmitten einer Zeit, der der Sinn für die Geschichte verloren zu sein schien und die sich ihre Geistesbildung in der aristotelischen Schulphilosophie holte, in Straßburg eine Generation von Männern herangebildet wurde, die die vom Humanismus des 16. Jahrhunderts begründete Tradition einer deutschen Geschichtswissenschaft nicht nur weiterpflegte, sondern im umfassenden Aufsuchen der Quellen auch weiterbildete und damit den Boden bereitete, auf dem seit Ende des Jahrhunderts Deutschland den Wettstreit mit der fortgeschrittenen französischen und holländischen Geschichtsschreibung wieder aufnehmen konnte[77]. Seckendorffs „Commentarius historicus et apologeticus de Lutheranismo“ (1688—1692) mit seiner einzigartigen Verarbeitung von Akten und Urkunden gibt das beste und zugleich das berühmteste Beispiel für Stil und Methode der Schule Boeclers. Und noch die umfangreichen historischen Arbeiten von Leibniz über die Geschichte des Welfenhauses sind ohne die Vorarbeit der Straßburger historischen Schule nicht denkbar.

Die im Frühjahr 1653 bei Boecler begonnenen historischen Studien Speners sind nun durch besondere Umstände weit über das für einen Straßburger Theologen übliche Maß hinausgewachsen. Grund dafür ist die im September 1654 von Spener angenommene Tätigkeit als Informator der jungen Herren Christian und Johann Carl, Pfalzgrafen bei Rhein, die er für knappe anderthalb Jahre bis zum Anfang März 1656 ausgeübt hat[78]. Der Vater der beiden jungen Herren, Pfalzgraf Christian bei Rhein, war Ende August 1654 gestorben[79]. Er hatte im engen Umgang mit Johann Schmidt gestan-

[76] H. Schrohe, Johann Christian von Boyneburg, 1926.

[77] Vgl. K. Holl III, 313. [78] Lebenslauf, 25.

[79] Vgl. die Leichpredigt für ihn von Johann Schmidt (oben S. 11, Anm. 39). Danach starb der Pfalzgraf auf Reisen am 27. 8. 1654, wurde aber erst im März 1655 nach Bischweiler überführt.

den, den er öfter um Rat wegen der Erziehung seiner Söhne gefragt hatte[80]. Es ist anzunehmen, daß Johann Schmidt es war, der sich unmittelbar nach dem Tod des Pfalzgrafen um einen Lehrer für seine Söhne bemühte, und daß Spener durch ihn die Stelle erhielt[81]. Schmidt hat denn auch im Frühjahr 1655 in der Leichpredigt auf den nach Bischweiler überführten Pfalzgrafen die Fortschritte gerühmt, die die beiden jungen Herren in ihrer Bildung inzwischen gemacht hätten. In der Spener gegebenen Instruktion war besonders der Unterricht in der genealogischen Wissenschaft vorgeschrieben worden[82]. So mußte er sich intensiv mit dieser historischen Spezialdisziplin befassen. Da außer ihm noch ein Hofmeister die jungen Herren betreute, hatte er hierfür Muße genug. Wenn er im Lebenslauf sagt, daß ihm während seiner Tätigkeit bei den Pfalzgrafen wenig Zeit für seine Studien blieb, so bezieht sich das nur auf sein Theologiestudium. Als die jungen Pfalzgrafen mit ihrem Hofmeister einmal eine Reise antraten, konnte er sechs Wochen lang allein über seinen Büchern bleiben. Er hat in dieser Zeit das Haus kaum verlassen und sich, um nicht in der Arbeit unterbrochen zu werden, von einer Magd das notwendigste Essen auf sein Studierzimmer bringen lassen[83].

Zwischen Spener und den nur wenig jüngeren Pfalzgrafen muß sich ein herzliches Verhältnis entwickelt haben. Mit Christian II. (1637–1717), dem späteren Pfalzgrafen von Birkenfeld, der 1667 die einzige Tochter des Grafen Johann Jakob von Rappoltstein heiratete und nach dessen Tod die rappoltsteinsche Herrschaft erbte, ist Spener auch späterhin in Freundschaft verbunden geblieben. Ihm, dessen Gemahlin die Patin von Speners ältester Tochter war, hat er 1668 den ersten Teil seines genealogischen Werkes „Theatrum nobilitatis Europeae“ gewidmet. Die Widmung sagt, daß die Urform dieses Werkes auf den Unterricht bei den jungen Pfalzgrafen zurückgeht. Spener hätte wohl auch gern die Pfalzgrafen auf ihrer Studienreise nach Frankreich, England und den Niederlanden begleitet, die sie im Frühjahr 1656 antraten. Seine Straßburger Lehrer rieten ihm aber im Interesse seiner theologischen Studien davon ab, und so trat im März 1656 der Freund aus dem Rebhanschen Haus, Johann Andreas Frommann, an seine Stelle[84]. Er konnte sich wieder seinen eigenen Studien zuwenden.

Das Studium der Genealogie wurde von den Söhnen des Adels und des Fürstenstandes hauptsächlich unter dem Gesichtspunkt betrieben, daß man sich eine umfassende Kenntnis der europäischen Adelsgeschlechter, ihrer Ausbreitung, ihrer Besitzverhältnisse und ihrer Deszendenz verschaffte. In

---

[80] Leichpredigt, aaO 44.

[81] Daß Dannhauer den jungen Spener vorgeschlagen hat, wie Bosse (RE^3 4,463) vermutet, ist sehr viel unwahrscheinlicher.

[82] Lebenslauf, 25.

[83] Bed. 1 I,622 (1690).

[84] Vgl. darüber Speners „Theatrum nobilitatis“, Teil III, 1673, bl. 3 v (Widmung an Frommann).

der Zeit der Duodezfürstentümer war die Genealogie eine überaus notwendige und nützliche Beschäftigung, durchaus nicht nur eine Liebhaberei[85]. Freilich mag man an dem stark seiner eigenen Vergangenheit zugewandten Interesse des deutschen Adels in der Zeit nach dem Dreißigjährigen Krieg ein Anzeichen seiner durch das Heraufkommen des Absolutismus unsicher werdenden gesellschaftlichen Stellung erblicken. Für Spener kam jedenfalls dieses historische Interesse der eigenen Begabung und den eigenen wissenschaftlichen Neigungen entgegen. Er hat nicht nur während seiner Informatorentätigkeit bei den jungen Pfalzgrafen, sondern auch während des später wieder aufgenommenen Theologiestudiums seine Lehrbefugnis mit Vorliebe für Vorlesungen über genealogische Gegenstände wahrgenommen und hat dabei an der Straßburger Universität recht erheblichen Zulauf gehabt[86]. In den späteren Straßburger Jahren ist dann als zweite historische Spezialdisziplin das Fach der Heraldik dazugekommen[87]. In beiden Fächern hat Spener nicht nur dilettiert, sondern es zu einer Meisterschaft gebracht, die ihn in Deutschland an die Spitze dieser Wissenschaften gestellt hat. Daß die an der Prinzenuniversität erwachsenen genealogischen und heraldischen Arbeiten ihn in immer weitere Beziehungen und Verbindungen mit dem deutschen Adel brachten, die der Ausbreitung des Pietismus später sehr zu Nutzen gereicht haben, das hat man oft bemerkt. Es ist aber für die historische Würdigung der Person Speners ein gleichfalls notabler und merkwürdiger Sachverhalt, daß der Mann, der als der Vater des deutschen kirchlichen Pietismus gilt, auch heute noch von der wissenschaftlichen Genealogie als der bedeutsamste deutsche Vertreter im 17. Jahrhundert[88], von der wissenschaftlichen Heraldik sogar als der Begründer dieser Disziplin in der deutschen Wissenschaft angesehen wird[89]. Sind die Werke, die Speners

[85] Ich würde deshalb nicht wie Hirsch (II,94) von „Liebhaberfächern" reden.

[86] Spener redet im Lebenslauf (25) von „ziemlicher Frequenz".

[87] S. unten S. 146 f.

[88] Ich beschränke mich darauf, das Urteil eines Genealogen anzuführen. Otto Forst de Battaglia, Wissenschaftliche Genealogie, Bern 1948, 190 ff., über die deutsche Genealogie des 17. Jahrhunderts: „Der erste Platz gebührt ohne Zweifel der Dreiheit Rittershausen, Imhof und Spener . . . Wenn nun Imhof und selbst Rittershausen keinen Vergleich mit den französischen Genealogen des Grand Siècle vertragen, so ist dafür Philipp Jakob Spener . . . eine für die gesamteuropäische Genealogie richtunggebende Erscheinung. Der als Theologe bekannte protestantische Seelsorger hat als Autor der bedeutendsten internationalen Ahnentafelsammlung seinen Platz in der Geschichte unserer Wissenschaft. Seine ‚Tabulae progonologicae' . . . überraschen durch ihre Vielseitigkeit, die sich über das gesamte christliche Abendland erstreckte, von Portugal bis nach Sizilien. Sie zeigen Kenntnis der gesamten bis zu Spener erschienenen genealogischen Literatur . . . und sie gehen vielfach auf direkte Forschung in Archiven wie auf Mitteilungen berufener Auskunftgeber zurück. Nur selten begeht er Irrtümer und niemals entstellt er absichtlich die Wahrheit".

[89] Vgl. den Artikel „Wappen" im Großen Brockhaus. Außerdem: J. Siebmachers großes und allgemeines Wappenbuch, Band A. Geschichte der Heraldik. Bearbeitet

Ruhm als Historiker begründet haben, zwar größtenteils erst nach der Straßburger Zeit erschienen, so gehen sie doch sämtlich auf angefangene Arbeiten seiner Straßburger Jahre zurück und sind eine Frucht der in der Schule Johann Heinrich Boeclers empfangenen historischen Ausbildung.

2. *Studium in der Theologischen Fakultät*

Für Speners Straßburger theologische Studienzeit fließen die Quellen nur spärlich. Wir haben seinen knappen Bericht im Eigenhändigen Lebenslauf, daneben einige Erinnerungen in Briefen und Schriften aus späterer Zeit. Briefzeugnisse sind nur ganz wenige überkommen. Die aus der Studienzeit erhaltenen Predigten und frommen Betrachtungen lassen auf den wissenschaftlichen Studiengang so gut wie keine Rückschlüsse zu. Die Darstellung muß sich begnügen mit der Auswertung der erhaltenen Selbstzeugnisse – es sind überwiegend Frömmigkeitszeugnisse – und muß versuchen, ein profiliertes Bild von den theologischen Lehrern zu gewinnen, unter deren Anleitung Spener in die Theologie der lutherischen Orthodoxie eingeführt worden ist.

Am 14. Juni 1654 hat Spener bei Sebastian Schmidt seine erste Kollegstunde gehört und damit sein theologisches Studium begonnen[1]. Schmidt las über Leonhard Hutters Compendium Theologiae. Spener hat also sein Theologiestudium mit einer dogmatischen Einführungsvorlesung begonnen, ganz so, wie das Johann Gerhard in seiner „Methodus studii theologici" dem Anfänger vorschlägt. Daß es der Tag des Propheten Elias war, an dem der neue Lebensabschnitt begann, hat ihn zu einer Betrachtung veranlaßt, die uns durch Zufall erhalten ist und uns einen ersten direkten Einblick in die *Frömmigkeit* des jungen Studenten gewährt[2]. Es handelt sich um eine aus dreißig lateinischen Distichen bestehende Elegie, in welcher Spener

---

von Gustav A. Seyler, Nürnberg 1885–1889 (dort 610 ff.: III. Abschnitt. Philipp Jacob Spener und seine Zeit). Seyler urteilt: „Die Art und Weise, wie Spener seinen Gegenstand . . . behandelte, war etwas bis dahin Unerhörtes. Mit der Wappenauslegerei bricht er unbedingt und endgültig. Er betrachtet die Wappen nach ihren Substraten und Bestandteilen, bestimmt jedes Feld nach seiner Zugehörigkeit und erläutert es aus der Geschichte" (612).

[1] Eigenhändiger Lebenslauf, 25.

[2] Als Hermann von der Hardt 1687 Gast im Hause Speners in Dresden war, erlebte er am 14. Juni, wie Spener in der Abendandacht der Hausgemeinde daran gedachte, daß er 1654 an diesem Tage sein theologisches Studium begonnen hatte. Nach der Andacht zeigte Spener dem jungen von der Hardt das Manuskript eines Gedichts, das er damals geschrieben und in dem er Gott um Beistand für sein Studium gebeten hatte. Von der Hardt erbat sich das Manuskript zur Abschrift. Die Abschrift befindet sich im Nachlaß von der Hardts in der Badischen Landesbibliothek Karlsruhe (Epistolae autographae 321, bl. 1), wo sie von mir eingesehen wurde.

in der Sprache der bernhardinischen Mystik sich Jesu ganz zu eigen gibt und um Beistand und Leitung Jesu für sein theologisches Studium bittet. Unter literarischen Gesichtspunkten darf man Speners Verse nicht betrachten, das Distichon eignet sich nun einmal nicht zur Formung christlicher Gebetssprache. Man kann höchstens etwas Typisches in dieser Jesus-Elegie sehen, insofern Humanismus und eine der Mystik nahe Frömmigkeit tatsächlich die bestimmenden Elemente in Speners frühem Entwicklungsgang sind. Als Spener über dreißig Jahre später dies Gedicht einem Studenten in die Hand gab, war ihm selbst das wichtigste daran der Ernst der Gesinnung, mit dem er sein Theologiestudium als eine heilige Sache begonnen hatte. Spener, der später so stark die Eigenart des theologischen Studiums gegenüber allen weltlichen Studien betont, konnte sich jederzeit mit gutem Gewissen an seinen Studienbeginn erinnern. Er gesteht allerdings später, daß ihm das lateinische Beten nie so vom Herzen kam wie das deutsche Beten[3].

Eine weitere, sehr viel umfangreichere Quelle für die Frömmigkeit des jungen Spener besitzen wir in den Meditationen, die sich in seinem Nachlaß fanden und von dem Frankfurter Senior Pritius unter dem Titel „Soliloquia et Meditationes Sacrae" 1715 zum Druck gegeben wurden[4]. Auch diese Betrachtungen sind in lateinischer Sprache abgefaßt, allerdings in Prosa. Ihre Entstehung verdanken sie den Übungen, denen sich der junge Spener zur Heiligung des Sonntags regelmäßig zu widmen pflegte. Joachim Stoll hatte ihm bei seinem Weggang nach Straßburg den Rat mitgegeben und ihn brieflich mehrmals wiederholt, er solle sich sonntags nicht nur weltlicher Ergötzlichkeiten enthalten, sondern ebenfalls alle Studien, die mehr seiner Gelehrsamkeit als seiner Frömmigkeit zugute kämen, beiseite lassen[5]. Spener hat dies streng befolgt und in der Straßburger Zeit sonntags außer dem Gottesdienst sich nur der Lektüre von asketischen und erbaulichen Schriften gewidmet, hat sich mit Freunden zusammengetan, um die geistlichen Lieder von Johann Rist (1607—1667), Ernst Christoph Homburg (1605—1681) und anderen zeitgenössischen Dichtern zu singen, schießlich hat er „einige meditationes in versen oder Prosa aufgesetzt"[6].

---

[3] Bed. 4,82 (1680).

[4] Philippi Iacobi Speneri . . . Soliloquia et Meditationes sacrae. Edidit et praefatus est Georgius Pritius. Frankfurt (Zunner-Jung) 1716. 8°. 504 S. (Tüb. Stift). *Grünberg Nr. 173*. Das Manuskript Speners war am Blattende beschädigt, Fehlendes ist von Pritius ergänzt (vgl. Praefatio § XIV). Der Text ist also nicht durchweg authentisch. Der Titel stammt auch nicht von Spener.

[5] Bed. 4,326 f. (1683).

[6] Ebd. — Von den Freunden Speners ist einer Nikolaus Jundt (Junta), Sohn des viele öffentliche Ämter bekleidenden Straßburger Juristen Nicolaus Junta (1601 bis 1678), geb. 1632, Eintrag in die philosoph. Matrikel 27. 3. 1649 (Knod I,328), 1656 Doktor med., dann bis 1658 auf Reisen in Italien, anschließend einige Jahre Hofarzt bei Johann Jakob von Rappoltstein in Rappoltsweiler, darauf Arzt in

Das Verfassen von Meditationen ist in der lutherischen Kirche des 17. Jahrhunderts nichts Außergewöhnliches, man kann es geradezu eine Frucht am Baum der Arndtschen Frömmigkeitsrichtung nennen. Johann Arndt wie sein Schüler und Freund Johann Gerhard haben Meditationen geschrieben. Gerhards „Meditationes sacrae" von 1606 sind während Speners Straßburger Zeit dort neu gedruckt worden, Spener selbst hat sie später lobend erwähnt und ihnen den Vorrang vor Gerhards „Schola pietatis" zugesprochen[7]. Trotzdem bleibt die Meditation in der Kirche Martin Luthers während des 17. Jahrhunderts ein aufgepfropftes Reis, und noch Veit Ludwig von Seckendorff kann sich in seinem „Christenstaat" darüber beklagen, daß die Frage der fruchtbaren Einrichtung von Meditationen in der lutherischen Kirche noch nicht geziemend behandelt worden sei[8]. Für die Meditationen des jungen Spener dürften neben Johann Arndt die englischen Erbauungsbücher vorbildlich gewesen sein. Vor allem der zweite Teil der Praxis pietatis, die Übersetzung der Schrift Joseph Halls „The art of divine meditation", bot Anleitung und Ansporn, um sich selbständig in der „Kunst des Betrachtens" zu üben[9]. Über den Rahmen der von Hall vorgeschlagenen Meditationen gehen die Spenerschen allerdings hinaus, denn sie enthalten neben Betrachtungen über geistliche Themen (Taufe, Abendmahl, Passion Jesu, Jüngstes Gericht) auch eine breit ausgeführte „Confessio"[10], eine gründliche Selbstbetrachtung und Erforschung der eigenen Sündlichkeit, in der nacheinander die zehn Gebote durchgegangen und jeweils die einzelnen Verfehlungen notiert werden. Ist die Gewissensprüfung anhand der zehn

---

Straßburg, gest. 1682. Über ihn Programma funebre AST 446 II. — Spener datiert die Bekanntschaft mit Jundt in das Jahr 1651, also vom Beginn seiner Straßburger Zeit. Gott habe ihre Herzen zu einer solchen Freundschaft gelenkt, „daß ich ihn unter meine drey vertrauteste freunde / mit denen ich auf der theuren Universität Straßburg mich verbunden / zu zählen habe" (EGS I,599). Spener widmet ihm 1679 seine zwei Predigten „Die Ursachen der Seligkeit und Verdammnis" *(Grünberg Nr. 43)*. In der Widmung sagt er: „Daher wir auch viele Jahre durch / meistens täglich beysammen gewesen / auff Christliche ziemliche weise unserer freundschaft gepflogen / und also viele zeit beysammen / jedoch also zugebracht haben / daß wir uns derselben nicht eben zu reuen haben werden" (EGS I,599). — Der zweite der engeren Freunde Speners ist Johann Andreas Frommann gewesen (vgl. oben S. 69). Auch Balthasar Bebel zählt zu den Freunden aus Speners frühen Studienjahren. Ob er in diesen engsten Freundeskreis gehört, scheint mir gegen Grünberg (I,143) allerdings unsicher. Jedenfalls ist Spener vom Anfang seines Studiums an kein Einzelgänger gewesen, als der er in der Literatur manchmal erscheint. Nur vom Umgang mit dem weiblichen Geschlecht hat er sich in auffälliger Weise zurückgezogen. Nicht einmal mit seinen jüngeren weiblichen Verwandten will er in Straßburg Umgang gehabt haben. Vgl. Grünberg I,134.

[7] Gerhard, Meditationes sacrae, Straßburg 1665. Speners Urteil darüber Cons. 3,204 (1678).

[8] Christenstaat, Leipzig 1716 (1685), 905 ff. Vgl. Pritius, Praefatio zu Speners Soliloquia, § VIII.

[9] Vgl. oben S. 19 bei Anm. 78.

[10] AaO 2–61.

Gebote auch traditionell[11] und zum Beispiel in Johann Arndts „Wahrem Christentum“ gefordert, so verrät sich doch deutlich der Einfluß von Dykes „Geheimnis des Selbstbetrugs“[12]. Ob Spener bei Abfassung der Soliloquien die Schriften Bernhards von Clairvaux, auf den Hall verschiedentlich Bezug nimmt und den auch Johann Schmidt in seinen Predigten nicht selten anführt, gekannt und gelesen hat, läßt sich schwer feststellen. Jedenfalls weist die Art der Jesusfrömmigkeit, die in der Anrede „dulcissime“ und „bone Jesu“ sowie in der Hohenliederotik und dem Küssen des Leibes Christi schwelgt, entschieden in die Richtung der bernhardinischen Mystik, deren Tradition Spener noch aus anderen Quellen gekannt haben muß als aus den sie nur dürftig vermittelnden puritanischen Büchern[13].

Steht außer Zweifel, daß die „Meditationes et Soliloquia“ den Sonntagsübungen des Straßburger Studenten entstammen, so ist doch ihre Abfassungszeit nicht sicher. Grünberg datiert sie ohne Begründung in die Zeit zwischen 1655 und 1658[14]. Warum die frühen Studienjahre, in denen Spener sich doch bereits den gleichen Meditationsübungen unterzogen hat, nicht in Betracht kommen sollen, ist schlecht einzusehen. Die Kenntnis der christlichen Lehre hat Spener jedenfalls nicht erst während des Theologiestudiums erworben. Und wenn Grünberg die frische, poetische Sprache lobt, die an die Lektüre der alten Klassiker erinnere, so wird man doch wohl zuerst an die Zeit denken müssen, in welcher Spener die Klassiker gelesen hat. Außerdem zeigt ein Vergleich mit dem Gedicht vom 14. Juni 1654, daß die Sprache in beiden dieselbe ist und hier wie dort im Stil der bernhardinischen Mystik der dem „bone Jesu“ geltende Ruf des „trahe me post te“ den Grundtenor bildet. Sichere biographische Anhaltspunkte, die die Datierung erleichtern könnten, finden sich in den Soliloquien nicht. Aber es ist auffällig, daß Spener bei der ernsthaften Gewissensprüfung, die er nach Anleitung von Dykes „Selbstbetrug“ anstellt, zwar allerhand Vergehen im Umgang mit Freunden, Lehrern, fremden Menschen aufzählt, auch Versündigung gegen das eigene Leben durch zu waghalsiges Reiten[15], daß er aber nirgends seine Tätigkeit als lehrender Magister zur Sprache bringt, in der doch ein erheblicher Teil seiner Studienzeit seit 1654 besteht. Wo Spener von seinen Lehrern redet, nennt er nur die seiner Kindheit und diejenigen, die

---

[11] Das Institut der Beichte, für die Luther bekanntlich im Kleinen Katechismus die Selbstprüfung nach den zehn Geboten vorschreibt, kann auf Spener keinen Einfluß ausgeübt haben (vgl. dazu unten S. 127, Anm. 17).

[12] Dies müßte in einem eingehenderen Vergleich nachgewiesen werden. Ich verweise vorläufig auf Dyke, Selbstbetrug (Ausgabe Frankfurt 1671), 185 ff. und vor allem auf das sechste Kapitel des beigedruckten Traktats „Die wahre Buße“, („Wie wir unsere Hertzen nach dem Gesetz examinieren und prüffen müssen), vor allem 718 ff. [13] Ich verweise auf die krassen Stellen 205; 257 f. [14] I,143.

[15] Aber nicht durch schnelles Laufen und Springen, wie GRÜNBERG schreibt, der Spener hier anscheinend sportliche Betätigung bereuen sieht! Mit „effusiori cursu, saltu, equi incitatione“ (39) denkt Spener doch wohl durchweg ans Reiten!

ihn in den dem zukünftigen Predigtamt nützlichen bonae artes unterwiesen haben[16]. Lehrer der Theologie nennt er nicht. Man kann also aus inneren Gründen die Abfassungszeit der Soliloquien bereits an das Ende des philosophischen oder an den Anfang des theologischen Studiums rücken. Sie wären dann gegen 1653 abgefaßt.

Unter der Voraussetzung, daß die Soliloquien auf ca. 1653 zu datieren sind, erhebt sich noch eine zusätzliche Frage. Spener hat 1687 einer im Glauben angefochtenen Dame zum Trost geschrieben, ihm sei es in manchem ähnlich ergangen, und er könnte noch zeigen, was er vor 34 Jahren in seinem „Unglaubenskampf" aufgeschrieben habe[17]. Grünberg bedauert, daß diese Niederschrift, die auf das Jahr 1653 weist, nicht mehr erhalten sei, sie könnte seiner Meinung nach zu manchem, was sich an kritisch-skeptischen Ansätzen in der Theologie Speners findet, den Schlüssel geben[18]. Nun scheint mir, daß nach dieser Niederschrift nicht lange gesucht werden muß. Bei den Anfechtungen, von denen Spener 1687 sagt, daß er selbst davon heimgesucht worden sei, handelt es sich um „gotteslästerliche gedancken", die zum Gebet untüchtig zu machen scheinen und die die Sorge erwecken, der Satan müsse sich fest bei einem eingenistet haben. In der Confessio der Soliloquien bekennt Spener ganz Ähnliches von sich selbst, und zwar mit Worten, die es ziemlich sicher machen, daß er 1687 an diese Selbstprüfung und Selbstanklage der Soliloquien gedacht hat[19]. Dann aber hätten wir eine sehr genaue Zeitangabe Speners selbst, die die obige Datierung gewiß machen würde: die Soliloquien, wenigstens der Teil, der die große Confessio enthält, wären in das Jahr 1653 zu datieren.

Diese Datierung ist nun auch insoweit von Bedeutung, als sie uns ein Urteil möglich macht über *die Art* jenes Unglaubenskampfes, von dem Spener 1687 spricht und den er selbst in das Jahr 1653 datiert. Bekanntlich wissen wir von einem Bekehrungserlebnis Speners nichts, seine Freunde und Schüler haben ihn für einen Mann gehalten, dem die nach pietistischer Ansicht seltene Gnade zuteil geworden ist, nie aus der Taufgnade und aus dem in

---

[16] AaO 34. [17] Bed. 2,790. [18] I,145.

[19] Vgl. vor allem den von der eigenen Untüchtigkeit zum Gebet handelnden Abschnitt 24 ff. Ich zitiere nur einen kurzen Ausschnitt: Vix eloqui possum ingentem hac in re malitiae modum et depravationis nostrae ineffabilem abyssum. Vix adloquium tuum, optime Deus, ordior, idque sancti tui Spiritus gratia proposito serio, mox inadvertenti cogitationes se subfurantur, subductaeque et alio conversae, meae miseriae acerbissime illudunt, tuam autem maiestatem horrendum in modum laedunt, et ultro quasi provocant . . . Deprecari tot commissa intendo: at ubi omnia ardere debebant, vix scintillam, contra autem merum frigus et glaciem sentio (25). Vgl. noch besonders S. 29, wo Spener seine Unfähigkeit beschreibt, beim öffentlichen Gottesdienst der Wortverkündigung zuhören zu können. Von heimlichen Gedanken werde er abgelenkt und, obwohl er am Gottesdienst teilnehme oder teilzunehmen scheine, sei er doch überall eher als dort (At licet interfuerim, aut interesse visus sim, ubique potius, quam ibidem fui).

der Taufe empfangenen Wiedergeburtsstand herausgefallen zu sein. Der Bußkampf und das datierbare Bekehrungserlebnis sind ihm fremd, sie sind in den deutschen lutherischen Pietismus erst durch August Hermann Francke eingeführt worden. Man muß deshalb aufhorchen, wenn Spener — übrigens im gleichen Jahr, in dem August Hermann Francke in Lüneburg seine Bekehrung erlebt — von einem eigenen „Unglaubenskampf" redet, den er in seiner Jugend durchgekämpft habe. Der Kontext, in dem Spener 1687 davon redet, wie auch das ganze Kapitel der Confessio in den Soliloquien zeigen nun aber, daß Spener gar nicht an ein exzeptionelles und einmaliges Erlebnis denkt. Der angefochtenen Frau gegenüber spricht Spener es deutlich aus, daß der Glaube als Zuversicht nicht immer gefühlt werden könne, daß er sich vielmehr oft verberge unter den schwarzen und dichten Wolken des natürlichen Unglaubens, so daß sich die Gläubigen für ungläubig halten, ja sich nicht einmal vorstellen können, jemals recht gläubig gewesen zu sein. So wie Spener den Unglaubenskampf beschreibt, ist er keineswegs ein Kennzeichen des noch nicht völlig Bekehrten, sondern er ist ein Kennzeichen gerade *des* Menschen, der im Stande des Glaubens steht. Spener scheint zwar wechselnde Zeitphasen zu kennen, in denen einmal das Gefühl des Glaubens, das andere Mal das Gefühl des Unglaubens überwiegt. Aber er will den Glauben selbst nicht von dem Gefühl des Glaubens abhängig machen. Und er verbietet auch, das Gefühl des Glaubens und damit die Beendigung des Unglaubenskampfes durch Gebet erzwingen zu wollen. Genau das, was August Hermann Francke auf dem Höhepunkt seines Bußkampfes tut und dem er seine plötzliche Bekehrung zuschreibt — das Gebet um Errettung aus dem elenden Zustand —, dies wird von Spener im gleichen Jahr als illegitimer Eingriff in die göttliche Willenssphäre widerraten[20]. Hier — in der Bekehrungsfrage, in welcher der Pietismus über-

[20] Man vergleiche August Hermann Franckes berühmten Bericht über seine 1687 erfolgte Bekehrung mit dem, was Spener 1687 über das Verhalten im Unglaubenskampf schreibt! Francke: „In solcher großen angst legte ich mich nochmals . . . nieder auff meine Knie und rieffe an den Gott, den ich noch nicht kante, noch glaubte, um Rettung aus solchem Elenden zustande, wenn anders wahrhafftig ein Gott wäre" (zit. nach dem Quellenabdruck bei K. Aland, Kirchengeschichtl. Entwürfe, 1960 [548–522], 551). Dagegen Spener: „Sie ruffe eiffrig zu ihrem GOtt / aber / welches sie wohl in acht zu nehmen hat / nicht so wol um völlige hinwegnehmung ihrer last / und endigung ihres kampffs / als welche wir noch nicht eben gewiß göttlichen willens zu seyn vorwissen / als vielmehr um seine gnade / seinen künfftigen beystand / linderung der versuchung / damit sie ihr nicht zu schwehr werde / und vollbringung seines willens in ihr / dabey versichert / daß sie nicht ehender zu völliger überwindung ihrer anfechtung gelangen werde / als wo sie sich von grund der seelen resolviren könte / die befreyung davon wider göttl. willen auch nicht einmal zu verlangen / hingegen so willig unter derselben zu bleiben / als davon erlöset zu werden: dann käme ihre seele zu solcher überlassung / daß sie sich bloß ihrem vater in seinen schooß würffe / mit ihr nach belieben umzugehen / es seye nun / daß er sie in liecht oder finsternüs / in oder ohne

wiegend August Hermann Francke gefolgt ist – klafft ein Gegensatz zwischen den beiden bedeutendsten Männern des frühen Pietismus auf, der theologischer Natur ist, der aber zugleich auch seine biographische Verwurzelung hat. Es scheint mir deshalb nicht möglich zu sein, mit Grünberg einen in das Jahr 1653 fallenden einmaligen Unglaubenskampf des jungen Spener anzunehmen, der ja dann doch so etwas wie Franckes Bußkampf gewesen sein müßte. Vielmehr hat Spener sich 1687 nur einer besonderen Niederschrift erinnert, die in jenes Jahr fällt und in der er außergewöhnlicherweise einmal all das zu Papier gebracht hat, was ihn damals vielleicht besonders gequält, was er aber nie endgültig hinter sich gelassen hat. Es wäre ja auch sehr merkwürdig, wenn Spener, der sich der göttlichen Führungen in seinem Leben nicht minder dankbar erinnert hat als Francke, von einem exzeptionellen Unglaubenskampf seiner Studienjahre sonst niemand etwas berichtet haben sollte.

Wendet man sich der Studienzeit Speners nach der Seite der *Ausbildung in der theologischen Wissenschaft* zu, so muß man zuerst zu der Feststellung kommen, daß Spener mit ganzer Kraft sich dem Studium der Theologie eigentlich nie gewidmet hat. Aus dem Bedürfnis, sich durch Kolleghalten seinen Lebensunterhalt zu verdienen, hat er die historischen Studien – neben der Genealogie ist es jetzt vor allem die Geographie – weiterhin mit großer Intensität betrieben. Es ist bezeichnend, daß Spener im Lebenslauf die Rückkehr von der Informatorentätigkeit bei den Pfalzgrafen an die Universität in die Worte kleidet, er hätte seine Studien wieder mit Ernst angegriffen „so viel als mir meine Collegia zuliessen". Im gleichen Zusammenhang gesteht er, geraume Zeit mehr mit den Exotica der Historie als mit der Theologie umgegangen zu sein. Neben dem Studium der Geschichte hat Spener das Theologiestudium also gewissermaßen mit der linken Hand betrieben. Dabei plante er, seine theologischen Studien später einmal auf den sächsischen Universitäten fortzusetzen[21]. Wahrscheinlich hätte er sich dort stärker auf das theologische Studium konzentriert. Aus diesen Plänen, an denen Spener noch 1661 in Genf festhält, ist aber nichts geworden. So entspricht die zerstreute Art seiner Universitätsstudien kaum dem, was er später als Ausbildungsgang dem künftigen Pfarrer vorschreibt.

Bei einem Mann von der Intelligenz und dem Fleiß eines Spener wird man deshalb noch nicht annehmen dürfen, daß er hinter den anderen Straßburger Theologiestudenten in Ausbildung und in Kenntnissen zurückgestanden hätte. Ganz im Gegenteil, Spener hat sich durchaus das zu eigen gemacht, was zu seiner Zeit von den Kathedern der Straßburger theologi-

geschmack seiner gnaden / in ruhe oder unruhe haben wolte . . ." (Bed. 2, 792 f.). Spener empfiehlt hier fast die Resignatio ad infernum. Ob man den Unterschied zwischen Spener und Francke mit den Stichworten „Quietismus" und „Aktivismus" theologisch schon hinreichend erfaßt hat, bleibe dahingestellt.

[21] Lebenslauf, 26. Vgl. unten S. 124.

schen Fakultät herab gelehrt und was in der theologischen Literatur seiner Zeit zu lesen und lernen war. Dabei wird sich die Erforschung der während des Theologiestudiums auf ihn wirkenden Einflüsse an die Männer der Straßburger theologischen Fakultät halten können. Dazu fordert Spener selbst hinlänglich auf, denn — ein merkwürdiger Kontrast zu der Tatsache, daß man im Spenerschen Pietismus eine Gegenbewegung zur lutherischen Orthodoxie zu erblicken hat — es gibt wohl kaum einen zweiten bedeutenden protestantischen Theologen, der sich so häufig auf seine Lehrer beruft, wie ihn.

Die theologische Fakultät der Straßburger Universität setzte sich während Speners theologischer Studienzeit zusammen aus den Professoren Johann Schmidt, Johann Conrad Dannhauer und dem 1654 gerade in die Fakultät eingetretenen Sebastian Schmidt. Diese drei Männer sind es, die Spener zeitlebens als seine Lehrer verehrt hat und denen er allein das Prädikat eines „Präzeptors" seiner theologischen Studien einräumt. Johann Georg Dorsche, der dritte der Straßburger johanneischen Trias, auf den sich Spener in den Pia Desideria und auch sonst zuweilen beruft, ist dagegen nicht unter die Lehrer Speners zu zählen[22]. Er hat Straßburg im Oktober 1653 verlassen, um einem Ruf an die Universität Rostock zu folgen. Der junge Spener wird während seines Studiums in der philosophischen Fakultät ihn persönlich noch gekannt haben, er hat aber nicht mehr seinen theologischen Unterricht genossen. Von den genannten drei Professoren kann aber auch Johann Schmidt nur mit Vorbehalt zu den akademischen Lehrern Speners gerechnet werden. Spener hat nach seinem eigenen Zeugnis bei ihm keine Kollegs, sondern nur seine Predigten gehört[23]. Außerdem hat sich Spener bei Johann Schmidt zuweilen „treuen Rat" gesucht, und er berichtet, daß Schmidt eine besondere väterliche Liebe zu ihm gezeigt und ihn darin anderen vorgezogen habe. Leider wissen wir über die engen Beziehungen zwischen Johann Schmidt und dem jungen Spener nichts Näheres. Nach allem, was sich über Frömmigkeits- und Reformstreben Johann Schmidts ergeben hat[24], wird man die Wurzeln des Spenerschen Pietismus, wenn und soweit sie in Straßburg liegen, jedenfalls am ehesten im engen Umgang zwischen Johann Schmidt und Spener suchen müssen. Aber hier erlauben uns die Quellen kein Urteil. Tholucks für persönliche Beziehungen scharfer Blick hat den vertrauten Umgang mit Johann Schmidt, einem „Lebenszeugen" der luthe-

---

[22] Es ist ein Irrtum, wenn Dorsche neuerdings häufig als Lehrer Speners bezeichnet wird (Aland, PD 7,11 Anm.; Spener-Studien, 48. 58; Zeller, Der Protestantismus des 17. Jahrhunderts, 415). Der Irrtum geht auf einen gelegentlichen Lapsus von Horning (Dr. Johann Dorsche, 69) zurück.

[23] Lebenslauf, 25: Hn. D. Johann Schmidens aber konte mich nicht weiter gebrauchen / als in Anhörung seiner Predigten / und zuweilen Suchung treuen Raths / wie er denn sonderbahre väterliche Liebe vor andern gegen mich getragen.

[24] Oben S. 8 ff.

rischen Kirche, auszuspielen versucht gegen ein seiner Meinung nach kühles Lehrer-Schülerverhältnis, das zwischen Dannhauer und Spener bestanden habe[25]. Das ist gewiß eine Verzerrung, aber Tholuck hat etwas Richtiges gesehen, was sein elsässischer Widersacher Wilhelm Horning in seiner Apologie der Straßburger Orthodoxie wieder vertuscht und der späteren Forschung verschüttet hat. Johann Schmidt und Johann Conrad Dannhauer sind persönlich nicht die besten Freunde gewesen[26], sie sind auch in der Struktur ihres Denkens recht verschiedene, in manchem gegensätzliche Gestalten. In dem irenischen Johann Schmidt, Verehrer Johann Arndts und Förderer der puritanischen Erbauungsbücher, muß der junge Spener jedenfalls seine Ideale eher wiedergefunden haben als in dem streitbaren Dogmatiker Dannhauer. Schmidt wird von Spener nicht nur Lehrer und Präzeptor, sondern „mein in Christo geliebter Vatter" genannt[27]. Von Dannhauer hat Spener in dieser Weise nicht geredet[28].

Für sein theologisches Studium hat Spener also allein den Unterricht der beiden Professoren Sebastian Schmidt und Johann Conrad Dannhauer gebraucht. *Sebastian Schmidt* (1617–1696)[29], bei dem Spener nicht nur sein erstes Kolleg hörte, sondern unter dem er auch fast auf den Tag genau zehn Jahre später seine Doktordisputation hielt, ist verglichen mit seinen Straßburger Fakultätskollegen eine etwas farblos wirkende Gestalt. Berühmt durch seinen Fleiß und seine wissenschaftliche Gründlichkeit verschwindet das Bild seiner Persönlichkeit hinter der stattlichen Reihe theologischer Werke und Predigtbände, die er der Nachwelt hinterlassen hat. Von Haus aus ist er der Typ des stillen, schüchternen Gelehrten, fast mehr noch als Spener, wenn er auch dessen puritanische Ideale nicht teilt. „Gott hat mich (ob ichs gleich anders vor hatte) immer wieder zur Theologie gleichsam mit den Haaren gezogen", hat der dem humanistischen Gelehrtenideal ergebene Sebastian Schmidt in seinem eigenen Lebenslauf geschrieben[30]. Als Sohn ein-

---

[25] Lebenzeugen, 222. 379.

[26] Davon geben eine Reihe von Zeugnissen Kundschaft, die in AST 70, Carton 42,1 unter der Überschrift „Dannhaueri gravamina contra J. Schmidium" gesammelt sind. Hornings auf fleißigem Quellenstudium beruhenden, aber doch nicht tendenzfreien Schriften übergehen solche dunklen Flecken der Straßburger Orthodoxie geflissentlich.

[27] PD 69,11. Vgl. oben S. 4, Anm. 9.

[28] Selbst F. Bosse, der Tholucks Dannhauerbild zu zerstören sucht, muß über Dannhauer und Spener urteilen: „Persönliche Wärme charakterisiert ihren Umgang nicht . . . Es war ein ausgesprochen wissenschaftlicher Verkehr" (RE^3 4,463, 27 ff.). Anders (aber wodurch begründet?) M. Schmidt, nach dem unter den Straßburger Lehrern gerade Dannhauer Speners „väterlicher Freund" geworden sein soll (Das Zeitalter des Pietismus, 1).

[29] Ich benutze für die biographischen Angaben neben der Biographie von Horning (s. Lit.-Verz.) das Programma funebre vom 12. 1. 1696 von Joh. Joachim Zentgraf (AST 446, Stück 39). Vgl. Bopp, 1959, 481 f. – Ein Art. in RGG fehlt.

[30] Horning, Beiträge V, 1885, 106.

facher Eltern 1617 in Lampertheim bei Straßburg geboren, hatte Schmidt nach in Norddeutschland verbrachten Wanderjahren in Straßburg bei Johann Schmidt und Johann Georg Dorsche seine theologische Heimat gefunden, sich dann von 1640–1643 im reformierten Basel unter Johann Buxtorf dem Jüngeren zum Orientalisten herangebildet. Seit 1649 Rektor des Gymnasiums und Prediger zu Lindau im Bodensee, hatte er einen Ruf auf einen Lehrstuhl für orientalische Sprachen nach Tübingen bereits ausgeschlagen, als er 1653 als Nachfolger Dorsches einen Ruf des von ihm über alles geliebten Straßburg annahm. Der Stadt Straßburg hat er von 1654 bis zu seinem Tod 1696 die Treue gehalten, neben der theologischen Professur seit 1666 auch das Amt des Straßburger Kirchenpräsidenten ein ganzes Menschenalter hindurch versehend.

Das Feld, das von Sebastian Schmidt vornehmlich bearbeitet worden ist und in dessen Kenntnis und Beherrschung er unter den lutherischen Theologen des 17. Jahrhunderts seinesgleichen sucht, ist die *biblische Exegese*. Nachdem er 1641 unter Buxtorf in Basel über die beiden ersten Verse des Buches Genesis disputiert hatte, ist er mit Gründlichkeit und Sorgfalt in der Exegese der Bibel fortgefahren und hat im Laufe seines Lebens eine Serie von Kommentarwerken über die gesamte Heilige Schrift verfaßt, die von der Spätorthodoxie wie vom Pietismus gleicherweise geschätzt und bis tief ins 18. Jahrhundert hinein immer wieder neu aufgelegt wurden. Spener ist zu dem zurückhaltenden jungen Gelehrten – Schmidt ist bei Speners theologischem Studienbeginn frischgebackener Professor von 37 Jahren – in ein vertrauteres persönliches Verhältnis offensichtlich nicht getreten; sie mögen in Anlage und Charakter zu ähnlich gewesen sein, als daß sich persönliche Anziehungskraft bilden konnte. Aber von dem unvergleichlichen donum exegeticum, welches Spener Sebastian Schmidt nachrühmt[31], hat er nachhaltig profitiert. Er hat bei Schmidt eine so gründliche Ausbildung in der biblischen Exegese bekommen, wie sie ihm nach seinem eigenen Urteil kein zweiter lutherischer Theologe hätte verschaffen können[32]. Wenn er später über die Vernachlässigung der Exegese an den orthodoxen Fakultäten klagte, so hat er die Straßburger Fakultät ausgenommen und als ein Musterbild dagegenhalten können[33]. Die hervorstechendste Eigenart der

[31] L. Bed. 3,349 (1688).

[32] Spener rät 1682 einmal, Theologiestudenten zum exegetischen Studium zu Sebastian Schmidt nach Straßburg zu schicken, mit der Begründung: . . . inter Theologos nostros nullus mihi hactenus occurrit, qui eadem dexteritate et judicii ἀκριβείᾳ sensus sacros investigaret . . . (Cons. 3,444).

[33] Vgl. etwa Bed. 4,457 (1682): Ich habe . . . offters mit betrübnüß dieses beklagt / daß eben nicht mit allem demjenigen fleiß / wie möchte zu verlangen seyn / allemal auf den universitäten die heil. schrifft bey dem studio theologico getrieben werde / da doch solche das einige principium unserer gantzen theologiae ist / und nichts nöthigers mit den studiosis gethan werden könte / als wo gleichsam unabläßig oder doch hauptsächlich dieses mit ihnen getrieben würde / wie sie zu

Exegese Schmidts ist seine sehr selbständige Methode der Textinterpretation. Diese Methode hat Spener in Frankfurt am Main zur Richtschnur seiner mit Theologiestudenten gehaltenen Privatkollegia erhoben, er hat auch später dem Leipziger Collegium philobiblicum Paul Antons und August Hermann Franckes keine bessere Methode raten können als diejenige von Sebastian Schmidt[34]. Sie besteht, wie Spener sie erklärt, darin, daß man sich von einem biblischen Buch oder einem Kapitel eine Gesamtübersicht anlegt, von der ausgehend man sich den einzelnen Versen zuwendet, in denen nicht zuerst die einzelnen Worte in ihrer Bedeutung, sondern die Verbindung der Worte untereinander (συνάφεια) zu beachten ist. Aus dieser Verbindung, also dem Gebrauch der Worte, falle das vorzüglichste Licht auf den Sinn des Textes. Erst nach dieser Prüfung seien dann die einzelnen Worte zu untersuchen und auf ihren Sinn zu befragen. Und erst dann seien die verschiedenartigen sogenannten „loci communes" aus dem Text zu ziehen.

Spener hat hier eine exegetische Methode gelernt, die von der in der lutherischen Orthodoxie üblichen Methode nicht unerheblich abwich. Dort hatte unter dem Einfluß der aristotelischen Metaphysik die Untersuchung der einzelnen Begriffe den Vorrang, die nach einem festen Untersuchungsschema dogmatisch definiert und nach dieser Norm exegetisch verwendet wurden. Dagegen bei Sebastian Schmidt trat das Geschäft der explicatio terminorum hinter der Frage nach dem usus terminorum zurück. Faktisch wird damit bei Schmidt der Exeget von der Verpflichtung befreit, sich den Sinn theologischer Termini vom Dogmatiker vorschreiben zu lassen, im Prinzip ist die Unabhängigkeit der exegetischen Theologie von der Dogmatik, die man gewöhnlich erst dem Pietismus zuzuschreiben pflegt, bereits von Schmidt verfochten. Spener hat es denn auch ebenso als einen Vorzug wie eine Besonderheit von Schmidt gerühmt, daß er sich bei der Exegese nicht an die Auslegung anderer band und daß er bei seiner Methode nicht anders konnte, als an vielen Stellen zu einer von der üblichen lutherischen Auslegung abweichenden Meinung zu kommen[35]. Diese weder

---

einer rechtschaffenen erkäntnüß und verstand der heil. schrifft . . . gebracht werden möchten . . . Worinnen gleich wol unsere straßburgische universität zu rühmen habe / da immer das studium biblicum treulich getrieben worden / und von dem jetzigen vortrefflichen und in dieser materie fast unvergleichlichen Hn. D. Schmidten noch getrieben wird.

[34] Cons. 1,244 (7. 9. 1686 an Paul Anton in Leipzig): Methodum tractationis vix aliunde rectius colligemus, quam exemplo D. Sebast. Schmidii, qui inter exegetas suo merito familiam ducit; hic vero, postquam de totius libri capitisve generali oeconomnia egit, ad singulos versus descendit, in his ante omnia συνάφειαν notat, ex qua praecipuum ad sensus ἀσφάλειαν lumen, inde singula verba examinat, & de sensu eorum dispicit, tum locos, quos vocat, communes non unius generis extrahit, est etiam, ubi Paraphrasin adornat, in qua totius expositionis nucleus repetitur.

[35] Bed. 3,326 (1679): „Ich wünschte, der liebe Mann gebe mehr von seiner arbeit

in der Spenerforschung noch auch in der Geschichte der Schriftauslegung bisher zureichend erkannte, wohl auf den Einfluß Johann Buxtorfs zurückzuführende Eigenart Sebastian Schmidts verdient erhebliche Beachtung und hat jedenfalls auf Spener im Sinne der von ihm geforderten Befreiung der Theologie von der Vorherrschaft von Dogmatik und Metaphysik eingewirkt.

Wenn Sebastian Schmidt die biblische Exegese aus ihrer Abhängigkeit von der Dogmatik und deren Begriffserklärung herauszuführen suchte, so war damit auch die Unabhängigkeit des Theologen von der Übersetzung der Lutherbibel gesetzt. Bekanntlich geht das vom Spenerschen Pietismus propagierte Ideal einer biblischen Theologie zusammen mit der von Spener stillschweigend geübten, von August Hermann Francke öffentlich verfochtenen und von der Orthodoxie deshalb bei ihm angegriffenen Verbesserung der Lutherschen Bibelübersetzung[36]. Spener hat bereits in den frühen Straßburger Predigten unbefangen einzelne Ausdrücke der Lutherbibel vom Rückgang auf den Zusammenhang des Urtextes her verbessert. Und er beruft sich für diese Freiheit gegenüber der Lutherbibel auf seinen Lehrer Sebastian Schmidt[37]. Er wächst damit in der gleichen Zeit in eine Freiheit gegenüber der Lutherbibel hinein, in der die lutherische Orthodoxie den Text der Lutherschen Übersetzung für sakrosankt und unabänderlich zu halten beginnt. Auch an diesem Punkt läuft also von Sebastian Schmidt her eine positive Linie zu Spener[38].

Zusammenfassend kann man sagen, daß Spener durch den Unterricht Sebastian Schmidts vorbereitet und befähigt wurde zu jener Aufrichtung des Ideals einer biblischen Theologie, die die Schriftauslegung in das Zentrum der Theologie rückt, sie von der Vorherrschaft der Dogmatik und der Aufgabe, für diese nur Dicta probantia zu liefern, befreite und die bis in die biblische Hermeneutik reichende Vorherrschaft der Metaphysik und

---

heraus. Weil er aber sich an andere nicht bindet, und des wegen nicht anders kan, als mehrmal von der gemeinen meinung in vielen orten abzugehen, so scheuet er sich vor einigem widerspruch."

[36] Grünberg I, 408 f. – Es sei hier am Rand darauf verwiesen, daß Kaspar Hermann Sandhagen (1639–1697), bei dem August Hermann Francke in Lüneburg sich in der biblischen Exegese zu vervollkommnen suchte, der vertraute Schüler Sebastian Schmidts war, denselben ständig zur Publizierung seiner Arbeiten drängte und einen Teil von dessen Kommentarwerken und die Mehrzahl seiner deutschen Schriften zum Druck befördert, z. T. auch bevorwortet hat. Sandhagen, der in der Aufnahme von Gedanken des Coccejus freilich über Schmidt hinausging, ist neben Spener ein zweiter wichtiger Vermittler der Methode des großen straßburgischen Exegeten an den Pietismus.

[37] Bed. 3,955 (1696); Cons. 3,759 (1696).

[38] Diese Freiheit ist allerdings nur die Kehrseite eines Biblizismus, der schon den Gedanken an während der handschriftlichen Überlieferung in den Bibeltext eingedrungene Abschreibefehler als eine gefährliche Meinung a limine abweisen muß. Vgl. dazu L. Bed. 1,311, und unten S. 134.

ihrer Begriffserklärung aufhob. Von mehr als einer Vorbereitung kann man aber nicht reden. Das Ideal einer rein biblischen Theologie und die Forderung nach Abschaffung der scholastischen Theologie hat Spener bei Schmidt, der an eine Reform der Theologie im ganzen zu denken viel zu zaghaft war und überhaupt unter allen Straßburger Theologen die schwächsten Impulse eines Reformstrebens erkennen läßt, nicht gefunden. Er hat auch darüber hinaus wohl von Schmidt keine Anstöße für sein pietistisches Programm empfangen. In der für Spener so wichtigen Frage der Sonntagsheiligung kommt er als Frankfurter Senior seinem Lehrer und Promotor gegenüber sogar zu direkt entgegengesetzten Ansichten[39]. Und schließlich hat die Straßburger Kirche unter der langen Kirchenpräsidentschaft von Sebastian Schmidt einen betont antipietistischen Kurs eingeschlagen. Aber kann Sebastian Schmidt auch nicht als Förderer des pietistischen Frömmigkeitsstrebens und als Reformer gelten, für die mit dem Pietismus einsetzende neue Hermeneutik und Schriftauslegung ist er jedenfalls ein Wegbereiter gewesen.

Eine ganz andere Gestalt als der zurückhaltende Gelehrte Sebastian Schmidt ist Speners Lehrer in der Dogmatik, Ethik und Polemik *Johann Conrad Dannhauer* (1603—1666)[40]. Von allen Lehrern Speners ist er der interessanteste, bedeutendste, aber zugleich auch in seinem Wesen am schwersten zu erfassende. Ist Sebastian Schmidt ein fleißiger Exeget, so scheut man sich, Dannhauer einfach einen Dogmatiker zu nennen. Zu weit gespannt ist der Kreis der Gebiete, die der kraftvolle Alemanne, den seine Zeitgenossen einen zweiten Augustinus nannten, im Laufe seines Lebens bearbeitet hat. Er hat die philosophischen Disziplinen gründlich behandelt[41] und eine kaum zu übersehende Zahl theologischer Werke und Disputationen verfaßt[42]. Zugleich ist er einer der großen volkstümlichen Prediger Straßburgs gewesen. Seine zahlreiche Schülerschaft hat seine Gedanken in alle Teile des deutschen und außerdeutschen Luthertums getragen. Spener hat ihn unzählige Male in seinem Leben zitiert, hat sich immer wieder auf ihn berufen, ihn häufig auch kritisiert, im ganzen ihn doch als seinen vorzüglichsten Lehrer, als seinen theologischen Präzeptor schlechthin angesehen.

Johann Conrad Dannhauer, am 24. März 1603 in Köndringen bei Emmendingen im Breisgau geboren, war Sohn eines aus Straßburg stammenden lutherischen Pfarrers, der, weil er sein heimatliches Bürgerrecht behalten hatte,

---

[39] S. unten S. 218.

[40] Die biographischen Angaben entnehme ich, soweit nicht anders angegeben, dem Programma funebre vom 9. 11. 1666 des Rektors Jacob Schaller (AST 446, Stück 29). Vgl. außerdem die Biographie von W. Horning (s. Lit.-Verz.); RGG³ II, 32; NDB 3,512.

[41] Seine Bibliographie (Spizel, Templum honoris, 292 ff.) zählt Werke über die Gebiete der Logik, Metaphysik, Rhetorik, Politik, Physik und Psychologie.

[42] Spizel, Templum honoris, 287: Nec unam duntaxat & alteram Theologicae scientiae partem tractabat, sed omnes pariter adoptabat.

seinem Sohn eine Ausbildung in Straßburg mit Hilfe der für Straßburger Bürgersöhne gestifteten Stipendien und Benefizien genießen lassen konnte. So kam der begabte siebenjährige Junge 1610 auf das Straßburger Gymnasium, das er als bester in allen Klassen durchlief. Schon in der vierten Klasse konnte er ein elegans carmen schreiben und einen Syllogismus aufstellen und resolvieren – frühe Proben seiner Tüchtigkeit in der Poesie und in der Logik, in welchen Künsten er sich auch später hervortun sollte. Vierzehnjährig wurde er 1617 in das Straßburger Predigerkolleg aufgenommen, in dem er sich bis zum Beginn seines theologischen Studiums acht Jahre hindurch aufhielt und dabei den neun Jahre älteren Magister Johann Schmidt zum Hausgenossen hatte. Unter Matthias Bernegger wurde er 1619 zum Baccalaureus an der Straßburger Akademie promoviert, zwei Jahre später – im Jahr der Universitätsgründung 1621 – zum Magister. Im folgenden Jahr 1622 empfing er als erster Angehöriger der neuen Universität die laurea poetica. Unter Aggerius und Rixinger, seinen Lehrern in der Physik und Logik, disputierte er mehrmals und bewies schon früh jene Scharfsinnigkeit und Schlagfertigkeit im Disput, die ihn noch in seinen späten Jahren einen gefürchteten und bewunderten Streiter akademischer Disputationen sein ließen. Nach dem Erwerb des Magistergrades hat Dannhauer zunächst unter der privaten Anleitung von Menno Hanneken, dem späteren Lübecker Superintendenten, philologische, hauptsächlich hebräische Studien betrieben, ehe er 1624 unter Wegelin sein Theologiestudium begann. Noch im gleichen Jahr machte er sich, von den Straßburger Scholarchen mit einem Viatikum von sechs Imperialen und mit dem Schenkbecherschen Stipendium versehen, auf eine dreijährige Studienreise, die ihn zu jeweils ungefähr einjährigen Studienaufenthalten an die Universitäten Marburg, Altorf und Jena führte. In Marburg, wohin die lutherischen Theologen Gießens wegen der hessischen Erbteilung gerade umgesiedelt waren, schloß er sich besonders an Balthasar Mentzer an, verkehrte aber auch mit Winkelmann, Feuerborn und Steuber. In Altorf kam er mit Georg König in ein enges freundschaftliches Verhältnis, aus dem sich später ein reger Briefwechsel bildete, dem erst der Tod Königs 1654 ein Ende setzte. In Jena waren Johann Gerhard und Johann Major seine Lehrer, unter denen er, wie zuvor in Marburg unter Steuber und in Altorf unter König, in öffentlichen Disputationen respondierte. Dannhauers Disputierfreudigkeit fand auch in der philosophischen Fakultät, in der er als Magister den Disputationen selbst präsidieren konnte, ihr Betätigungsfeld, und es wird berichtet, daß ihm solche Berühmtheiten wie Goclenius (Göckel) in Marburg und der scharfsinnige Daniel Stahl in Jena respondierten. Aber auch die Musen kamen nicht zu kurz. In Jena inszenierte der Vierundzwanzigjährige eine selbstgeschriebene Komödie und brachte sie vor einer Zuschauerschaft, unter der sich die Weimarer Herzöge befanden, zur Aufführung. Bis an sein Lebensende hat Dannhauer, den man zu Unrecht einen von den Musen wenig bevorzugten Mann genannt hat[43], die Dichtkunst als Erholung nach ernster Arbeit betrieben[44], und noch in einer durch Speners Pia Desideria veranlaßten Reformschrift aus dem Jahre 1676 wird ihm nachgerühmt, daß er ein vortrefflicher Poet war und manchem Hochzeitspaar zu Ehren ein paar Distichen gemacht hat[45].

Im Sommer 1628 rief ihn, der sich in der gelehrten Welt inzwischen einen Namen gemacht hatte, die Stadt Straßburg aus Jena zurück. Dannhauer, auf eine philosophische Professur hoffend, mußte aber voll Enttäuschung vernehmen, daß er zum Inspektor des Predigerkollegs berufen war. Nur ungern nahm er an. Auch in Jena, wo Dannhauer einen glänzenden Eindruck hinterlassen hatte, war man verwundert. Johann Major, der Dannhauer als Haus- und Tischgenossen aufgenommen hatte, gab seiner Verwunderung in einem Brief an Johann Schmidt im Februar 1629 deutlich Ausdruck, zugleich meldete er das Interesse der Universität Jena an, Dannhauer auf einen gerade vakant werdenden philosophischen Lehrstuhl zu berufen. Postwendend entschloß man sich in Straßburg, Dannhauer einen Lehrstuhl für Rhetorik in der philosophischen Fakultät zu geben, den er dann von 1629 bis 1633 innegehabt hat. Von dort wurde der Dreißigjährige noch ohne die theologische Doktorwürde, die er erst 1634 erwarb, im Juni 1633 auf die dritte theologische Professur neben Johann Schmidt und Johann Dorsche berufen. Nur widerwillig gab er die ruhige Laufbahn des Philosophen auf, und es wird berichtet, daß Johann Schmidt ihn zur Annahme geradezu zwingen mußte. Dreiunddreißig Jahre hat Dannhauer dann die theologische Professur innegehabt. Neunzehnmal war er Dekan, fünfmal Rektor der Universität. Berufungen nach auswärts – nach Ulm 1639, nach Frankfurt am Main als Nachfolger des Seniors Tettelbach 1644, nach Rostock 1649 und nach Danzig 1651 – hat er ausgeschlagen. Nach dem Tod Johann Schmidts hat er 1658 zu seinem akademischen Lehramt das Amt des Straßburger Kirchenpräsidenten übernommen. In diesem Amt hat Dannhauer die letzten acht Jahre seines Lebens die Geschicke der Straßburger Kirche geleitet und, wie vorher schon durch eine Predigttätigkeit im Straßburger Münster, die Grenzen seines persönlichen Wirkens weit über den akademischen Bereich hinaus auf den Raum des elsässischen Luthertums ausgedehnt.

Versucht man das theologische Lebenswerk dieses Mannes, das Abhandlungen aus allen Gebieten der Theologie umfaßt, zu überblicken, so muß man a parte potiori zu dem Urteil kommen, daß Dannhauer als Repräsentant der orthodoxen Polemik zu gelten hat[46]. Es gibt im 17. Jahrhundert im

---

[43] K. Holl III, 312, Anm. 3. [44] Spizel, aaO 186.

[45] Anton Reiser, Gravamina non iniusta, Frankfurt 1676, 122.

[46] So auch Grünberg I,109: „Er (sc. Dannhauer) ist ebenfalls in erster Linie Polemiker . . .“ Vgl. R. Reuss, L'Alsace au dix-septième Siècle, II, 296, Anm. 3:

Raum des süddeutschen Luthertums niemanden, den man nach Zahl, Umfang, aber auch Rang der polemischen Schriften ihm an die Seite stellen kann. Aus dem disputierfreudigen Straßburger Studenten ist der größte Streittheologe des Straßburger orthodoxen Luthertums geworden. Gegen die Papisten wie die Calvinisten, gegen die Synkretisten Helmstedts wie gegen den schottischen Unionstheologen Duräus, gegen die Jesuiten wie gegen die Puritaner, gegen die Arminianer und gegen die Sozinianer, gegen die Wiedertäufer und gegen die Enthusiasten ist er in Streitschriften zu Felde gezogen. Er hat gegen die Gegner der aristotelischen Philosophie geschrieben und die modische These von den Praeadamiten bekämpft. Nur ein Teil seiner Polemik ist damit erfaßt. Theophil Spizel, der Dannhauer in seinem „Templum honoris" ein ehrendes Denkmal gesetzt hat, hat keinen Moment gezögert, in Dannhauers polemischer Ader eine große, der evangelischen Kirche zum Segen gereichende Begabung zu erblicken. „Wenn Dannhauer von der Warte seines Geistes irgend einen Gegner der Wahrheit sich regen sah und einen Angriff auf seinen Glauben wagen, so folgte er ihm wie der Jäger dem Wild des Waldes, und zwang ihn, von den Pfeilen seiner Antwort durchbohrt, schnell in sein Lager zurückzukehren."[47] Ja sogar, daß sich Dannhauer zur Polemik drängte, preist Spizel in humanistischer Manier als eine Tugend: „Und wie bei Homer Achilles den Griechen gebietet, daß ja keiner von ihnen, sondern er den Hektor fälle, in der Überzeugung, ihm gebühre dieser Lorbeer, — so forderte auch Dannhauer, nicht aus Ehrgeiz und Ruhmsucht, sondern aus göttlichem Eifer und Liebe zur Gottseligkeit, daß der Kampf mit den Fremdgläubigen, die sich je erheben möchten, ihm überlassen bleibe."[48] Daß die Gegner, die ihm fast alle weder an Streitlust noch an Scharfsinn und Gewandtheit gewachsen waren, bei Dannhauer wenig Tugend fanden, verwundert dagegen nicht. Ein Gegner aus dem synkretistischen Lager des Luthertums hat ihn der Unmäßigkeit in der Polemik bezichtigt und ihn „unnützer und mutwilliger Zänker, unruhiger Kopf, Disputir-Wurm" betitelt[49]. Dannhauer hat erwi-

„Le plus fécond et le plus belliqueux de ces polémistes (sc. der Straßburger Orthodoxie) fut Dannhauer." Auch der Artikel „Dannhauer" von Ferdinand Christian Baur in der Allgemeinen Encyklopädie von Ersch-Gruber stellt diesen Sachverhalt deutlich heraus. Daß P. Tschackert ihn „der irenisch gesinnte Dannhauer" nennt (Art. „Spener", ADB 35, 103) ist so absurd, daß man nur Emanuel Hirschs anderweitig veranlaßtes Urteil von Tschackerts barbarischer Verständnislosigkeit und großer Flüchtigkeit bestätigen kann (Hirsch II, 411, Anm. 1).

[47] Spizel, Templum honoris, 288 f. (zit. in der Übersetzung von Horning, Dr. Johann Conrad Dannhauer, 196).

[48] Ebd.

[49] *J. Reinboth,* Wiederholte Schutz-Rede oder Widerlegung der unnöthigen Rettung Dannhauers, wie auch des neuen, zuvor unerhörten, wachsenden, zur Seligkeit nöthigen Glaubens, in einer Idea des Dannhauerischen unartigen Disputir-Wurms vorgestellt. (Titel dieser c. 1660 erschienenen Schrift nach Horning, 164 f.; die zitierten Worte 173.)

dert, daß dieser Vorwurf genauso wie ihn auch die Propheten, Apostel, den Athanasius, ja selbst Christus treffen würde[50]. „Es ist der Glaub, ob dem wir kämpfen müssen", so hat er sich gegen jene Bezichtigung gewehrt, „ein gar zarter Augapfel, ein einigs Sandkörnlein kann ihm wehe tun: Eine einige Thesis kann ein Funken sein, daraus ein großes Feuer entsteht, wo man nicht bei Zeiten wehrt"[51]. Bei Luther hat er seinen Trost und die Bestätigung dafür gefunden, daß man von der Wahrheit des evangelischen Glaubens auch nicht einen Fingerbreit abrücken darf. Nichts zitiert er in seinen letzten Jahren so gern wie die Streitschriften des alten Luther, dessen Unnachgiebigkeit ihm zur Rechtfertigung, dessen Grobheit ihm gar zu oft zum Vorbild diente.

August Tholuck hat von der Art der Dannhauerschen Polemik geurteilt, dieser Geist sei nicht der Spenersche[52]. Mag das Bild, das Tholuck aus schlecht verhehlter Antipathie von Dannhauer gezeichnet hat, in vielem schief und einseitig sein, an der Wahrheit dieses Urteils läßt sich schlecht zweifeln, und die Versuche, Tholuck an diesem Punkt zu kritisieren, sind wenig überzeugend ausgefallen[53]. Man darf sich freilich nicht in die Alternative Tholucks einzwängen lassen, nach welcher ein Theologe des 17. Jahrhunderts nur entweder ein des wahren Glaubens ermangelnder Streittheologe der „toten Orthodoxie" oder aber ein vom wahren Glauben beseelter „Lebenszeuge" der lutherischen Kirche gewesen sein kann[54]. Diese aus dem Pietismus und der Kirchenkritik des mystischen Spiritualismus stammende Alternative kann schon kaum auf die Verfallszeit der Orthodoxie Anwendung finden, für ein geschichtliches Verständnis der Gestalt Dannhauers ist sie völlig verfehlt.

---

[50] Wohlverdientes Schul-Recht / Damit Weyl. D. Conradus Horneius, Professor zu Helmstatt D. Borthenium wegen seines vngeschickten process im disputiren / disciplinirt . . . Fürgestellt Durch Joh. Conr. Dannhawern, Straßburg 1662, 184 ff.: „Mein Herr Christus ist auch spottweise ein Wurm genennet, als ein Wurm vernichtet und getreten worden; aber in der Wahrheit hat sichs befunden, daß er ein edel Carmasin- oder Seiden-Wurm gewesen . . . Der Vorwurf eines unruhigen Kopfes ist also beschaffen, daß derselbe auch den Propheten, Aposteln, dem Athanasius, ja Christo selbst (welcher auch wohl Freud und Ruh hätte können haben, Hebr. 12,2) gelten mag" (zit. nach Horning, 176 f.).

[51] Horning, 177.

[52] S. RE³ 4,462, 50 f. Vgl. Tholuck, Das akademische Leben II, 126 ff.

[53] Das muß vor allem zu F. Bosse, Artikel „Dannhauer" in: RE³ 4,460–464, gesagt werden. Bosses Maxime, daß „der einzige Weg zur gerechten Würdigung Dannhauers durch die Entwertung der ihr entgegenstehenden Autorität Tholucks geht" (462) hat sich für die Anlage seines Artikels nicht vorteilhaft ausgewirkt. Ich sehe keine Veranlassung, diese Maxime zu übernehmen.

[54] Wenn Bosse (RE³ 4,462, 34 ff.) die Äußerung Sebastian Schmidts, „daß Dannhauer für Straßburg sei, was Hülsemann für Leipzig" herunterzuspielen und als eine Belastung eher für Schmidt als für Dannhauer darzustellen sucht, so zeigt er nur allzudeutlich, wie sehr er selbst den von Tholuck benutzten Kategorien verhaftet bleibt.

Dannhauer ist — wie übrigens auch sein wesensverwandter norddeutscher Kollege Abraham Calov — ein Mann gewesen, dem diejenigen, die ihn näher kannten, das Zeugnis eines aufrechten und ernsten Frömmigkeitsstrebens ausstellen. Über eine Stunde soll er jeden Morgen im Gebet zugebracht haben[55]. Wenn wir kein anderes Zeugnis hätten, so würde schon das ehrenvolle Andenken, das Spener seinem Präzeptor zeitlebens bewahrt hat, deutlich genug für die Ernsthaftigkeit seines Christentums sprechen. Spener hat an Einzelheiten seiner Lehre schon in seiner Straßburger Zeit Kritik geübt, und er hat es Dannhauer nachgerühmt, von ihm zu solcher Selbständigkeit im Urteilen erzogen worden zu sein[56]. An seiner Person und an seiner Frömmigkeit hat er nie etwas auszusetzen gehabt. Über die Sphäre des persönlichen Glaubenslebens hinaus hat Dannhauer aber auch in seinen Schriften und Predigten eifrig für die Verbreitung wahrer Frömmigkeit gewirkt und sich nicht nur als Streiter für die reine Lehre, sondern auch als eifriger Förderer kirchlicher Besserung und gottseligen Lebens bewiesen. Er hat das Gebiet der Ethik neben der Dogmatik besonders betrieben und es für notwendig erachtet, die reformatorische Gewissenstheologie durch eine die praktischen Gewissensfälle durchdenkende Kasuistik zu ergänzen[57]. Er hat dabei, was im Umkreis des Straßburger Luthertums der Aera Johann Schmidt nicht verwundert, sich von reformierten Theologen erheblich befruchten lassen und vor allem William Amesius fleißig gelesen[58]. In der Frage der Sonntagsheiligung hat er einen dem Puritanismus nahe kommenden Standpunkt eingenommen, von dem das Straßburger Luthertum nach seinem Tode wieder abrückte[59]. Schließlich geben auch die zahlreichen Predigtsammlungen Dannhauers, unter denen die zehn Quartbände füllende Katechismus-Milch hervorragt, von seinem Eifer für Frömmigkeit und gottseliges Leben hinreichend Zeugnis[60]. In diesen im Straßburger

---

[55] Horning, Dannhauers Frömmigkeit, Beiträge II, 1882, 144—147.

[56] Beantwortung dessen, was Augustus Pfeiffer . . . und Joh. Georg Neumann . . . der Hoffnung künfftiger besserer zeiten entgegen zu setzen sich unterstanden. Frankfurt 1694, 9: „meinem vornehmsten praeceptore (dem ich in den allgemeinen reglen folge / aber nach seiner eigenen anweisung . . . von seinen gedancken auch abzuweichen kein bedenckens habe . . .)" Vgl. auch unten S. 175.

[57] Liber conscientiae apertus, sive Theologiae conscientariae tomus primus, Straßburg 1662. 4°. 1199 S. Tomus posterior ed. B. Bebel, Straßburg 1667, 4°. 526 S.

[58] K. H. Möckel, Die Eigenart des Straßburger orthodoxen Luthertums in seiner Ethik, dargestellt an Johann Conrad Dannhauer, 1952, 128. Neben Amesius weist Möckel den Einfluß der Schriften Alsteds und Rivets, gelegentlich auch Grotius' auf Dannhauer nach.

[59] Im Jahre 1670 beruft sich Spener gegenüber Sebastian Schmidt in der Auseinandersetzung über die Frage der Sonntagheiligung ausdrücklich auf Dannhauers Katechismusmilch und sein Collegium Decalogicum. S. Cons. 2,47 f. (11. 6. 1670). Vgl. auch unten S. 218.

[60] Katechismusmilch oder . . . Erklärung des Christlichen Catechismi, I—X,

Münster über einen Zeitraum von mehr als zwei Jahrzehnten gehaltenen sonntäglichen Vesperpredigten über den Kleinen Katechismus Luthers – der ausführlichsten Behandlung des Katechismus, die das Luthertum besitzt – zeigt der frühere Professor der Rhetorik, daß er auch das Genus der volkstümlichen Predigt beherrscht und den von ihm besonders geschätzten Geiler von Kaysersberg nicht umsonst gelesen hat. Man muß einmal einen Eindruck empfangen von der kernhaften Originalität und drastischen Anschaulichkeit der Predigtsprache Dannhauers, um das gängige Urteil von der rein doktrinären Predigt der Orthodoxie[61] zu revidieren und zugleich den Abstand zu ermessen, der zwischen Speners meditativem, gleichmäßigen Predigtstil und der Lebendigkeit der Dannhauerschen Art liegt. Ein Beispiel möge dies zeigen. Bei der Behandlung des Feiertagsgebots stellt Dannhauer dem göttlichen Ruf „Gedenke" (nämlich des Sabbattages, daß du ihn heiligest) ein „Gedenke" der menschlichen Begierde nach Ruhe gegenüber mit den Worten:

„Blaset dir Frau Voluptas, die schöne Siren, ihr Memento ein / gedencke du bist noch jung und freyes Gemühts / hast dich die Woch über abgemattet / soltestu auch am Sonntag keine Ruhe haben / und als ein Münsterhund den gantzen Tag in der Kirchen liegen? das lasse du wol: der Schlaf komt dich an / die Jugend läßt sich in kein Bockshorn treiben / der Mensch muß ja auch seine Ergötzung haben / derohalben hieher auff die Ganßau / in die Ruprechtsau / auff den Büchsenrein. Ach so gedencke alsdann an deinen frommen GOTT / was der sagt / hieher! hieher! Memento, Gedencke."[62]

Man wird bei Spener, so sehr er in der Frage der Sonntagsheiligung mit Dannhauer zusammengeht, auch nicht von ferne diese Direktheit und Volkstümlichkeit finden. Dannhauer hält eben nicht nur ungebrochen und ohne den leisesten Zweifel an der volkskirchlichen Form der lutherischen Kirche fest, er füllt diese Form auch noch mit dem Inhalt seiner Predigt aus. Da ist kein Platz für besondere Übungen derer, die das Wachstum ihres Christenstandes suchen. Gerade die Unwilligen und Bösen sind es, denen

---

Straßburg 1642–1673. Der Artikel „Dannhauer" in RGG³ gibt irrtümlich 1657 bis 1672 als Erscheinungszeit an. Im Jahr 1657 erschien lediglich eine zweite Auflage des ersten Bandes. Die ersten 8 Bände der Katechismusmilch erschienen 1642, 1643, 1646, 1653, 1654, 1657 (6. und 7. Band) und 1659, die beiden letzten Bände, posthum von Balthasar Bebel herausgegeben, 1671 und 1673. Bebel gab 1677 und 1683 weitere umfangreiche Predigtbände aus dem Nachlaß Dannhauers heraus. – Einen Überblick über die wichtigsten Predigtbände Dannhauers gibt HORNING, Dr. Johann Conrad Dannhauer, 179 ff.

[61] „Die Predigt wird zu einer bloßen Mitteilung über die sana doctrina" – so, trotz aller neueren Bemühungen um ein gerechteres Verständnis der Orthodoxie, immer noch das Pauschalurteil über die Orthodoxie in dem Art. *„Predigt I. Geschichte der Predigt"*, RGG³ V, 523.

[62] Katechismusmilch I, 1657², 506.

sein besonderer Eifer gilt: die „Sabbathstimpler", denen ein Tag ist wie der andere, die Zecher und Spieler, die Eltern, die die strenge Zucht ihrer Kinder vernachlässigen, das Volk, dessen Weihnachtsfreude der Christbaum ist, aber nicht Gottes Wort[63].

Spener hat die theologischen Werke und auch die Katechismus-Milch Dannhauers gut gekannt und sein Leben lang reichlich zitiert. Ein „Liebhaber der Dannhauerischen Schriften" ist er nach eigenen Worten in der Jugend gewesen[64]. Ein Buch Dannhauers aber hat er vor allem geschätzt und es allen anderen vorgezogen: die „Hodosophia christiana". Dieses Buch, die „herrliche Hodosophia", wie er es einmal nennt[65], hat er in seiner Straßburger Studentenzeit so gründlich studiert, daß er es fast auswendig im Kopfe hatte[66]. Alles, was er anderswo las, hat er sofort auf die Ausführungen der Hodosophia bezogen und mit ihnen verglichen[67]. Speners theologisch-systematischer Ausgangspunkt im Rahmen der lutherischen Orthodoxie ist also hauptsächlich von diesem Werk zu bestimmen.

Die „Hodosophia christiana seu Theologia positiva" ist ein gut 1000 Seiten starker Oktavband, versehen mit einer Widmung an die jungen Pfalzgrafen Christian und Johann Carl, die nachmaligen Zöglinge Speners[68], gedruckt im Jahre 1649 bei Friedrich Spoor in Straßburg[69]. Das Werk hat 1666 eine nicht unwesentlich vermehrte zweite Auflage erfahren, die Spener seit seiner Frankfurter Zeit zitiert[70]. Für die Straßburger Zeit ist aber allein

---

[63] Vgl. Dannhauers auch volkskundlich interessante Polemik gegen den in Straßburg schon seit dem 16. Jahrhundert als verbreitet bezeugten Weihnachtsbaum: „Unter anderen Lappalien, womit man die alte Weihnachtszeit oft mehr als mit Gottes Wort und heiligen Übungen zubringt, ist auch der Weihnachtsbaum oder Tannenbaum, den man zu Hause aufrichtet, denselben mit Puppen und Zucker behängt, und ihn hernach schütteln und abblumen läßt: wo die Gewohnheit herkommen, weiß ich nicht, ist ein Kinderspiel . . . viel besser wäre es, man weisete sie auf den geistlichen Cedernbaum Christum Jesum" (Katechismusmilch V, 1654, 694; zit. nach Horning, Handbuch, 154).

[64] Vorrede zu Köpke, Sapientia Dei, bl. a 5 r. — Nur Dannhauers Rhetorik nimmt Spener an dieser Stelle aus (s. oben S. 71, Anm. 37).

[65] Vorrede zu Ch. M. Seidel, Lutherus redivivus, vom 10. 4. 1697 = EGS II, (344—375) 365.

[66] Joachim Langes Anmerkungen zu der Cansteinschen Lebensbeschreibung, Halle 1740, 156 (nach Horning, Spener in Rappoltsweiler, 77 Anm. 2).

[67] Cons. 1,238 (1690): Ex eo tempore (sc. der Straßburger Studienzeit) Hodosophia ille liber fuerat, cujus tota oeconomia memoriae profunde infixa haerebat, et ad quem quicquid alibi legerem, lubens referebam . . .

[68] Vgl. oben S. 81 f.

[69] ΟΔΟΣΟΦΙΑ CHRISTIANA seu THEOLOGIA POSITIVA in certam, plenam & cohaerentem methodum redacta, Ordinariis ac publicis dissertationibus Argentorati proposita, Straßburg 1649 (Fr. Spoor). 8°. 1008 S. (Memmingen, Seyfr. Bibl.).

[70] Titel und Format wie Anm. 69. 1507 S. — Eine dritte Auflage erschien Leipzig 1695, eine vierte Auflage in Quartformat Straßburg und Leipzig 1713 (754 S.).

die erste Auflage heranzuziehen. Das Werk besteht aus einem Prooemium und zehn „Phänomena“, die den Loci der Schuldogmatik entsprechen. In ihnen wird nacheinander abgehandelt: die Lehre von der Heiligen Schrift (I), von der Kirche (II), von Gott (III), von der Sünde (IV), vom Menschen (V), vom Gesetz (VI), vom Evangelium (VII), von Christo (VIII), von der Gnade des Heiligen Geistes (IX), vom kirchlichen Amt und den Sakramenten (X), von der Buße (IX) und von der ewigen Seligkeit (XII). Die ganze altprotestantische Dogmatik kommt hier als „Wegweisheit“ auf der Wanderung nach der himmlischen Heimat zur Verhandlung[71]. Dannhauer hatte das Werk vorher sukzessive zur akademischen Disputation vorgelegt und es von einer Reihe von Schülern verteidigen lassen. Das erklärt zum Teil die Knappheit der Darstellung, derzufolge Spener später rühmt, Dannhauer sei es gelungen, in einen einzigen Band zu fassen, was andere in vielen Bänden darlegten, und man würde trotzdem nichts zur Sache Gehöriges vermissen[72]. Die Kürze rührt zum anderen Teil aber daher, daß Dannhauer bei allen strittigen Punkten zwar das Fundament der Kontroverstheologie legt, daß er aber auf die ausgeführte Polemik durchweg verzichtet. Die Polemik war ihm nämlich so wichtig, daß er sie in besonderen systematischen Entwürfen bearbeiten wollte. So hat er seiner „Wegweisheit“ eine zweifache „Wegtorheit“ folgen lassen und den Bau seiner Hodosophia mit zwei stattlicheren Seitenbauten umflankt, 1653 mit der „Hodomoria Spiritus Papaei“[73] und 1654 mit der „Hodomoria Spiritus Calviniani“[74]. Geplant, aber über das Manuskript nicht hinausgekommen, war außerdem noch eine „Hodomoria Photiniana et Arminiana“[75]. Beide gedruckten Hodomorien — sie zählen zusammen fast 6000 Seiten — sind während der Studienzeit Speners erschienen, und er hat sie ebenfalls gründlich durchgearbeitet[76]. Man wird, um Dannhauers Theologie zu beurteilen, diese mehrteilige Gesamtanlage mit dem Übergewicht der Polemik im Auge behalten müssen.

---

[71] Trotz der soteriologischen Ausrichtung dieser Dogmatik, die Dannhauer — allerdings erst in der zweiten Aufl. — die analytische Methode bejahen läßt, ist eine Reduktion des dogmatischen Stoffs zugunsten der im Phänomenon IX vorgestalteten Lehre vom „ordo salutis“ nicht zu beobachten. Mit weitem Abstand bleibt die Christologie (Phänomenon VIII) das längste Kapitel.

[72] Cons. 1,237 f.

[73] Hodomoria Spiritus Papaei, duodecim Phantasmatis Academica Parrhesia ac Philalethea detecti ac examinati, I—II Straßburg (Spoor) 1653. 8°. 1476 + 1052 S.

[74] Hodomoria Spiritus Calviniani Duodecim Phantasmatis . . . examinati, I—II, Straßburg (Joh. P. von Heyden) 1654. 8°. 3388 S.

[75] Spizel, Templum honoris, 294.

[76] Wie aus einem am 22. 8. 1653 von Spener an Dannhauer geschriebenen Brief hervorgeht, hat Spener für Dannhauer bereits zu dieser Zeit — also ein Jahr vor Beginn des Theologiestudiums! — die Korrekturen zur Hodomoria Spiritus Calviniani gelesen (der Brief: UB Hamburg, Sup. ep. 88, 217). Nur um dieses Werk, über das sich Horning und F. Bosse bereits den Kopf zerbrochen haben (vgl. RE^3 4, 463, 31 ff.), kann es sich bei dem von Spener korrigierten handeln.

Spätere Zeiten haben, wie die allein von der Hodosophia erfolgten mehrfachen Neuauflagen zeigen, nur Dannhauers „Wegweisheit" kennengelernt. So konnte er ausgerechnet im Pietismus zum Musterdogmatiker avancieren.

Theologisch liegt die „Hodosophia" ganz auf der Linie des strengen Luthertums des 17. Jahrhunderts. Dannhauer gibt sich überall als Schüler von deren unumstrittenen Haupt, seinem Jenenser Lehrer Johann Gerhard, zu erkennen. Ihm folgt er in allen wichtigen Punkten und zitiert ihn so häufig wie keinen anderen Theologen aus dem Luthertum. Von Gerhard übernimmt er die dreifache Frontstellung lutherischer Dogmatik gegenüber Papismus, Calvinismus und Sozinianismus. Gegen das Traditionsprinzip des Tridentinums wird die Lehre von der Heiligen Schrift samt der bis auf die hebräischen Vokalzeichen sich erstreckenden Inspiration zum Ausgangspunkt des Systems gemacht. Gegen die calvinistische Prädestinationslehre und die Kanones der Dordrechter Synode wird gelehrt, daß die Gnade allgemein und nicht partikular, daß sie nicht irresistibel, daß sie schließlich nicht mit dem donum perseverantiae verbunden, sondern verlierbar (amissibilis) sei. Gegen den Sozinianismus wird die anselmsche Satisfaktionstheorie als Kernstück der Lehre vom Amt Christi verteidigt. Diese drei Lehren — Schriftprinzip, universalistische Gnadenlehre, Satisfaktionslehre — hinter denen die von der Reformation überkommene konfessionelle Ausprägung der Sakramentslehre, des Kirchenbegriffs, der Sündenlehre etc. etwas zurücktritt, können als die drei Grundentscheidungen bezeichnet werden, die die Hodosophia mit der lutherischen Orthodoxie des 17. Jahrhunderts nach außen hin fällt. Zu ihnen kommen die Entscheidungen in den innerlutherischen Streitigkeiten. In dem zwischen den Tübinger und den Gießener Theologen ausgebrochenen christologischen Streit folgt Dannhauer seinen Lehrern Balthasar Mentzer und Feuerborn, daß Christus sich des Gebrauchs der göttlichen Majestätseigenschaften im Stand der Erniedrigung entäußert, nicht — wie die Tübinger lehrten — einen verhüllten Gebrauch von ihnen gemacht habe. Auch gegenüber dem Helmstedter Humanismus ist die Front klar. Schon wenn Dannhauer die Theologie definiert als ein himmlisches Licht in der Seele (lumen coeleste), so führt er die Linie Johann Gerhards und seines Verständnisses der Theologie als eines habitus θεόσδοτος weiter und nimmt einen von dem rationalen Theologiebegriff Calixts weit geschiedenen Standpunkt ein[77].

Aus diesen Abgrenzungen wird im groben der Standort erkennbar, den Dannhauer in seiner Dogmatik einnimmt und den sich der lernbegierige junge Spener anzueignen hatte. Es ist der Standort der genuin lutherischen Orthodoxie, wie er sich im Jena Johann Gerhards und im Gießen Balthasar

---

[77] Vgl. hierzu J. WALLMANN, Der Theologiebegriff bei Johann Gerhard und Georg Calixt, BHTh 30, 1961.

Mentzers, Justus Feuerborns und Johannes Winkelmanns in der Zeit um 1620 am klarsten ausgebildet hat und um die Jahrhundertmitte durch die Auseinandersetzung mit Helmstedt deutlicher ins Licht tritt. Spener ist theologisch innerhalb dieser von Dannhauers Hodosophia markierten Lehrschranken aufgewachsen, er hat sie auch sein Leben lang respektiert und sie nur leichter übersteigbar gemacht, nicht aber verrückt. Zwar hat Spener sich an der innerlutherischen Polemik des bis weit in die zweite Jahrhunderthälfte reichenden Synkretistischen Streites nicht beteiligt, ihn sogar verabscheut und für unnötig erklärt. Aber er hat doch Studenten gewarnt, die von Calixtanhängern besetzten Fakultäten zu besuchen[78]. Zwar hat er früh enge freundschaftliche Verbindungen zu den württembergischen Theologen geknüpft. Aber doch sind sie ihm wegen ihrer christologischen Sonderlehren irrende Brüder[79]. Zwar hat Spener bis auf eine in Frankfurt gegen die Reformierten gehaltene Predigt, die er später bereut hat[80], die konfessionelle Polemik gegen die Reformierten nicht fortgeführt. Aber er hat doch die vom reformierten Hohenzollernhaus gewünschten und von Leibniz betriebenen Unionspläne abgelehnt und nach dem Maß seines Einflusses das Zustandekommen einer Union in Preußen mitverhindert[81]. Wenn Spener dabei die Differenz in der Lehre von der Gnadenwahl als allein kirchentrennend ansah und die ursprünglich zur Trennung führenden Differenzen in der Abendmahlslehre zurückstellte, so führt er selbst das auf die Unterweisung Dannhauers zurück, der, wie Spener einmal schreibt, „solches absolutum decretum in Hodom. Spir. Calvin. fast hefftiger als leicht einiger ander Theologus bestritten hat“[82]. Die Auseinandersetzung mit den katholischen und mit den sozinianischen Lehren hat Spener ebenfalls fortgeführt, diejenige mit den Sozinianern bis in seine letzten Lebensjahre[83]. Spener ist also mit Recht in seiner Theologie ein Schüler Dannhauers zu nennen. Mit seinen Tafeln zur Hodosophia, die er zum Lerngebrauch seiner Studenten in Straßburg verfertigt hat und die er auf vielfaches Drängen

---

[78] Vgl. den Brief vom 11. 9. 1674 an Sam. Dilger, bei Lilienthal, Preußische Zehenden I, 1740, 449–451. – Grünberg (I, 102 f.) bemerkt richtig, „daß Spener Calixt nur ein sehr geringes positives Interesse entgegenbringt“. Das hat aber wenig mit einer „verschiedenen Geistes- und Charakteranlage“ zu tun und mit der universalkirchlichen Ausrichtung der Ideen Calixts (so Grünberg aaO), sondern rührt aus der scharf anticalixtinischen Frontstellung her, zu der sich die Straßburger Orthodoxie unter der Führung Dannhauers und dem Beifall Abraham Calovs um die Jahrhundertmitte durchgekämpft hat.

[79] S. unten S. 153 Anm. 147.

[80] S. unten S. 222 f.

[81] Vgl. dazu Grünberg II, 236 ff.

[82] Vorrede zu Köpke, Sapientia Dei, bl. 32 r.

[83] Speners letztes Werk, für dessen Ausarbeitung er sich vom preußischen König von den Sitzungen des Berliner Konsistoriums beurlauben ließ, ist eine großangelegte Streitschrift wider die Sozinianer: „Verteidigung des Zeugnisses von der ewigen Gottheit unseres Herrn Jesu Christi“, kurz nach Speners Tod 1706 von Paul Anton herausgegeben (vgl. Grünberg I, 346 ff.; III, 260). – Zu Speners Auseinandersetzung mit der römisch-katholischen Lehre s. unten S. 221 f.

1690 zum Druck gab, hat er außerdem Erhebliches zur unmittelbaren Verbreitung des Dannhauerschen Systems beigetragen[84].

Dannhauers Einfluß auf Speners theologische Bildung ist von wesentlicher und für die Orientierung in den theologischen Strömungen der Orthodoxie richtungweisender Art gewesen. Die Dogmatik Dannhauers ist zeitlebens die Dogmatik Speners geblieben bis auf einen einzigen Punkt. Dies ist die Frage der Bekehrung der Juden und die damit verknüpfte Hoffnung besserer Zeiten für die Kirche. An diesem Punkt, also in der Eschatologie, hat sich Spener ausdrücklich in Gegensatz zu Dannhauer gestellt und noch auf dem Totenbett dies als die einzige Lehre angegeben, in der er von demjenigen Begriff der evangelischen Wahrheit, den er in seiner Jugend empfangen habe, später abgewichen sei[85]. Diese Differenz können wir hier noch zurückstellen. Während seiner Straßburger Zeit ist Spener auch in der Eschatologie ein Schüler Dannhauers gewesen, d. h. er folgt diesem in der um die Jahrhundertmitte in der lutherischen Orthodoxie so gut wie allgemeinen Ansicht, daß das Jüngste Gericht und das Ende der Welt nahe bevorstünden und der Kirche, wie Luk. 18,8 beweise, für die letzte Zeit nur ein trübseliger Zustand geweissagt sei.

Wenn Dannhauers Einfluß auf Spener grundlegend zu nennen ist hinsichtlich der Unterrichtung in der lutherischen Kirchenlehre, so bleibt zu fragen, ob auch die pietistischen Gedanken und Bestrebungen Speners dem Einfluß Dannhauers wesentliche Förderung zu verdanken haben. Die theologischen und die pietistischen Gedankenreihen lassen sich bei Spener zwar nicht reinlich voneinander scheiden — allein das Abweichen von der Straßburger Tradition in der Eschatologie zeigt dies zur Genüge —, jedoch Spener selbst gibt zu solcher Unterscheidung hinreichend Grund, wenn er später immer wieder erklärt, daß er an der Lehre der evangelischen Kirche, wie er sie bei Dannhauer gelernt habe, durchaus nichts auszusetzen habe, sondern alle seine Pläne und Bestrebungen auf eine Besserung des kirchlichen Lebens zielten.

Sucht man diese Frage zu beantworten, so empfiehlt es sich nicht, bei der Einsicht in die Reformbedürftigkeit der evangelischen Kirche einzusetzen. Die Forschungen Hans Leubes haben gezeigt, daß das Streben nach Reform im 17. Jahrhundert Gemeingut aller kirchlich interessierten Kreise des Luthertums gewesen ist[86]. Reformstreben kann also einem lutherischen Theologen der Jahrhundertmitte nicht als auffallende Besonderheit angerechnet werden. Spener mag durch den über lange Jahre währenden engen Umgang mit Dannhauer Erhebliches für seine Einsicht in die Reform-

---

[84] Tabulae Hodosophicae, seu . . . D. Joh. Conradi Dannhaweri . . . Hodosophia christiana in tabulas redacta. Frankfurt (Zunner) 1690. Speners umfangreiche Vorrede abgedruckt Con. 1, 200—239. *Grünberg Nr. 251.*

[85] Cansteins Vorrede zu den L. Bed., 32 f. Vgl. unten S. 307, Anm. 1.

[86] Leube, Reformideen, 35.

bedürftigkeit der evangelischen Kirche gelernt haben. Es ist aber nicht zu sehen, daß ihm von Dannhauer besonders kräftige und eigentümliche Impulse in dieser Richtung mitgeteilt worden sind[87]. In den Pia Desideria führt Spener einen kirchengeschichtlichen Hinweis Dannhauers über das Leben der frühen Christenheit an[88]. Für seine Reformforderungen beruft er sich aber nur auf Johann Schmidt[89] und Johann Georg Dorsche[90]. Sehe ich recht, so gibt es überhaupt nur drei Punkte, an denen Speners pietistische Bestrebungen durch Dannhauer wesentlich gefördert worden sind. Das ist einmal die Frage der Sonntagsheiligung, in welcher sich Spener seiner Übereinstimmung mit Dannhauer bewußt war[91], obwohl er selbst hierauf nicht durch ihn, sondern durch seinen Rappoltsweiler Lehrer Joachim Stoll geführt worden ist[92]. Der zweite Punkt ist das Geltendmachen der Rechte des dritten Standes in der Kirche und die Klage über die Cäsaropapie, worin sich Spener später ebenfalls auf Dannhauer beruft[93], obwohl ihm vorbildlich stets mehr das alle drei Stände beteiligende Kirchenregiment Straßburgs gewesen ist[94] und er die Klage über die Cäsaropapie bei allen verständigen Theologen genauso gefunden haben will[95]. Im Zusammenhang damit steht drittens die Forderung nach Abhalten akademischer Disputationen in deutscher Sprache, damit Laien daran teilnehmen können[96]. Spener führt dies als einen Wunsch Dannhauers an, in dessen Straßburger Hörsaal ein Schornsteinfeger zu kommen pflegte, der in seiner Jugend La-

---

[87] F. W. Kantzenbach (Orthodoxie und Pietismus, 1966, 135) schreibt freilich: „Durch seinen Lehrer Dannhauer wurde Spener nicht nur auf Luther aufmerksam, sondern er studierte, von diesem angeregt, auch die deutsche und englische Reform- und Erbauungsliteratur." Aber woher weiß Kantzenbach diese von Grünberg jedenfalls nicht berichteten Dinge? Von den vier englischen Autoren, die Spener in seiner frühen Zeit allein gelesen zu haben zugibt, hat er Bayly, Sonthomb und Dyke bereits in Rappoltsweiler gelesen, Baxter dagegen erst 1665 oder später. Welche Werke der englischen Reform- und Erbauungsliteratur soll er auf Anregung von Dannhauer gelesen haben, und wo ist solches bezeugt? Von der deutschen Reform- und Erbauungsliteratur sehe ich auch nicht, wie man derartiges behaupten kann.

[88] PD 51,30. [89] PD 69,11. [90] PD 7,11; (vgl. 37,9).

[91] Cons. 2,9; Bed. 2,29.32 f. 36. — Vgl. oben S. 101, Anm. 59.

[92] S. oben S. 85.

[93] Bed. 4,298 (1686) über die „Caesaropapia": Ich entsinne mich wohl / wie mein seliger praeceptor der Herr D. Dannhauer so nachdrücklich offt hierüber klagte / wie auch seine schrifften zeugen / dergleichen aber auch vor und nach ihm alle cordati Theologi gethan . . .

[94] L. Bed. 1,601 (1691): Und habe ich in dieser Sache (sc. der Wahl der Prediger) die Strasburgische kirche vor die best-geordnete gehalten, als in welcher alle 3 ordines in der schönsten harmonie concurriren.

[95] S. oben Anm. 93. Vgl. auch Cons. 3, 536.

[96] L. Bed. 3,309. Der Vorschlag bei Dannhauer, Liber conscientiae I, 1662, 944. Mit Speners Vorschlag der Einrichtung von Collegia pietatis hat er nichts zu tun. So mit Recht M. Schian, Orthodoxie und Pietismus im Kampf um die Predigt, 1912, 64.

tein gelernt hatte[97]. Darüber hinaus läßt sich zwischen Spener und Dannhauer eine breite Übereinstimmung in der Einsicht in die Reformbedürftigkeit der Kirche und im Streben nach gottseligem Leben und kirchlicher Besserung feststellen. Bald nach dem Erscheinen der Spenerschen Pia Desideria ist in einer kleinen Schrift der „Consensus" der Pia Desideria mit Dannhauer nachzuweisen gesucht worden anhand einer ausführlichen Zitatensammlung aus der Katechismus-Milch[98]. Aber einmal fehlt hier der Nachweis des Konsensus in den wichtigsten Stücken wie der Hoffnung besserer Zeiten oder den Collegia pietatis beziehungsweise ist ganz unzutreffend behauptet wie bei der Lehre vom geistlichen Priestertum, die bei Dannhauer nicht begegnet[99]. Zum anderen besagt der Konsensus in dem Drängen auf Praxis und Gottseligkeit gar nichts über eine *Abhängigkeit* Speners von Dannhauer, denn er hat dieses Streben von Kind auf aus Johann Arndt und den englischen Erbauungsbüchern in sich aufgenommen, und bei Dannhauer hat er sich um die Erlernung ganz anderer Dinge bemüht. Aus der Übereinstimmung im praktischen Verständnis des Christentums läßt sich das Verhältnis Speners zu Dannhauer also nicht bestimmen. Hier muß anders gefragt werden, wenn man vorankommen will.

Stellt man außer der Frage, worin Spener von Dannhauer beeinflußt worden ist, einmal die andere Frage, worin er von ihm nicht beeinflußt worden ist, so stößt man auf eine Reihe von Dingen, die in der Spenerforschung durchweg übersehen zu werden pflegen, die aber für die Bestimmung des Verhältnisses, in dem Spener zu seinem Lehrer steht, von erheblicher Wichtigkeit sind. Man muß zunächst schon den Bereich der Philosophie nennen, in dem Dannhauer als ein Repräsentant des Aristotelismus begegnet, während Spener von Anfang seines Studiums an eine heftige Abneigung gegen Aristoteles zeigt[100]. Es gibt nicht den geringsten Anhalt dafür, daß Dannhauers Einfluß dem jungen Spener diese Abneigung zu irgendeiner Zeit benommen hätte. Spener berichtet einmal von einem Gespräch mit Dannhauer, das er am Abend nach seiner Doktordisputation im Juni 1664 während des Doktorschmauses mit ihm geführt hat. Dabei habe Dannhauer von seinem Wunsch erzählt, in seinem Alter noch einmal Plato

---

[97] L. Bed. 3,509 (1692).

[98] Der barocke Titel dieser 1677 erschienenen Schrift bei Aland, Spener-Studien, 59, wo auch der Inhalt ausführlich referiert wird.

[99] Bei der von Aland, 62, Anm. 1 genannten Stelle, die das Vorhandensein der Lehre vom allgemeinen Priestertum bei Dannhauer bezeugen soll, handelt es sich um einen Passus aus der Katechismus-Milch, in welchem Dannhauer ausführlich die berühmte Stelle über das geistliche Priestertum aus Luthers Schrift „Von der Freiheit eines Christenmenschen" ausschreibt. Der Herausgeber der Schrift scheint nicht gemerkt zu haben, daß das nicht Dannhauers, sondern Luthers Worte sind. Im Dannhauerschen Kontext wird nicht die Lehre vom geistlichen Priestertum, sondern eine Lehre vom Seelenbistum getrieben.

[100] S. oben S. 60 bei Anm. 95.

zu lesen, den er jetzt besser zu verstehen hoffe als in seiner Jugend[101]. Es ist demnach nicht ausgeschlossen, wenn Spener es auch selbst nicht sagt, daß Dannhauer in seinen letzten Jahren die Grenzen des Aristotelismus des orthodoxen Zeitalters selbst noch gesehen hat. Daß Dannhauer aber auf Spener im Sinne einer kritischen Einstellung zum Aristotelismus gewirkt und darin die pietistische Ablehnung der aristotelischen Schulphilosophie vorbereitet habe, wird man mit keinem Grund annehmen können. Dannhauer ist für Spener, wie er gerade bei der Erzählung von jenem Gespräch über Plato einschränkend sagt, „sonsten ein großer Aristotelicus gewesen“[102]. Und nur als solchen hat ihn Spener, der durch das Studium der philosophischen Schriften Dannhauers sich den Zugang zu der für den Anfänger nicht einfachen Begrifflichkeit der Hodosophia verschafft hat[103], während seines Studiums kennengelernt. Bezüglich der Rezeption der aristotelischen Schulphilosophie in den theologischen Wissenschaftsbetrieb, in welcher Spener später eine der wesentlichen Ursachen für den Verfall der Theologie gesehen hat, muß er schon während seiner Studienzeit in Distanz, wenn nicht gar in innerer Opposition zu seinem Lehrer gestanden haben[104]. Von Speners Verdikt gegen den Aristotelismus der Orthodoxie wird unter seinen Straßburger Lehrern niemand so scharf getroffen wie Dannhauer, der „große Aristotelicus“.

Von besonderer Wichtigkeit ist die Frage, wie sich der Einfluß des maßgebenden theologischen Lehrers verhält zu der Tatsache, daß sich Spener in späteren Jahren für seine pietistische Wirksamkeit auf zwei Männer beruft, die er weit über alle anderen Gestalten der evangelischen Kirche stellt und als deren Schüler er selbst von jedermann angesehen werden möchte. Diese beiden sind Martin Luther und Johann Arndt[105]. Von Arndt wissen

---

[101] Vorrede zu Köpke, Sapientia Dei, bl. a 4 v: Wie auch mein Praeceptor Hr. D. Dannhauer / so sonsten ein großer Aristotelicus gewesen / zuletzt Platonem höher als vorher zu schätzen angefangen; massen er den tag / darunter ihm meine disputationem inauguralem 1664 hielte / und mit ihm abends gespeiset hatte / im discours erwehnte / wo er in dergleichen dingen etwas noch von GOTT zu wünschen hätte / möchte er in diesem seinem alter zeit wünschen / Platonem noch einmahl zu lesen / den er nun besser als in seiner jugend zu verstehen hoffte.

[102] S. oben Anm. 101.

[103] Cons. 1,238 a.

[104] Dabei ist noch zu beachten, daß Spener die Rhetorik Dannhauers mit Bedacht nicht gelesen hat, weil ihm alle Rhetorik von Jugend auf zuwider war (S. oben S. 71 bei Anm. 37). Er hat also gerade zu derjenigen Disziplin, die Dannhauer vor seiner theologischen Professur von 1629–1633 in Straßburg vertreten hat und die einen Schwerpunkt seiner philosophischen Interessen bildete, überhaupt kein Verhältnis gehabt.

[105] Bed. 3,714 (1687): „Daher setze ich . . . Lutherum billig fornen an . . . aber dieser (Arndt) streicht ihm nahe / und weiß ich nicht / ob er nicht noch in seinen schrifften zu einem nicht geringern werck als Lutherus mag von GOtt bestimmet seyn. Ich läugne auch nicht / daß ich unserer lehrer nicht leicht jemal einigen /

wir, daß seine Schriften seit der Rappoltsweiler Jugendzeit in den Händen Speners sind, daß er sie über alles schätzt und daß seine Frömmigkeit schon vor dem Studienbeginn an dem Ideal des Wahren Christentums Arndts orientiert ist. Es braucht hier also nur danach gefragt zu werden, wie Dannhauer über Arndt geurteilt hat, und ob Spener in seiner Arndtverehrung von ihm Förderung erfuhr oder nicht. Was Speners Verhältnis zu Luther betrifft, so liegen die Dinge schwieriger. Das Verfolgen des Lebensganges hat bis zum Beginn des theologischen Studiums keine Spuren erbracht, die auf Kenntnis und Beschäftigung mit dem Werk Luthers schließen lassen. Es ist deshalb erst einmal zu fragen, wann Spener mit Schriften des Reformators bekannt wird, und wann er sich jene gründliche Lutherkenntnis erwirbt, die man in späteren Jahren bei ihm feststellen kann und die ihn vor den meisten lutherischen Theologen seiner Zeit auszeichnet. Dabei muß sich dann ergeben, welche Rolle Dannhauer hierbei gespielt hat und ob die im Pietismus bekanntlich weiterwirkende Hochschätzung Luthers auf den Einfluß des Straßburger Präzeptors zurückzuführen ist. In der Literatur gilt Dannhauer seit langem als ein Verehrer Johann Arndts[106], und das Lutherstudium Speners wird heute durchgängig auf die Anleitung Dannhauers zurückgeführt[107]. Untersucht worden sind diese Dinge aber noch nicht, und es gibt Gründe genug, um die herrschenden Ansichten in Zweifel zu ziehen.

Geht man den Anfängen der Beschäftigung Speners mit Luther nach, so stößt man auf den überraschenden Befund, daß Spener während seiner Straßburger Studienzeit, ja darüber hinaus auch während seiner Freipredigerzeit die Werke Luthers nicht kennengelernt hat. Das besagen eindeutig Speners Selbstzeugnisse. Eine spätere Empfehlung der Lektüre von Luthers Schriften verknüpft Spener mit der Mitteilung, daß er selbst während seiner Studienzeit wenig von Luther zu Gesicht bekommen habe, weil seine Werke damals schwer zu erhalten gewesen seien. Lediglich die Lutherzitate in den Schriften anderer habe er gesehen, in denen er allezeit eine besondere „Kraft“ gefunden habe[108]. Bis in die Anfangszeit seines Frankfurter

als diese beyde / auf der Cantzel ausdrücke / und sie zusammen setze . . .“ Vgl. unten S. 117, Anm. 125.

[106] ALAND, Spener-Studien, 61 (auf Grund der oben S. 108, Anm. 98 genannten Quelle); J. VON WALTER, Geschichte der Christentums II, 2, 1938, 509; F. ARNDT, Johann Arndt, 231 f.

[107] Art. „Dannhauer“ und „Spener“ in RGG³; M. SCHMIDT, Das Zeitalter des Pietismus, 1: „Von ihm (sc. Dannhauer) wurde Spener nachdrücklich zum Lutherstudium verpflichtet und sinnvoll angeleitet.“ Ähnlich fast sämtliche neueren Darstellungen.

[108] Vorrede zu Seidel, Lutherus redivivus, EGS II, 365 (1697): Daher nicht läugne / daß die gnade GOttes in ihm (sc. Luther) lang geehret / ob wohl in der zeit meiner studiorum, weil ohne das damahl seine wercke schwehr zu erhalten gewesen / weniger von ihm gesehen / ohne die hin und wieder vorkommende allegata, in denen allezeit eine sonderbare krafft gefunden. Wie es zwar auch meinem S. Praeceptori Herrn D. Dannhauern gegangen / der fast erst gegen die

Seniorats soll nach Speners eigenen Worten der Zustand angedauert haben, daß ihm Luthers Schriften „noch fremd“ waren[109]. Den Beginn seines Lutherstudiums datiert er eindeutig in das erste Jahrzehnt seines Frankfurter Seniorats, als ihm die Anfertigung eines biblischen Kommentarwerkes aus den Schriften Luthers anvertraut wurde[110]. Spener vergleicht sich dabei mit Dannhauer, der erst in seinen letzten Jahren mit besonderem Fleiß über Luthers Schriften geraten sei und es sehr bedauert habe, erst so spät zu sol-

letzte zeit über des Mannes schrifften mit mehrern fleiß gerathen / daher auch die vergleichung der ersten und letzten edition seiner herrlichen Hodosophiae zeigen kan / wie weit er die zeit über sich in seine schrifften eingelassen. Daß ich aber darnach gleichfals mich tieffer hinein gegeben / war die anlaß eines grossen wercks / so mir mit zuziehung einiger collegen und anderer mitgehülffen zu verfertigen auffgetragen wurde / nemlich auß allen schrifften Lutheri bloß mit seinen eignen worten gleich als einen Commentarium perpetuum zu verfertigen . . . (Über diesen Kommentar s. unten S. 241 ff.)

[109] Bed. 3,339 f. (1680). Vgl. unten S. 235, Anm. 23.

[110] S. dazu unten S. 242 f. – In der Festschrift für Franz Lau (1967) hat Martin Schmidt neuerdings darzulegen versucht, auf welche Weise Spener zum Lutherstudium kam: „Philipp Jakob Spener . . . verdankte seine ausgebreitete und intime Lutherkenntnis einem Auftrag in seinen Studienjahren. Sein Straßburger Lehrer Johann Konrad Dannhauer . . . bestimmte ihn und einige Kommilitonen dazu, ein Lutherkompendium . . . herzustellen, das, wie es bezeichnend hieß, als beständiger Kommentar zur Dogmatik dienen könnte. Spener leistete mit dem Kreise der Altersgenossen die umfangreiche Arbeit . . .“ (Luthers Vorrede zum Römerbrief im Pietismus, 310 = Wiedergeburt und neuer Mensch, 1969, 300). Schmidt bringt als Beleg hierfür nur die (oben S. 111 f., Anm. 108 zitierte) Vorrede zu Seidels Lutherus redivivus. Darin ist aber weder von einer Veranlassung durch Dannhauer noch von einem Kommentar zur Dogmatik die Rede. Schmidts Darstellung ist leider in allen Einzelheiten (Zeitpunkt des Lutherstudiums, Veranlassung, Charakter des Lutherwerks und Mitarbeit durch Altersgenossen) irrig. Offensichtlich kombiniert Schmidt Speners Vorrede zu Seidels Lutherus redivivus mit der von Horning aufgebrachten, von Grünberg unkritisch weitertradierten Behauptung, Spener habe zur zweiten Aufl. der Dannhauerschen Hodosophia die Lutherzitate ausgewählt (Spener in Rappoltsweiler, 77; Grünberg I,520). Diese Angabe ist aber nirgendwo in den Quellen bezeugt und widerspricht auch jener Äußerung Speners, daß die zweite Auflage der Hodosophia für Dannhauers spätes Lutherstudium (also nicht sein eigenes!) zeugen könne. Horning, der die von Grünberg nicht eingesehenen Briefe Speners an Dannhauer (UB Hamburg, Sup. ep. 88, bl. 217–219) gekannt hat, bezieht offensichtlich die in Speners Brief an Dannhauer vom 22. 8. 1653 (Sup. ep. 88, 217) erwähnten Korrekturarbeiten auf die zweite Auflage der Hodosophia. Sie sind aber auf die 1654 erschienene Hodomoria Spiritus Calviniani zu beziehen (s. oben S. 104, Anm. 76; vgl. auch die von F. Bosse vorgenommene Differenzierung zwischen Hornings Angaben und dem Brief von 1653, die freilich auf halbem Wege stecken bleibt [RE^3 4,463, 30 ff.]). Im übrigen hat Horning noch sehr gut gewußt, daß Spener die Schriften „des damals wohl hochgeehrten aber selten gelesenen Luther erst später – nämlich in Frankfurt – kennengelernt und sich tiefer hineinbegeben . . . habe“ (Spener in Rappoltsweiler, 25 f.). Auch Max Goebel vermerkt ausdrücklich die späte Bekanntschaft Speners mit Luther (Geschichte des christlichen Lebens II,546, Anm. 3). Man sieht, es gibt Erkenntnisse, die in der Forschung auch wieder verloren gehen.

cher Lektüre gekommen zu sein. Man könne aus dem Vergleich der ersten Auflage seiner Hodosophia mit der zweiten (von 1666) erkennen, wie sehr er sich zuletzt noch in die Schriften Luthers eingelassen habe[111].

Die Durchsicht der frühen Schriften und Predigten bestätigt Speners Aussagen völlig. Wo Luther in den Predigten genannt wird, geschieht es meist wegen seiner Bibelübersetzung[112], oder aber Spener bringt beiläufig ein Zitat, das er in der Literatur gefunden hat[113]. Höchstens von der Kirchen- und Hauspostille läßt sich vermuten, daß Spener sie einmal zur Hand gehabt hat[114]. Eine auch nur halbwegs solide Kenntnis irgendwelcher Lutherschriften kann man beim Studenten, beim Freiprediger und beim Straßburger theologischen Doktor Spener nicht entdecken. Spener konnte später von seinen Schriften sagen, daß man wenig in ihnen antreffen könne, was er nicht aus Luther genommen hätte, obwohl er ihn nicht immer ausdrücklich anführe[115]. Geht man zum jungen Spener zurück, so kann man nur umgekehrt feststellen, daß wenig bei ihm anzutreffen ist, was er aus Luther geschöpft haben könnte, obwohl er ihn zuweilen anführt.

Speners Erklärung, Luthers Werke seien während seiner Studienzeit schwer zu erhalten gewesen, befriedigt aber nicht völlig. Allerdings hat es in der Studienzeit Speners keine Lutherausgabe zu kaufen gegeben. Die Ausgaben des Reformationsjahrhunderts waren bis in die Jahre vor dem großen Krieg mehrmals neu aufgelegt worden, jetzt aber längst vergriffen. Angesichts des Kapitalmangels des deutschen Buchhandels war im ersten Nachkriegsjahrzehnt an eine neue Lutherausgabe nicht zu denken. Als schließlich durch die Förderung des sachsen-altenburgischen Herzogs Friedrich Wilhelm II. in den Jahren 1661 bis 1664 die Altenburger Lutherausgabe erschien, muß sie einem fühlbaren Mangel abgeholfen haben. Nie wieder in der Geschichte des Luthertums hat es einen so großen Zeitraum ohne eine neue Lutherausgabe gegeben wie ausgerechnet in der Blütezeit der lutherischen Orthodoxie zwischen 1560 und 1660! Spener hat sich die zehn Foliobände der Altenburger Ausgabe wahrscheinlich in Frankfurt an-

---

[111] S. oben S. 111 f., Anm. 108. Außerdem Bed. 3,510 (s. unten Anm. 116).

[112] Vgl. Epist. Sonntagsand. I,63.138.213.330.408; II,67.230.255. – Da Spener die Lutherbibel benutzt, kennt er natürlich auch die in den Straßburger Lutherbibeln des 17. Jahrhunderts mitabgedruckten Lutherschen Vorreden, z. B. die Römerbriefvorrede (aaO I,489 und II,171, vgl. dazu unten S. 247, Anm. 85).

[113] So ist z. B. das in einer Predigt aus dem Jahr 1659 enthaltene längere Zitat aus Luthers Großem Galaterkommentar (Leichpredigten XIII, 1707, 229) – die ausführlichste Anführung Luthers aus Speners elsässischer Zeit – aus einer Dissertation von Johann Schmidt übernommen, kann also nicht für Speners, nur für Johann Schmidts Beschäftigung mit Luther zeugen (vgl. die oben S. 8, Anm. 27 genannte Diss., S. 25 f. mit dem Spenerschen Zitat).

[114] Vgl. das ausführliche Zitat aus der Hauspostille in Speners Predigt vom 5. 4. 1665 (Epist. Sonntagsand. I,394).

[115] EGS II, 365 (1697).

geschafft und zitiert seitdem hauptsächlich aus derselben. Wenn man nach der Beschäftigung Speners mit Luther fragt, muß man also berücksichtigen, daß während seiner Studienzeit keine Lutherausgabe käuflich war. Trotzdem ist merkwürdig, daß Spener sich nicht, wie er es sogar im Fall des Aristoteles getan hat, eine Lutherausgabe hat ausleihen können. Hätte Dannhauer den ihm nahestehenden Schüler zum Lutherstudium angehalten, so hätte Spener ohne Zweifel irgendwie Zugang zu den Bänden der Wittenberger, Jenaer oder Eislebener Lutherausgabe gehabt, die in Straßburg nicht nur einmal vorhanden waren und aus denen Johann Schmidt, Dannhauer und andere Straßburger Theologen während Speners Studienzeit zu zitieren pflegten. Es ist auch auffällig, daß die ausführlichen und häufigen Lutherzitate, durch die sich die zweite Auflage der Hodosophia (1666) von der ersten (1649) unterscheidet, keineswegs aus der inzwischen erschienenen Altenburger Ausgabe, sondern durchweg aus den drei Ausgaben des 16. Jahrhunderts genommen sind. Jedenfalls für Dannhauers spätes Lutherstudium war das Erscheinen der Altenburger Lutherausgabe ohne Belang. Es ist zu fragen, ob sie für Spener wirklich eine so entscheidende Rolle gespielt hat.

Die Frage wird noch verwickelter durch die Art, wie Spener in diesem Zusammenhang von Dannhauers Lutherstudium redet. Spener datiert es in die letzten Jahre seines Lebens und verweist auf Dannhauers „letztere scripta“, die von seiner eifrigen Lutherlektüre Zeugnis ablegten[116]. In der Tat weisen die aus den 60er Jahren stammenden Schriften Dannhauers eine ganz erstaunliche Breite von Lutherzitaten auf. Es gibt Disputationen aus Dannhauers letzten Jahren, wo die Fülle der seitenlang ausgeschriebenen Luthertexte die eigenen Ausführungen geradezu erdrücken[117]. In der theologischen Literatur der lutherischen Orthodoxie, in der die Werke des Reformators durchaus nicht so fleißig herangezogen werden, wie man denken sollte, gibt es für die vom späten Dannhauer geübte Ausbeutung und Ausschreibung Luthers kaum einen Vergleich. Freilich kann man dem früheren Dannhauer nicht einfach, wie Speners Parallelisierung nahelegt, die Lutherkenntnis absprechen. Aus den gelegentlichen Lutherzitaten, die die erste Auflage der Hodosophia von 1649 doch auch schon enthält, läßt sich u. a. auf Vertrautheit mit dem Genesiskommentar schließen. Und auch in

---

[116] EGS II, 365: „fast erst gegen die letzte zeit“ (der Zusammenhang oben S. 111, Anm. 108). Bed. 3,510 (1681): „ . . . ohne daß mein seliger Praeceptor D. Dannhauer . . . selbs bedaurte / etwas später erst zu solcher lection (sc. der Schriften Luthers) gekommen zu seyn / wie dann seine letztere scripta alle sehr vieles aus des mannes schrifften anführen.“

[117] Vgl. etwa die Oktober 1665 gehaltene Disputation „De probatione spirituum“, abgedruckt in Dannhauer, Disputationes theologicae . . . in volumen unum collectae . . . opera & studio M. Christian Misleri, Leipzig 1707, 414–525. Für die Länge der Lutherzitate führe ich als besonders eklatante Beispiele S. 457–463 und 473–483 an, wo ohne Zwischentext nur Luther abgedruckt wird.

den übrigen Schriften und Predigten Dannhauers vor 1660 wird Luther immer wieder einmal herangezogen. Hinter der Lutherkenntnis eines Johann Schmidt steht Dannhauer bis auf die letzten Lebensjahre allerdings erheblich zurück. Und wenn Moscherosch, der Schüler Johann Schmidts, als Laie seinen Kindern die Lektüre der Schriften Luthers empfiehlt[118], so sucht man bei einem Schüler Dannhauers vor 1660 Ähnliches vergeblich. Da Speners Studienzeit nun nicht in die letzten Lebensjahre Dannhauers fällt, ist kaum anzunehmen, daß er von ihm zum Lutherstudium angehalten worden ist. Speners Verweis darauf, daß Dannhauer erst spät auf Luther gestoßen ist, gibt also wahrscheinlich die Erklärung, warum er selbst Luther während seines Studiums nicht gelesen hat.

Nun ist aber Spener während der letzten Jahre Dannhauers noch in Straßburg gewesen. Zwar nicht mehr als Student, aber doch als Freiprediger und theologischer Doktor der Straßburger Fakultät, als welcher er neben Dannhauer Kolleg gehalten hat. Es ist nicht leicht ein Grund zu sehen, warum Spener in jener Zeit, in die er das eifrige Lutherstudium Dannhauers datiert, nun seinerseits nicht an der Wiederentdeckung Luthers teilgenommen hat. Spener beklagt später, daß die Theologiestudenten auf den Universitäten so wenig zum Lutherstudium angehalten würden, nimmt dabei aber Straßburg aus, wo Dannhauer öfter auf Luther hingewiesen hätte[119]. Ähnlich berichtet Dannhauers treuer Schüler Balthasar Bebel, wie Dannhauer oftmals im Kreise seiner Freunde geklagt habe, daß die Schriften Luthers selbst unter Theologen kaum gelesen würden[120]. Spener hat diese Klagen gekannt, aber selbst ist er während seiner Straßburger Zeit der Dannhauerschen Lutherempfehlung nicht gefolgt. Dies ist ein merkwür-

---

[118] Insomnis Cura Parentum (s. oben S. 4 f., Anm. 14) 118 f.: Leset D. M. Luthers Schrifften, dazu ermahne ich euch, nach der H. Bibel vor allen dingen, vnd auff das ernstlichste: Ein Mänsch der solche Bücher nicht gelesen hat, glaubet nimmer daß ein solcher Kern darin seye.

[119] Bed. 3,510: „Ich weiß wenig auf universitäten / daß studiosi zu solches theuren Lehrers schriften angewiesen werden / ohne daß mein seliger Praeceptor D. Dannhauer seiner mehrmal gedacht / auch selbs bedaurte . . .“ (Fortsetzung des Zitats oben Anm. 116.)

[120] Balthasar Bebel in der Trauerrede auf Dannhauer 1666: „Wie fleißig studierte der Entschlafene seinen Luther! Alle Schriften hat er nicht bloß einmal, sondern zwei-, dreimal, mehrere Male vom Anfang bis zum Ende aufs sorgfältigste durchlesen, aus dem Durchgelesenen Auszüge gemacht, die Auszüge wie eine Saat auf freien Plätzen in seine Bücher gestreut, mit solcher Kunst, daß man Dannhauer mit Recht einen zweiten Luther heißen könnte. Oft beklagte er im Kreise seiner Freunde, daß die Schriften dieses unvergleichlichen Mannes so vernachlässigt würden; er wundere sich nicht, daß ausgezeichnete Theologen selten wären, da kaum der hundertste Luthers Schriften gelesen, obgleich seit der Apostel Zeiten unter den christlichen Lehrern kein tieferer Exeget, kein fruchtbarerer Katechet als Luther, aufgestanden“ (zit. nach der Übersetzung von Horning, Dr. Johann Conrad Dannhauer, 128).

diger Sachverhalt, der mit den anderweitigen Beschäftigungen Speners kaum vollständig erklärt werden kann. Schließlich rückt Spener dadurch in seinen letzten Straßburger Jahren in eine deutliche Distanz zu dem, was man im Kreis um Dannhauer theologisch gearbeitet und getrieben hat[121]. Wahrscheinlich würden wir dieser merkwürdigen Enthaltung vom Lutherstudium auf die Spur kommen können, wenn wir gründlich über Dannhauers Lutherverständnis unterrichtet wären. Eine Durchsicht der späten Schriften Dannhauers muß jedenfalls den Anschein erwecken, daß es wesentlich der ältere und der gegen Wiedertäufer, Papisten und vor allem die Juden eifernde Polemiker Luther gewesen ist, den Dannhauer entdeckt hat und aus dem er vorwiegend seine umfangreichen Lutherzitate ausschreibt[122]. Außerdem hat Dannhauer im Alter angefangen, die Schriften Luthers gegen diejenigen Johann Arndts auszuspielen und von Luther her die „Arndiani“ anzugreifen[123]. Vielleicht ist hier der Grund für das mangelnde Lutherstudium Speners zu suchen. Die irenische, an den Idealen Johann Arndts orientierte Richtung des Spenerschen Denkens hätte ihn dann von jener Beschäftigung mit Luther ferngehalten, die in dem Kreis um Dannhauer während seiner letzten Straßburger Jahre betrieben wurde. Jedenfalls muß festgestellt werden, daß Dannhauer auf die für Speners spätere Entwicklung so entscheidende Beschäftigung mit Luther keinen direkten Einfluß ausgeübt hat[124]. Eher muß man es gerade dem Studium bei Dannhauer zuschreiben, daß Spener während seiner Straßburger Zeit an der Luthervergessenheit, die er später den Theologen seiner Zeit vorwirft, vollen Anteil gehabt hat.

Hat Spener von Dannhauer nicht den Antrieb zum Lutherstudium empfangen, so hat er sich später doch in der Frage der Notwendigkeit des Lu-

---

[121] Daß eine solche Distanz in den letzten Straßburger Jahren bestand, ist auch aus anderen Zeugnissen zu erschließen. Vgl. dazu die Vorgänge bei der Berufung Speners nach Frankfurt, unten S. 186 ff.

[122] Vgl. etwa Dannhauer, Illex et obex pacis Ecclesiarum sanctae, Straßburg 1666. In diesem Buch wird Recht und Notwendigkeit des Disputierens über religiöse Gegenstände verteidigt gegenüber Calvinisten, Quäkern, Christian Hoburg und anderen. Luther, aus dessen Schrift „Von der Winkelmesse und Pfaffenweihe“ (1533) lange Passagen zitiert werden, wird dabei als der „Dialecticus acutissimus“ ins Feld geführt, der die Kunst der Dialektik brauchte und das Disputieren für nötig hielt (49). Das ist ein anderer Luther als der, welchen Spener später für sich entdeckte! Vgl. auch Dannhauers Vorrede zu der 1662 gehaltenen Disputatio de Ecclesia Judaica des Johann Fecht mit Zitaten aus Luthers Schrift „Von den Juden und ihren Lügen“ (Disputationes theologicae, 1707, 2000 ff.).

[123] S. unten S. 119, Anm. 134.

[124] Es wäre lohnend, einmal die von Dannhauer bevorzugten Lutherschriften denen entgegenzustellen, die Spener hauptsächlich geschätzt hat. Für ein gegensätzliches Lutherverständnis beider spricht z. B. die Tatsache, daß Dannhauer die Kommentare über die alttestamentlichen Propheten empfiehlt (s. unten Anm. 134), von denen Spener gerade schlecht urteilt (Cons. 3,339).

therstudiums der Übereinstimmung mit seinem Lehrer erfreut. Anders liegt es bei dem Urteil über den Mann, dem Spener in der lutherischen Kirche den zweiten Platz neben dem Reformator anweist und als dessen Schüler er sich in seinen spezifisch pietistischen Bestrebungen stets betrachtet hat[125]. Spener hat, was das Urteil über Johann Arndt betrifft, deutlich erklärt, daß er hier mit seinem Lehrer Dannhauer nicht übereinstimme, ja dessen Urteil über Johann Arndt für falsch halte. In einem 1676 an einen Studienfreund gerichteten Brief schreibt Spener gelegentlich einer ausführlichen Stellungnahme zu Johann Arndt, daß ihr gemeinsamer Lehrer Dannhauer ein anderes Urteil über diesen heiligen Mann gefällt haben würde, wenn er von seinen Studien nur so viel Zeit erübrigt hätte, um den Varenius[126] gründlicher zu lesen. Und er fügt hinzu, daß das Urteil seines um ihn sonst hochverdienten Präzeptors kein Gewicht bei ihm habe, da er sicher sei, richtiger über Arndt zu urteilen und ihn auch mit größerem Fleiß gelesen zu haben als jener[127]. Diese Briefstelle ist in der Forschung, in der Dannhauer seit langem den Platz eines Förderers Johann Arndts einnimmt, bisher überhaupt nicht beachtet worden[128]. Da ihr keine anderslautenden Äußerungen Speners über das Arndtverständnis seines Lehrers entgegenstehen, muß man schließen, daß Spener im Blick auf das Betreiben des Arndtschen Frömmigkeitsideals von Dannhauer keine positive Beeinflussung erfahren hat, ja daß er sich hier geradezu gegen das Urteil seines Lehrers zu behaupten und durchzusetzen hatte. Da die Autorität Johann Arndts bereits für den jungen Studenten eine unumstößliche ist, muß in dieser für Spener

---

[125] Bed. 3,619 (1686): „Ich schäme mich nicht sein (sc. Johann Arndts) discipul zu heissen." L. Bed. 3,196 (1687): „Welchen ich nechst Luthero allen andern Theologis vorziehe . . ." Die Empfehlungen Arndts sind im übrigen Legion. Vgl. GRÜNBERG I,57 ff. und III,390.

[126] Heinrich Varenius, Christliche Schrifftmässige wolgegründete Rettung der vier Bücher vom wahren Christenthum . . . D. Lucae Osiandri Theologischem Bedencken entgegen gesetzt, (1624) 2. Aufl. Lüneburg 1689. — Über dieses von Spener hochgeschätzte, mehrmals von ihm gelesene und auch anderen empfohlene Buch vgl. Cons. 1,160 a; 3,48 a. 492; L. Bed. 3,131 u. ö.; GRÜNBERG I,60. Spener hat daraus einen Großteil seiner in die Pia Desideria eingestreuten Zitate entnommen (ALAND, Spener-Studien, 52 ff.), wenn er ihn selbst auch nur zweimal nennt (PD 21,12; 84,16).

[127] Cons. 3,132 b (20. 7. 1676): crediderim Beat. Praeceptorem nostrum D. Dannhauerum aliud quoque de sancto viro judicium laturum fuisse, si tantum a studiis suis potuisset otium impetrare, ut Varenium intentius legisset... Unde ingenue fateor, parum apud me valet judicium illud Viri alias de me optime meriti Praeceptoris nostri, cum non dubitem, rectius mihi de Beat. Arndio constare, & majori studio hunc lectum esse, quam illi.

[128] GRÜNBERG hat sie bei Abfassung seines ersten Bandes nicht gekannt (vgl. die Aufzählung der Arndt betreffenden Stellen I,57, Anm. 1). In den Zusätzen des dritten Bandes hat er die Stelle aufgeführt (III,390), ohne inhaltlich auf sie einzugehen.

wichtigen Frage eine erhebliche Distanz zwischen ihm und seinem Lehrer bestanden haben.

Dannhauers Kritik an Johann Arndt ist aus seinen gedruckten Schriften nicht eindeutig zu ersehen. Nach den wenigen Zeugnissen scheint er von einer anfangs mehr freundlichen zu einer später erheblich kritischen Haltung gekommen zu sein. Dabei muß man die Äußerungen Dannhauers vor dem Hintergrund der ungewöhnlich breiten Arndtrezeption in den kirchlichen Kreisen Straßburgs sehen und ebenfalls mit der eindeutig positiven Haltung zu Arndt, die man bei seinen Fakultätskollegen Johann Schmidt und Johann Georg Dorsche feststellen kann, vergleichen. Vor diesem Hintergrund ist die Rede von dem „Wahren Christentum" als einem „goldenen Buch", die sich in einer ausgesprochen frühen Schrift Dannhauers findet[129], und die bereits ein Jahr nach Speners Tod als Beleg für eine Empfehlung Arndts durch Dannhauer ausgegeben worden ist[130], nicht überzubewerten. Sie ist rein formelhaft[131]. Gewichtiger ist eine Stelle aus der Katechismus-Milch, wo Dannhauer im Zusammenhang einer Warnung, die Lektüre menschlicher Bücher nicht über das Bibellesen zu stellen, auf Arndt zu sprechen kommt[132]. Dabei kann man es dem Zusammenhang wie dem Wortsinn nach doch nicht als eine Empfehlung ansehen, wenn Dannhauer sagt: „Johann Arnds Bücher vom wahren Christenthumb sind schöne / nutzliche Bücher, aber es sind doch nicht Canonische Bücher ... haben auch in manchen Orten ihre ziemliche Fehler."[133] Schließlich hat Dannhauer in einer

---

[129] Idea boni interpretis, 4. Aufl. Straßburg 1652, 154. Die erste Auflage dieses Werkes erschien 1630 (nach GRÜNBERG III,392), es stammt noch aus der Zeit, als Dannhauer Professor der Rhetorik war.

[130] Anonyme Vorrede zu Speners Predigten über Arndts Wahres Christentum, 1706 *(Grünberg Nr. 68)*.

[131] Dannhauer erwähnt in diesem Lehrbuch der Rhetorik Arndt nur, um klarzumachen, was ein „Skopus" ist. So wie Paulus in Röm. 3 einen anderen Skopus hatte als Jakobus, so hatte Luther in seiner Rechtfertigungslehre einen anderen Skopus als Arndt in seinem goldenen Büchlein vom Wahren Christentum („aureo libello suo de vero Christianismo").

[132] Katechismus-Milch I^2, 1657, 379.

[133] Ebd. Diese Stelle aus der Katechismus-Milch wird schon zwei Jahre nach Speners Pia Desideria als Beweismittel genommen, daß Speners Arndtianismus in Übereinstimmung stehe mit Dannhauer (Vgl. ALAND, Spener-Studien, 61, Anm. 3). Ich gebe die Stelle, die in einer vom Lesen der Heiligen Schrift handelnden Predigt steht, einmal im Zusammenhang: „Welches ist dann dasselbe Buch / daß wir zuvorderst lesen und lernen sollen? ja allein lesen und lernen müssen. Antwort: das Buch, das wir lesen / ist 1. nicht liber humanus quamvis pius, nicht ein Menschen-Buch / wann gleich gute und Gottseelige Gedancken darinnen begriffen. Nicht werden der Menschen- und Lehrer-Bücher / so sie aus der Schrifft zusammen gezogen / verworffen: sollen aber nicht der heiligen Schrifft an die Seite gesetzte werden ... Grosse Fehler werden offt in diesem Stuck begangen / die Scribenten vergöttert / die heilige Schrifft ligen lassen / ja wol ein Eckel ob derselben gewonnen. Johann Arnds Bücher vom wahren Christenthumb sind

in seinem Todesjahr herausgegebenen Schrift ausdrücklich die „Arndiani" angegriffen. Arndt selbst wolle er zwar die Lobsprüche zumessen, die ihm auch Johann Gerhard zugemessen habe; auch wärme er die Bedenken anderer nicht wieder auf. Gleichwohl sollten doch die „Arndiani" wissen, daß Arndts Schriften zur Befestigung der Frömmigkeit (ad solidam pietatem) nicht ausreichten[134]. Dabei stellt Dannhauer den Schriften Arndts ausdrücklich die von der Welt heute verschmähten Kommentare Luthers über die Bücher Moses, die Psalmen und die Propheten gegenüber, in denen der Grund der Frömmigkeit richtiger, reiner und vollständiger dargelegt sei als bei Arndt. Dannhauer ist also alles andere als ein Förderer der Arndtschen Richtung gewesen[135]. Hat er auch nicht öffentlich gegen Arndt geschrieben, wie Lukas Osiander in Tübingen, so muß er in seinem Urteil über Arndt doch Osiander näher gestanden haben als seinen Fakultätsgenossen Johann Schmidt und Johann Georg Dorsche[136].

---

schöne / nutzliche Bücher / aber es sind doch nicht Canonische Bücher / sind nicht unmittelbar vom Heiligen Geist eingegeben / haben auch in manchem Ort ihre zimliche Fehler / sie müssen den Propheten und Aposteln weichen . . ." Diese Stelle bezeugt deutlich die Beliebtheit des Wahren Christentums in Straßburg zur Zeit Dannhauers, sie ist aber doch alles andere als eine Aufforderung zur Arndtlektüre!

[134] Illex et obex pacis Ecclesiarum, 1666, 351: „Haut longe absunt a Paulini opinione, qui in Arndiana scripta prae amore furunt; Arndio ipsi suas admetior laudes, quas eidem D. Gerhardus etiam admensus: non exaggero, non recoquo aliorum monita. Dummodo hoc scire velint Arndiani, non sufficere eius scripta ad solidam pietatem, adque succos Evangelicos e mysteriis fidei . . . atque hinc generosos fructus eliciendos; quos longe dexterius, purius, solidius in commentariis suis in Mosem, Psalmos, Prophetas coelesti nectare plenis deduxit Magnus Lutherus, ab ingrato licet orbe fastiditis, invenias." Vgl. Horning, Handbuch, 85 f.; Kirchenhistorische Nachlese, 86, wo diese Stelle deutsch wiedergegeben wird neben einer anderen aus „Himmlischer Lobspruch", 1664, 252, woselbst Dannhauer von Arndts Schriften sagt, sie wären „nützlich, aber mit Diskretion zu lesen".

[135] Ich erwähne noch die (auch bei Leube, Reformideen, 42 genannte) Stelle aus der Theologia conscientaria I,586, wo aber nur das positive Urteil einer päpstlichen Person angeführt wird. — Wie F. Arndt zu der Behauptung kommt, Dannhauer zitiere die Schriften Arndts sehr oft und verleibe ganze Auszüge aus denselben seinen Büchern ein (J. Arndt, 232), bleibt mir dunkel.

[136] Nachträglich finde ich dafür noch einen interessanten Beleg aus dem Briefwechsel zwischen Dannhauer und dem früheren rappoltsteinschen Hofprediger Nathanael Dilger, Pfarrer in Danzig (Dilgers Briefe aus den Jahren 1639—1665 in: Hamburg, Sup. ep. 84, 167—214). Am 27. 4. 1648 schreibt Dilger an Dannhauer, er habe von einem aus Straßburg kommenden Blanckius von einer „censuram a Vobis contra D. Arndtium editam" gehört und wundere sich sehr darüber. Zugleich bittet er um nähere Einzelheiten (Sup. ep. 84, 179). Am 18. 8. 1648 wiederholt Dilger noch einmal seine Anfrage: „Narravit mihi Blanckius, censuram ex Facultatis Decreto a te contra B. Arndtium adornatum esse, quam si videre non licet, saltem mihi indices, quid praecipue in libro tam pio carpas. Animadverti equidem in Concionibus tuis Catecheticis (= Katechismusmilch) accusare et aliquas loquendi formulas, ast ab illas librum adeo utilem vel invisum vel suspectum reddi

Läßt man sich von der respektvollen Pietät, mit der Spener zeitlebens von Dannhauer gesprochen hat, nicht den Blick für die tatsächlichen Gegebenheiten trüben, so kommt man an der Feststellung nicht vobei, daß unter allen Lehrern der Straßburger Universität Dannhauer die geringsten Spuren einer Vorbereitung des Pietismus erkennen läßt. Sein Wirken bedeutet nach der langen Kirchenpräsidentschaft Johann Schmidts eher wieder eine Abkehr von jener zum Pietismus hinführenden Tendenz und eine Vorbereitung der antipietistischen Spätorthodoxie[137]. Wesentlichen Einfluß auf die pietistischen Gedanken und Bestrebungen Speners kann Dannhauer nicht ausgeübt haben. Aus der Reihe der Wegbereiter des Pietismus wird man ihn besser streichen. Für diese Sicht kann als argumentum e silentio noch etwas angeführt werden, was durchweg bisher übersehen worden ist. In seiner „Wahrhaftigen Erzählung vom Pietismus“[138] hat Spener einmal diejenigen Theologen aufgezählt, die in den Spuren Johann Arndts wandelnd als Vorläufer der pietistischen Bewegung angesehen werden können. Neben Johann Gerhard, Johann Matthäus Meyfart, Balthasar Meisner, Johann Saubert, Johann Valentin Andreä und vielen anderen Theologen führt er hier auch die Straßburger Johann Schmidt[139] und Johann Georg Dorsche[140] an. Dannhauers Namen aber hat er in diese Liste nicht aufgenommen[141].

Am 23. Juni 1659 schloß Spener seine Straßburger theologische Studienzeit ab mit einer unter dem Vorsitz Dannhauers gehaltenen solennen Disputation. Die von Spener für die Disputation zum Druck gegebene Abhandlung trägt den Titel „Idea clavis ligantis“[142]. Sie stammt nicht, wie man seit

---

nolim. Sed expecto a te responsum.“ (Sup. ep. 84, 180). — Leider ist Dannhauers Antwort nicht erhalten.

[137] Von hier aus dürfte auch verständlich werden, daß die Straßburger theologische Fakultät als einzige lutherische Fakultät den Pia Desideria ihre Zustimmung verweigert hat (Grünberg I, 157. 181). Die Fakultät bestand 1675 aus Sebastian Schmidt und den beiden treuesten Dannhauerschülern Balthasar Bebel und Isaak Faust.

[138] Warhafftige Erzehlung dessen was wegen des so genannten Pietismi in Teutschland von einiger Zeit vorgegangen, Frankfurt (1697) 1698². *Grünberg Nr. 299.*

[139] AaO 25. [140] AaO 20.

[141] Meine Stellung zu Alands Spener-Studien, in denen die Abhängigkeit der Pia Desideria von Dannhauer behauptet wird, ergibt sich aus obiger Darstellung von selbst. Eine in die Einzelheiten gehende Auseinandersetzung kann ich mir schon deshalb ersparen, weil Aland nirgendwo auf Dannhauer selbst zurückgeht, sondern sich mit einer sehr unzuverlässigen und tendenziösen Exzerptensammlung aus dem Jahre 1677 begnügt.

[142] Idea clavis ligantis quam Deo bene iuvante, Praeside viro plurimum venerando . . . Dn. Johanne Conrado Dannhawero, SS. Theol. D. & Prof. in Illustr. Universit. Argentoratens. celebratissimo, & Academ. h. t. Rectore Magnifico, Domino Patrono & Praeceptore suo venerando. In Academica συζητήσει solenniter tuebitur 23. Jun. horis locoque consuetis M. Philippus Jacobus Spenerus, Rupis-

Grünberg annimmt, von Spener, sondern hat, wie es an der alten Universität die Regel war, den Präses der Disputation zum Verfasser[143]. Dannhauer hatte sie als erste Sektion einer geplanten größeren Arbeit über den Bindeschlüssel verfaßt, die er aber nie fortgesetzt hat. Inhaltlich ist sie auf das Problem der kirchlichen Exkommunikation eingegrenzt. Dannhauer kommt aber nicht über die Aufzählung der kirchengeschichtlich interessanten Fälle von Exkommunikation hinaus, die er mit Cain, Ham und Ismael beginnen läßt und über Johannes den Täufer und Jesus zu Heinrich IV., schließlich bis zur Straßburger Kirchengeschichte fortführt. Spener hat später von dieser Arbeit geurteilt, sie enthalte nur ein Allerlei (farrago) der verschiedensten Exempel und es sei, als er die Disputation hielt, von Dannhauer weder eine Definition des Bindeschlüssels noch Klarheit über die einzelnen Fälle zu erhalten gewesen[144]. Sieht man davon ab, daß Spener zur Vorbereitung sich eifrig in die Kirchengeschichte zu vertiefen hatte, so ist dieser Disputationsthese keine Bedeutung für Speners Entwicklungsgang beizumessen. Als Kuriosum sei vermerkt, daß hier erstmals im näheren Umkreis Speners der Begriff der „Ecclesiola" auftaucht, freilich in gänzlich unpietistischem Sinne: Ecclesiola wird die Schiffsgemeinde genannt, die den Propheten Jona exkommuniziert[145].

Dagegen ist einer anderen Arbeit Aufmerksamkeit zuzuwenden, von der bisher verborgen geblieben ist, daß Spener sie am Ende seiner ersten Straßburger Zeit angefertigt hat. Genau eine Woche vor Speners eigener Disputation, am 16. Juni 1659, präsidierte Dannhauer einer Disputation, zu welcher der aus Hamburg stammende Joachim Hesterberg eine These vorgelegt hatte mit dem Titel „Ecclesia Waldensium orthodoxiae lutheranae te-

---

villa Rocspoletanus. Straßburg (Josia Staedel) 1659. 4°. 43 S. (Strasb. Coll. Wilh.; Nürnberg, Fenitzerbibl.; Augsburg, Stadtbibl.; Theol. Sem. Herborn; Halle, Waisenhaus). *Grünberg Nr. 163 a.* Ich habe bei dieser Schrift ausnahmsweise einmal sämtliche mir bekanntgewordenen Exemplare nach ihren Fundorten aufgeführt, weil nach dem Vorbild GRÜNBERGS (I,141, vgl. aber die Korrektur III,395) noch neuerdings diese Schrift als „leider nicht mehr vorhanden" angegeben worden ist (H. WEIGELT, Pietismus-Studien I, 1965, 31). — Wiederabdruck in: Dannhauer, Disputationes theologicae, 1707, 967—999.

143 Spener an Johann Ludwig Hartmann 4. 7. 72: Ideam clavis ligantis, cujus primam disputationem non nisi farraginem variorum exemplorum continentem ego tuitus sum, non perfecit, imo ne affecit quidem B. D. Dannhauerus: vix quidquam hujus rei post illud primum specimen eum calamo exarasse credo. (zit. nach Cons. 3,540 b). Vgl. auch den Bericht im Eigenhändigen Lebenslauf: „nachdem ich unter Hn. D. Dannhauern seine erste Disputation des vorgehabten Tractats de Clave ligante (bey der es aber nachmahl geblieben) defendiret . . ." (aaO 26). Anton Reiser gibt in Spizels Templum honoris, 413, die Disputation Idea clavis ligantis ebenfalls als Werk Dannhauers an.

144 Cons. 3,540 b.

145 AaO 13: Erat iam societas nautica, Jonae comes, aliqua Ecclesiola, saltem ex catechumenis contans . . . Ex hac civitate ejectus Jonas tanquam anathema . . .

stis et socia"[146]. Der Verfasser dieser Arbeit ist weder Hesterberg noch Dannhauer, sondern, wie wir aus einem Brief Speners aus dem Jahre 1687 wissen, der Student Spener gewesen[147]. Spener hat, wie er 1687 schreibt, diese Arbeit für Hesterberg gemacht und dabei, „nicht wenig Fleiß" zur Sammlung der waldensischen Lehren angewendet. Er muß also in der ersten Jahreshälfte 1659, wenn nicht schon 1658, sich sehr intensiv mit der Geschichte und der Lehre der Waldenser beschäftigt haben.

Die Arbeit ist nach der philosophischen Magisterdissertation die erste literarische Frucht der Studienjahre Speners. An Umfang übertrifft sie mit ihren 95 Textseiten sowohl die Magisterdissertation als auch die spätere theologische Doktordissertation erheblich. Wieder einmal zeigt sich Spener von einer Seite, die vornehmlich seine historische Bildung hervortreten läßt. Die Arbeit beweist eine gründliche Belesenheit in den Quellen, die Spener zu umfassenden und teilweise minuziösen Angaben über Geschichte und Verbreitung der Waldenser ausschöpft[148]. Das Ziel der Arbeit ist freilich kein historisches. Es soll der in der konfessionellen Polemik von dem Jesuiten Gretser erhobenen Forderung, die Evangelischen möchten doch Zeugen für ihre Lehre aus der Zeit vor Luther bringen, Genüge getan werden. Der Schwerpunkt der Arbeit liegt deshalb in einem Versuch, aus den Quellen ein Lehrsystem der Waldenser zu erheben und dieses als in Übereinstimmung mit der evangelischen Lehre zu erweisen[149]. Bei der Darstellung

[146] Ecclesia Waldensium orthodoxiae lutheranae testis et socia . . . sub auspicio Dn. Io. Conradi Dannhaweri solenniter in Academia Argentoratensi proposita a Joachimo Hesterberg, Hamburg. Mensis Junii d. 16. Anno MDCLIX. Straßburg 1659. 4°. 95 S. (UB Strasb.; LB Stuttgart; Tüb. Stift). — Grünberg kannte diese Ausgabe nicht, sondern nur einen Neudruck aus dem Jahr 1668 (I,520 und III,262, wo fälschlich Hestenberg statt Hesterberg angegeben ist). Er konnte sie deshalb in der Biographie Speners auch nirgendwo unterbringen. In der Bibliographie hat er sie fälschlich in die nichttheologischen Schriften eingereiht *(Grünberg Nr. 314)*. —Die Disputation ist mit Angabe des Disputationsdatums von 1659 abgedruckt in: Dannhauer, Disputationes theologicae, 1707, 1543 ff.

[147] L. Bed. 1,328 (31. 10. 1687): „und bekenne ich mich zu der disputation, welche unter dem sel. Hrn. D. Dannhauer von Hrn. Hesterberg gehalten worden, ich sie aber demselben gemachet, und nicht wenig fleiß zu colligirung ihrer eigenlichen dogmatum angewendet habe."

[148] Für Speners Arbeitsweise ist charakteristisch, daß er auch handschriftliche Quellen aus dem Straßburger Stadtarchiv benutzt, wobei ihm der Archivar Johann Caspar Bernegger behilflich war (s. Art. II, § 27 der Disputation). — Übrigens ist Spener — im Unterschied zu den meisten zeitgenössischen protestantischen Historikern — durchaus bewußt, daß die Waldenser und Katharer voneinander unterschieden werden müssen.

[149] Der Versuch, die Übereinstimmung der waldensischen Lehren mit denen der Reformation zu erweisen, ist nicht neu oder originell. Man findet ihn bei Theodor Beza und auch bei Matthias Flacius im Catalogus testium veritatis. Der reformierte P. Perrin hat in seiner Histoire de Vaudois 1609 dasselbe getan und P. de Marca behauptet in seiner Histoire de Béarn, Paris 1640, die Waldenser lehrten ungefähr dasselbe wie Luther und Calvin (vgl. A. Borst, Die Katharer, 1953, 31, Anm. 17).

des waldensischen Lehrsystems legt Spener den Aufbau der Dannhauerschen Hodosophia zugrunde und weist für jedes einzelne ihrer zwölf Phänomena die grundsätzliche Übereinstimmung der Waldenser mit der evangelischen Wahrheit auf, natürlich nur für die Zeit vor ihrem Anschluß an die reformierte Kirche. Die von Gretser vorgebrachten negativen Äußerungen Luthers über die Lehre der Waldenser werden beiläufig abgetan und teils mit seinen positiven Äußerungen aufgewogen, teils, wie Äußerungen der Tischreden, als nicht authentisch hingestellt[150]. Maßgebend für die Stellung Wittenbergs zu den Waldensern sei, was Melanchthon brieflich im Jahre 1535 über sie geäußert habe. So schließt die Arbeit mit der triumphierenden Feststellung: „Habent itaque adversarii, qui tanto cum strepitu exigunt a nobis, ut ὁμοψήφους alios ante Lutherum adferamus, non singulos, non paucos, sed multorum millium Ecclesiam."

Für die Biographie Speners ist diese Arbeit wichtig, weil sie die herkömmliche Auffassung als irrig erweist, daß Speners Beschäftigung mit den Waldensern eine Frucht seines Genfer Aufenthaltes 1661/62 und von dem Waldenser Anton Léger angeregt worden sei[151]. Spener kann in Genf nur ein bereits bestehendes und durch umfassende Forschungen vertieftes Interesse an den Waldensern weiterverfolgt haben. Seine gründliche Kenntnis der waldensischen Lehren, die ihn bei der späteren Aufnahme der Waldenser in den lutherischen Territorien Deutschlands zu einem maßgebenden Ratgeber werden ließ[152], geht auf die Straßburger Studienzeit zurück. Ob Spener das Disputationsthema selbst gewählt hat oder ob es von Dannhauer aufgegeben war, erfahren wir leider nicht. Immerhin ist es eine interessante und aufschlußreiche Tatsache, daß der Begründer des Pietismus lange vor der Beschäftigung mit den Schriften Luthers die waldensischen Zeugnisse gelesen hat, wobei er eine durchgehende Übereinstimmung zwischen der waldensischen Bewegung und der Reformation Martin Luthers behauptet hat und wesentliche Differenzen zwischen beiden nicht wahrhaben wollte.

Neu dürfte aber der Versuch sein, die Übereinstimmung der Waldenser mit der lutherischen Orthodoxie und ihrem im Widerspruch zum reformierten Prädestinationsdogma ausgestalteten Lehrsystem zu erweisen. Dabei muß Spener scharf zwischen den Waldensern im Mittelalter und dem neueren, der reformierten Lehre zugefallenen Waldensertum unterscheiden. Vgl. dazu die Schwierigkeiten, die sich Spener in Basel mit dieser Unterscheidung bereitete (unten S. 127).

[150] Eine Kenntnis der Schriften Luthers läßt sich aus dieser am Schluß der Abhandlung stehenden Argumentation nicht erweisen. Für Luthers Urteile über die Waldenser verweist Spener selbst auf die von Gretser gebrachten Zitate, für die Unzuverlässigkeit der Tischreden verweist er auf Bockshorn.

[151] Grünberg I, 147.

[152] Vgl. dazu M. Brecht, Philipp Jakob Spener und die württembergische Kirche, 458.

III. Studium in Basel, Reisen nach Genf und Württemberg

Die im Juni 1659 unter Dannhauer gehaltene Disputation war als ordentlicher Abschluß der Straßburger Studienzeit gedacht. Wohin sollte sich nun ein Theologiestudent zur Erweiterung seines Horizonts und zur Bereicherung und Vervollkommnung seiner theologischen Bildung wenden? Für einen Schüler Dannhauers konnte es eigentlich keine Frage sein, daß die Wahl auf Wittenberg und Leipzig fiel, die Hochburgen der lutherisch-orthodoxen Dogmatik, wo Abraham Calov und Johann Hülsemann die Fahne der Rechtgläubigkeit im Kampf gegen den Helmstedter Synkretismus hochhielten. Das ernestinische Jena, das zu den Zeiten eines Johann Gerhard die Generation der theologischen Lehrer Speners angezogen hatte, war um die Jahrhundertmitte merklich gegenüber den kursächsischen Universitäten zurückgefallen. Ja für einen orthodoxen Straßburger Theologen war es jetzt fast suspekt, unter das Katheder eines Johann Musäus sich zu begeben, der durch seine Zurückhaltung im Streit mit Calixt die Verdammung der Helmstedter Häresie verhindert hatte. So finden wir denn die beiden Dannhauerschüler Balthasar Bebel und Isaak Faust auf ihrer akademischen Reise auch nicht in Jena wieder, sondern nur noch in Leipzig und Wittenberg, wo Speners Freund Bebel sich mehr als zwei Jahre (1656–1658) aufhält[1]. Auch Spener hat sich mit dem Gedanken getragen, nach dem Straßburger Studium „auf die Sächsische Universitäten" zu kommen[2]. Daß er es nicht getan hat, daß er dafür die reformierte Universität Basel besuchte, dies ist für einen Dannhauerschüler jedenfalls auffällig. Die Richtung, in der Spener seine Studien zu vollenden suchte, ist nicht diejenige Dannhauers, sondern eher die des Exegeten Sebastian Schmidt. Denn für die Entscheidung, nach Basel zu gehen, gab es nur einen Grund: die Fortsetzung der hebräischen Studien bei dem in ganz Europa berühmten Bibelgelehrten Johann Buxtorf.

Ob Spener auf Anraten Sebastian Schmidts nach Basel gegangen ist, wissen wir nicht. Es liegt nahe, dies anzunehmen, da Schmidt selbst bei Buxtorf studiert hatte und auch als Straßburger Professor den brieflichen Kontakt mit seinem Lehrer aufrecht erhielt[3]. Es ist aber nicht Sebastian Schmidt, sondern der Historiker Boecler gewesen, der – ebenfalls seit langem mit Buxtorf in Briefwechsel stehend – sich bei Buxtorf für den jungen Spener verwendet und mit warmen Worten für ihn um Wohlwollen geworben hat. In dem Empfehlungsschreiben, das Boecler im Juli 1659 in Straßburg geschrieben und Spener mit auf den Weg gegeben hat, rühmt er außer der be-

---

[1] Horning, Balthasar Bebel, 3 ff. [2] Lebenslauf, 26.

[3] Zahlreiche Briefe Sebastian Schmidts an Johann Buxtorf befinden sich in der Buxtorfschen Briefsammlung, UB Basel, G I 61. Ebendort auch Briefe von Johann Schmidt und J. G. Dorsche. Von den Straßburger Theologen scheint Dannhauer der einzige gewesen zu sein, der nicht mit Buxtorf korrespondierte.

deutenden Gelehrsamkeit des jungen Studenten und dem unermüdlichen Eifer in allen guten Wissenschaften besonders seine große Bescheidenheit und die Ehrfurcht, die er vor dem Namen Buxtorf hege, so daß der nähere Umgang mit ihm keineswegs beschwerlich fallen könne[4].

Spener ist, nachdem er noch im Juli von Straßburg nach Rappoltsweiler zurückgekehrt war, von dort im Oktober in das von seinem Heimatort nicht viel weiter als Straßburg entfernte Basel aufgebrochen. Für den Monat Oktober 1659 finden wir seinen Eintrag in die dortige Universitätsmatrikel und den Vermerk, daß er die Gebühren in Höhe von einem librum entrichtet habe[5]. Johann Buxtorf empfing den jungen Straßburger Studenten freundlich und begann, wie Spener alsbald Boecler berichtet[6], bereitwillig mit der Unterweisung des lernbegierigen lutherischen Theologen. Da er Spener nicht in sein Haus aufnehmen konnte, verschaffte er ihm Unterkunft beim Universitätspedell[7]. Auch an der Universität fand Spener großes Entgegenkommen, sofort erhielt der Straßburger Magister die Erlaubnis, in der philosophischen Fakultät Kolleg zu halten[8]. Der Wechsel von der Straßburger Universität an die von Basel war trotz der räumlich geringen Entfernung ein außerordentlicher. Nicht nur, daß es ein Wechsel von einer lutherischen an eine reformierte Hochschule war. Es war ebenfalls ein Wechsel von der „Fürstenschule" an eine bürgerliche Akademie, von einer gut besuchten an eine verhältnismäßig kleine Universität. An dem Unterricht, den Buxtorf in seiner Wohnung über Rabbinistik und den Talmud gab, nahm außer Spener in der ganzen Zeit seines Basler Aufenthaltes nur noch ein Student teil, Johann Friedrich Mieg, mit dem der acht Jahre ältere Spener schnell Freundschaft schloß[9]. Auch in seinen Kollegs hatte Spener — er sagt „nach der Gewohnheit solcher Universität" — nur eine geringe Anzahl Hörer[10]. Ein Interesse für Speners Spezialgebiet, die Genealogie, bestand in

---

[4] Der Empfehlungsbrief Johann Heinrich Boeclers vom 18. Juli 1659 UB Basel, G I 61, bl. 42 u. 43. Die ersten, wegen der Charakterisierung des jungen Spener interessanten Sätze lauten: Plurimum Reverende, Amplissime, Excellentissime Vir, Fautor et Patrone Venerande, Qui has feret, clarissimus doctissimusque iuvenis, dignum se tuo favore, virtutibus magis suis, quam commendatione mea demonstrabit. Hoc tantum, una cum ipso, oro quaesoque, ut quem illustris tua celebritas Basileam unice pertrahit, is comitu domoque a te aestimari mereatur. Praeter eruditionem enim insignem, et indefessae omnis bonae literaturae studium, tanta est eius modestia et erga nomen tuum observantia, ut fieri prorsus nequeat, quin consuetudo eius gravissima sit futura tibi, vir et Fautor maxime.

[5] H. G. Wackernagel, Die Matrikel der Universität Basel, III, Basel 1962, 544.

[6] Spener an J. H. Boecler, Basel 14. 11. 1659 (UB Hamburg, Sup. ep. 23, 100).

[7] Buxtorf an J. H. Boecler, Basel 13. 11. 1659 (UB Hamburg, Sup. ep. 23, 93).

[8] Lebenslauf, 26.

[9] Über Johann Friedrich Mieg (ca. 1642—1691), später Professor der Theologie in Heidelberg und Groningen, s. E. Staehelin, Der Briefwechsel zwischen Johannes Buxtorf II. und Johannes Coccejus, ThZ 4, 1948, (372—391) 391.

[10] Lebenslauf, 26.

Basel, wo nur wenige Adlige studierten, so gut wie nicht. Das Fach Geschichte, in Straßburg seit Jahrzehnten durch einen eigenen Lehrstuhl vertreten, bekam eben erst eine eigene Professur. Spener hat, wie die unter ihm gehaltenen Disputationen nahelegen, wohl hauptsächlich über Geographie gelesen, außerdem über allgemeine geschichtliche Themen.

Im Jahre 1660, in dem die Universität das Jubiläum ihres zweihundertjährigen Bestehens feierte[11], hielt Spener drei öffentliche Disputationen — die einzigen, die je unter seinem Vorsitz gehalten worden sind. Die von den jeweiligen Respondenten zum Druck gegebenen Disputationsschriften — zwei geographische, eine historische — sind, wie es die Regel ist, von Spener selbst verfaßt. Am 1. Mai 1660[12] respondierte der Basler Joseph Socinus über Speners „Exercitatio de Geographiae objecto"[13]. Am 10. August verteidigte Gabriel Berns aus Wandsbeck die „Synopsis Rerum Gallo-Francicarum"[14]. Fünf Tage später, am 15. August, respondierte der Basler Reinhard Schrotberger über die geographische Abhandlung „De Longitudine et Latitudine"[15]. Die drei Arbeiten geben, wie die ein Jahr vorher verfaßte über die Waldenser, Zeugnis von der gründlichen Gelehrsamkeit des jungen Spener und seiner immensen Belesenheit in der älteren und neueren Literatur. So verrät die zweite geographische Disputation neben der Aristoteleskenntnis auch die Bekanntschaft mit den Werken Keplers und Gassendis. Die historische Abhandlung „Synopsis Rerum Gallo-Francicarum" enthält nichts weniger als einen Grundriß der gesamten Geschichte Frankreichs, angefangen von den Schicksalen der Gallier über die von Spener glänzend

---

[11] Spener weist auf den „Jubileus Universitatis" im Lebenslauf ausdrücklich hin. Er wird wohl an den im April gehaltenen besonderen Feierlichkeiten teilgenommen haben.

[12] Die Daten der Disputationen — bei Grünberg teilweise falsch angegeben — habe ich überprüft nach den Angaben in: Rationes fisci facultatis philosophorum 1631—1667, Universitätsarchiv R 9, 494 und 514 (Staatsarchiv Basel-Stadt).

[13] Exercitatio de Geographiae objecto, quam . . . Praeses M. Philippus Jac. Spenerus . . . disquisitioni subjecit, resp. Josepho Socino Basillensi, ipsis calendis Maji. Basel (Georg Decker) 1660. 4°. 24 S. (LB Stuttgart; UB Basel). *Grünberg Nr. 313 a.*

[14] Synopsis rerum Gallo-Francicarum, quam . . . In publico Doctorum congressu defendere constituerunt Praeses M. Philippus Jac. Spenerus, Rupisvilla-Rochspoletanus & Respondens Gabriel Berns Haereditarius in Wandesbeck. Die M. Jun. . . . Anno M DC LX . . . Basel (Georg Decker) o. J. (1660). 4°. 40 S. (LB Stuttgart; UB Strasb.). *Grünberg Nr. 313.* — Auf dem Titelblatt von zwei im Besitz der UB Strasb. befindlichen Exemplaren (vgl. unten Anm. 20) ist die Datumsangabe „Jun." gestrichen und handschriftlich in „10. Aug." korrigiert. Vgl. auch unten S. 136, Anm. 49.

[15] Disputatio geographica de Longitudine et Latitudine, quam . . . Praeside M. Philipp. Jacobo Spenero . . . in publico congressu defendendam suscepit. Reinhardus Schrotbergerus Basileensis. In Auditor. Philosoph. hor. 8 matut. d. 15 August. Basel (Georg Decker) 1660. 4°. 22 S. (UB Tüb.; UB Basel). *Grünberg Nr. 313 b.*

beherrschte mittelalterliche Geschichte bis zur Gegenwart und dem jungen, noch unter Vormundschaft stehenden Ludwig XIV., dem die letzten, Segen wünschenden Worte der Arbeit gelten. In der Schrift „De Longitudine", die in Speners letzten Basler Tagen vorgelegt wurde, bezeugt er Johann Buxtorf, der „unvergleichlichen Leuchte" der hebräischen Studien, noch einmal seinen Dank, vergißt aber auch nicht, ein Bekenntnis zu seinem Lehrer Dannhauer dem gewiß auch nach Straßburg wandernden Papier anzuvertrauen.

Wenn der junge straßburgische Theologe im reformierten Basel durch den Umgang mit Professoren und Bürgern unter fremdgläubigen Einfluß geriet, so steht doch außer Zweifel, daß er sich während seines dortigen Aufenthalts gewissenhaft als orthodoxer lutherischer Christ gehalten hat. Da in Basel kein lutherischer Gottesdienst gehalten wurde, hat er den Weg in das benachbarte markgräfliche Grenzach nicht gescheut, um dort regelmäßig am Gottesdienst teilzunehmen. Bei dem Grenzacher Pfarrer Christoph Mauritii, an den er als einen „christlichen und auffrichtigen Prediger" sich noch in Frankfurt erinnert[16], hat Spener möglicherweise die erste Bekanntschaft mit der Einzelbeichte gemacht, die ihm vom Elsaß her fremd war[17]. In die letzten Tage des Basler Aufenthaltes im Sommer 1660 fällt dann ein besonderes Ereignis, das den jungen Lutheraner geradezu in einem Konflikt mit dem Basler Kirchenkonvent zeigt.

Am 14. August 1660, also vier Tage nach der Disputation über die Geschichte Frankreichs und am Vortag seiner zweiten geographischen Disputation, wurde Spener, wie es in den Basler Kirchenprotokollen festgehalten ist, vor den Conventus Theologicus zitiert[18]. Den Vorsitz desselben führte der Antistes und Professor für Kontroverstheologie Lucas Gernler (1625 bis 1675), dazugezogen hatte man, da sich der Theologieprofessor Johann Rudolf Wettstein auf einer Badereise befand, den Pfarrer der Peterskirche D. Goetzius. Anlaß der Vorladung Speners war ein Satz in seiner gerade veröffentlichten historischen Disputation, den nach Meinung der Basler Kirchenleute nur die „Blindheit der Philosophen" durch ihre Zensur hatte gehen lassen. Spener hatte nämlich die Waldenser erwähnt und dabei geäußert, dieselben seien der Lehre nach, die sie zu Zeiten des Petrus Waldes angenommen hätten, eine wahre und mit der heutigen rechtgläubigen Kirche übereinstimmende Kirche gewesen. Dieser Satz, den Spener nahezu

---

[16] Lebenslauf, 26.

[17] Gelegentlich des durch Johann Kaspar Schade verursachten Berliner Beichtstuhlstreits berichtet Spener von sich, daß er „ . . von jugend auff (wie es in dem Elsaß gebräuchlich) ohne privatbeicht communiciret hätte / daher ehe ich jemal gebeichtet / 25. jahr alt gewesen" (Bed. 2,146). Diese Angabe weist auf das Jahr 1660, also das Jahr des Basler Aufenthalts.

[18] Das Protokoll ist abgedruckt bei V. HAGENBACH, Spener in Basel, Zeitschr. f. d. histor. Theologie X, N. F. IV, 1840, Heft 1, 161–164. Das folgende hiernach.

wörtlich aus seiner Straßburger Waldenserarbeit übernommen hatte, mußte im Ohr eines strengen Reformierten natürlich als ein Affront gegen die calvinische Kirche erklingen, deren Lehre sich die Waldenser im 16. Jahrhundert angeschlossen hatten. Die Basler meinten denn auch, hier wäre ihrer Kirche öffentlich die Note der Heterodoxie erteilt[19]. Spener beteuerte, er habe den Satz in keiner bösen Absicht geschrieben, und bat um Entschuldigung. Der Konvent beschloß daraufhin, daß diese Seite noch einmal zu drucken und der Passus dabei auszulassen sei. Das verbesserte Exemplar sei allen, die die Disputationsthese erhalten hätten, zuzusenden. Spener wurde mit Erinnerung an seinen akademischen Eid zur Befolgung dieser Anordnung verpflichtet. Anschließend klagte man im Konvent über das Kollegium Philosophicum, das bei der Zensur ihm vorgelegter Schriften sorgfältiger verfahren und bei Dingen, die in den Bereich der Theologie fielen, den Theologen Kenntnis geben solle. – Ob Spener, wie ihm auferlegt wurde, die Seite hat nachdrucken lassen, ist ungewiß. Er hat sich der Anordnung des Konvents schwerlich entziehen können, doch legt der Umstand, daß sich unter den selten aufzufindenden Exemplaren der Arbeit nur Überklebung oder Durchstreichung der fraglichen Stelle, doch kein Neudruck der Seite feststellen läßt[20], es nahe, daß Spener auf einfachere und billigere Weise die Empfänger der These um Selbstkorrektur gebeten hat. Jedenfalls hat Spener später an die Männer der Basler Kirchenbehörde nur als an „calvinische Zeloten" zurückdenken können[21].

Dies Widerfahrnis aus den letzten Tagen seines Basler Aufenthaltes hat aber nicht das Wohlwollen und die Freundschaft aufzuwiegen vermocht, die Spener, wie er sich in seinem Lebenslauf erinnert, bei Professoren und anderen Bürgern der Stadt in dem Dreivierteljahr seines Dortseins erfahren hat. Förderung für seine historischen Studien scheint er besonders aus dem Umgang mit dem Mediziner Johann Kaspar Bauhin empfangen zu haben, mit dem er bis in seine späte Frankfurter Zeit im brieflichen Austausch über seine historischen Arbeiten geblieben ist[22]. Der eigentliche Ertrag die-

[19] Aus dem Protokoll (aaO 162): Nempe Waldensium mentionem faciens, Col. C. 3, ajebat, eos, uti tum docuerint, scilicet inde a temporibus Petri Waldi (quibus Waldenses sibi addictos fuisse credunt et scribunt Lutherani) vere genuinam et orthodoxae hodiernae σύμψηφον ecclesiam constituisse. Qua assertione heterodoxias nota adspergi omnino videbatur Ecclesiis nostris Reformatis . . .

[20] Von den drei Exemplaren, die die UB Strasb. besitzt, hat eines (D 117 490) den Satz ungetilgt, ein zweites (D 118 838) mit schwarzer Tinte getilgt, das dritte (D 117 491) hat den Satz mit Tinte unterstrichen und am rechten Rand ein großes, sieben Zeilen hohes Kreuz. Möglicherweise ist dies das von der Basler Kirchenbehörde zensierte Exemplar. Daß die Stelle „umgedruckt" wurde, wie Hagenbach (aaO 164) ohne Nachweis angibt, ist hiernach und nach Cons. 3,8 (. . . plures lineas expungi curarent) kaum anzunehmen.

[21] Cons. 3,8 (1667), wo Spener merkwürdigerweise *zwei* Disputationen von „zelotae Calviniani" in Basel beanstandet sein läßt.

[22] Die Handschriftenabt. der UB Basel besitzt (unter der Sign. G 2 I 8 und

ser Zeit ist für Spener aber das Studium bei Buxtorf gewesen. Aus dem über lange Monate in dessen Studierzimmer allein mit Mieg geteilten Unterricht hat sich ein engeres persönliches Verhältnis zu dem großen Gelehrten ergeben. Das bezeugen die Briefe, die Spener aus dem elsässischen Weyer im Gregoriental, aus Genf, Straßburg und Tübingen an Buxtorf geschrieben hat[23]. Obwohl durch den Tod Buxtorfs bald beendet, bleibt es die umfangreichste Korrespondenz aus Speners Frühzeit, die wir besitzen.

Johann Buxtorf (1599—1664)[24] stand, als der fünfundzwanzigjährige Spener zu ihm kam, schon am Ende seiner Lebensbahn. Spener ist einer der letzten Schüler des großen Hebraisten gewesen, der 1664 in Basel starb. Sein Vater Johann Buxtorf I (1564—1629), aus Westfalen gebürtig und durch eine Heirat mit einer Patriziertochter in Basel ansässig geworden, hatte als größter Kenner des rabbinischen Schrifttums unter den Protestanten gegolten. Der Sohn stand dem Vater höchstens an Originalität, kaum jedoch an Kenntnissen nach. Was ihn vor seinem Vater auszeichnet, ist die Tatsache, daß er die von jenem erarbeiteten Grundlagen der alttestamentlichen Textforschung nicht nur weiter ausbaute, sondern sie gegenüber den sich im 17. Jahrhundert meldenden Anfängen historischer Textkritik zu verteidigen unternahm. Berühmt ist sein Streit gegen Ludwig Cappellus (1585—1658), der in einer Reihe von Schriften hauptsächlich aus dem Jahrzehnt zwischen 1643 und 1653 seinen Niederschlag gefunden hat. Buxtorf verteidigte dabei die Anschauung, daß die hebräischen Vokalzeichen entweder von Moses und den Verfassern der biblischen Bücher stammten, oder doch von Esra erfunden und seitdem vorhanden gewesen seien. Die von Cappellus in der „Critica sacra“ vorgebrachten und sorgfältig begründeten Zweifel an der Ursprünglichkeit des masoretischen Textes wurden von Buxtorf mit einem riesigen Aufgebot aus rabbinischem Schrifttum gesammelter Gelehrsamkeit vom Tisch gefegt. Man darf es wohl der Autorität zuschreiben, die der Name Buxtorf in allen Fragen des alttestamentlichen Textes besaß, daß die Anfänge textkritischer Erforschung des Alten Testamentes, die nach den tastenden

---

G 2 I 6) 16 Briefe Speners an Johann Caspar Bauhin aus den Jahren 1668—1680 (nicht bei Grünberg). Über Bauhin (1606—1685), 1629—1660 Prof. für Anatomie und Botanik, 1660—1685 für praktische Medizin s. A. Stähelin, Professoren der Universität Basel aus fünf Jahrhunderten, Basel 1960, 70.

[23] Sieben Briefe Speners an Buxtorf in UB Basel Mscr. G I 61 bl. 310—323 (nicht bei Grünberg). Diese für den jungen Spener wichtigen Briefzeugnisse sind der Forschung bisher unbekannt geblieben. Ich gebe die Daten in der Reihenfolge der Basler Numerierung an (Nr. 1 und Nr. 2 sind zeitlich vertauscht): 1. o. O. u. J. (= Genf 1660), bl. 310—311; 2. Weyer im Gregoriental 2./12. Juli 1660, bl. 322 bis 323; 3. Genf 12. 3. 1661, bl. 312—313; 4. Straßburg 28. 2. 1662, bl. 314—315; 5. o. O. (= Tübingen) 14. 7. 1662, bl. 316—317; 6. Straßburg 29. 1. 1663, bl. 318 bis 319; 7. Straßburg 16. 2. 1664, bl. 320—321. Zur Datierung von Nr. 1 s. unten S. 137, Anm. 57.

[24] Zu Buxtorf vgl. RE³ 3, 615 ff.; RGG³ I, 1557.

Ansätzen des 16. Jahrhunderts in den Schriften des Cappellus erstmals methodische Sicherheit gewonnen hatten, in der Schweiz und in Deutschland bei Reformierten wie Lutheranern für längere Zeit keinen Widerhall und keine Fortsetzung fanden. Die Lehre von der Verbalinspiration der Heiligen Schrift, von lutherischer wie reformierter Orthodoxie mit gleicher Intensität ausgebaut, fand in den beiden Buxtorf die Männer, die den dogmatischen Axiomen den Ausweis historischer Glaubwürdigkeit gaben. Man kann geradezu sagen, daß das Basel der beiden Buxtorf der orthodoxen Inspirationslehre das historische gute Gewissen gegeben hat.

Man wird diese Zusammenhänge im Auge haben müssen, wenn man die Lehrzeit des jungen Spener bei Johann Buxtorf beurteilen will. In der orthodoxen Inspirationslehre und in der Anschauung von der unversehrten Ursprünglichkeit des masoretischen Textes brauchte Spener nach dem bei Sebastian Schmidt und Dannhauer empfangenen Unterricht freilich keine besondere Kräftigung. Wir haben keinen Anhalt, daß Spener zu irgendeiner Zeit von den Ansichten des Cappellus beeindruckt gewesen ist. Auch die von Isaac de La Peyrère verfochtene These von den „Präadamiten", die während Speners Straßburger theologischer Studienzeit Aufsehen erregte und mit ihrer Literarkritik am Pentateuch und an der biblischen Urgeschichte ebenfalls an den Fundamenten der orthodoxen Schriftlehre rüttelte, hat auf Spener wohl keinen Eindruck gemacht, und er wird mit der eilfertigen Gegenschrift Dannhauers zufrieden gewesen sein[25]. Was Spener bei Buxtorf suchte, war tiefere Einführung in das rabbinische und talmudische Schrifttum, von dessen Kenntnis man damals allen wesentlichen Fortschritt im Verständnis des Alten Testamentes erhoffte. Er muß es darin auch bald zu erstaunlichen Kenntnissen gebracht haben. Als er im Sommer 1660 im Elsaß weilte, zeigte ihm ein Jude einen Traktat des Rabbi Isaac ben Abraham Ekrisch, von dem er sofort merkte, daß Buxtorf ihn nicht kannte. Da er ihn nicht erwerben konnte, ließ er sich eine Abschrift anfertigen. Wieder in Basel, übergab Spener seinem Lehrer das Manuskript, der es auf der Stelle seinem gerade im Druck befindlichen „Liber Cosri" vordrucken ließ, nicht ohne den „Doctissismus Vir D. Philippus Jacobus Spenerus" als Überbringer zu nennen und ihn als einen in den orientalischen Sprachen wie den philosophischen Disziplinen äußerst bewanderten Gelehrten zu rühmen[26]. Eine bessere Empfehlung an die gelehrte Welt als diese Vorstellung in einem

---

[25] Dannhauer, Praeadamita Utis sive Fabula primorum hominum ante Adamum conditorum, Straßburg 1656. — Über La Peyrère vgl. zuletzt: K. Scholder, Ursprünge und Probleme der Bibelkritik im 17. Jahrhundert, 1966, 98 ff.

[26] Johann Buxtorf, Liber Cosri, Basel 1660, bl. b 2 r: Libellum hunc, a Judaeo quodam in Alsatia nactum, hoc ipso tempore commode huc detulit et mihi exhibuit Doctissimus Vir D. Philippus Jacobus Spenerus, Rupisvilla-Roch-Spoletanus, S. Theologiae Cand. Linguarum Orientalium, Philosophiae, et Disciplinarum Mathematicarum, Geographiae praesertim et Genealogices, peritissimus.

von dem berühmten Buxtorf herausgegebenen Werk konnte sich der junge Spener kaum wünschen!

Spener muß, wie seine Briefe an Buxtorf zeigen, mit großem Interesse teilgenommen haben an derjenigen Arbeit, die den Basler Gelehrten in den Jahren 1659/60 hauptsächlich beschäftigte: der Herausgabe des eben genannten „Liber Cosri“[27]. Es handelt sich hierbei um den berühmten Sefer Hakusari, das Hauptwerk des *Jehuda Ha-Levi* (ca. 1080/85—ca. 1145), der als der größte jüdische Dichter des Mittelalters und nach Maimonides bedeutendste jüdische Philosoph gilt. Ursprünglich in arabischer Sprache geschrieben und von Judah ibn Tibbon ins Hebräische übersetzt, wird der „Kusari“ die dichterisch schönste von allen jüdischen philosophischen Schriften genannt[28]. Es wird darin die Bekehrung des Chasarenkönigs Bulan II. (um 740 n. Chr.) zum Judentum geschildert, und zwar in der Form eines Religionsgesprächs, das der König zuerst mit einem Philosophen, dann mit einem Muslim, einem christlichen Theologen und schließlich mit einem Rabbi führt. Die Beweisführung des Rabbi erweist sich dabei als die kräftigste und überzeugendste, weil sie sich nicht auf einen spekulativ-philosophischen Gottesbegriff und nicht auf unerweisliche Vorgänge stützt, sondern auf den Gott Abrahams, Isaaks und Jakobs und auf die einfachen, historischen und von Augenzeugen bewährten Tatsachen des Auszugs aus Ägypten. Dabei bildet die Zuverlässigkeit und Irrtumslosigkeit der Bibel die Voraussetzung, von der her die Herrlichkeit und Vollkommenheit des jüdischen Volkes und seiner Religion hergeleitet wird. Der Vermischung von griechischer Philosophie und Religion, die die Ansichten der übrigen Disputanten kennzeichnet, wird ein einfaches, sich mit der Bibel begnügendes Gottsuchen als die wahre Religion gegenübergestellt.

Welche Bedeutung Buxtorf dem „Kusari“ beigemessen hat, kann man aus seinem Briefwechsel mit Johann Coccejus ersehen, dem er am 30. August 1659 — also wenige Wochen vor Speners Ankunft in Basel — von dem Plan einer Edition des Werks und einer eigenen lateinischen Übersetzung berichtet[29]. Es sei eine der vorzüglichsten jüdischen Schriften und nach dem „More Nevochim“ (Dux dubitantium) des Maimonides vielleicht diejenige, die uns Christen am meisten von Nutzen sein könne[30]. Spener, dessen Basler Aufenthalt in die sich bis zum August 1660 hinauszögernde Zeit der Drucklegung des Liber Cosri fällt und der vielleicht seinem Lehrer beim Korrekturlesen behilflich gewesen ist, wird von Buxtorf auf diesen Nutzen nachdrücklich aufmerksam gemacht worden sein. Natürlich nicht die Verherr-

[27] Liber Cosri. Continens Colloquium seu Disputationem de Religione, Basel 1660. 4°. (46) + 455 S.

[28] So S. Cohen in Art. „Jehuda ben Samuel Ha-Levi“, RGG³ III,576.

[29] E. Staehelin (s. oben S. 125, Anm. 9), 385.

[30] Ebd.: est ille liber unus ex praecipuis Judaeorum scriptis et post „More Nevochim“ facile primus, qui et nobis Christianis potest esse usui.

lichung der jüdischen Religion, sondern die Art, wie Jehuda Ha-Levi die einfache biblische Religion aller spekulativen Philosophie und Dogmatik gegenüberstellt, muß das hohe Lob Buxtorfs hervorgerufen haben. Übrigens folgt Jehuda Ha-Levi in seiner Kritik an der philosophischen Überfremdung der Religion und in seiner Mahnung zu einem einfachen, innerlichen Gottsuchen dem großen arabischen Theologen Ghasali (1059—1111), der in seinem Hauptwerk, der „Neubelebung der Religionswissenschaften", eine Befreiung des Islam vom Formalismus der griechischen Philosophie und eine Versöhnung von islamischer Orthodoxie und Mystik erstrebt hatte[31]. Wenn man neuerdings eine erstaunliche Ähnlichkeit zwischen Ghasali und Spener, zwischen der „Neubelebung der Religionswissenschaften" und den Pia Desideria festgestellt hat[32], so ergibt sich aus Speners Beschäftigung mit dem Kusari, daß von dem Erneuerer des Islam zu dem Erneuerer des lutherischen Protestantismus sogar eine historisch nachweisbare Einflußlinie gezogen werden kann.

Spener hat bei Buxtorf nicht nur eine Vollendung seiner bei Sebastian Schmidt begonnenen exegetischen Ausbildung und seiner orientalischen Sprachstudien empfangen. Der Einfluß Buxtorfs reicht weiter. Man darf nicht davon absehen, daß Spener zwanzig Jahre später als Sebastian Schmidt[33] zu Buxtorf in die Lehre gegangen ist und ihn kennengelernt hat zu einer Zeit, als er von der Polemik seiner früheren Jahre ermüdet das Studium der Bibel in einen Gegensatz zur Dogmatik und Streittheologie der Orthodoxie stellt. Man kann zwar keinen Bruch in der theologischen Entwicklung Buxtorfs beobachten, und er selbst hat darin auch keinen Gegensatz gesehen. Es ist aber doch bezeichnend, daß der gleiche Mann, der als Dreißigjähriger den „More Nevochim", das Hauptwerk des großen jüdischen Aristotelikers Maimonides herausgegeben hat[34], jetzt als über Sechzigjähriger den Jehuda Ha-Levi ediert, der in der Verbindung von biblischer und philosophischer Theologie das Verderben der Religion erblickt. Bald nach Speners Weggang von Basel schreibt Buxtorf, Coccejus sei mit seinen exegetischen Schriften allen denen, die heute die biblischen Studien vernachlässigten und „a systematicis, elenchticis, polemicis ac similibus

---

[31] Über die Abhängigkeit Jehuda Ha-Levis von Ghasali vgl. S. Cohen (oben Anm. 28). Über Ghasali (Algazel, Gazzali) vgl. den Art. „Gazzali" RGG³ II, 1208 f.

[32] So H. G. Feller im Vorwort zu seinem kleinen Quellenauswahlband: Ph. J. Spener, Wenn du könntest glauben, Berlin 1961. Feller will zu seiner Spenerauswahl gekommen sein, als ihm bei Arbeiten über Ghasali „die weitgehende Parallelität zu Spener in der Themenwahl, in den Fragestellungen und in der inneren Nähe der Antworten" auffiel. Die Frage eines Einflusses Ghasalis auf Spener wird von Feller nicht erwogen.

[33] Vgl. oben S. 93.

[34] 1629 in einer lateinischen Übersetzung. S. Staehelin, aaO 374, Anm. 12.

authoribus“ erdrückt würden, eine lebendige Mahnung[35]. Es sei zu befürchten, daß in kurzem die finstere Theologie früherer Jahrhunderte, die von unseren Vorfahren verworfen und begraben worden sei, wieder lebendig werde und zurückkehre[36]. Ganz ähnliche Gedanken findet man bei Spener wieder[37]. Er kann sie kaum von Sebastian Schmidt empfangen haben[38]. Man wird sie, wie auch das Lob der exegetischen Arbeiten des Coccejus, auf den Einfluß der Studienzeit bei Buxtorf zurückführen können. Wenn Spener, bald nach seiner Basler Zeit mit Gerüchten über eine Hinneigung zu den Reformierten belästigt, den Namen Buxtorf später nur selten nennt, so darf man sich nicht den Blick dafür trüben lassen, daß unter seinen Lehrern dem reformierten Basler Hebraisten ein hervorragender Platz gebührt. Das Ideal einer rein biblischen Theologie und die Verwerfung der scholastischen Theologie[39] hat sich nach der Vorbereitung durch die exegetische Schulung bei Sebastian Schmidt erst unter dem Einfluß des späten Buxtorf bilden können, nicht zuletzt durch die Beschäftigung mit dem Kusari.

In diesem Zusammenhang wird nun doch wichtig, daß Speners Basler Lehrer gleichzeitig der Bekämpfer der Anfänge der historisch-kritischen Schriftforschung gewesen ist. Man kann ja fragen, ob die Abkehr vom Scholastizismus der altprotestantischen Orthodoxie, die Spener vollzogen hat, nicht auch zur Kritik an der orthodoxen Verbalinspirationslehre hätte führen können. Ansätze zu einer freieren Schriftauffassung als der üblichen orthodoxen muß Spener bei dem von ihm so geschätzten Grotius gefunden haben. Und wenn er so häufig Luthers Schriften gegen diejenigen der Orthodoxie ausgespielt und den Reformator seinen vornehmsten theologischen Lehrer genannt hat, so hätte er auch die freiere Stellung zur Heiligen Schrift, wie sie sich etwa in Luthers Vorreden zur Bibel dokumentiert, der pietistischen Bewegung vermitteln können. Das ist nicht geschehen, Spener hat von der orthodoxen Verbalinspirationslehre keinen Zoll aufgegeben, ja er hat sie nach dem Entzug ihrer aristotelischen Denkvoraussetzungen eher in einer noch rigoroseren Form weitergeführt und die Entwicklung des lutherischen

---

[35] Buxtorf an Coccejus 1. 9. 1662, bei Staehelin, 387.

[36] Ebd.: ne brevi superiorum saeculorum tenebrosa theologia, a maioribus nostris pie explosa et sepulta, redeat et reviviscat.

[37] PD 25,21 ff.

[38] Auch die Klagen über den Verfall der Theologie, die Spener vor seinem Basler Besuch aus der lutherischen Tradition gekannt haben mag (vgl. die zahlreichen Zitate in PD 20–24, die Spener aus Heinrich Varenius und Christoph Scheibler ausgeschrieben hat [dazu Aland, Spenerstudien, 52 ff.]), kennen doch nicht jenen Gegensatz von exegetischer und dogmatischer Theologie, wie ihn Spener bei Buxtorf fand und wie er innerhalb der Pia Desideria nur durch das Balthasar Raith-Zitat belegt wird, in welchem der scholastischen Theologie eine biblische Theologie entgegengestellt wird (PD 25,29). Zu Raith vgl. unten S. 153 f.

[39] Vgl. dazu G. Ebeling, Was heißt ‚Biblische Theologie‘? in: Wort und Glaube, 1960², 69–89. Zu Spener S. 74 ff.

Protestantismus zu einer Buchreligion nicht aufgehalten, sondern im Gegenteil vorangetrieben[40]. Das scheint, wenn man die Reformation zum Maßstab nimmt, mangelnde Konsequenz und Halbheit bei der Überwindung der Orthodoxie zu sein. In Wirklichkeit zeigt sich aber darin nur, daß der Spenersche Pietismus aus anderen Quellen entspringt als die Reformation. Denn jene Kritik am orthodoxen Formalismus, die Spener bei Buxtorf und im Kusari kennengelernt hat, ist so tief mit dem Glauben an die Irrtumslosigkeit und Unversehrtheit des biblischen Textes verknüpft, daß die Verbalinspirationslehre geradezu die Wurzel dieser Kritik genannt werden kann. Dieser Kritik entspricht ja das Ideal einer biblischen Theologie, die ihren Inhalt in dem wörtlich unfehlbaren und unverletzt überlieferten Bibeltext bereits vorfindet, die ihn daraus nur zu eruieren hat und sich dabei nicht durch philosophische Einflüsse ablenken lassen darf. Das Studium bei Buxtorf zeigt also, daß die Abkehr vom Scholastizismus der altprotestantischen Orthodoxie und das Festhalten an der Verbalinspirationslehre nicht im Widerspruch stehen, sondern sich gegenseitig bedingen. Zugleich hat der Umgang mit Buxtorf in Spener die Überzeugung gestärkt, daß die Verbalinspirationslehre fähig ist, mit wissenschaftlichen Mitteln verteidigt zu werden. Wenn die Inspirationslehre Buxtorfs in der Formula consensus helvetica von 1675 in den Rang eines kirchlichen Bekenntnisses erhoben worden ist, so steht doch auch in den vom Pietismus hochgeschätzten Theologischen Bedenken Speners die Mahnung, alle Bibelkritik a limine abzuweisen. Dabei ist Spener die Widerlegung des Cappellus durch Buxtorf auch in späteren Jahren noch maßgebend und ausreichend[41]. So hat der Basler Aufent-

---

[40] Vgl. Grünberg I,388. Wie unnachgiebig Spener die orthodoxe Inspirationslehre vertritt, zeigt ein Cons. 1,44—48 abgedrucktes Schreiben aus dem Jahre 1688. Ich gebe nur die charakteristischen Sätze wieder: θεοπνευστίαν sacrorum auctorum absit ut ego ullo modo infirmen: Potius verbis Praeceptoris mei agnosco sacras literas a coelesti procedere Spiritu inspirante, per gratiam praesentissimam concomitantem, accurante, ne vel in puncto erraret Scriptor, revelante de novo res ratione humana superiores, moderante consignationem eorum, quae vel visa vel audita (lies: visu vel auditu) accepisset, suggerente quae exciderunt, cavente errorem, ne levioribus quidem exceptis: dictitante verba aptissima, sanctificante, sibique appropriante. *Ita non res solum, sed ipsa verba quoque divinae revelationi vel inspirationi tribuo* . . . (aaO 46 b f.; Auszeichnung von mir). — Spener zitiert hier weithin einfach Dannhauer (vgl. Hodosophia, 1649, 20). Wenn er im gleichen Zusammenhang über Dannhauer hinausgehend von einer Akkomodation des Heiligen Geistes an Geist und Stil der biblischen Schreiber redet (aaO 46 b: de accomodatione Spiritus Sancti ad ingenia et stylum instrumentorum suorum), so bedeutet das für Spener keinen Widerspruch zur strengen Fassung der Lehre von der Verbalinspiration.

[41] L. Bed. 1,303 (undatiert, spät): Es unterstehen sich aus dieser (sc. 2. Kön. 24,8 und 2. Chron. 36,9) und einigen anderen stellen / welche einander zu widersprechen scheinen, die Atheisten insgesamt die göttliche warheit der schrift in zweiffel zu ziehen . . . andere aber daraus zu schliessen daß wir den grundtext des A. T. nicht mehr unverfälscht hätten, sondern unterschiedliche schreibfehler ein-

halt bei Buxtorf dazu beigetragen, in Spener diejenigen Anschauungen zu kräftigen, nach denen er überall im Bereich seines Einflusses der westeuropäischen Bibelkritik den Eingang in die Theologie verwehrt hat.

Ende Mai unterbrach Spener seinen Basler Aufenthalt, um an der Hochzeit seiner ältesten Schwester Agatha Dorothea in Rappoltsweiler teilzunehmen. Joachim Stoll, Speners väterlicher Freund, hatte die dreizehn Jahre seiner bisherigen Hofpredigerzeit im selbstgewählten Zölibat gelebt und dabei manche vornehme Partie ausgeschlagen[42]. Jetzt, im Alter von 45 Jahren, entschloß er sich zum Ehebund — weniger aus besonderer Neigung zu der fast zwanzig Jahre jüngeren Agatha Dorothea Spener, als, wie es Spener wenigstens berichtet, aus Liebe zu ihm und zum Trost der verwitweten Mutter[43]. Der Vater Spener war 1657 gestorben, der Großvater Saltzmann ein Jahr zuvor. Spener als Ältester des Geschwisterkreises hat vielleicht einiges zum Zustandekommen dieser Ehe beigetragen, die, wie er nach Stolls Tod 1678 schreibt, die früheren freundschaftlichen Bande zwischen Lehrer und Schüler verdoppelte[44]. Die Trauung fand in der rappoltsteinschen Hofkapelle am 29. 5./8. 6. 1660 statt und wurde von dem aus Reichenweier herübergekommenen württembergischen Superintendenten David Ehrentraut vollzogen[45]. Anschließend lud der Graf Johann Jakob von Rappoltstein den jungen Spener ein, ihn zur Sauerbrunnenkur ins rappoltsteinsche Weyer im Gregoriental zu begleiten. Dadurch verzögerte sich die Rückkehr nach Basel um ein beträchtliches[46]. Spener genoß die Kur den Juni hindurch und bis in den Juli hinein, predigte auch zweimal während dieser Zeit, vermutlich — da in Weyer kein öffentlicher lutherischer Gottesdienst gehalten wurde — vor der gräflichen Hausgemeinde[47]. In der zweiten Juli-

geschlichen wären . . . Wie dann noch bey meinem gedencken ein Franzose und zwar Reformirter Lud. Capellus in einem gantzen buch die gewißheit des Hebräischen texts durch allerley argumenta . . . in zweiffel zu ziehen sich bemühet, dem aber andere sonderlich D. Buxtorf stattlich widersprochen: es auch eine meinung ist, welche viele gefährliche folgen nach sich zöge.

[42] Cons. 2,23 b. [43] Bed. 3,251 (1678).

[44] Ebd. [45] Rappoltsweiler Kirchenbuch, p. 522.

[46] Spener an Buxtorf, Weyer in Gregor. Valle (Gregoriental) 2./12. 7. 1660: . . . Diu terminus praeterlapsus est, quem reditui meo figerem. Sed sororis nuptiae cum praeterissent, Illustr. Dominus noster comitem me in acedulas gratiosissime postulavit; quibus ipse quoque nunc utor (Basel G I 61, bl. 310).

[47] Es handelt sich einmal um eine am Johannisfest 1660 gehaltene Predigt, die der Spenersche Predigtkatalog *(Grünberg Nr. 13)* nennt (II,79), die aber nicht erhalten ist, außerdem um die Epist. Sonntagsand. I,185—198 abgedruckte Predigt, die übereinstimmend mit dem Predigtkatalog auf 1660 datiert ist, außerdem den Zusatz „Hab. Weyer" enthält. Im Eingang der Predigt werden das Evangelium Luk. 16 sowie die „heutige" Epistel 1. Kor. 10 genannt und der Predigttext 1. Kor. 10,13 als letzte Worte der „heutigen" Epistel bezeichnet. Die Predigt ist also am 9. Sonntag nach Trin. gehalten, nicht — wie Grünberg (I,146) nach der Plazierung im Postillenband annimmt — am Sonntag Septuagesimä. Das ergibt das Datum des 15./25. Juli (Berechnung des Sonntags nach dem im rappoltsteinischen Gebiet

hälfte kehrte er nach Basel zurück, um den Unterricht bei Buxtorf fortzusetzen[48]. Die ursprünglich für Juni geplante historische Disputation wurde nun auf den 10. August festgelegt[49]. Fünf Tage darauf folgte die zweite geographische Disputation. Die Zeit drängte jetzt, denn von Basel wollte Spener zu seiner großen akademischen Bildungsreise aufbrechen.

Die Bildungsreise, zu der man den Basler Studienaufenthalt vom Herbst 1659 bis Sommer 1660 noch nicht rechnen darf[50], wurde Spener nach der

---

geltenden gregorianischen Kalender). Da Spener am 2./12. Juli sich im rappoltsteinschen Weyer im Gregorienthal aufhält (s. vorige Anm.), kommt nur dieses Weyer und nicht dasjenige bei Drulingen in Frage (gegen Grünberg I,146; vgl. aber III,395). Diese Datierung ist für die Korrektur der üblichen Anschauung von Speners Basler Aufenthalt von Bedeutung. Vgl. dazu unten Anm. 50.

[48] Spener an Buxtorf 2./12. 7. 1660 . . . Id unum in votis est, ut cum proxime reversus fuero, Magnif. T. Excell. incolumen reperire liceat, et paucis illis, quibus manendum erit diebus, eius adhuc frui informatione.

[49] Bei Grünberg wird die historische Disputation fälschlich in den Juni datiert (III,395). Die Verlegung des ursprünglichen Termins ergibt sich aus der Korrektur auf dem Titelblatt (vgl. dazu oben S. 126, Anm. 14). Sie wird durch die (oben S. 126, Anm. 12 genannten) Angaben des Universitätsarchivs bestätigt.

[50] Daß die akademische Reise Speners erst nach seinem Basler Studienaufenthalt beginnt, ergibt sich aus der Darstellung in Speners Eigenhändigem Lebenslauf (vgl. unten Anm. 51) und wird auch noch in dem Bericht von Cansteins (L. Bed., Vorrede, 13) deutlich. Wenn neuerdings von einer *Reise nach Basel und Genf* geredet wird (vgl. z. B. Art. „Spener" in RGG³) so liegt die Schuld bei Grünberg. Grünbergs Darstellung des Basler Aufenthalts ist heillos verwirrt. Danach (I,146) soll ein „erster Ausflug" nach Basel vom Oktober 1659 bis Januar 1660 stattgefunden haben, wonach Spener bis zum Juni wieder in Rappoltsweiler blieb. Im gleichen Monat sei er dann zu einem zweiten dreimonatigen Aufenthalt nach Basel aufgebrochen, um von dort nach Genf weiterzureisen. In den Ergänzungen des dritten Bandes hat Grünberg sich dahingehend korrigiert, daß der zweite Aufenthalt nicht im Juni, sondern schon im April begonnen habe, da Spener am 1. Mai in Basel eine Disputation abhielt (III,395). Nur zur Hochzeit seiner Schwester im Juni habe er Basel verlassen. Aber auch diese korrigierte Darstellung, nach der drei Basler Aufenthalte gezählt werden müßten, hält einer Nachprüfung nicht stand. Daß Spener im Januar Basel verlassen habe und im April wieder zurückgekehrt sei, ist nirgendwo bezeugt. Grünberg erschließt das daraus, daß Spener Septuagesimä 1660, also im Februar, in Weyer gepredigt habe. Aber das stimmt nicht. Die von Grünberg gemeinte Predigt ist in dem nach Speners Tod herausgegebenen Band der Evang. u. Epist. Sonntagsandachten zwar auf den Sonntag Septuagesimä plaziert worden, sie ist aber am 9. Sonntag nach Trinit. gehalten worden (s. oben Anm. 47). Damit fehlt jede Nötigung, Spener im Frühjahr sich im Elsaß aufhalten zu lassen. Für den März ist sein Aufenthalt in Basel übrigens bezeugt durch die Angabe der Widmung zu den 1660 in Stuttgart erschienenen „Tabulae progonologicae" *(Grünberg Nr. 315)*: „Perscr. Basil. 21. Mart. Ann. part. Virgin. 1660" (UB Basel), die Grünberg übersehen haben muß. Spener ist also durchgehend vom Oktober 1659 bis zum Sommer 1660 in Basel gewesen (abgesehen von den im Lebenslauf erwähnten kurzen Besuchen in Freiburg i. Br. und Mömpelgard). Dagegen fällt nun, wovon Grünberg auch nichts weiß, in den Sommer 1660 ein längerer Aufenthalt Speners im Elsaß (s. oben im Text), nämlich im Juni und Juli. – Man kann also nicht von einem „Ausflug"

Hochzeit der Schwester von seiner Mutter bewilligt, nachdem Joachim Stoll diesen Plan sehr unterstützt, möglicherweise sogar angeregt hatte[51]. Ihr Ziel sollte Frankreich sein, das Land, auf das sich in den Jahrzehnten nach dem Dreißigjährigen Krieg alle nach Kultur und Bildung hungrigen Augen in Deutschland richteten. Die Wahl des Reiseziels scheint für einen lutherischen Theologen auffällig, ist jedoch nicht außerordentlich. Bei der universalen Ausbildung der lutherischen Theologen ist im 17. Jahrhundert gerade bei den Begabteren der Drang nach den Zentren der modernen westeuropäischen Wissenschaft nicht gering. Speners späteren Schwager Johann Heinrich Horb finden wir 1670 auf seiner Studienreise an den holländischen Universitäten und ebenfalls in Paris[52]. Immer stärker spielte sich in Wissenschaft und Literatur das französische Element in den Vordergrund. Daß die meisten lutherischen Theologen — unter ihnen auch Speners Lehrer Dannhauer — der französischen Sprache nicht mächtig waren, erwies sich nach dem Ende des großen Krieges als ein starkes Hemmnis. Spener selbst hatte, der humanistischen Tradition Oberdeutschlands entsprechend, von den modernen Sprachen nur das Italienische gelernt[53]. So war der Erwerb der französischen Sprachkenntnis der vorzüglichste Zweck der geplanten Frankreichreise[54]. In Paris wollte sich dann Spener mit seinen ehemaligen Schülern, den beiden Pfalzgrafen, treffen, die sich, wie es unter dem hohen Adel jetzt Mode wurde, nach ihren Studien für einige Zeit am Hofe Ludwig XIV. aufhielten. In ihrer Gesellschaft sollte die Rückreise angetreten werden[55].

In der zweiten Augusthälfte 1660 begab sich Spener von Basel aus über Solothurn, Bern und Lausanne nach Genf[56]. Dort fand er freundliche Aufnahme und Logis bei dem Theologieprofessor *Anton Léger* (1594—1661), für den ihm Buxtorf eine warme Empfehlung mitgegeben hatte[57]. Léger

---

nach Basel reden und auch schlecht von einer „Reise" dorthin, vielmehr hat Spener vom Oktober 1659 bis Sommer 1660 in Basel studiert.

[51] Lebenslauf, 26: Nachdem in solchem 1660. Jahr meine älteste Schwester Agatha Dorothean obgedachten Herrn Joachim Stollium verheurathet / bewilligte meine liebe Mutter sonderlich auff dessen Zuspruch / daß ich eine Reise in Franckreich thun möchte . . .

[52] Vgl. den Art. „Horb", RE³ 8,353.

[53] Vgl. Bed. 4,461. — Der Begründer des lutherischen Pietismus ist im Unterschied zu August Hermann Francke der englischen Sprache nicht mächtig gewesen. Er hat englische Literatur nur in Übersetzungen lesen können.

[54] Spener an Bebel, Genf 14. 3. 1661: „Accessi huc praeceptorum meorum consilio & authoritate, ut linguam addiscerem, quae nostrarum orarum theologo aliquid proficere posset." (Elswich, Epistolae familiares, 1719, 95).

[55] S. unten S. 146 bei Anm. 101.

[56] Lebenslauf, 26.

[57] Ebd.; außerdem der Brief Speners an Buxtorf (o. O. u. J.), Basel G I 61, bl. 322 und 323, in welchem er einige Zeit nach seiner Ankunft in Genf über die freundliche Aufnahme bei Léger dank der Buxtorfschen Empfehlung berichtet. Dieser undatierte Brief ist September oder Oktober 1660 in Genf geschrieben.

war Waldenser, hatte als Gesandtschaftsprediger bei dem holländischen Gesandten Cornelius Haga von 1628–1636 in Konstantinopel gewirkt und später lange Jahre als Waldenserprediger in Piemont gelebt[58]. Von dort war er vor den Verfolgungen, die die Piemonteser Waldenser seit 1655 verstärkt zu erleiden hatten, nach Genf geflohen, wo er eine theologische Professur und die Stelle eines italienischen Predigers erhalten hatte. Der Aufenthalt in dem Haus Légers und der Umgang mit diesem ebenso interessanten wie gelehrten Mann war für den jungen Spener in mancherlei Hinsicht gewinnbringend. Léger hatte während der Jahre in Konstantinopel starken Einfluß auf den Patriarchen Kyrillos Lukaris ausgeübt und neben Cornelius Haga eine führende Rolle in jener Bewegung gespielt, die damals geradezu zu einem Einbruch protestantisch-calvinistischer Gedanken in die griechisch-orthodoxe Kirche geführt und dem wegen seiner calvinistischen Neigungen verketzerten Patriarchen schließlich das Leben gekostet hatte[59]. Spener hat von Léger über den Zustand der griechischen Kirche und über den aufgrund seines 1629 in Genf gedruckten Glaubensbekenntnisses bei den Protestanten berühmten und bei den Jesuiten berüchtigten Kyrillos Lukaris vielerlei gehört und gelernt[60]. Das Interesse für die griechisch-orthodoxe Kirche ist bei den lutherischen Theologen des 17. Jahrhunderts durch die Auseinandersetzungen mit den Jesuiten und deren Anschuldigung, die *eine* Kirche gespalten zu haben, an und für sich schon nicht gering. Spener wird für diese Dinge ein besonderes Interesse gehabt haben, denn zur selben Zeit saß sein Studienfreund Elias Veiel in Straßburg über der Ausarbeitung einer gegen Leo Allatius gerichteten Schrift „De ecclesia graecanica hodierna“[61]. Auch von den Schicksalen der Waldenser hat Spener von Léger manches erfahren und seine in Straßburg aus der Literatur geschöpften Kenntnisse der Waldensergeschichte um genaue Berichte über ihre gegenwärtigen Drangsale bereichert[62]. Légers Neffe Johann Léger, der berühmte Historiker der Waldenser, ist während Speners Genfer Aufenthalt – am 12. Januar 1661 – in Piemont zum Tode verurteilt worden und vermochte im gleichen Jahr nur mit Mühe nach Genf

---

[58] Zu Léger vgl. RE³ 11,351, 47 ff. und 688, 8 ff.; Senebier, Histoire littéraire de Genève, Genf 1786, II,130 f.

[59] Vgl. die Art. „Lukaris“, RE³, 11,682 ff. und RGG³ IV, 472 f.; E. Benz, Die Ostkirche im Lichte der protest. Geschichtsschreibung von der Reformation bis zur Gegenwart, 1952, 47 ff.

[60] Lebenslauf, 26 f.

[61] Elias Veiel, Disputatio de Ecclesia Graecanica hodierna, L. Allatio potissimum . . . opposita, Habita in Academia Argentoratensi d. 28. Febr. Anno M DC LXI. – Die Disputation ist, zusammen mit der von Allatius hiergegen verfaßten und 1662 in Rom herausgegebenen Refutatio und einer ausführlichen, 1666 in Ulm erschienenen Defensio Veiels abgedruckt in: J. C. Dannhauer, Disputationes theologicae, Leipzig 1707, 1686 ff.

[62] Vgl. oben S. 121 ff.

zu entkommen[63]. An Buxtorf berichtete Spener im März 1661 aus Genf, daß in Piemont neue Verfolgungsstürme befürchtet werden[64]. Den an den Schreibtisch gewöhnten jungen Straßburger Studenten hat also im Umgang mit Léger etwas von dem Hauch ökumenischer Kirchengeschichte angerührt. Darüber hinaus muß ihn die Gestalt Légers sehr beeindruckt haben. Nach einigen Wochen seines Genfer Aufenthaltes schreibt Spener an Buxtorf nach Basel, daß er den kommenden Winter lieber in Genf als in Paris oder anderswo verbringen wolle, hauptsächlich wegen des Umgangs mit Léger, der sich ihm durch seine Gelehrsamkeit, Freundlichkeit und Wohlwollen eng verbunden habe[65].

Vom Genfer akademischen Senat erhielt Spener bald nach seiner Ankunft die Lehrerlaubnis. Bei der geringen Zahl der in Genf Studierenden meldete sich auf seinen öffentlichen Anschlag aber niemand[66]. Erst nach einiger Zeit erhielt er die Aufsicht über die Studien eines jungen lutherischen Edelmannes anvertraut, was ihm einen gewissen Verdienst gewährte. Sein Schüler war der aus Frankfurt am Main stammende Johann Vincenz Baur von Eyseneck[67]. Als er schon fast drei Monate in Genf war, also gegen Jahresende, erkrankte Spener ernstlich an einer Arthritis vaga und mußte das Haus Légers, das für solche Fälle nicht gerüstet war, verlassen. Durch Vermittlung Baur von Eysenecks konnte er in das von diesem bewohnte Haus umziehen, wo er die für seine wochenlang fiebrige und schmerzhafte Krankheit nötige Pflege bekam[68]. Aufopferungsvoll hat der junge Eyseneck sich in dieser Zeit um Spener bemüht. Spener hat ihm, den er später in Frankfurt wiedertraf, diese Treue und Liebe nie vergessen.

Es ist anzunehmen, daß sich zwischen Spener und *Johann Vincenz Baur von Eyseneck* (1640—1672) bereits in Genf jene enge Freundschaft gebildet hat, die Spener nach dessen frühen Tode die Worte entriß, sein Hingang habe ihn nicht weniger geschmerzt als der Todesfall allernächster Verwandter[69]. Baur von Eyseneck, dessen Witwe nach Eleonore von Merlau die bedeutendste Frauengestalt des frühen Frankfurter Pietismus gewesen ist[70], hat dem Frankfurter Collegium pietatis in seiner Anfangszeit angehört und muß als eine der tatkräftigsten Gestalten in dem Kreis um Spener während dessen erster Frankfurter Jahre gelten[71]. Spener nennt ihn später einen besonderen Verehrer der Schriften Johann Arndts[72], einen Menschen,

[63] S. Art. „Leger, Johann", RE³, 11,349 ff.

[64] Basel G I 61, bl. 312 v.

[65] AaO bl. 323 r.

[66] An Buxtorf, ebd.

[67] Lebenslauf, 27; EGS I,218.

[68] An Buxtorf, 12. März 1661.

[69] So Spener am 28. 3. 1673 in der Widmung zu „Drei christliche Predigten von Versuchungen" an die Witwe Baur von Eysenecks (EGS I,218). *Grünberg Nr. 40.*

[70] Maria Juliana Baur von Eyseneck, geb. von Hynsberg (1641—1684). Ihr Leben bei Gottfried Arnold, Leben der Gläubigen, 1701, 1121—1132; ebenfalls (kürzer) bei Reitz, Historie der Wiedergeborenen, Teil III, 1724, 97—106.

[71] Vgl. unten S. 262. — Leider wird bei GRÜNBERG die Freundschaft mit Baur von Eyseneck nicht erwähnt.

[72] EGS I,220.

von dem er großen Nutzen für die ganze Kirche erhofft hatte[73]. Wie weit die beiden Männer bereits in Genf sich in denjenigen Gesinnungen verbanden, die sie später in den Anfängen des Frankfurter Pietismus zusammenführten, können wir im einzelnen nicht mehr sehen. Es ist aber kaum denkbar, daß sich beide gegenseitig nicht ausgetauscht hätten in ihren Meinungen und Eindrücken von einem Mann, der zu dieser Zeit ganz Genf von sich reden machte und von dem Spener nie bestritten hat, daß er während seines Genfer Aufenthaltes ihm starke und bleibende Impulse vermittelt hat: Jean de Labadie.

Jean de Labadie (1610–1674)[74], Exjesuit und nach einer in ganz Frankreich aufsehenerregenden Tätigkeit als Weltpriester und Sammler frommer Gemeinschaften im Jahre 1650 zum reformierten Glaubensbekenntnis übergetreten, war ein gutes Jahr, bevor Spener nach Genf kam, auf der Durchreise von Orange nach London, wohin er einem Ruf nach Westminster und der dringenden Bitte John Miltons folgen wollte, in Genf festgehalten worden, ähnlich wie 123 Jahre zuvor Calvin. In eine außerordentliche Predigerstelle berufen entfaltete Labadie, der nach seinem Übertritt bis 1659 den reformierten Gemeinden in Montauban und Orange als Prediger gedient hatte, in Genf eine aufsehenerregende Predigttätigkeit. „Unter gewaltigem Zulauf des Volkes eiferte er gegen Üppigkeit und Unsitten im gesellschaftlichen Leben, gegen Tanz, Glücksspiele, Theater und Kleiderluxus ... Das Volk sah in ihm einen zweiten Calvin.“[75] Seine Nachmittagspredigten, die er in St. Peter gehalten hat, hat Spener 1660 und 1661 öfter gehört[76]. In einem im März 1661 aus Genf an Balthasar Bebel gerichteten Brief bewundert er Labadies Beredsamkeit und seine unglaubliche Freimütigkeit in der Anprangerung der Sitten[77]. Spener hat Labadie auch einmal in sei-

[73] AaO 221.

[74] Über Labadie vgl. RGG³ IV,193 (die dort im Lit.-Verz. für das Jahr 1960 angekündigte Dissertation über Speners Frankfurter Reformtätigkeit unter bes. Berücksichtigung seines Verhältnisses zu Labadie ist nicht zustande gekommen); BWGN V, 1943, 456 ff. (mit bisher vollständigstem Verzeichnis der Schriften Labadies). Außerdem die immer noch unübertroffene Darstellung bei Goeters, Vorbereitung des Pietismus, 139 ff.

[75] Goeters, 148.

[76] Sendschreiben, 110: „Was endlich betrifft seine (sc. Labadies) gaben, / so habe ich dieselbe selbst erkant / als ich ihn zu Genff 1660. und 1661. ofters hören predigen . . . in solchen seinen predigten und vielem / was damal in Genff vorgieng / habe ich seinen eifer gehöret / wie er damal sein ampt nicht untreulich geführet.“ – Völlige Abfertigung Pfeiffers, 1697, 108 f.: „ . . . obwohl gedachten Labadie anno 1660. 1661. mehrmal hören predigen . . . auch Labadie selbst niemal anders als zu S. Peter in der kirchen nachmittag predigen gehört.“

[77] AaO (oben S. 137, Anm. 54) 100 f.: „Inter reliquos pastores fama eminet Joh. de Labadie, qui gente illustris adhuc Pontificius concionibus per totam Galliam inclaruit. Dein paulatim Jansenianis accessit, ultimo Montalbani Reformatis. Vir eloquentissimus & libertatis incredibilis in reprehendendo: unde adhuc Pontificius plurimorum in se odia, inprimis Jesuitarum (quorum societati dederat iuvenis

nem Haus besucht und mit ihm gesprochen. Er berichtet aber nicht mehr hiervon, als daß er nicht unfreundlich von ihm empfangen worden sei[78]. Dieser Besuch war wohl nichts anderes als ein Anstandsbesuch, wie ihn Spener auch bei den übrigen Genfer Predigern gemacht hat. Dagegen war es bedeutsam, daß Spener der französische Sprachunterricht, um dessentwillen er sich in Genf hauptsächlich aufhielt, von einem begeisterten Anhänger Labadies erteilt wurde. Mr. Tridon, der fast täglich zu Spener kam, war ein enger Vertrauter Labadies, und Spener erinnert sich später, nie einen eifrigeren Freund desselben gesprochen zu haben[79]. Von ihm bekam Spener zuverlässigen und genauesten Bescheid über das Leben und die Schicksale Labadies, er erfuhr „die ganze Historie des Labadie mit vielen ungemeinen particularitäten"[80]. Tridon brachte Spener auch die Schriften Labadies, die dieser in Frankreich verfaßt hatte und die uns heute noch zu einem erheblichen Teil unbekannt sein dürften[81]. Daß Spener sie nicht nur als Übung für den Französischunterricht gelesen hat, bezeugen seine lobenden Urteile über diese Schriften, in denen er viel Gutes und Erbauliches gefunden haben will[82]. Besonderen Eindruck machte auf Spener die gerade 1660 in Genf erschienene Schrift Labadies „La Pratique de l'Oraison et Meditation Chretienne"[83]. Sie ist ihm so wichtig geworden, daß er sie selbst ins Deutsche übersetzte und bald nach seiner Übersiedlung von Straßburg nach Frankfurt im Druck erscheinen ließ[84]. Es ist zu vermuten, daß er die Über-

---

nomen) provocavit, sola contra eos innocentia vitae tutus. Hic collegarum maximam invidiam experitur, quod & alibi solenne." Dies ist die einzige feststellbare Äußerung Speners über Labadie aus seiner Genfer Zeit, darüberhinaus, wenn ich nichts übersehen habe, überhaupt die einzige Äußerung aus der Zeit vor Antritt des Frankfurter Seniorats.

[78] Sendschreiben, 110: „... als ich ... zu Genff ... auch einmal mündlich mit ihm geredet / und nicht unfreundlich von ihm bin empfangen worden / ausser demselben aber nie einige communication mit ihm gepflogen habe." Vgl. außerdem Völlige Abfertigung Pfeiffers, 109 und 111.

[79] Völlige Abfertigung Pfeiffers, 110 (s. unten Anm. 88). [80] Ebd.

[81] Eine Reihe dieser frühen Schriften Labadies bei Goeters, 147, Anm. 1.

[82] L. Bed. 3,246 f. (undatiert, c. 1677); Sendschreiben, 111; Bed. 3,293 (1679). Die Stellen sind bei Aland, Spener-Studien, 44 f., ausgeschrieben.

[83] La Pratique de l'Oraison et Meditation Chretienne, Adressée à une Personne de Pieté, Par Jean de Labadie, Genf 1660. 8°. 159 S. (Theol. Sem. Herborn). – Es handelt sich hierbei um das erste von drei Sendschreiben, die Labadie bereits 1656 unter dem Titel „La pratique des deux oraisons mentale et vocale" herausgegeben hat. Diese Originalausgabe galt schon Heppe (267, Anm. 1) als verschollen und ist auch seitdem nicht nachgewiesen worden. Spener muß sie gekannt haben, vermutlich durch Tridon (vgl. ihre Erwähnung in: Völlige Abfertigung Pfeiffers, 1697, 111). – Speners Übersetzung (s. unten S. 233, Anm. 18) entspricht vollständig der Genfer Ausgabe von 1660. Die Angabe in Art. „Labadie", RGG[3] IV, 193, daß Spener den sehr viel umfangreicheren Traktat von 1656 übersetzt habe, ist zu korrigieren.

[84] Kurtzer Underricht von Andächtiger Betrachtung, Frankfurt 1667. S. unten S. 233.

setzung bereits in Genf vorgenommen hat, sagt er doch im Vorwort zur Frankfurter Ausgabe, er habe diese Schrift gleich, als sie ihm unter die Hände kam, der Übersetzung für wert gehalten[85].

Daß Persönlichkeit und Schriften Labadies auf den jungen Spener in Genf einen tiefen und bleibenden Eindruck gemacht haben, kann schwerlich bestritten werden. Wenn er, um sich von dem in die holländische Wirksamkeit fallenden Separatismus Labadies deutlich abzugrenzen, später sein positives Urteil regelmäßig auf den früheren Labadie einschränkt[86], so zeigt das nur um so mehr, daß der Einfluß während des Genfer Aufenthaltes ein beträchtlicher gewesen sein muß. Dabei kann die Frage, die in der Literatur nicht ausstirbt, ob nämlich die Frankfurter Collegia pietatis von ähnlichen Veranstaltungen Labadies, die Spener in Genf kennenlernte, abhängig seien, hier ganz beiseite gelassen werden. Diese Frage ist gegenstandslos, weil wir überhaupt keine Zeugnisse für die Existenz solcher Versammlungen Labadies haben, die Spener in Genf gekannt oder besucht haben könnte[87]. Solange solche Zeugnisse fehlen, besteht auch kein Grund

[85] Speners Vorrede, bl. 1 r f.: „Als mir gegenwärtiges Tractätlein . . . under die Hände nur kommen war / hat die durchlesung desselben mich nicht wenig vergnüget / daß solches alsobald ich deß werths gehalten / daß es auß dem Frantzösichen in unsere Teutsche Sprach übersetzet . . . würde." Spener dürfte also ein nach Frankfurt gebrachtes Manuskript zum Druck gegeben, nicht wie Grünberg (I,170) annimmt, die Schrift in Frankfurt erst übersetzt haben.

[86] Vgl. die oben Anm. 82 genannten Zeugnisse.

[87] Goeters (148) schreibt über den Genfer Aufenthalt Labadies allerdings „Die Freunde und Anhänger wurden auch hier in besonderen Versammlungen vereinigt." Einen Beleg dafür bringt Goeters, der sonst sehr sorgfältig seine Behauptungen nachweist, nicht. Yvons Lebensbeschreibung Labadies, auf die sich der Bericht von Goeters großenteils stützt, meldet von Genfer Erbauungsversammlungen jedoch nichts (Vgl. Yvons „Abregé sincere de la vie et de la Conduite et des vrais sentiments de feu Mr. De Labadie", abgedruckt bei Gottfr. Arnold, Kirchen und Ketzerhistorie, Frankfurt a. M. 1715, II,1234 ff.). Auch sonst habe ich in den alten Darstellungen – zum Beispiel in der „Eukleria" der Anna Maria van Schurman – über Labadies Genfer Zeit nichts von Versammlungen erfahren können, wie sie Labadie später in Holland in Anlehnung an die dort üblichen und sogar verfassungsmäßig geordneten Erbauungsversammlungen eingerichtet hat (vgl. dazu Goeters, 175 ff.). Nachdrücklich möchte ich darauf hinweisen, daß die Existenz besonderer Collegia pietatis Labadies in Genf erst nachgewiesen sein müßte, ehe man – was Goeters übrigens nicht tut, was aber in der Literatur immer wieder getan wird – zur Debatte stellen kann, ob Spener von solchen Veranstaltungen wußte. Vorläufig bleibt nämlich Speners Auskunft, daß bei seinem Aufenthalt in Genf Labadie keine besonderen Erbauungsversammlungen gehalten, dieselben wohl erst in Holland eingerichtet habe, die älteste und glaubwürdigste Aussage zur Sache (vgl. die folgende Anm.). Solange ihr keine anderslautenden Quellenzeugnisse entgegenstehen, kann man sie nicht für einen Erinnerungsfehler Speners ansehen (so W. Bellardi, Die Vorstufen der Collegia pietatis, 1931, 26). Andererseits ist es mit dem bloßen Abdruck von Spenerzitaten, womit sich Aland (Spener-Studien, 45 ff.) begnügt, nicht getan. Aland geht überhaupt nicht darauf ein, daß die Äußerungen Speners und die herkömmliche Be-

zum Zweifel an Speners Behauptung, daß Labadie irgendwelche Privatübungen in Genf nicht abgehalten habe, wofür er sich ja gerade auf die außerordentlich gute Information über Labadie durch Tridon beruft[88].

Dagegen muß die Art, wie Labadie in seinen Predigten eine Reformation der Kirche nach dem Vorbild der ältesten Gemeinde in Jerusalem forderte, auf Spener von großer Wirkung gewesen sein. Wenn schon in Labadies französischer Zeit dies der Kernpunkt seines kirchenreformerischen Wollens gewesen war, daß die Kirche in ihrem gegenwärtigen Zustand verderbt und eine Reformation nach dem Muster des Urchristentums vonnöten sei[89], so muß Spener auch bei der Lektüre der Schriften Labadies auf jenes urchristliche Idealbild gestoßen sein, das ihm später selbst Leitbild und historischer Rechtsgrund seiner Reformgedanken wurde. Es bedürfte allerdings eingehender Untersuchung jener frühen, wohl nur noch zum Teil auffindbaren Schriften Labadies, um ein Urteil darüber abzugeben, ob wir hier die Wurzeln jenes von Spener aufgestellten, im Pietismus dann so wirksamen Ideals der Urchristenheit vermuten dürfen.

Neben diesem am Vorbild der Urchristenheit orientierten Kirchenideal hat auf Spener, wie seine Übersetzung von Labadies „La Pratique de l'oraison" zeigt, die labadistische Frömmigkeitsanschauung ihre besondere Wirkung ausgeübt. Spener hat das französische „oraison" mit „Betrachtung" übersetzt und in der methodischen Unterweisung rechter „Betrachtung" den Nutzen dieses Buches gesehen. Während im *Gebet* die Seele Gott anredet

---

hauptung von Genfer Erbauungsversammlungen im Widerspruch stehen und nach einem Ausgleich verlangen.

[88] Spener hat 1697 ausführlich Stellung genommen zu einem von einem Gegner (F. C. Bücher, Mysterium Iniquitatis, 1697, 185) verbreiteten Gerücht, er hätte in Genf aus einer Versammlung Labadies kommend zu einem Reisegefährten gesagt, helfe ihm Gott in das Predigtamt, so solle es seine erste Sorge sein, solche Privatversammlungen anzustellen. Soweit ich sehen kann, ist diese Anschuldigung aus dem Jahre 1697 der älteste Beleg für die Annahme, daß Labadie in Genf Erbauungsversammlungen eingerichtet habe. Bücher will das von einem Theologen gehört haben, dem es wiederum ein Reisegefährte Speners erzählt haben will. Spener führt dagegen aus (Völlige Abfertigung Pfeiffers, 1697, 110 f.): „Wie unverschämt diese unwarheit seye / erhellet auß diesem: 1. Auff diese stunde weiß ich nicht / daß Labadie einige privatversam̄lungen in Genff damal oder vorher gehalten habe. 2. Glaube deßwegen auch nicht / daß solches geschehen / weil Mons. Tridon fast täglich bey mir gewesen / so mich in der Frantzösichen sprach unterrichtet / und mir die ganze Historie des Labadie mit vielen ungemeinen particularitäten / als der sein Intimus war / und ich mein lebtag keinen eiffrigern freund desselben gesprochen / erzehlet hat / hingegen von dergleichen privatübungen nie ein wort gegen mich gemeldet: da ich 3. bekenne / wo ich von einigen dergleichen gehört / ich auffs wenigste auß curiosität würde mit darein gegangen seyn / und mich einer solchen gelegenheit ungewöhntes zu sehen gefreut haben. Aber 4. weil ich nie von keiner gewust / als habe auch deßwegen nothwendig nie in keine kom̄en können / daher auch Labadie selbst niemal anders als zu S. Peter in der kirchen nachmittag predigen gehört . . ."

[89] Vgl. dazu Ritschl, I, 196 f.; Goeters, 142.

und in ihrer Not um Hilfe bittet, will Labadie unter *Betrachtung* eine allgemeinere und unbestimmtere Übung verstehen, in welcher die Seele schweigt, um durch die Versenkung in die göttlichen Geheimnisse göttliche und heilige Bewegungen des Geistes zu empfangen[90]. Ohne daß er sich die bei Labadie deutlich zu spürenden mystischen Gedankengänge ganz zu eigen gemacht hätte, hat Spener hier doch Förderung jener Andachtsfrömmigkeit empfangen, die durch die Erbauungslektüre seiner Jugend bereits in ihm eingepflanzt worden war. Gegenüber dem Präzisismus der puritanischen Bücher weht durch Labadies Schrift bei aller mönchisch anmutenden Weltabkehr ein evangelischer, richtiger wohl ein quietistischer Zug, der Spener besonders angesprochen zu haben scheint. Die Drohungen vor dem ewigen Verderben, mit denen Sonthomb und Bayly ihre Leser ängsten, fehlen hier völlig. Labadie spricht zu Seelen, die wohl angefochten sind, nicht aber der Verdammung anheimfallen können. Er gibt keine gesetzlichen Anweisungen, sondern einfühlsame Ratschläge zur Übung der Meditation, wobei er vieles, wie etwa den Ort und die körperliche Haltung, dem Gutdünken des einzelnen freistellt. Vom Hören des Wortes Gottes ist wenig und nur in einem äußerlichen Sinn die Rede. In die zentrale Stellung rückt die Betrachtung des unmittelbaren göttlichen Gnadenwirkens am Menschen, worauf das Wort nur hinweisen kann, wenn es nicht überhaupt überflüssig wird. Dabei wird der Mensch als solcher ein Gegenstand frommer Betrachtung, denn in ihm als Gottes Ebenbild wird Gott selbst anschaulich, in seinem Geist leuchtet der Geist Gottes hervor[91]. „Was ist dann leichter als GOTT in dem Menschen betrachten", so lautet ein Kerngedanke Labadies in der Übersetzung Speners[92]. Spener hat also bei Labadie wesentliche Impulse und Anregungen für die Gestaltung und Vertiefung eines meditativen Frömmigkeitslebens gefunden. Von den chiliastischen Ansichten, die Labadie bereits in seiner Genfer Zeit öffentlich verkündet haben soll[93], will Spener bei seinem Genfer Aufenthalt keine Kenntnis bekommen haben[94].

---

[90] Kurzer Unterricht, 1667, 4 ff. Vgl. dazu Speners Vorrede, bl. 2 r: „Was der Verfasser oraison nennet / habe ich am liebsten durch das Wort *Betrachtung* geben wollen."

[91] „Der Mensch sonderlich / welcher sein (sc. Gottes) schönstes Ebenbild / ist auch sein natürlichstes Gemälde: Man kan ihn nicht wol leben oder handlen sehen / daß man sich nicht in ihm über GOTT verwundere: Gottes Geist leuchtet in dem seinigen hervor / sein Verstand ist ein Straale der Sonne göttlicher Allwissenheit / und sein Urteil von göttlicher Allweißheit . . . So sage ich nun / daß nichts so leicht ist / als Gott in dem Menschen und der gantzen Natur zu betrachten . . ." (Kurzer Unterricht, 1667, 227 f.).

[92] AaO 229.

[93] Goeters, 150.

[94] Spener schreibt 1676 an Stenger, daß er bei seinem Aufenthalt in Genf glaubte, daß Labadie mit chiliastischen Ansichten nichts zu tun hätte (Cons. 3,139 f.). Spener gibt dabei zu, sich geirrt haben zu können. Jedenfalls aber kann

Die Eindrücke, die Spener von Labadie empfangen hat, sind wohl die stärksten seines Genfer Aufenthaltes. Daß ihn, wie ein halbes Jahrhundert zuvor Johann Valentin Andreä, die Kirchenordnung und die Sittenzucht der Stadt Calvins außergewöhnlich beeindruckt hätten, läßt sich nicht feststellen. Zwar hat Spener, wie der Brief an den Studienfreund Balthasar Bebel vom März 1661 zeigt, die staatlichen und die kirchlichen Verfassungsverhältnisse des Genfer Freistaates genau beobachtet. Aber wenn er die Form der Kirche wie zuvor des Staates eine demokratische nennt, so blickt er doch allein darauf, daß in Genf nicht die in Straßburg zu ständigen Reibereien Anlaß gebende Unterscheidung zwischen Pastoren und Diakonen gemacht wird und daß es keinen ständigen Präsidenten des Kirchenkonvents gibt wie in Straßburg, sondern reihum die in der Stadt beamteten Prediger wöchentlich den Vorsitz führen[95]. Die meisten seien, wie Spener berichtet, mit dieser Regelung nicht einverstanden, sondern begehrten einen ständigen Vorsitzenden. Im übrigen berichtet er von dem sehr starken Neid, den Labadie von seinen Amtsbrüdern erfahre[96]. Speners Eindrücke von der Stadt Calvins dürften also weniger denjenigen Andreäs als denen Gottschalk van Schurmans ähnlich gewesen sein, der ein Jahr nach Spener in Genf weilte und von dort an seine Schwester schrieb, er hätte Genf nicht in Genf gefunden[97].

Was Spener selbst betrifft, so hat er nur über freundliche Aufnahme bei den Professoren, den vornehmen Herren der Stadt und mit wem er sonst zu tun hatte, berichten können[98]. Offensichtlich überrascht hat ihn die Toleranz, mit der man sein Luthertum gelten ließ. Daß man die Lutherischen zur reformierten Abendmahlsfeier zuließ, fand seine Billigung nicht, flößte ihm dagegen die Furcht ein, daß rechtgläubige Lutheraner sich durch solche „Humanität" vom rechten Weg abbringen ließen[99]. Als er einem Genfer Professor erklärte, ein Lutheraner, der in Genf kommunizieren, hätte zu Hause erst eine Aussöhnung mit seiner Kirche nötig, mußte er die Antwort hören, man hätte sich von ihm und den Seinigen doch eine größere Mäßigung versprochen[100]. Spener hat also in Genf genausowenig wie in Basel sein Luthertum verleugnet.

Die schwere dreimonatige Erkrankung, die Spener durch die Wintermonate ans Bett band, hatte den Plan der Frankreichreise hinausgezögert. Als er schließlich wieder bei Kräften war und an die Abreise denken konnte, be-

---

er in Genf nicht von Labadie im Sinne seiner späteren chiliastischen Gedanken beeinflußt worden sein.

[95] AaO (oben S. 137, Anm. 54) 97 f. [96] AaO 101 (s. oben S. 140, Anm. 77).

[97] Anna Maria van Schurman, Eukleria seu melioris partis electio, 1673, 136 („... quamvis cetera Genevam frustra in Geneva quaereret ...").

[98] Lebenslauf, 27. [99] An Bebel, aaO 101.

[100] Cons. 3,200 (1678). Daß er aus der Hand Labadies das Abendmahl empfangen hätte, nennt Spener an dieser Stelle eine Lüge.

kam er die Nachricht, daß die Pfalzgrafen, die er in Paris treffen wollte, bereits abgereist seien[101]. Die Nachricht hielt ihn zurück, dazu kam die Aufforderung der Seinen, mit Rücksicht auf seine Gesundheit baldmöglichst zurückzukehren und sich der Pflege eines Arztes zu übergeben[102]. Schweren Herzens mußte Spener den Plan der Parisreise aufgeben, konnte aber aus Rappoltsweiler die Erlaubnis erlangen, noch eine Reise in das von Genf nicht weit gelegene Lyon zu unternehmen. An dieser Reise lag ihm aus einem besonderen Grund. Spener war in Genf ein erst kürzlich erschienenes Buch in die Hände gekommen, das ihn von seinen historischen Studien her ganz außergewöhnlich beeindruckte[103]. Es war die „Veritable art du blason" des Lyoner Jesuiten *Claude Menestrier* (1631—1705), ein Werk, das die Grundzüge einer in Deutschland noch unbekannten historischen Spezialdisziplin darlegte, der *Heraldik*[104]. Spener, von Kindheit an mit Wappen vertraut, sah sofort, daß aus einer historisch-wissenschaftlichen Behandlung der Wappen reicher Gewinn für die Erforschung der deutschen Geschichte abfallen mußte. Von Genf aus trat er mit Menestrier in Briefwechsel[105]. Vermutlich hat ihn der nur vier Jahre ältere Menestrier zu einem Besuch ermutigt. Im April 1661 reiste Spener nach Lyon. Dort traf er im Jesuitenkolleg mit Menestrier zusammen, wo ihn der wegen seiner außergewöhnlichen Gedächtniskraft berühmte jugendliche Gelehrte[106] ebenso freundlich aufnahm wie reich belehrte. Menestrier riet Spener, die heraldische Wissenschaft in Deutschland einzuführen, und er sagte ihm jede Unterstützung dabei zu. Die Zusammenkünfte mit Menestrier muß man, wenn man auf den *wissenschaftlichen* Ertrag der Bildungsreise Speners blickt, auf jeden Fall die bedeutsamsten und folgenreichsten nennen. Spener hat nach seiner Rückkehr nach Straßburg angefangen, Kollegs über Heraldik zu lesen, die ersten, die je über dieses Gebiet in Deutschland gelesen wurden. Da er in Straßburg einen jesuitischen Autor nicht empfehlen durfte, hat er die Grundlagen der Heraldik, wie er sie bei Menestrier gelernt hatte, schriftlich für seine Schüler fixieren müssen, aus der öfteren Wiederholung und dem

---

[101] Spener an Buxtorf, Genf 12. 3. 1661 (Basel G I 61 bl. 312 v).

[102] S. ebd.

[103] Die Belege für das Folgende in Speners Vorrede zu: Insignia familiae Saxonicae, Frankfurt 1668. *Grünberg Nr. 321.*

[104] Claudius Franciscus Menestrier, La veritable art du blason, Lyon 1659, 16°.

[105] Die herkömmliche, schon in G. A. Seylers Geschichte der Heraldik zu findende Angabe, daß Spener Menestrier in Genf persönlich kennenlernte (so auch Grünberg I,149), ist falsch. Spener schreibt in der genannten Vorrede (oben Anm. 103): Mihi, cum Genevae 1660 haererem, primum peritissimi artis huius Viri, Claudii Francisci Menestrierii libellus, Veritable art du blason, in manus incidit, eaque occasione cum viro doctissimo literarium commercium caepi.

[106] Es wird berichtet, daß die Königin Christine von Schweden bei einem Besuch in Lyon Menestrier dreihundert ungewöhnliche Wörter vorsagen ließ, die er in gleicher Ordnung nachsagte (Zedler, Art. „Menestrier").

Zuwachs an Stoff sind allmählich seine ersten heraldischen Werke entstanden. So ist Menestrier, wie Spener im Vorwort zu seinen 1668 in Frankfurt erschienenen „Insignia Familiae Saxonicae“ schreibt, durch seine Bücher, Briefe und Gespräche der Urheber seiner heraldischen Arbeiten geworden[107].

Nach dem Aufenthalt in Lyon kehrte Spener im Mai nach Genf zurück, von wo er bald die Heimreise antrat und über Orbe, Granson, Neuchatel, Biel und Solothurn reisend wieder in Basel eintraf[108]. Von hier unternahm er noch eine Reise nach Mömpelgard, wo er von dem dort residierenden württembergischen Herzog freundlich aufgenommen wurde[109]. Bereits im Vorjahr hatte Spener von Basel aus neben Freiburg i. Br. auch Mömpelgard einen Besuch abgestattet, um den berühmten und mit vielen hervorragenden Gelehrten seiner Zeit im Briefwechsel stehenden württembergischen Vizekanzler Christoph Forstner (1598–1667)[110] kennenzulernen, der ihn sehr freundlich aufgenommen hatte[111]. Hierauf kehrte er im Frühsommer nach Rappoltsweiler zurück[112]. Anfang Juli ist er bereits in Straßburg gewesen bei Sebastian Schmidt[113]. Am 23. Oktober[114] und Allerheiligen[115] predigte er in Rappoltsweiler. Im November zog er wieder endgültig nach Straßburg, wo ihn Johann Rebhan nach fast zweieinhalbjähriger Ab-

---

[107] AaO: Ita ipse libris, literis & voce primus mihi huius instituti autor fuit. – GRÜNBERGS Behauptung, Menestrier habe Spener zur „Fortsetzung seiner heraldischen Studien“ ermuntert (I,149), ist also unrichtig. Auch daß Spener 1654–1656 durch den Unterricht bei den Pfalzgrafen zu heraldischen Studien veranlaßt wurde, wie GRÜNBERG (I,138) angibt, ist nirgendwo bezeugt.

[108] Lebenslauf, 27.

[109] Spener berichtet (Lebenslauf, 27), daß ihn der Herzog – gemeint ist wohl Leopold Friedrich von Württemberg – „in der Congregatione seiner Prediger / so da das erste mal gehalten wurde / opponiren liesse“.

[110] Forstners umfangreicher, noch kaum ausgewerteter Briefwechsel liegt in der Landesbibliothek Stuttgart.

[111] Unrichtig auch hier wieder die Darstellung GRÜNBERGS, der die von Spener im Lebenslauf eindeutig auf 1660 datierten Reisen nach Freiburg und Mömpelgard ins Jahr 1661 legt (aaO I,149).

[112] Gegen GRÜNBERG (I,149), der Spener ohne Grund erst im Spätsommer oder Herbst heimkehren läßt.

[113] Sebastian Schmidt an Buxtorf, Straßburg 8. 7. 1661: Vale, Vir honoratissime, et acedulis (quabus usurum Spenerus noster narravit) utere felicissime . . . (UB Basel G I 61 bl. 70).

[114] Epist. Sonntagsand. 2, 251–260. Die Angabe „Hab. Rupisv. 23. Oct. 1666“ ist Druckfehler, da Spener zu dieser Zeit in Frankfurt ist (GRÜNBERGS auf dieser Angabe beruhende Annahme einer Reise von Frankfurt nach Rappoltsweiler im Oktober 1666 [aaO I,157] ist absurd). Der Predigtkatalog datiert die Predigt auf 1661, was, da der 23. Oktober 1661 nach dem neuen Stil Sonntag ist, offensichtlich die richtige Angabe ist.

[115] Lauterkeit des Evg. Christenthums *(Grünberg Nr. 48)* II,551–564. Datierung, die mit dem Predigtkatalog übereinstimmt, unproblematisch. Vgl. GRÜNBERG I, 149.

wesenheit erneut in sein Haus aufnahm. Dort begann er alsbald wieder, seine Kollegs zu halten[116].

Im Frühjahr des folgenden Jahres 1662 brach Spener erneut zu einer mehrmonatigen Reise auf, der letzten seiner akademischen Wanderjahre. Ihr Ziel war Württemberg und dessen Landesuniversität Tübingen. Der Plan war lange gefaßt. Schon aus Genf schreibt Spener an Balthasar Bebel, vielleicht wäre Tübingen sein nächstes Ziel[117]. Mancherlei Beziehungen gab es bereits, die Spener mit Württemberg verbanden und ihn bewogen haben mögen, den Besuch der sächsischen Universitäten zurückzustellen. Aufgewachsen in unmittelbarer Nähe der zum württembergischen Elsaß gehörenden Herrschaft Reichenweier, hatte er durch seine Besuche in Mömpelgard die nähere Bekanntschaft hochgestellter württembergischer Persönlichkeiten gemacht. Im linksrheinischen Teil des Herzogtums war Spener kein Unbekannter mehr. Aber auch nach Tübingen und Stuttgart liefen viele Fäden. In der Universitätsstadt hatte Spener durch die Familie seiner Mutter Verwandte[118]. Der Freund und Rebhansche Hausgenosse Johann Andreas Frommann war dort inzwischen Professor geworden. Seit ungefähr 1655 muß Spener mit Balthasar Raith in Verbindung gestanden haben, dem Magister domus des Tübinger Stifts, seit 1660 Professor für Altes Testament[119]. Daß seine erste genealogische Schrift 1660 in Stuttgart erschien[120], zeigt, daß auch zur Landeshauptstadt Verbindung bestand. Von dort hatte sich im Sommer 1660 die Prinzessin Antonia von Württemberg (1613 bis 1679), die gelehrte Schwester des regierenden Herzogs Eberhard III. und eifrige Liebhaberin kabbalistischer Studien, brieflich wegen einiger ihr dunkler Judaica an Spener gewandt, von dessen Gelehrsamkeit und von dessen Studium bei dem berühmten Hebraisten Buxtorf ihr erzählt worden war[121]. Auch wenn Spener ihre Fragen über die Musik der Juden nicht

---

[116] Lebenslauf, 27.

[117] AaO (s. oben S. 137, Anm. 54) 96: Quo dein redux me conversus sim nondum video, sed illud patronorum meorum arbitrio decidetur: Forte Tubinga proxima erit, dein Lipsia. Sed DEUS disponet de iis, quae propono.

[118] Vgl. den Brief an J. L. Hartmann vom 4. 7. 1672 (= Cons. 3,538 ff.), wonach eine Urgroßmutter Speners eine geborene Brotbeck und er dadurch mit dem Tübinger Medizinprofessor Brotbeck verwandt war, außerdem der Bruder seiner Mutter, Johann Friedrich Saltzmann, mit der — in der schwäbischen Genealogie bekanntlich bedeutsamen — Familie Bardili verschwägert war.

[119] Raith erklärt in der Epistola dedicatoria seiner Spener gewidmeten Schrift: Vindiciae Versionis S. Bibliorum . . ., Tübingen 1676, daß er sich „quatuor lustra et ultra" des Wohlwollens Speners erfreuen könne.

[120] Tabulae progonologicae, Stuttgart (Johannes Eyrich Rößlin) 1660. *Grünberg Nr. 315.*

[121] Spener an Buxtorf 2./12. Juli 1660: Serenissima Antonia, Dux Wirtenbergica, cui disputationem aliquam esse volui sacram, quoque mirifice delectat studiis Hebraeis, in literis a me sciscitatur: utrum de Hebraeorum Musica aliquid legerim? qualis ea Davidis profecta fuerit tempore? tum et de mysterio accentuum.

beantworten konnte und nach Basel weitergeben mußte, so blieb dieser Kontakt zum Stuttgarter Hof doch erhalten. Im Februar 1662 läßt Spener aus Straßburg Buxtorf wissen, er werde in wenigen Wochen, spätestens Ende April nach Tübingen und an den württembergischen Hof gehen. Bei der Prinzessin Antonia werde es reichlich Gelegenheit geben, des Namens Buxtorf zu gedenken[122].

Es traf sich, daß Speners Landesherr, der blinde Graf Johann Jakob von Rappoltstein, zu dieser Zeit eine Reise an den württembergischen Hof anzutreten hatte. Der Graf und seine Gemahlin waren nach Stuttgart eingeladen, um an den Feierlichkeiten anläßlich der Vermählung der dritten Tochter Herzog Eberhards, der Prinzessin Christina Charlotte, mit dem Fürsten Georg Christian von Ostfriesland teilzunehmen. Als Begleiter des gräflichen Paares begab sich Spener Ende April von Straßburg aus auf die Reise. Er nahm auch an dem am 4. Mai in Stuttgart gefeierten Hochzeitsfest teil, wobei er, da sowohl der Graf wie die Gräfin plötzlich von Krankheit befallen wurden, in ihrem Namen und sicherlich in selbstverfaßten Versen die feierlichen Glückwünsche des Hauses Rappoltstein überbrachte[123].

Es sieht so aus, als ob Johann Jakob von Rappoltstein hoffte, bei Gelegenheit dieses Besuches seinem gelehrten Landeskind eine Anstellung in Württemberg zu erwirken. Bei seiner Rückkehr aus Genf hatte Spener die Straßburger theologische Fakultät um zwei neue Professoren, seine Studienkameraden Balthasar Bebel und Isaak Faust, bereichert gefunden[124]. Wenn sein Sinn bereits auf eine wissenschaftliche Laufbahn ging — in Straßburg war für längere Zeit kein theologischer Lehrstuhl zu erhoffen[125]. Speners Neigungen und Forschungen tendierten zudem immer mehr in das Gebiet der Geschichtswissenschaft, wofür dem Straßburger Magister jedoch ebenfalls keine weiterführende Stellung in Aussicht war. Herzog Eberhard zeigte sich dem jungen rappoltsteinschen Gelehrten gegenüber sehr wohlwollend, und es fällt wohl bereits in jene Stuttgarter Maitage 1662, daß er, wie Spener berichtet, „fest resolviret / mich zu accomodiren"[126]. Besonders aber Herzog Friedrich (1615—1682), der jüngere Bruder Eberhards, bekun-

---

Addit multum se temporis ea in re posuisse . . . Meam fateor in hisce ignorantiam . . .

[122] Spener an Buxtorf, Straßburg 28. 2. 1662.

[123] Spener an Buxtorf, Tübingen 14. 7. 1662. Vgl. Lebenslauf, 27.

[124] Spener an Buxtorf, 28. 2. 1662: . . . ante aliquot menses ad antiquum meum Museum redii, in eodem fere statu Academiam reperiens, quo eam ante tres annos reliqueram: nisi quod duobus novis Professoribus Theologiae DD. Faustio & Bebelio . . . ea aucta fuerit.

[125] Tatsächlich ist erst wieder 1686 — also ein Vierteljahrhundert später! — nach dem Weggang von Balthasar Bebel nach Wittenberg (als Nachfolger Calovs) ein theologischer Lehrstuhl in Straßburg neu besetzt worden (im gleichen Jahr durch Johann Faust).

[126] Lebenslauf, 27 f.

dete Interesse an Spener[127]. Herzog Friedrich war zu dieser Zeit im Begriff, sich in seiner Residenz Neuenstadt am Kocher eine Bibliothek aufzubauen, für die ihm diejenige seines Schwiegervaters Herzog August von Braunschweig-Wolfenbüttel, des Gründers der Wolfenbütteler Bibliothek, zum Vorbild diente. Wahrscheinlich hat er Spener die Stelle eines Bibliothekars in Neuenstadt zugedacht. Spener reiste auch auf Wunsch Herzog Friedrichs für einige Tage dorthin und nahm die Bibliothek in Augenschein. Von einem Manuskript des Kusari, das dem Herzog von der Prinzessin Antonia geschenkt worden war und das aus dem Besitz Reuchlins stammte, berichtet er kurz darauf brieflich an Buxtorf[128]. In näheren Kontakt kam er in Neuenstadt mit Dr. Johann Matthäus Faber (1626—1702), dem Leibarzt Herzog Friedrichs, der mit vielen Gelehrten seiner Zeit in Briefwechsel stand und auch durch eine Reihe medizinischer Schriften hervorgetreten ist[129]. Von Tübingen aus hat er ihm für die bei seinem Besuch erwiesene Gunst gedankt[130], noch von Straßburg und Frankfurt aus hat er mit Faber Briefe gewechselt, ihm schließlich auch seine Pia Desideria zugeschickt[131].

Über seinen Aufenthalt in Stuttgart berichtet Spener, daß er überall freundlich empfangen wurde, außer bei Hof und den übrigen fürstlichen Personen besonders von dem Landhofmeister Graf von Castell, daneben von den führenden Leuten des geistlichen und weltlichen Standes[132]. Die meiste Zeit aber verbrachte er in der Gesellschaft der Prinzessin Antonia. Dieser Frau, so schreibt er aus Tübingen an Buxtorf, ist nichts wichtiger, als sich den Studien zu widmen und damit die Liebe gelehrter Männer zu verdienen[133]. Die Prinzessin weihte ihn jetzt näher in ihre kabbalistischen Studien ein, die sie unter der Anleitung ihres Informators und wissenschaftlichen Ratgebers, des Pfarrers Johann Jakob Strölin (ca. 1620—1663) trieb[134].

---

[127] Ebd.

[128] Spener an Buxtorf, Tübingen 14. 7. 1662: Porro vidi nuper Neostadii in bibliotheca Sereniss. Principis Friderici Wirtenbergici, quam ad imitationem soceri sui Augusti Brunsvicensis egregiam molitur, manuscriptum libri Cosri . . . ; vgl. auch Lebenslauf, 27.

[129] Briefe an Faber von 70 verschiedenen Absendern in der Treu'schen Briefsammlung, UB Erlangen.

[130] Spener an J. M. Faber, Tübingen 9. 6. 1662 (vgl. Anm. 131).

[131] Acht Briefe Speners an J. M. Faber aus den Jahren 1665—1679 in UB Erlangen, MS. 1823. *Grünberg Nr. 329 a.* Sie sind ediert von H. Jordan, Briefe des jungen Spener, NKZ 29, 1918, 105—110. 156—162. 199—212.

[132] Lebenslauf, 27.

[133] Spener an Buxtorf, 14. 7. 1662: Major a fere temporis actae pars ap. Celsiss. Principem Antoniam, cui nihil antiquius quam studiis unice vacare, et virorum doctorum mereri amorem.

[134] Vgl. dazu die gründliche Arbeit von F. Häussermann, Pictura docens. Ein Vorspiel zu Fr. Chr. Oetingers Lehrtafel der Prinzessin Antonia von Württemberg, Bl. f. württ. Kircheng. 66/67, 1966/67, 65—153. Über Strölin 77 ff. Einige nähere Angaben im folgenden entnehme ich der Arbeit von Häussermann.

Dabei zeigte sie ihm ein nach der Kabbala entworfenes emblematisches Gemälde, das sie nach Angaben Strölins von dem Hofmaler Gruber hatte anfertigen lassen. Spener beschreibt es Buxtorf als eine aus den zehn göttlichen Eigenschaften bestehende „arbor cabbalistica"[135]. Täglich pflege die Prinzessin, wie sie ihm erzählt habe, dieses Bild nicht nur anzusehen, sondern alles, was sie in der Heiligen Schrift lese, darauf zu beziehen[136]. Spener hat also die berühmte „Turris Antonia", die Lehrtafel der Prinzessin Antonia, zu Gesicht bekommen, ein aus den Symbolfiguren der kabbalistischen zehn Sephirot (Abglänze) gestaltetes Gemälde, das eine pansophische Zusammenschau der irdischen und der himmlischen Welt bieten soll. Die Prinzessin hat es später der Kirche in Bad Teinach zu Andachtszwecken gestiftet, wo es heute noch betrachtet werden kann[137].

Im Umgang mit der Prinzessin Antonia und mit Johann Jakob Strölin ist Spener, soweit wir sehen können, zum ersten Mal in nähere Berührung gekommen mit einem der pansophischen Zirkel, die sich in Abkehr vom nüchternen aristotelischen Schulbetrieb und beeinflußt von rosenkreuzerischen Ideen nach dem Dreißigjährigen Krieg manchenorts bildeten. Man kann deshalb Speners Stuttgarter Tage neben den Aufenthalt des jungen Leibniz in Nürnberg stellen, wo der des scholastischen Universitätsbetriebs überdrüssige Philosoph fünf Jahre später ebenfalls das erstemal in rosenkreuzerische Kreise gerät. Für Spener ist nun kennzeichnend das Interesse und die Sympathie, die er den pansophisch-kabbalistischen Bestrebungen entgegenbringt. Im Unterschied zu Leibniz stürzt er sich aber nicht in diese geheimnisvolle Welt hinein, sondern wahrt — er sagt, aus eigenem Unvermögen — eine gewisse scheue Distanz. Die Prinzessin hatte ihm, als sie ihm das Sephirotgemälde zeigte, auch ein längeres lateinisches Gedicht des Sindelfinger Pfarrers Johann Laurentius Schmidlin (1626—1692), einem weiteren Mitglied ihres Zirkels[138], überreicht, der darin eine Art Kommentar zu der Lehrtafel verfaßt hatte[139]. Um eine Begutachtung dieses Gedichts, der „Pictura docens", gebeten, sah Spener das Manuskript noch in Stuttgart durch, ließ sich in seinen Randbemerkungen aber fast nur auf biblisch-exegetische Dinge ein, nicht auf die Cabbalistica, von denen er keine maßgebliche Meinung zu besitzen angab[140]. Zwar hat Spener von Straßburg aus der Prinzessin ein eigenes Gedicht über die zehn Sephirot geschickt und

---

[135] AaO (Anm. 133): Arborem Cabalisticam e decem proprietatibus divinis constitutam ... ab artifici ... pingi curavit.

[136] Ebd.

[137] Vgl. HÄUSSERMANN, 66; H. HERMELINK, Geschichte der Evangelischen Kirche in Württemberg, 1949, 239.

[138] Zur Person Schmidlins vgl. HÄUSSERMANN, 80 ff. Schmidlin war der Großvater mütterlicherseits von Johann Albrecht Bengel.

[139] HÄUSSERMANN, 66, Anm. 4.

[140] Brief Strölins an Schmidlin vom 16. 5. 1662 (LB Stuttgart Cod. hist. 551, bl. 60). Nach HÄUSSERMANN, 107 f.

Strölins Fragen über Instrumente und Melodien der alten hebräischen Musik mit Hilfe Buxtorfs zu beantworten gesucht[141]. Aber wie ihm das auf die paracelsische Naturphilosophie eingehende vierte Buch von Arndts Wahrem Christentum zeit seines Lebens verschlossen blieb, so hat er auch in die kabbalistische Pansophie nicht tiefer eindringen können. Spener teilt auch später die Meinung, daß sich in der Kabbala die jüdische Philosophie erhalten habe, deren Kenntnis bei der Interpretation der Schrift die verderbliche aristotelische Philosophie überflüssig machen werde. Er bekennt aber stets seine eigene Inkompetenz[142]. Mehr als ein Förderer und Freund dieser Bestrebungen ist er nicht gewesen. Der von der kabbalistischen Pansophie genährte spekulative Zug, der später in verschiedene Zweige des Pietismus, vor allem den württembergischen eindringt, hat die Spenersche Gedankenbildung nicht geprägt. Nicht Speners nüchterner Sinn, sondern erst der schwäbische Tiefsinn eines Friedrich Christoph Oetinger hat aus der Lehrtafel der Prinzessin Antonia die tiefsten Geheimnisse herauszulesen vermocht.

Von Stuttgart aus reiste Spener Anfang Juni nach Tübingen. Dort fand er Unterkunft bei seinem Studienfreund Frommann, der ihm während der vier Monate seines Aufenthaltes gastfreie Aufnahme gewährte[143]. Für den 6. Juni 1662 findet sich sein Eintrag in die Universitätsmatrikel. Schnell war der verwandtschaftliche Kontakt hergestellt mit dem Medizinprofessor Johann Conrad Brotbeck (1620–1677)[144]. Am 9. Juni schreibt Spener an Dr. Faber nach Neuenstadt, daß er Brotbeck kennengelernt habe und sich freue, mit ihm häufigen Umgang zu haben. Mit den übrigen Professoren sei er

---

[141] Strölin an Spener 6. 1. 1663 (LB Stuttgart Cod. hist. 551, bl. 63). Abgedruckt bei HÄUSSERMANN, 119 f. – Ein Leichcarmen Speners auf Strölin zum Leichbegängnis vom 4. 2. 1663 (LB Stuttgart, Cod. hist. 551) ist abgedruckt bei HÄUSSERMANN, 121 f. (nicht bei GRÜNBERG).

[142] Cons. 3,199 (1678): De Cabbala, nisi fallor, nuper etiam scripsi, me ejus esse ignarum, id vero ab aliis habeo, Philosophiam, quae Judaeorum fuit, in ea superesse. Quod si ita habeat, posset ejus aliquod esse momentum, sed quod dixi, de coloribus non judicat coecus. – Vgl. auch Cons. 3,446. Über den Nutzen, den sich Spener von einer tieferen Kenntnis der jüdischen Philosophie zur Überwindung der aristotelischen Philosophie erhofft, vgl. die Vorrede De impedimentis studii theologici von 1690 zu seinen Lehrtafeln zur Dannhauerschen Hodosophia *(Grünberg Nr. 251)*, abgedruckt Cons. 1,200–239, dort S. 212 f.; außerdem den an Theophil Spizel gerichteten Brief Cons. 3,184–188 (1677). Vgl. auch Speners Urteil über Christian Knorr von Rosenroth, den Herausgeber der Kabbala denudata (unten S. 328).

[143] Lebenslauf, 27.

[144] In Tübingen Prof. der Astronomie 1650, der Physik 1653, der Medizin seit 1656. Über seine Verwandtschaft zu Spener vgl. oben S. 148, Anm. 118. Spener erwähnt Brotbeck später mehrmals im Zusammenhang mit der Geistlichen Schatzkammer des Prätorius-Statius (vgl. unten S. 234), die er aufs höchste geschätzt haben soll. Bed. 3,341.425; 4,410,482.

noch nicht zusammengetroffen, wolle aber bald alle aufgesucht haben, um ihnen bekannt zu werden[145].

Spener muß, wie seine dankbaren Erinnerungen an die Tübinger Zeit bekunden, von den Professoren der Universität und des herzöglichen Collegium illustre sehr freundlich und wohlwollend aufgenommen worden sein. Von den Tübinger Theologen sagt Spener, daß Tobias Wagner (1602 bis 1680) und Balthasar Raith (1616—1683) sich väterlich gegen ihn bezeigt hätten, die beiden jüngeren Johann Adam Osiander (1622—1697) und Christoph Wölfflin (1625—1688) aber sehr brüderlich mit ihm umgegangen seien[146]. Man muß hierbei bedenken, daß ein aus Straßburg kommender Theologe den Württembergern aufgrund ihrer christologischen Sonderlehren zwar nicht geradezu als ein Irrlehrer, aber doch als ein in einigen Punkten falsch lehrender Theologe galt[147]. Vor diesem Hintergrund ist die freundschaftliche Aufnahme nicht ganz so selbstverständlich, wie es scheinen möchte. Gepredigt hat Spener in Württemberg allerdings nicht. Die negativen Folgen, die sich aus der Absperrung der württembergischen Kirche gegenüber den anderen lutherischen Kirchen ergaben, hat er in Tübingen bald bemerkt. Wölfflin klagte ihm gegenüber ganz offen, daß er und andere nie hätten reisen können, er selbst nicht einmal auf der nächstgelegenen Universität Straßburg zu studieren Gelegenheit und Erlaubnis gehabt hätte[148]. Aufgrund dieser Eindrücke hat Spener später entschieden geraten, die jungen württembergischen Theologen auch auswärts studieren zu lassen und damit eine für die freiere Entwicklung der württembergischen Theologie und Kirche sehr bedeutsame Entscheidung mitherbeigeführt[149].

Über den Kreis der Tübinger Theologen hinaus hat Spener auch mit den Professoren der anderen Fakultäten verkehrt. Außer Frommann und Brotbeck nennt Spener noch besonders den Juristen Wolfgang Adam Lauterbach (1618—1678), den nachmaligen Stuttgarter Konsistorialdirektor, dessen Gunst er in Tübingen erfahren haben will[150]. Die engsten Beziehungen scheinen sich aber ergeben zu haben zu dem bereits genannten Professor

---

145 AaO (oben S. 150, Anm. 130).

146 Lebenslauf, 27. — Im Jahre 1678 widmet Spener den genannten vier Tübinger Theologen den 1. Band seiner Bußpredigten (s. GRÜNBERG III,225).

147 Auch Spener spricht von den Württembergern als „irrenden Brüdern". L. Bed. 3,14 (1670).

148 L. Bed. 1,326.

149 L. Bed. 1,326 ff. (1687). Vgl. dazu M. BRECHT, Philipp Jakob Spener und die württembergische Kirche, 448 ff.

150 Lebenslauf, 27: „So genosse auch alle Gunst so wohl von den Hnn. Theologis . . . als anderen Professoribus, sonderlich Herrn D. Lauterbachen / dem so berühmten Juris Consulto." — Damit wird BRECHTS Vermutung dieser Bekanntschaft (aaO 445) zur Gewißheit. BRECHT vermutet außerdem Bekanntschaft Speners mit Johann Andreas Hochstetter (1637—1720), der von 1659—1668 Diakon in Tübingen war. — Zu Lauterbach vgl. unten S. 285, Anm. 11.

für Altes Testament *Balthasar Raith*. Raith und Spener begegneten sich in der Hochschätzung der hebräischen Studien und in der Verehrung Buxtorfs, mit dem auch der Tübinger Alttestamentler in Briefwechsel stand[151]. Raith hat die kabbalistischen Interessen der Prinzessin Antonia gefördert, für die von ihr gestiftete Lehrtafel hat er später in Bad Teinach die Einweihungsrede gehalten[152]. Über die Geringschätzung der hebräischen Sprache seitens der Tübinger Studenten klagte er genauso wie Buxtorf in Basel[153]. Vermutlich hat Buxtorf, wenn er 1659 an Johann Coccejus schreibt, seine Psalmenvorlesung werde auch von Lutheranern, besonders zu Tübingen, mit Sehnsucht erwartet[154], dabei an Balthasar Raith gedacht. In den Pia Desideria ist — abgesehen von dem Hinweis auf die Schriften Johann Valentin Andreäs — Balthasar Raith der einzige württembergische Theologe, den Spener zitiert[155]. Und es ist sicher nicht zufällig, daß Spener bei ihm die Gegenüberstellung von scholastischer und biblischer Theologie gefunden hat[156].

Daß es unter den Tübinger Theologen gerade Raith gewesen ist, mit dem Spener in engeren Kontakt kam, verwundert also nicht. Für Spener war es nun besonders hilfreich, daß er sich mit Raith in dessen Haus austauschen konnte über den Eindruck eines Buches, das im Vorjahr (1661) in Frankfurt am Main erschienen war und ihm in Tübingen erstmals in die Hände kam: die „Wächterstimme aus dem verwüsteten Zion"[157] des hochbegabten und früh verstorbenen Rostocker Pfarrers *Theophil Großgebauer*[158]. Dieses in einem glänzenden Stil und von stellenweise mitreißender Diktion geschriebene Buch hat man einen Wendepunkt in der vorpietistischen Reformliteratur der lutherischen Kirche genannt[159]. Richtiger wohl ist, es deren Höhepunkt zu nennen. Aus der Tradition der Rostocker Reformbestrebungen kommend, die in Männern wie Joachim Lütkemann, Heinrich Müller und den beiden Johann Quistorp breitere literarische Wirksamkeit entfaltet hatte[160], steht Großgebauer weniger der Erbaulichkeit Lütkemanns und

---

151 Nach Speners Brief an Buxtorf vom 14. 7. 1662.

152 Häussermann, aaO 66 f.

153 Spener an Buxtorf, Straßburg 29. 1. 1663.

154 Staehelin, aaO 385 f. 155 PD 25,15 ff. 156 PD 25,21 ff.

157 Wächterstimme aus dem verwüsteten Zion. Das ist Treuherzige und nothwendige Entdeckung, aus was Ursachen die vielfältige Predigt des Worts Gottes, bey evangelischen Gemeinen, wenig zur Bekehrung und Gottseligkeit fruchte, und warum Evangelische Gemeinen, bey denen heutigen Predigten des heiligen Wortes Gottes, ungeistlicher und ungöttlicher werden? samt einem treuen Unterricht von der Wiedergeburt. Frankfurt 1661. Wiederabgedruckt in: Drei Geistliche Schriften, Frankfurt-Leipzig 1667 (ich zitiere nach der 4. Aufl., Schwerin 1753).

158 Über Theophil Großgebauer (1627—1661) s. RGG³ II,1884 f. (hier wird Großgebauer irrtümlich Universitätsprofessor in Rostock genannt, er ist aber nur Magister gewesen) und NDB 7,153.

159 Leube, Reformideen, 77.

160 Zum Rostocker Kreis vgl. Leube, 63 ff., sowie die den genannten Theologen gewidmeten Artikel in RGG³ (dort weitere Literatur).

dem stark an die Sprache der Mystik sich anlehnenden Heinrich Müller nahe als der mehr nüchternen und praktischen Gedankenwelt Johann Quistorps des Älteren. Über ihn hinaus geht er in der Aufnahme von Gedanken puritanischer Erbauungsliteratur und presbyterianischer Kirchenverfassung[161]. Großgebauer setzt ein mit der Klage über den fast völlig erloschenen Eifer für die Sache Gottes und das Überhandnehmen eines ungöttlichen und ungeistlichen, der Welt verfallenen Sinnes unter den lutherischen Christen. Die Ursache des Elends der Kirche sieht er in der einseitigen Heraushebung der Predigt in der lutherischen Kirche. „Wie kann aber das Wort der Wahrheit in unsere Seele allein durch das Predigen gepflanzet werden?"[162] — dies ist die Grundfrage Großgebauers, die er verknüpft mit der Klage über die Vernachlässigung des Hirtenamtes, der Kirchenzucht, des Katechismusunterrichts, der Feiertagsheiligung und des allgemeinen königlichen Priestertums[163]. Seine Reformgedanken zielen auf eine durchgreifende Strukturveränderung der lutherischen Kirche, bei der die Predigt aus ihrer isolierten Herrschaftsstellung verdrängt und das Hirtenamt des Pfarrers an die erste Stelle treten soll. Gar nicht für ausreichend hält Großgebauer den seit Johann Arndt und Johann Gerhard erhobenen Vorschlag, daß die Prediger „mehr und öfter vom inwendigen Menschen predigen" sollten[164]. So wichtig das sei, müßten doch scharfe Disziplin und Kirchenzucht sowie eine bessere Kirchenverfassung dazu kommen, wenn wirklich Besserung eintreten solle[165]. Außerdem dürfe die christliche Obrigkeit, über deren hinlässige Hände Großgebauer beredt klagt[166], die kirchlichen Dinge nicht den Superintendenten und Predigern überlassen, sondern müsse selbst, mit durch die Schrift erleuchteten Augen, das Hirten- und Bischofsamt wahrnehmen[167] und durch das Ausrufen von Fast- und Bettagen den Bund Gottes mit seinem Volk erneuern[168]. Nur so könne verhindert werden, „daß das Lehren und Predigen endlich gar zur Gewohnheit hinaus schlagen und auf ein Wort-Sprechen hinaus lauffen werde"[169].

---

[161] Vgl. die der „Wächterstimme" angehängte englische Kirchenordnung (aaO 464—508), ein „Auszug aus dem Book of Common Prayer" (M. SCHMIDT in NDB 7,153).

[162] AaO 29.

[163] Ich gebe damit keine vollständige Inhaltsangabe, sondern suche den in sich klaren und einfachen Grundgedanken Großgebauers zu umreißen. Spener faßt Großgebauers Klage treffend zusammen in die Worte, „warum die so häuffige predigt göttlichen worts in den Evangelischen kirchen so wenig zur wahren bekehrung und gottseligkeit bey den leuten außrichte" (Warhafftige Erzehlung, 36). Vgl. auch den Untertitel der Schrift (oben Anm. 157). In der Literatur (z. B. in dem Referat KANTZENBACHS, Orthodoxie und Pietismus, 1966, 64 und 66) kommt dieser Grundgedanke meist nicht zur Geltung.

[164] AaO 5. [165] Ebd.

[166] Vgl. Kap. 16 „Von den hinlässigen Händen der Obrigkeit, als der dreyzehenden Ursache des ungöttlichen Wesens in der Evangelischen Kirche".

[167] AaO 425. [168] AaO 428 ff. [169] AaO 434.

Es ist nicht leicht, den Standort Großgebauers im Übergang von der Orthodoxie zum Pietismus zu bestimmen. Erblickt man den Unterschied zwischen den orthodoxen und den pietistischen Reformbestrebungen darin, daß jene den Hebel der Reform bei der gesamten *Volkskirche* ansetzen, diesen es dagegen um das Bilden von frommen Gemeinschaften innerhalb der Volkskirche geht, so gehört Großgebauer noch zur Orthodoxie und nicht zum Pietismus. Nirgendwo zielen seine Gedanken in die Richtung der Spenerschen Collegia pietatis und der Ecclesiola in Ecclesia. Die Pfarrer sollen bei einem jeglichen ihrer Gemeindeglieder nicht ruhen noch ablassen, bis sie merken, daß er wiedergeboren ist[170]. Er klagt, daß die Zeit eines Stadtpfarrers hierfür nicht ausreicht und wünscht Parochien von ungefähr hundert Seelen[171]. Also an der volkskirchlichen Struktur der Orthodoxie nimmt Großgebauer keinen Anstoß, im Gegenteil, hier ist sein Ansatzpunkt. Wenn man aber das Drängen auf individuelle, erlebbare und datierbare *Bekehrung* als das Kennzeichen des Pietismus annimmt, so ist Großgebauer viel eher als Spener ein Pietist zu nennen. Nach Großgebauer muß der Mensch wissen, wann er gläubig geworden ist[172], und er muß zuvor einen Bekehrungskampf durchgestanden haben[173] – eine Behauptung, die man bei Spener noch nicht, sondern erst wieder bei August Hermann Francke findet. Seiner „Wächterstimme" hat er angehängt einen Traktat von der Wiedergeburt, in dem in einer für Spener jedenfalls anstößigen Weise mit dem

[170] AaO 572.

[171] Ebd.

[172] AaO 614: „Ob dann der nunmehr gläubige und zu GOtt bekehrte Mensch wohl wissen und sich erinnern könne, zu welcher Zeit er den Werken des Fleisches und des Teufels entsaget . . . und durch den Glauben sich ganz an den Seligmacher der Welt übergeben? Hierauf ist insgemein die Antwort: . . . man muß wissen, wie und wo man zu dem seligmachenden Glauben kommen ist." Auf diese Stelle hat schon Karl Holl hingewiesen (Ges. Aufs. III, 328 Anm. 2). Vgl. aaO 616 f.: „Diese Stunde, als den Anfang des ewigen Lebens, darinn der Mensch sich zu GOtt bekehret, befindet, merket und zeichnet der Mensch an, viel fleissiger, als seinen leiblichen Geburts-Tag, und so oft er an die selige Stunde seiner Bekehrung zu GOtt gedenket, lobet und preiset er dafür den HErrn."

[173] AaO 82 f.: „Weiter, so gehet die Bekehrung nicht zu ohne grossen Kampf und Streit, und kostet mehr Schmerzen, als wann ein Kind zur Welt von seiner Mutter soll gebohren werden . . . Aber wie viel sind deren unter uns, die da wissen oder sich besinnen können, daß sie . . . einen Zug vom Vater gefühlet, die Macht GOttes im Wort empfunden, und bis auf die Durchstechung des Herzens dasselbige gehöret, und von derselbigen Zeit an ihre Herzen sind verändert worden? . . . Unsere Pfarr-Kinder aber wissen nicht, daß sie solten je einen harten Kampf über ihre Bekehrung ausgestanden haben." Es wäre gut, wenn diese und die in der vorigen Anmerkung genannten Sätze in der Forschung etwas stärkere Beachtung fänden. Vielleicht würde dann die Sicherheit etwas fraglich, mit welcher man heute Großgebauer der Orthodoxie oder einer sogenannten „Reformorthodoxie" zuzuzählen liebt und ihn vom Pietismus so scharf unterscheidet, daß man ihn nicht einmal als einen Vorläufer desselben würdigen soll (so z. B. Kantzenbach, aaO 63 f.).

pietistischen Theologumenon der Wiedergeburt operiert wird[174]. Auch in der Kritik der kirchlichen Praxis der Orthodoxie ist Großgebauer, der z. B. alle instrumentale Kirchenmusik verwirft, weit radikaler als Spener. Es ist deshalb nicht verwunderlich, daß Großgebauers Buch sehr viel schneller als Speners Pia Desideria auf Widerstand in der Orthodoxie stieß. In Hamburg gab es bereits 1663 Auseinandersetzungen zwischen den orthodoxen Predigern und Theologiestudenten, die von Großgebauer beeinflußt waren[175]. Man kann Großgebauer also nicht einfach als ein Mittelglied zwischen Orthodoxie und Pietismus ansehen. Wenn er den Spenerschen Pietismus vorbereitet hat, dann so, daß er in der Strenge seiner puritanischen Ideale Ziele steckte, über die Spener nicht hinausging, sondern die er in den Bereich des Möglichen und mit der lutherischen Tradition Verträglichen zurücknehmen mußte, wenn sie geschichtlich wirksam werden sollten.

Ob Spener bereits vor seinem Tübinger Aufenthalt Kenntnis von orthodoxem Reformschrifttum – abgesehen von den Werken Arndts – hatte, wissen wir nicht. Es ist zu vermuten, daß er in Rappoltsweiler und Straßburg Schriften Johann Valentin Andreäs kennengelernt hat[176]. Es lassen sich aber in der Biographie Speners keine Spuren finden, daß er von einer Schrift Andreäs oder von einer anderen Reformschrift seiner Zeit in einem auch nur annähernd ähnlichen Maße beeindruckt worden ist wie von Großgebauers Wächterstimme. Durch sie sind, wie Spener mehrfach bezeugt, ihm die Augen geöffnet worden, den Schaden der Kirche tiefer einzusehen[177]. Schon beim ersten Lesen in Tübingen sei er „stark gerührt" worden[178]. Ein Jahr vor dem Erscheinen der Pia Desideria, als Spener mit dem Augsburger Freund Theophil Spizel brieflich über die Besserung der Kirche verhandeln will, schlägt er vor, in einen Gedankenaustausch über Großgebauers Wächterstimme einzutreten[179]. Häufig will er privat dieses Buch empfohlen haben[180]. In den Pia Desideria, in denen sich Spener mit Bedacht nur auf in der Lehre unangefochtene Theologen berufen hat, fehlt freilich eine Erwähnung Großgebauers. Spener wußte zu gut, daß die Berufung auf diesen Namen ihn in der lutherischen Orthodoxie in den Geruch der Heterodoxie bringen mußte. Er hat gleichwohl 1688 in der Vorrede zu Großgebauers Predigten über den Epheserbrief ihn zwar nicht unter die rechten, aber doch unter die rechtschaffenen und gottseligen Lehrer der evangelischen Kirche gezählt[181]. Fragt man nach den Einflüssen, die auf Spener bei der Abfassung der Pia Desideria eingewirkt haben, so muß man Großgebauers

---

[174] Treuer Unterricht von der Wiedergeburth, aaO 509–632. S. dazu ausführlicher unten S. 168 ff.

[175] S. darüber G. Arnold, Kirchen u. Ketzerhistorie, Teil IV, Sect. III, Nr. XIV (Frankfurter Ausgabe 171[5], II,949).

[176] Vgl. oben S. 44.

[177] Warhafftige Erzehlung, 36; EGS II,203. Vgl. Cons. 3,77 (1675).

[178] EGS II,203. Vgl. Bed. 3,554; 4,579.

[179] Cons. 3,60 b (23. 3. 1674).

[180] L. Bed. 3,193 f. (1687).

[181] EGS II,202.

„Wächterstimme“ mit an erster Stelle nennen, wenigstens weit vor den meisten derjenigen Autoren, auf die sich Spener sonst in seiner Programmschrift beruft. Balthasar Raith hat seine Zustimmung zu den Pia Desideria mit dem Urteil verknüpft, Spener habe die Gedanken Großgebauers aufgegriffen[182].

Spener hat während seines Aufenthaltes in Tübingen zwei Kollegs gehalten[183], vermutlich über Heraldik und Genealogie. Da nach seinem Bericht an diesen Kollegs „mehrere Grafen / Baronen / Edelleuthe und andere vornehme Studiosi“ teilnahmen[184], ist anzunehmen, daß er diese Kollegs nicht an der Universität, sondern am herzoglichen Collegium illustre gehalten hat. Hier fand er einen größeren Kreis adliger Studenten, wie er ihn ähnlich an der Prinzenuniversität Straßburg in seinen genealogischen und heraldischen Kollegs gehabt hatte[185]. Und wenn Herzog Eberhard III. den jungen Genealogen und Heraldiker in Tübingen „accomodiren“ wollte, so kommt wiederum wohl nur ein Lehrstuhl an der Adelsakademie des Collegium illustre in Frage, nicht an der Universität[186]. Eberhard III. hat das im Jahre 1592 zur Heranbildung des Adels gegründete Collegium illustre nach dem Dreißigjährigen Krieg erneuert und mit besonderer Fürsorge bedacht[187]. Da im Unterschied zur Universität das Collegium unmittelbar dem Hof unterstellt war, konnte der Herzog die Lehrstühle selbst besetzen. Es spricht also alles dafür, daß der junge Spener, wenn nicht außergewöhnliche Ereignisse dazwischengetreten wären, einen Lehrstuhl für Geschichte an der schwäbischen Adelsakademie erhalten und den nicht nur aus Württemberg, sondern auch anderen Teilen des Reiches an den Neckar ziehenden jungen Adligen Unterricht in Genealogie und Heraldik erteilt hätte.

In Straßburg muß man davon Kunde bekommen haben, daß der junge rappoltsteinsche Gelehrte an Württemberg verloren gehen würde. Überraschend bekam Spener in Tübingen das Angebot aus Straßburg, dort eine Pfarrstelle zu übernehmen. Unschlüssig, was zu tun sei, schickte er einen Eilboten nach Rappoltsweiler[188]. Von dort kam die Antwort, er hätte diesen Ruf als einen Fingerzeig Gottes zu verstehen. Leicht fiel der Entschluß zur Annahme des Rufes nicht. Spener berichtet später von schweren inneren

---

182 Spener, Gründliche Beantwortung des Unfugs, 1693, 49.

183 Lebenslauf, 27. 184 Ebd.

185 Den am 14. 7. 1662 in Tübingen geschriebenen Brief an Buxtorf läßt Spener, wie er im Postskript angibt, durch einen Herrn von Schönberg expedieren, der „in Illustri collegio huius civitatis“ lebe.

186 Ich ziehe damit die bisherige, vor allem von der württembergischen Kirchengeschichtsforschung vertretene Annahme in Zweifel, daß Spener „1662 für die Tübinger Universität gewonnen werden“ sollte (so zuletzt M. Brecht, aaO 444).

187 Zedler, Art. „Tübingen“.

188 Außer der kurzen Erwähnung im Lebenslauf (28) berichtet Spener ausführlich hierüber in einem Brief an Eleonore von Merlau aus dem Jahre 1674 (Bed. 3,94 f.).

Kämpfen. Seine Zusage beschreibt er als einen Entschluß, in welchem er durch die Gnade Gottes „die natur überwand“[189]. Im Oktober brach er, nach viermonatigem Aufenthalt in Tübingen, zur Heimreise auf. Die akademischen Wanderjahre fanden damit ihr Ende. Nach Leipzig und Wittenberg ist Spener nicht mehr gekommen.

IV. Freiprediger in Straßburg (1663-1666)

Die Stelle, die man Spener in Straßburg angetragen hatte, war die Spitalspfarrei[1]. Ein uns unbekannt bleibender Patrizier, der Einfluß auf die Besetzung der vakant gewordenen Stelle besaß, hatte Speners Berufung durchgesetzt[2]. Spener nennt den Mann einen Förderer seiner Studien, der schon lange im Sinn hatte, ihn der Stadt Straßburg zu erhalten, zugleich aber wußte, welche Hindernisse dem im Wege standen. Dieser Mann hoffte, wenn erst einmal die Gefahr der Abwanderung nach Württemberg gebannt sei und man Spener in einer festen Stelle in Straßburg halten könne, werde der Weg zu höheren Ämtern nicht mehr schwierig sein.

Die Haltung, die Spener in dieser Berufungsangelegenheit eingenommen hat, ist eine menschlich verständliche gewesen, sehr glücklich kann man sie kaum nennen. Nach inneren Kämpfen und der Absage an die ihm in Württemberg offenstehende wissenschaftliche Tätigkeit war er nach Straßburg zurückgekehrt in dem Bewußtsein, dem „Finger Gottes“ zu folgen. Dort angekommen setzte ihm Dannhauer zu, daß die Annahme dieser Stelle das Ende seiner wissenschaftlichen Laufbahn bedeuten würde. Die Hoffnung, noch Früchte seiner wissenschaftlichen Studien zu erblicken, müsse man aufgeben, wenn er eine Pfarrstelle übernähme, mit welcher so viel Seelsorgearbeit verbunden sei. Diese Einwände fielen bei Spener, der die mit der Spitalspfarrei verbundenen Amtspflichten nicht erst bei seiner Ankunft in Straßburg erfahren haben kann, auf keinen ungünstigen Boden. Er zog seine Zusage zurück, und offensichtlich hat Dannhauer das Einverständnis derer, die die Berufung ausgesprochen hatten, mit dem Hinweis auf Speners schwächliche Leibeskonstitution herbeigeführt[3].

---

[189] Bed. 3,95.

[1] Cons. 1,467 b (ad nosodochii curam). Das folgende hiernach. — Die Spitalspfarrei ist nach GRÜNBERG (III,396) im Jahre 1663 tatsächlich neu besetzt worden. Näheres über die Berufung habe ich aus den Straßburger Akten nicht ermitteln können.

[2] Man kann nur Vermutungen anstellen, wer dieser „patronus ex Argentoratensibus proceribus“ (Cons. 1,467 b) gewesen ist. In Frage käme z. B. der Ammeister Dominikus Dietrich (1620—1694), der zu den Verehrern Speners zählte und ihm später brieflich seine Zustimmung zu den Pia Desideria aussprach (Cons. 3,114 b; vgl. GRÜNBERG III,397).

[3] Ich sehe die Dinge also etwas anders als GRÜNBERG, der (I,151) Spener bei

Die Zurücknahme einer nach langem inneren Kampf eben erst gegebenen Zusage auf eine ordentliche Berufung kann einen in Gewissensdingen peinlich achtsamen Charakter nicht ohne seelische Erschütterung gelassen haben. Wenn Spener den Entschluß zur Annahme der Berufung als ein Überwinden der eigenen Natur durch die Gnade Gottes verstand, mußte er sich dann nicht hinterher fragen, ob, als er sich den Vernunftgründen Dannhauers öffnete, die Natur nachträglich nicht doch siegte? Wir haben keine Zeugnisse, die uns Einblick in die seelische Verfassung des jungen Spener während dieser Zeit gewähren und eine Antwort auf diese Frage geben können. Nach einem Brief aus seiner Frankfurter Zeit will er die Sache als eine Versuchung Gottes angesehen haben, der ihn habe prüfen wollen, ob er bereit sei, seinen eigenen Willen dem göttlichen Willen zu opfern, ihn nachmals aber wiederum frei gelassen habe[4]. Ganz wohl kann dem Betrachter allerdings nicht dabei werden, wenn er bemerkt, wie Spener seine einmal so, ein andermal so gefaßten Entschlüsse mit dem Willen Gottes identifiziert und das Hin und Her zwischen Wissenschaft und kirchlichem Amt, das sich in den folgenden Jahren fortsetzte, so versteht, daß Gott mit ihm „gespielt" habe[5]. Es ist doch wohl etwas anderes zu glauben, daß Gottes Wille auch durch die eigenen schwankenden Entscheidungen sein Ziel verfolgt, und zu meinen, daß die durch Gebet erlangten Entscheidungen je für sich mit dem Willen Gottes in eins zu setzen sind. Spener aber ist durch die Erfahrungen des Herbstes 1662 nicht darin irre geworden, daß wichtige Entscheidungen des eigenen Lebens als ein direktes Handeln Gottes angesehen werden müssen. Wenn er für sich selbst eine Lehre aus diesen Ereignissen gezogen hat, so bestand sie darin, daß er künftig noch gründlicher erforschen wollte, wel-

---

seiner Ankunft in Straßburg feststellen läßt, daß er kräftemäßig der Stelle nicht gewachsen sei. Die Rücksicht auf die Studien nennt Grünberg nur als zweiten Grund. Prüft man die Quellenzeugnisse, so ergibt sich, daß Spener im Lebenslauf nur den einen Grund „weil es schiene meiner studiorum ruin zu seyn" (aaO 28) angibt, und auch in dem ausführlichen Bericht Cons. 3,467 f. nur diesen einen Grund nennt. Das Argument mit der „Leibeskonstitution" taucht nur in dem Brief an Eleonore von Merlau auf (Bed. 3,95), und zwar nicht neben, sondern an Stelle der Begründung mit dem Ruin der Studien. Spener sagt hier übrigens nicht, daß er selbst, sondern daß Dannhauer erkannt habe, daß ihm diese Stelle seiner Konstitution halber unmöglich sei. An anderer Stelle (Cons 3,468 a) sagt Spener deutlich, was er gegenüber der Merlau verschweigt, daß Dannhauer ihn für die wissenschaftliche Arbeit freistellen wollte. Gegenüber der wissenschaftsfeindlichen Pietistin hat Spener also den Grund der Zurücknahme seiner Berufung bemäntelt. Wenn er der Merlau schreibt, daß diejenigen, die ihn berufen hatten, auf Dannhauers mit seiner Leibeskonstitution begründeten „remonstration sich zur ruhe begaben" (Bed. 3,95), so wird das zutreffen. Daraus muß sich aber eine andere Darstellung ergeben als diejenige, welche Grünberg bietet.

[4] Bed. 3,94 f. (an Eleonore von Merlau 1674).

[5] Bed. 3,95. Vgl. auch den Zusammenhang zuvor (94), wo Spener die Merlau darauf hinweist, daß Gott mit ihr spiele. Der Ausdruck ist der Mystik entlehnt.

ches der Wille Gottes über ihn sei. Von einem Kampf und von einem eigenen Entschluß wie im Herbst 1662 ist bei Speners späteren Berufungen — der nach Frankfurt wie denen nach Dresden und Berlin — nichts mehr zu finden[6]. Spener hat sich später regelmäßig „rein passive" verhalten und andere über sich entscheiden lassen. So sehr das einer entschlußlosen Charakterveranlagung entsprechen mag, die man meistens hierfür in Anschlag bringt, so sehr das auch dem orthodoxen Verständnis der Vokation entspricht und ebenfalls bei anderen Theologen zu finden ist[7], man muß sicherlich auch die Ereignisse bei der ersten Berufung an die Straßburger Spitalspfarrei in Rechnung stellen, wenn man Speners spätere Handlungsweise verstehen will.

Spener befand sich nach der Ablehnung der Spitalspfarrstelle im Winter 1662/63 in keinem glücklichen Zustand. Sowohl in Straßburg als auch in Württemberg hatte er Redereien und Schimpf zu befürchten[8]. Er nahm in Straßburg wieder seine Kollegs in der philosophischen Fakultät auf, trug sich aber mit dem Gedanken, im Frühjahr nach Württemberg zurückzukehren[9]. Aus diesem Winter haben wir außer einem Brief an Buxtorf, der hauptsächlich wissenschaftliche Nachrichten zum Inhalt hat[10], keine Zeugnisse. Bemerkenswert ist aber der in den Januar 1663 fallende Besuch Gottschalk van Schurmans[11], des Bruders der vom ganzen gebildeten Europa wegen ihrer Gelehrsamkeit und Kunstfertigkeit bewunderten Anna Maria van Schurman aus Utrecht.

Gottschalk van Schurman (1605—1664), Arzt und Reisender in Sachen der Gottseligkeit[12], befand sich, als er im Januar 1663 durch Straßburg kam,

---

[6] Zur Berufung nach Frankfurt s. unten S. 186 ff. Für die Praktiken Speners bei der Berufung nach Dresden s. GRÜNBERG I,210 ff. Danach hat Spener den Frankfurter Predigerkonvent über die Göttlichkeit der Berufung entscheiden lassen, was dieser aber nicht fertigbrachte. Danach den Magistrat, der sich für inkompetent erklärte und die Frage an Theologen weitergab. Schließlich hat Spener die Entscheidung fünf auswärtigen Theologen anheimgestellt, die sich für die Annahme der Berufung erklärten. GRÜNBERGS Urteil, „daß dieser ganze Apparat, der zur Erforschung des Willens Gottes in Szene gesetzt wurde, einen besonders erbaulichen Eindruck nicht macht" (I,211) ist hart, aber berechtigt. Über Speners Passivität bei der Berufung nach Berlin siehe GRÜNBERG I,253.

[7] Vgl. die umständlichen Verhandlungen bei der Berufung Balthasar Bebels von Straßburg nach Danzig im Jahre 1680, wo Bebel ebenfalls die Entscheidung dem Magistrat überläßt (HORNING, Balthasar Bebel, 57 f.).

[8] Bed. 3,95. [9] Lebenslauf, 28.

[10] Spener an Buxtorf, Straßburg 29. 1. 1663, UB Basel G I 61, bl. 318.

[11] Ebd.: Dn. Schurmann his diebus hic transiens aliquoties honorem exhibet mihi et museo meo. — Danach ist der Besuch Schurmans, den Spener auch Bed. 3,175 (1677) erwähnt, auf Januar 1663 zu datieren. GRÜNBERG gibt hiervon keine Kunde.

[12] Über ihn vgl. GOETERS, 109.137. u. ö.; Biographisch Woordenboek d. Nederlanden X, 1874, 554 (hiernach erschien von ihm: De studio seu praxi pietatis, Basel 1662).

auf dem Rückweg von jener für den niederländischen Protestantismus so folgenreichen Studienreise, auf der er Labadie in Genf kennenlernte und die Kunde von diesem geistesgewaltigen Mann nach Holland trug, was einige Jahre später die Berufung Labadies nach dem seeländischen Middelburg zur Folge hatte[13]. Schurman war zuerst bei Buxtorf in Basel gewesen und hatte sich von dort nach Genf begeben, wo ihn Labadie in sein Haus aufnahm. Schon von dort aus hat er, der im übrigen von Genf enttäuscht war, in begeisterten Briefen an seine Schwester Labadie gerühmt und von seinen Anschauungen und seinem Wirken berichtet. Anna Maria van Schurman erzählt, daß sie durch die Genfer Briefe ihres Bruders von dem allgemeinen Abfall des Christentums und besonders des Predigerstandes überzeugt worden sei[14]. Als er nach Utrecht zurückkam, verbreitete er unter den dortigen Predigern und Frommen Labadies Klage über den Verfall der Kirche, erzählte dazumal „unerhörte" Dinge von seiner Wirksamkeit[15], blieb auch bis zu seinem frühen Tod mit Labadie im Briefwechsel. — Daß Gottschalk van Schurman auf der Rückreise einen Besuch bei Spener machte, geht nun fraglos auf die Vermittlung von Buxtorf zurück, von welchem er Grüße an Spener überbrachte[16]. Aber es muß doch mehr als ein Höflichkeitsbesuch gewesen sein, denn Spener berichtet, daß er einigemal (aliquoties) bei ihm im Studierzimmer zu Gast war[17], und noch 1677 weiß er zu berichten, daß Schurman damals „eine herzliche Liebe" gegen ihn bezeugt habe[18]. Auch ohne weitere Zeugnisse über ihr Zusammentreffen liegt auf der Hand, daß diese beiden Männer, von denen der eine Labadies Gedanken nach Holland vermittelte und der andere ihn erstmals ins Deutsche übersetzte, sich im Gedankenaustausch über das Wirken des neuen Genfer Reformators getroffen haben müssen. Den Eindrücken der Genfer Zeit und der Tübinger Lektüre von Großgebauers Wächterstimme reiht sich der Besuch Schurmans als ein neues Glied einer Kette an, an der sich in den Jahren nach Abschluß der Straßburger Studienzeit ein besonderes Interesse für die Kirchenreform und eine Distanz zu der immer mehr in Gelehrsamkeit und Polemik sich versteifenden Straßburger Orthodoxie bei Spener abzu-

---

[13] Über die Reise Schurmans siehe Yvons Lebensbeschreibung Labadies (bei G. Arnold, Kirchen u. Ketzerhistorie, 1729, II,1347 ff.) und Anna Maria van Schurman, Eukleria (unten S. 291, Anm. 39), 1673, 135 ff.

[14] A. M. van Schurman, aaO 136: Cumque ibidem (sc. in Genf im Hause Labadies) aliquamdiu commoraretur, praestantissima ejus rei per literas suas nobis recensuit specimina: quae me efficacius communis tum Christianismi, tum praecipue Pastoratus docuerunt defectionem.

[15] AaO 136 f.: Postquam autem carissimus meus Frater ad nos rediisset incolumis, multa nobis de eodem Dei Ministro (sc. Labadie) narravit, hoc tempore plane inaudita; quae piis omnibus admirationem, & quibusdam Pastoribus desiderium saltem talia imitandi concitabant: sed simul atque oculos ad universalissimam suarum Ecclesiarum corruptionem conjiciebant...

[16] Spener an Buxtorf (oben Anm. 10). [17] Oben Anm. 11. [18] Bed. 3,175.

zeichnen beginnt. Es ist übrigens möglich, daß die Besuche van Schurmans den Verdacht des Hinneigens zum Calvinismus, wogegen sich Spener schon in Straßburg zur Wehr setzen muß, ausgelöst haben[19].

Speners Pläne, nach Württemberg zurückzukehren, konnten in Straßburg nicht unbekannt bleiben. Man sollte eigentlich erwarten, daß von seiten Dannhauers im Namen der Fakultät oder des Kirchenkonvents Anstrengungen gemacht wurden, um ihm eine Anstellung in Straßburg zu verschaffen. Davon ist jedoch nichts festzustellen[20]. Vielleicht hat Dannhauer, als er ihm die Spitalspfarrei widerriet, mehr an ein Weiterarbeiten auf dem Feld der Geschichtswissenschaft als dem der Theologie gedacht. Im März 1663 hat er als Kirchenpräsident lediglich dem Straßburger Rat vorgeschlagen, Spener am Karfreitag die Abendpredigt im Münster verrichten zu lassen[21]. Als dieser Vorschlag zur Verhandlung kam, lag jedoch im Rat bereits ein viel weiter gehender Antrag vor. In der gleichen Ratssitzung vom 16. März wurde nämlich beschlossen, Spener die zweite, gerade freistehende Freipredigerstelle anzutragen. Der Magister Spener, so wurde dem Rat vorgetragen, sei nicht nur, wie bekannt, ein vortrefflicher Prediger, er habe auch eine hervorragende Lehrgabe, weshalb man ihn in Kirche und Schule sehr gut werde gebrauchen können. Da ihm eine anderwärtige Anstellung in Aussicht sei, er aber eine besondere Neigung habe, der Stadt Straßburg zu dienen, sei es geraten, ihm eine Anstellung, am besten die freigewordene zweite Freipredigerstelle, zu geben[22]. Von wem dieser Antrag kam, läßt sich nicht feststellen. Es ist aber anzunehmen, daß der gleiche Patrizier, der im vorangegangenen Herbst dem Weggang Speners nach Württemberg durch die Berufung an die Spitalspfarrei zuvorkam, auch diesmal wieder die Hand im Spiel hatte. Aus dem Protokoll geht hervor, daß mit Spener bereits vor-

---

[19] In der anonym herausgegebenen antipietistischen Schrift: Der Labadismus die Quelle des Pietismus, 1734, 6 f. (vorh. LB Stuttgart; vgl. ALAND, Spener-Studien, 41 ff.) wird der Besuch Gottschalk van Schurmans ebenfalls erwähnt. Vielleicht ist er weiter bekannt geworden.

[20] Anders GRÜNBERG I,152, der „Betreiben seiner akademischen Lehrer“ vermutet. S. dagegen das folgende.

[21] Protokolle der XXler (Stadtarchiv Strasb.), Montag den 16. März 1663, bl. 39 v.

[22] Stadtarchiv Strasbourg, Protokolle der XXler, Montag den 16. März 1663: Bey dießer gelegenheit seye des herrn Magr. Speners gedacht worden, und bericht geschehen, das derselbe nicht allein, wie bekandt, ein trefflicher Prediger seye, sondern auch ein köstlich Donum docendi habe, dannenhero so wohl in der Kirch alß Schuhl wohl werde zu gebrauchen sein, dieweilen Er dann anderswo dienst haben könte, zu hiesiger Statt aber eine sonderbahre inclination, demselben zu dienen habe, alß hatte mann dafür gehalten, mann solte Ihnen employren, und weilen die eine Freipredigerstell ledig, Ihm dieselbe aufftragen, und daßelbige praedicatum geben, will sich anfänglich mit 50. R. wie mann die Nachricht hatt, contentiren, halt dabey Collegia, und hatt bey Hn. Dr. Rebhan freyen tisch, solte er dann ferners employrt werden wirdt mann Ihme auch mehrere ergötzlichkeit schöpffen.

her verhandelt worden war und dieser erklärt hatte, da er Einkünfte durch seine Kollegs und außerdem den Freitisch bei Rebhan habe, mit einem Gehalt von 50 Talern zufrieden zu sein[23]. Spener muß über diese Wendung der Dinge, auch wenn sie ihm keine ausreichende Existenzbasis bot, erfreut gewesen sein. Als ihm der Magistrat auf dem ordentlichen Dienstweg durch Dannhauer die Stelle antragen ließ[24], nahm er ohne Zaudern an. Die feierliche Berufungsurkunde wurde ihm alsbald zugestellt. Bereits neun Tage nach jener Ratssitzung – am 25. März 1663 – hielt er seine erste Predigt[25] in einem Mittwochabendgottesdienst.

Das Freipredigeramt[26] existierte in der Straßburger Kirche seit dem Jahre 1563. Zuvor, seit 1553, war gelegentlich des Ausfalls mehrerer Pfarrer durch Krankheit oder Todesfall vom Rat ein „freier prediger" ernannt worden. Ein festes Amt wurde aber erst 1563 gestiftet und mit zwei emeritierten Diakonen besetzt. Die Zahl wechselte öfter, schwankte zwischen einem und vier Predigern, doch scheint die Zahl von zwei Freipredigern als normal angesehen worden zu sein. Die Personen, welche man zu diesem Amt wählte, waren ursprünglich meist ältere Prediger, denen man eine Versorgung geben wollte. Seit der Mitte des 17. Jahrhunderts wurde es aber üblich, die Stellen auch jungen Doktoren der Theologie zu geben, die man in Straßburg festhalten wollte, so lange noch keine Professur für sie frei war. So haben vor Spener bereits die beiden Theologieprofessoren Balthasar Bebel und Isaak Faust Freipredigerstellen innegehabt. Die Verrichtungen des Freipredigeramts waren in der Straßburger Kirchenordnung von 1598 festgelegt. Sie bestanden darin, diejenigen Predigten im Münster zu übernehmen, die von den Pfarrern nicht versehen wurden. Dies waren die Montag- und Mittwochabendpredigten. Außerdem hatten sie den Pfarrern in den einzelnen Pfarrkirchen beizuspringen, wie ihnen das vom Kirchenkonvent befohlen wurde. Kasualien und Seelsorgepflichten waren ihnen nicht übertragen.

Spener trat also eine Stelle an, die ihn mit Arbeit nicht übermäßig beanspruchte und ihm genügend Zeit zum Studium und zu seiner Lehrtätigkeit ließ. Es scheint zudem, daß die nach der Kirchenordnung den Freipredigern übertragenen Montag- und Mittwochabendpredigten im Münster zu Speners Zeit nicht mehr verlangt wurden. In der revidierten Kirchenordnung von 1670 ist dieser ganze Passus von den Münsterpredigten gestrichen.

---

[23] Das Protokoll (s. vorige Anm.) gibt im einzelnen dann noch an, aus welchen Kirchenkollekten die 50 Taler genommen werden könnten.

[24] Lebenslauf, 28.

[25] Ebd. Daß Spener diese Predigt im Münster gehalten hat (so GRÜNBERG I,152), ist nicht bezeugt.

[26] Ich benutze für das folgende handschriftliche Aufzeichnungen von Tim. Wilh. Röhrich für ein Referat über das Amt der Freiprediger, gehalten in der Pastoralgesellschaft Straßburg am 27. 2. 1840 (AST 150 Carton 79).

Wenn Spener nach dem eigenhändigen Predigtkatalog etwa sechzig Mal in den mehr als drei Jahren seiner Freiprädikatur gepredigt hat[27], also durchschnittlich nur alle drei Wochen, so kann er die in der alten Kirchenordnung vorgeschriebenen regelmäßigen Wochenpredigten im Münster nicht gehalten haben. Soweit sich Speners Straßburger Predigten noch lokalisieren lassen, sind übrigens nur wenige im Münster, die meisten in St. Thomas, je eine in Jung St. Peter und St. Nikolai gehalten[28]. Erst im November 1664 wird gelegentlich einer Gehaltsaufbesserung gewünscht, daß er zusätzlich bei den sonntäglichen Abendgottesdiensten im Münster eine Predigt verrichten solle, wenn die Reihe an ihn komme[29]. Es ist also nicht zutreffend, wenn Spener eine Predigerstelle am Straßburger Münster zugeschrieben wird[30]. Wenn eine der Straßburger Kirchen als Speners vorzügliche Predigtstätte zu gelten hat, so ist es St. Thomas, in deren unmittelbarer Nähe sich das Rebhansche Haus und damit Speners Wohnstätte befand.

Nicht lange nach Antritt der Freiprädikatur bemühte sich Spener um den Erwerb der theologischen Doktorwürde. Er will diesen Schritt nicht aus eigenem Willen, sondern auf Wunsch der Seinen und auf Drängen seiner Lehrer unternommen haben. So stellte er am 28. August 1663 den Antrag auf Zulassung zur Doktorprüfung an der Straßburger Theologischen Fakultät[31].

Die Promotion zum Doktor der Theologie war nach den Straßburger Universitätsstatuten[32] ein komplizierter, aus einer ganzen Reihe von Akten bestehender Vorgang. Zunächst war eine erste mündliche Prüfung zu bestehen, die noch kein rigoroses Examen, sondern ein „amicum et placidum

---

[27] Grünberg I,151 f. Vgl. Vollständiger Catalogus Aller dererjenigen Predigten, Welche von Hn. D. Philipp Jacob Spenern ... so wohl in als ausser seinem Heil. Amte an unterschiedlichen Orten sind gehalten worden, Von dem Wohl-Sel. Herrn Autore eigenhändig aufgesetzet und nunmehro ... Durch öffentlichen Druck übergeben. Leipzig (J. H. Kloß) 1716 (Coll. Wilh.). *Grünberg Nr. 13*. Aus dem Spenerschen Nachlaß herausgegeben vermutlich von seinem Schwiegersohn Adam Rechenberg.

[28] Ich zähle insgesamt 29 aus Speners Freipredigerzeit erhaltene Predigten, von denen sich allein 26 in dem posthumen Predigtband der Epistolischen Sonntagsandachten, 1716 *(Grünberg Nr. 50)*, befinden. Nach den aus den Spenerschen Predigtmanuskripten am Rand abgedruckten Angaben sind gehalten: 11 in St. Thomas, 4 im Münster, 1 in St. Peter, 1 in St. Nicolai. Dazuzuzählen ist noch die im Münster gehaltene Abschiedspredigt 1666. Die übrigen Predigten lassen sich bis auf eine 1665 in Bischweiler gehaltene Leichenpredigt nicht genauer lokalisieren.

[29] Protokoll der XXler vom 7. 11. 1664 (vgl. Grünberg III,396).

[30] So Grünberg I,151 und die meisten neueren Darstellungen. Spener selbst spricht (Lebenslauf, 28) nur einfach von der zweiten Freipredigerstelle.

[31] Knod I,702 (Matricula candidatorum doctoratus theologici).

[32] Die Straßburger Promotionsordnung, die ich für das folgende heranziehe, ist abgedruckt bei Fournier-Engel, 441 ff.

colloquium“ sein sollte. Spener ging durch diese Prüfung am 2. Oktober 1663[33]. Im Anschluß an dieses Kolloquium war dem Kandidaten ein Text aus der Heiligen Schrift zu nennen, über den er in kurzer Frist eine Reihe von Vorlesungen auszuarbeiten und öffentlich zu halten hatte. Für diese Vorlesungen, genannt „Lectiones cursoriae“, war vorgeschrieben, daß der Kandidat den Text derart behandele, daß er erstens den Sensus literalis aus dem Urtext eruiere, zweitens die falschen Interpretationen abwehre und die rechte Erklärung (genuina explicatio) deutlich und klar vortrage, drittens den Text vor der Verfälschung der Häretiker rette und schließlich viertens ihn auf die theologische Praxis beziehe. Die Lektionen sollten nicht über vier, höchstens aber fünf Stunden hinausgehen, so daß das Ganze in einer Woche abgemacht wäre.

Spener hat, wie aus dem Protokollbuch der Theologischen Fakultät hervorgeht[34], seine Lectiones cursoriae an vier hintereinander folgenden Tagen gehalten, und zwar vom Mittwoch den 14. Oktober bis Samstag den 17. Oktober in je einer Vorlesungsstunde. Der Dekan – es war im Winter 1663/64 Sebastian Schmidt – hatte ihn, was sonst bei öffentlichen Disputationen durch den Rektor zu geschehen pflegte, hinein- und hinauszugeleiten. Auch die Professoren der Fakultät mußten, soweit möglich, zugegen sein. Der Text, den die Fakultät Spener für seine Lektionen gegeben hatte, war Gal. 4,19. Leider sind uns die Ausführungen Speners nicht erhalten. Das ist um so bedauerlicher, als es unter den frühen Arbeiten keine gibt, auf die Spener in seinem späteren Leben so häufig zu sprechen kommt wie auf diese[35]. Eben die zahlreichen späteren Erwähnungen erlauben uns jedoch ein ziemlich sicheres Bild dessen, was Spener damals vorgetragen hat.

Für Spener übernimmt Gal. 4,19[36] die Rolle eines Arguments gegen die reformierte, auf der Dordrechter Synode beschlossene Prädestinationslehre und die sich daraus ergebende Lehre von der Perseveranz der Gläubigen[37]. Nach reformierter Lehre kann der, der einmal wahrhaftig wiedergeboren ist, nicht wieder aus dem Stand der Wiedergeburt fallen; er besitzt als zum Heil Prädestinierter das donum perseverantiae. Umgekehrt gilt entsprechend von den vom Glauben Abgefallenen, daß sie niemals wahrhaftig Wiedergeborene gewesen sind[38]. Dagegen hat nun Dannhauer in seiner Ho-

[33] Lebenslauf, 28: Den 2. October wurde pro gradu examiniret.

[34] Protocollum Academicum 1653–1668 (AST Nr. 383) p. 374: d. 14. 15. 16. 17. Octobr. Plur. Reverend. et Clariss. DN. Spenerus Lectiones Cursorias habuit.

[35] Allg. Gottesgelehrtheit, 1680, II,53. Vgl. Aufrichtige Übereinstimmung, 1695, 160; Bed. 3,555 (1682); L. Bed. 3,239 (1677); Cons. 1,67 b (1687); 3,828 a (1674).

[36] In der Übersetzung Luthers: Meine lieben Kinder, welche ich abermals mit Ängsten gebäre, bis daß Christus in euch Gestalt gewinne.

[37] Zur reformierten Perseveranzlehre vgl. J. Moltmann, Prädestination und Perseveranz, Geschichte und Bedeutung der reformierten Lehre de perseverantia sanctorum, 1961.

[38] Auf die theologiegeschichtlichen Perspektiven dieser Lehre, die man zu Augu-

domoria Spiritus Calviniani an mehreren Stellen die Wiederholbarkeit der Wiedergeburt gelehrt, also behauptet, daß ein einmal durch die Taufe wiedergeborener Christ gänzlich vom Glauben abfallen, darauf aber durch den Samen des Wortes Gottes zu neuem geistlichen Leben erneut wiedergeboren werden könne[39]. Diese Lehre ist nichts als eine logische Folge der von der altlutherischen Orthodoxie gegen das reformierte Prädestinationsdogma behaupteten Lehre von der Gratia universalis, die vermittelst des kirchlichen Amtes durch Sakrament und Predigt sich ständig allen Menschen zuwendet und ihre Begrenzung nur am böswilligen Widerstand des Menschen findet[40]. Die Lehre von der Wiederholbarkeit der Wiedergeburt steht zur Lehre von der allgemeinen Gnade in dem gleichen Verhältnis, in welchem auf reformiertem Boden die Lehre vom donum perseverantiae zur Lehre von der partikularen Gnade steht, sie ist also gewissermaßen die lutherisch-orthodoxe Gegenlehre gegen die reformierte Perseveranzlehre. Bei Paulus, der im Galaterbrief davon spricht, daß er die Galater abermals „gebäre", fand man den exegetischen Beleg dafür.

Daß die Fakultät gerade den Vers Gal. 4,19 für Spener bestimmte, ist auffällig. Indem er die Lehre „de iterabilitate regenerationis" zu behandeln hatte[41], bekamen seine Lectiones cursoriae geradezu den Charakter einer Probe seiner Orthodoxie. Dabei braucht man noch nicht anzunehmen, daß die Fakultät eine solche Probe verlangte, weil sie einen Argwohn gegen die Lehre des aus Basel und Genf zurückgekehrten jungen Theologen hegte. Es ist ebensogut denkbar, daß Spener von sich aus diesen Vers und damit das Thema der Wiedergeburt zu behandeln gewünscht hat[42]. Nur für zufällig wird man es kaum ansehen können, daß Spener, der im Unterschied zu den anderen theologischen Doktoranden der Dannhauerschule nicht an den kursächsischen Universitäten, sondern an einer reformierten Hochschule sein Studium fortgesetzt hatte und der bereits zwei Jahre nach seiner Promotion

---

stin zurückverfolgen und in Schleiermachers Glaubenslehre (2. Aufl., Teil II, § 111) wiederfinden kann, ist hier nicht einzugehen. Vgl. MOLTMANN aaO.

[39] Hodomoria II, 3008: Nec absurdum est iterari regenerationem per semen verbi, sicut nec absurdum est hominem saepe spiritualiter mori . . . (gegen Polanus und Crocius); vgl. 2039: (gegen den Basler reformierten Theologen Zwinger) . . . qui regenerationis iterationem absurdam facit; regeneratio quidem per sacramentum circumcisionis fuit irreiterabilis; at regeneratio ac novi cordis creatio per verbum in totaliter lapsis absurda non est.

[40] Bereits die Konkordienformel verbindet die Lehre von der Universalität der Gnade mit der Anschauung, daß der Glaube verloren gehen könne. Epitome IV (BSLK, 1952², 789, 40 f.): Praeterea reprobamus atque damnamus dogma illud, quod fides in Christum non amittatur . . .

[41] L. Bed. 3,239: . . . und habe ich selbst meine lectiones cursorias aus Gal. 4,19 de iterabilitate regenerationis zu Straßburg gehalten.

[42] Dafür könnte die Formulierung Bed. 3,555 sprechen: . . . daß ich zu meinen lectionibus cursoriis autoritate facult. Theol. zu Straßburg diese materiam de iterata regeneratione aus Gal. c. 4/19 erwehlet.

öffentlich sich gegen den Vorwurf der Hinneigung zu den Reformierten wehren mußte[43], bei seiner Straßburger Doktorprüfung ausgerechnet das vom Calvinismus scheidende Schibboleth der Straßburger Orthodoxie behandelt hat.

Spener hat nun, wie er später regelmäßig in diesem Zusammenhang berichtet, die Lectiones cursoriae zum Anlaß genommen, um die *Wiedergeburtslehre Großgebauers* zu widerlegen und zu korrigieren. Großgebauer hat seiner Wächterstimme einen Traktat von der Wiedergeburt angehängt[44], in welchem die orthodoxe Lehre von der Taufwiedergeburt weitgehend aufgegeben worden ist. Da die meisten Christen in ihrem Leben zu erkennen geben, daß sie nicht im Stande der Wiedergeburt stehen, kann ihnen nach Großgebauer die Taufe nicht hinlängliches Mittel der Wiedergeburt gewesen sein. Die Taufe wirkt also die Wiedergeburt nicht. Wahrhaft wiedergeboren wird man nach Großgebauer erst in der Bekehrung, die entweder im Kindesalter von ungefähr sieben Jahren oder aber zu irgendeinem Zeitpunkt des Erwachsenenalters stattfindet. Damit verliert die Säuglingstaufe, an der Großgebauer im übrigen festhält, ihren heilswirkenden Charakter. Sie bleibt ein Sakrament, durch welches Gott einen Bund schließt und den Menschen in die sichtbare Kirche aufnimmt[45]. Sie bedarf aber der Ergänzung durch die bewußte Bekehrung des Menschen, mit welcher dieser erst in den Stand des seligmachenden Glaubens tritt. Viele sind getauft, wenige aber bekehrt und wiedergeboren, behauptet Großgebauer, wobei er folgerichtig die lutherische Lehre von der durch die Taufe gewirkten fides infantium in Zweifel zieht[46].

Daß Großgebauers Ansicht der orthodoxen Lehre von der Taufwiedergeburt widersprach, wird Spener bei der ersten Lektüre in Tübingen gemerkt haben. Nach seinem späteren Urteil hat Großgebauer die reformierten und

---

[43] S. unten S. 188 f.

[44] Treuherziger Unterricht von der Wiedergeburt, aaO (oben S. 154, Anm. 157) 509–632.

[45] Großgebauer kann dabei die Taufe durchaus „das Sacrament der Wiedergeburth“ nennen (aaO 573), versteht aber unter Sakrament ein Zeichen, das die Sache nur signalisiert, nicht vermittelt. Wenn auch Spener zwischen dem Sakrament der Taufe und der Wiedergeburt unterscheidet, dann nie in dem Sinne Großgebauers, daß ein Getaufter noch nicht wiedergeboren zu sein braucht. Vgl. dazu unten Anm. 47.

[46] AaO 592 f.: „ . . . so sagen wir nun fürs andere, daß die Frage: ob die kleinen Christen-Kinderlein gläuben oder nicht, ohn alle Noth von etlichen Leuten so scharf gedisputiret wird, die Wiedertäufer vielleicht abzuhalten; Sintemahl man auf solchen Fall auch fragen müste: Ob die Kindlein einen oder zwey Tage alt, auch die zehen Gebot wüsten? Ob sie auch gelernet, wie viel Stück zur Busse gehören? Ob sie auch herzliche Reue über ihre Sünde haben? Ob sie auch wissen, daß GOtt einig im Wesen und dreyeinig in den Personen etc.? dann diß alles gehöret zum Glauben.“ – Wenn Spener gegen Großgebauer an der Lehre vom Kinderglauben festhält, so teilt er allerdings nicht diesen Glaubensbegriff.

englischen Bücher, die er so fleißig studierte, mit zu wenig Unterscheidungsgabe gelesen. So fänden sich bei ihm „einige hypotheses Calvinianae", welche irrig seien[47]. Spener hat es sich nun offensichtlich zur Aufgabe gemacht, die seiner Meinung nach berechtigten Anliegen Großgebauers in einer der Orthodoxie unanstößigen Weise neu zu formulieren. Denn daß er ein Buch, dessen Lektüre ihm ein Jahr zuvor solchen starken Eindruck gemacht hatte, jetzt unter ein Ketzergericht stellen wollte, ist völlig ausgeschlossen. Die bei Dannhauer gelernte Lehre von der Wiederholbarkeit der Wiedergeburt wird nun hierzu von Spener aufgegriffen. Wenn man — mit Großgebauer — feststellen muß, daß die meisten getauften Christen nicht im Stande der Wiedergeburt stehen, so heißt das nach Spener, daß sie aus diesem Stand, in den sie durch die Taufe als dem Bad der Wiedergeburt gesetzt wurden, durch mutwillige Sünden wieder herausgefallen sind. Sie haben also die Wiedergeburt verloren und eine *erneute* Wiedergeburt nötig. In dieser erneuten Wiedergeburt erneuern sie den Taufbund, den sie von sich aus aufgelöst haben. Diese Lehre ist durchaus orthodox und geht an keinem Punkt über das von Dannhauer Gelehrte hinaus. Während Dannhauer aber diese Lehre in der Auseinandersetzung mit den Reformierten formulierte, ohne daß sie bei ihm ein großes praktisches Gewicht bekam, wendet Spener sie zur Beurteilung des Verderbens der evangelischen Kirche an, in der, wie er Großgebauer zu dieser Zeit wohl schon zustimmt, nur wenige als wahrhaftig Wiedergeborene zu bezeichnen sind. Spener teilt also mit Großgebauer den Satz, den man bei Dannhauer noch nicht findet, daß nur wenige der getauften Christen wahrhaft wiedergeboren sind, behauptet aber gegen ihn, daß sie alle wahrhaft wiedergeboren *gewesen* sind. An dieser Auffassung, die sich Spener zur Zeit der Großgebauerlektüre und der Straßburger Doktorpromotion gebildet haben muß, hat er sein Leben lang festgehalten, und sie hat es ihm ermöglicht, das Drängen auf Bekehrung und Wiedergeburt in dem von ihm beeinflußten lutherischen Pietismus in Übereinstimmung mit der lutherisch-orthodoxen Tradition von der Taufwiedergeburt und mit der damit verknüpften Lehre von der fides infantium

[47] Bed. 3,554 f. (3. 7. 1682): Jedoch bekenne / daß an einigen orten / sonderlich in dem anhang von der widergeburt / sich einige hypotheses Calvinianae befinden / als sonderlich daß die tauf nicht eben das kräfftigste mittel der wiedergeburt seye / noch alle in der Tauf wiedergebohren würden / und dergleichen. Ich achte aber / daß der liebe mann / welcher wie man siehet viele Reformirte und Englische bücher gelesen / das donum discretionis nicht gehabt . . . Sonderlich scheinet ihm dieses in den Weg gestanden zu seyn / weil er warhafftig einen grossen theil der vorweilen getaufften in dem gegenwärtigen unwiedergeboren seyn fand und erkante / nicht aber verstunde / daß die wiedergeburt wieder verlohren werden könte / und etwa wiederholet werden müste / daß er in zweifel gezogen / daß dann alle getauffte wiedergeboren worden / und daher die Tauf solcher theuren wolthat mittel seye.

zu halten[48]. Diese Ansicht kann aber nur aufrechterhalten werden, wenn man die reformierte Anschauung von einem mit der Wiedergeburt verliehenen donum perseverantiae bestreitet. Das hat Spener denn auch zeitlebens getan, so daß die Lehre von der Perseveranz schließlich zum stärksten Hindernis einer Union mit den Reformierten aufgewertet worden ist.

Zwischen Speners Lectiones cursoriae und der nach der Promotionsordnung nun folgenden Disputatio inauguralis liegt ein Zeitraum von acht Monaten, in welchem Spener sich neben den gelegentlichen Predigten und neben seiner Vorlesungstätigkeit vor allem der Ausarbeitung seiner Dissertationsschrift widmete. In dem letzten an Buxtorf gerichteten Brief schreibt Spener im Februar 1664, er sehe noch nicht, wann er wieder zu den hebräischen Studien zurückkehren könne, da die Ausarbeitung seiner Disputation mehr Zeit fordere, als es auf den ersten Blick schien[49]. Der Gegenstand, mit dem Spener sich beschäftigte, war ein Text aus der Offenbarung des Johannes: Kapitel 9, Vers 13—21, wo von dem Erschallen der sechsten Posaune, den vier vom Euphrat losgebundenen Engeln und dem ein Drittel der Menschheit vernichtenden Reiterheere aus dem Osten berichtet wird. Um die Wahl dieses Dissertationstextes zu verstehen, muß man die Zeitumstände des Jahres 1663 berücksichtigen. In diesem Jahr wird Europa nach langen Jahrzehnten wieder von der Türkenplage heimgesucht. Im Frühjahr 1663 ziehen die Türken unter der Führung des Großwesirs über Belgrad nach Ungarn. Die Kunde davon schreckt das Abendland, und überall in Deutschland werden Bußgottesdienste gehalten, die das Volk zu Gebet und zur Umkehr aufrufen[50]. Spener selbst hat zehn Tage nach seinen Lectiones cursoriae eine Bußpredigt über Hosea 9,12 aus Anlaß der Türkengefahr gehalten[51]. Die Türkengefahr belebte erneut den während des Dreißigjährigen Krieges im Luthertum überall kräftigen Glauben an das Ende der Welt. Damit richtet sich der Blick auf jenen Passus der Offenbarung, in dem die Orthodoxie mit Luther eine Weissagung auf den Islam gesehen hatte. Eben dies ist der Abschnitt, den Spener zu behandeln hatte.

Die Dissertation, die Spener für die auf den 15. Juni 1664 angesetzte Disputatio inauguralis in Druck gab, trägt den Titel „Muhammedismus in Angelis Euphrateis S. Johanni Apocal. IX, 13 ad 21 praemonstratus“[52]. Sie

---

[48] Zu Speners Festhalten an der Lehre von der Taufwiedergeburt und vom Kinderglauben s. GRÜNBERG I,394.

[49] Spener an Buxtorf, Straßburg 16. 2. 1644, UB Basel G I 61 bl. 320.

[50] Einige Schriften aus der Literatur zur Türkengefahr in den Jahren 1663 und 1664 nennt COSACK, Zur Geschichte der evang.-ascetisch. Literatur in Deutschland, 1871, 163 ff.

[51] Predigt über Hosea 9,12 vom 27. 10. 1663 „zu der Zeit der Türkengefahr“, Bußpredigten I, 1678, 653—670.

[52] MUHAMMEDISMUS IN ANGELIS EUPHRATEIS S. JOHANNI Apocal. IX, 13 ad 21. praemonstratus, Cujus brevem in antecessum Synopsin exhibet, et DIVINA GRATIA ADSPIRANTE CONSENSU VENERANDAE FACULTATIS

ist nur 36 Quartseiten stark und gibt lediglich einen Auszug aus einem Werk, das Spener unter der Hand so angewachsen war, daß es den zugelassenen Umfang einer Dissertationsschrift weit überstieg. Dieses größere Werk, auf das in dem Disputationstext öfter Bezug genommen wird[53], hat Spener nie fertiggestellt. In ihm hat er sich ausführlich mit den unterschiedlichen Auslegungen des Textes auseinandersetzen wollen, worauf er in der Disputatio weitgehend verzichten mußte. Man kann in dieser also nur eine vorläufige Fixierung seiner Gedanken über den Text sehen.

Die Dissertation gibt in ihrem ersten Teil eine Auslegung des Textes, die der bei Sebastian Schmidt gelernten exegetischen Methode folgt, dabei aber ganz auf die Auseinandersetzung mit der Literatur verzichtet. Im zweiten Teil werden an einer Reihe von Beispielen aus der Auslegungsgeschichte die möglichen Deutungen angeführt, nach deren kurzer Widerlegung schließlich die von Luther und der lutherischen Orthodoxie für richtig gehaltene Deutung auf den Islam bekräftigt wird. In den vier vom Euphrat losgebundenen Engeln sind nach Spener die Araber, Sarazenen, Tartaren und Türken zu erblicken, eventuell auch – wenn man Araber und Sarazenen als ein Volk verstehen will – die Perser. Spener folgt also der weltgeschichtlichen Auslegung der Johannesapokalypse, wie sie in der lutherischen Orthodoxie üblich ist. Daß der dritte Teil der Menschheit vernichtet werden soll, hat sich nach Spener bei der gewaltsamen Ausbreitung des Islam von dessen Anfängen bis hin zu den gegenwärtigen Türkeneinfällen erfüllt. Aber auch die anderen Prophezeiungen des Textes: Unbußfertigkeit, Götzendienst und Sittenlosigkeit des übrigen Teils der Menschheit sind in Erfüllung gegangen. Bei dem im Reich der Türken und den anderen orientalischen Gebieten übriggebliebenen Teil der Christenheit findet sich, wenn man den Namen des Christentums abzieht, nur Ignoranz, Idololatrie, Heiligenkult, Aberglauben und liederliches Leben. Im Abendland ist die römische Kirche um nichts reiner. Schließlich können auch diejenigen, die Gott als einzige in der reinen Erkenntnis des Evangeliums bewahrt hat, nämlich die Bekenner der Confessio Augustana, nicht ableugnen, daß sie trotz eines vom Götzendienst unbefleckten Kultus gleichwohl mit den verschiedensten Ärgernissen des Lebens zu schaffen haben[54]. Diesen Schlußsätzen,

THEOLOGICAE PRAESIDE . . . DN. JOH. CONRADO DANNHAWERO . . . Patrono et Praeceptore suo Optimo, per Juribus & privilegiis supremi in Theologia Gradus legitime obtinendis, Solenni Disputatione examinandum sistet D. 15. Jun. M DC LXIV. horis ante & pomerid. In Auditorio Majori M. PHILIPPUS JACOBUS SPENERUS, Liber Ecclesiastes Argentorat. Straßburg (G. A. Dolhopf). 4°. 36 S. (Strasb. Coll. Wilh.) *Grünberg Nr. 164.* – Wiederabgedruckt in Dannhauer, Disputationes theologicae, 1707, 539–560.

[53] AaO 3. 20. 25. 32. 35.

[54] AaO 35: Nec ipsi quos solos DEUS in Evangelii purissima agnitione servavit, Augustani Symboli professores omnino culpam negare possumus, qui, cum ab idololatria intemeratum cultum habeamus, variis tamen laboramus vitae scandalis.

deren Gedanken Spener in ähnlicher Form am Anfang der Pia Desideria wieder aufnimmt[55], folgt noch eine nur wenige Zeilen umfassende Nutzanwendung auf die gegenwärtige Lage im Türkenkrieg. Eine ausführliche Beweisführung, die eine Darstellung der Perioden der türkischen Geschichte enthalte und zugleich darlege, was über das Ende dieser barbarischen Tyrannis gesagt und gehofft werden kann, könne erst in dem größeren Werk gegeben werden.

Es ist äußerst schwierig, ein Urteil über die fragmentarische Doktordissertation Speners und über ihre Bedeutung für seine eigene theologische Entwicklung abzugeben. Für bedeutsam kann man wohl vorläufig zweierlei ansehen. Einmal, daß sich Spener überhaupt während seiner letzten Straßburger Jahre intensiv mit der Johannesapokalypse beschäftigt hat. Wenn man überall im deutschen lutherischen Pietismus ein intensives Studium dieses von der Reformation zurückgestellten biblischen Buches beobachten kann, so muß auffallen, daß sich Spener bereits in der Straßburger Zeit besonders eifrig dem Studium der Apokalypse zuwendet. Er hat dabei über fünfzig verschiedene Auslegungen der Offenbarung herangezogen, die er nicht nur über den von ihm bearbeiteten Text nachgeschlagen, sondern ganz durchgearbeitet hat. Die bei Schmidt gelernte Methode, einen Text immer aus seinem Zusammenhang heraus zu verstehen, hat Spener auch gegenüber der Auslegungsliteratur angewandt. Er hat sich dabei Tabellen angelegt, in denen er die vollständige Apokalypseauslegung von 38 Autoren auf jeweils ein bis drei Bogen zusammengestellt hat[56]. Aus diesen Tabellen konnte er mit einem Blick übersehen, wie eine Stelle bei irgendeinem Autor ausgelegt wird, und sie leicht mit anderen Auslegungen vergleichen[57]. Spe-

---

Ob quae, si nostris cervicibus immineat manus ultrix, exclamare cogimur: Justus es, Domine, et justa judicia tua.

[55] Vgl. PD 10,9–11,3.

[56] Im Archiv der Franckeschen Stiftungen in Halle befindet sich unter der Signatur H 11 ein druckfertiges Exemplar von hundert verschiedenen Apokalypseauslegungen. Achtunddreißig davon stammen (in Abschrift) von Spener. Sie müssen (vgl. unten Anm. 57) aus seiner Straßburger Zeit stammen.

[57] Bed. 3,257 (1678): Was das studium Apocalypticum anlangt, leugne ich nicht, daß mich sonderlich vor deme nicht wenige zeit darauf geleget; auch noch wo ich kan gern an das liebe buch gedencke, worinnen der HERR die fata seiner kirchen offenbaren lassen. Ich habe, als ich zu Straßburg über meine Disp. inaugural. de Angelis Euphrataeis oder Tuba sexta Apoc. 9 arbeitete, über 50 oder 60 autores über solches buch durchgelesen, massen man in desselben buchs erklärung von keines mannes arbeit über ein capitul mit grund urtheilen kan, man habe dann seine gantze cohaerenz über das gantze buch erkant, und also alles gelesen. Daher ich noch bey handen habe die extracta wol auf 40 autorum, aus jeglichem meistens in völligen tabellen, was deroselben erklärung über die gantze apocalypsin seye von anfang zu ende, ieglichen zu 1. 2. 3. bogen, daß allemal sothaner autorum gantze erklärung gleich vor augen haben, und einen mit dem anderen conferiren kan.

ner hat also während der Freipredigerzeit ganz erhebliche Zeit auf das Studium der Offenbarung und ihrer Auslegung verwandt. Dabei hat er überwiegend reformierte Autoren gelesen[58], so daß ihm die bei reformierten Auslegern nicht seltenen chiliastischen Deutungen der Apokalypse schon früh bekannt geworden sind[59].

Zweitens läßt sich über dieses Apokalypsestudium Speners feststellen, daß es ihn in eine erhebliche Unsicherheit und Ratlosigkeit hinsichtlich der richtigen Auslegung gebracht hat. Die Dissertation läßt davon freilich nichts erkennen. Spener schreibt im Eingang sogar, daß man in der Gegenwart, da die Ankunft des Herrn so viel näher gerückt sei, die Verheißungen der Apokalypse sehr viel besser verstehen könne als in früheren Zeiten. Es gäbe ja wenig Prophezeiungen, deren Erfüllung nicht schon begonnen hätte[60]. Als er aber fünf Monate nach seiner Doktorpromotion wieder an seine Apokalypsestudien zurückkehrte, um das angekündigte größere Werk fertigzustellen, da wurde ihm geradezu unheimlich, in welches Gebiet er sich begeben hatte. Wenn er alle Riffe vorausgesehen hätte, die ihn jetzt zu vorsichtigem Segeln ermahnten, so hätte er sich zögernder diesem Meer anvertraut, schreibt Spener im Januar 1665 an den Kanzler Christoph Forst-

---

[58] In einem Brief Speners an Christoph Forstner vom 13. 1. 1665 (LB Stuttgart Cod. hist. Q 279 bl. 384) zählt Spener 51 verschiedene Autoren auf, die er in altkirchliche, mittelalterliche, „nostri", päpstliche und reformierte unterteilt. Die größte Gruppe bilden die Reformierten. Vgl. auch L. Bed. 1,268 f. (1681): . . . wie ich auch vor deme durch gelegenheit einer disp. inauguralis die meiste autores auf 50 oder 60 darüber gantz gelesen . . . Unter den Reformirten habe zuweilen mehr in dieser materie gesehen als bey andern.

[59] So hat sich Spener, wie aus dem Brief an Forstner vom 13. 2. 1665 (aaO bl. 385) hervorgeht, intensiv mit einem Werk des reformierten Chiliasten Polier, beschäftigt. Obwohl er mit seiner Auslegung nicht übereinstimmt, will er doch nicht wenig von ihm gelernt haben: Quamvis enim imprimis alter ille Polierus a sententia, quam sequor, in omnia diversa eat; non tamen pauca et in hoc argumento ulteriori meditationi momenta suppeditavit; et in alia apocalyptica materia in quibusvis satisfecit. Vgl. außerdem den vorhergehenden Brief an Forstner vom 13. 1. 1665 (s. oben Anm. 58), wo Spener ebenfalls über das Studium Poliers berichtet: pauca in Poliero restant, qua unam alteramve adhuc horam exposcent. — Bei dem von Spener studierten Werk von Polier handelt es sich um: I. P. Polier, Le Restablissement du Royaume, Genf, I—III, 1652—1665 (LB Stuttgart). Der zweite, 1653 erschienene Band enthält die eigentliche Eschatologie Poliers und handelt (s. die Voranzeige am Ende des ersten Bandes, unpag. DDdd III) „De la vie & regne des fideles avec Christ pendant mille ans" und „Du rassemblage des Juifs & des Gentils dans la bergerie de Christ". Den dritten, 1665 erschienenen Band hat Spener nicht gekannt. Seine Auszüge aus Bd. I—II in: AFSt H 11 (vgl. oben Anm. 56). — Von Polier erschien außerdem: La chute de Babylon et de son Roy, Lausanne, 1668. — Über Polier, der nach Speners Briefen an Forstner auf ihn einigen Eindruck gemacht haben muß, habe ich nirgendwo in der Literatur und den gängigen Nachschlagewerken etwas feststellen können. Nach dem Titelblatt seiner Werke war er Bürgermeister von Lausanne.

[60] AaO 3.

ner in Mömpelgard, der ihm Literatur besorgte, die er in Straßburg nicht bekam[61]. Da aber einmal das Segel gesetzt sei, dürfe man die Fahrt nicht abbrechen. Allerdings verstehe er umsoweniger, je mehr Ausleger er lese[62]. Spener hat sich im Jahr nach seiner Doktorprüfung noch weitere Literatur zur Apokalypse besorgt. Besonders interessant muß man es finden, daß er sich im Januar 1665 aus Mömpelgard den Apokalypsekommentar des Joachim von Fiore erbittet, von dem er in Straßburg kein Exemplar erreichen kann[63]. Als er ihn im Juli zurückschickt, lobt er dessen Auslegung, weil er wie Luther die Stelle Apoc 9,14 ff. auf die Sarazenen bezogen habe, wofür er sonst nur Zeugen nach der Reformation, kaum einen aus der Zeit vorher gefunden habe[64]. Die joachimitische Eschatologie und ihren Chiliasmus muß er sich also bei dieser Gelegenheit vertraut gemacht haben. Mehr als eine Unsicherheit und Ungewißheit in den Fragen der Apokalypseauslegung ist in dieser Zeit jedoch nicht festzustellen. Daß die Lektüre des Joachim von Fiore ihm bereits jene Hoffnung besserer Zeiten für die Kirche eingeflößt habe, die in der Frankfurter Zeit bei Spener hervortritt, läßt sich nicht annehmen. Das intensive Suchen und Forschen im Buch der Offenbarung zeigt jedoch an, daß die Straßburger Orthodoxie Dannhauers und Sebastian Schmidts ihm in der Eschatologie keinen festen Grund vermittelt hat.

Seine Disputationsthese hat Spener nach akademischem Brauch an Professoren und Bekannte verschickt und auf dem Titel gleichzeitig zu der am 15. Juni 1664 vormittags und nachmittags stattfindenden Disputation eingeladen[65]. Im großen Auditorium der Straßburger Universität, also im Hohen Chor der Predigerkirche[66], fand der solenne Akt statt, bei dem Dannhauer den Vorsitz führte. Während des Vormittags, als die studentischen Opponenten an der Reihe waren, ereignete sich ein kleiner Zwischenfall, der Spener noch mehr als dreißig Jahre danach von seinen orthodoxen Gegnern vorgehalten worden ist[67]. Ein Student hatte beim Studium der These gemerkt, daß Spener die Meinung vertrat, Michael hieße in der Schrift niemals ein erschaffener Engel. Da Dannhauers gegenteilige Meinung bekannt war, spießte er diese belanglose Abweichung des Schülers vom Lehrer in einer Weise auf, die dem jungen Doktoranden mehr als peinlich gewesen sein muß. Spener berichtet später, daß rechtschaffene Männer, die

---

[61] Spener an Forstner 13. 1. 1665, aaO bl. 384.

[62] Ebd.: Quo plures legi, tanto minus ipse intelligere mihi sum visus; usque adeo intricatum est argumentum. Supersunt adhuc multo plures, quos evolvere Deo volente constitui.

[63] Vgl. den Dankbrief an Forstner vom 14. 7. 1665: . . . tanto majores pro horum (sc. librorum) communicatione ago gratias, quod Joachimus abbas aliunde comparari mihi non poterat. – Bei dem von Spener erbetenen Werk Joachims kann es sich nur um seine Expositio in Apocalypsim, Venedig 1527, handeln.

[64] Brief an Forstner vom 14. 7. 1665.

[65] S. oben Anm. 52.

[66] Sie wurde 1870 zerstört und stand an Stelle der heutigen Neuen Kirche.

[67] Das folgende nach: Völlige Abfertigung Pfeiffers, 1697, 549 f.

damals zuhörten, es dem Studenten sehr verdacht hätten. Auch er selbst sei zuerst „verdrossen" gewesen, habe dann aber entgegnet, er sei von Dannhauer selbst zur Befolgung des Wortes amicus Plato, amicus Aristoteles, magis amicus veritas angehalten worden, habe also nur seine Freiheit gebraucht. Am Nachmittag, als die Professoren mit dem Opponieren an der Reihe waren, scheint dann Sebastian Schmidt das Ansehen Speners gerettet zu haben. Es war nämlich seine eigene, von Dannhauer abweichende Auslegung gewesen, die Spener vertreten hatte. Schmidt opponierte nun Spener mit den Dannhauerschen Argumenten, ließ sich aber von Speners Gegenargumenten, in Wirklichkeit seinen eigenen, überführen und stimmte ihnen schließlich zu. Darauf griff Dannhauer selbst in die Disputation ein und suchte die Argumente seiner Auffassung gegen Sebastian Schmidt zu retten. Diese Vertauschung der Rollen, wodurch, wie Spener erzählt, „Herr D. Schmidt gleichsam mein praeses, und der praeses mein opponens wurde", hat die Peinlichkeiten des Vormittags wohl wieder überdeckt. Spener selbst hat aber in dem Verhalten des Studenten einen Mißbrauch der akademischen Disputation gesehen, welche allein zur Untersuchung der Wahrheit, nicht aber zur Beschimpfung und Verwirrung eines anderen eingerichtet sei[68]. Seine Abneigung gegen das orthodoxe Disputationswesen hat also auch ihre biographischen Wurzeln.

Innerhalb dreier Tage nach der Disputation hatte das Rigorosum stattzufinden, zu dem der Kandidat nur mit der Bibel in der Hand zu erscheinen hatte und über einen Zeitraum von vier Stunden geprüft wurde[69]. Im Anschluß an diese strenge Prüfung wurde ihm angezeigt, wann und worüber er seine „Oratio publica" zu halten hatte. Es ist noch das von Kanzler, Rektor und Dekan unterzeichnete Promotionsprogramm vom 20. Juni 1664 erhalten, in welchem angezeigt wird, daß der Freiprediger Philipp Jakob Spener die Frage erörtern werde, ob die Mohammedaner zu Recht die Stelle Jes. 21,7, wo von dem Cursus asini und dem Cursus cameli die Rede ist, auf Christus und Mohammed deuten[70]. Der feierliche Akt fand am 23. Juni 1664 nachmittags statt. Die Promotionsrede hielt Sebastian Schmidt, der als Gäste die beiden Pfalzgrafen bei Rhein, Speners ehemalige Zöglinge, sowie den Grafen Johann Jakob von Rappoltstein und seine Gemahlin Anna Claudina begrüßen konnte[71]. In seiner von Matth. 9,38 ausgehenden Rede

[68] AaO 550.

[69] Weder in Speners Lebenslauf noch im Protokollbuch der Fakultät findet sich eine Erwähnung, daß er diese Prüfung, die in den Statuten vorgeschrieben war, bestanden habe. Es ist möglich, daß sie Spener erlassen wurde nach jener Prüfung pro gradu vom 2. Oktober 1663, vielleicht war sie zu dieser Zeit auch nicht üblich.

[70] AST 453.

[71] Oratiuncula in Promotione Doctorali . . . Dn. M. Philippi Jacobi Speneri, Liberi Ecclesiastae Argentin. Argentorati Anno M DC LXIV die 23. Junii a me Promotore, in: Seb. Schmidt, Mysterium gratiae divinae, 1691, 752—763.

stellt er Spener vor als einen jener Arbeiter, die der Herr in seine Ernte sendet, und weist auf die einzigartigen Gaben hin, mit denen Gott ihn in seinen Jugendjahren, ja sogar schon in seiner Kindheit, ausgezeichnet habe. Als Thema seiner Doktorrede wählte Schmidt das Dekretum absolutum, wobei er einmal mehr die scharfe anticalvinistische Frontstellung der Straßburger Orthodoxie laut werden ließ. Es folgten die Übertragung der Doktorwürde durch Sebastian Schmidt, die Glückwünsche der Fakultät und die Verpflichtung Speners unter die Autorität Heinrich Balthasar von Kippenheims, des Prätors der Stadt Straßburg. Nach Verleihung der Rechte und Würden hatte Spener seine kurze Oratio zu halten, mit der der Akt beendet war[72].

Am gleichen Tag, an dem Spener die Doktorwürde empfing, ist er vormittags im Straßburger Münster in den Stand der Ehe getreten. Das Zusammenlegen von Promotion und Hochzeit — Sparta cum Martha — entsprach dem Brauch der Zeit und empfahl sich hauptsächlich wegen der mit den Feierlichkeiten verbundenen Kosten. Einen Monat zuvor, im Mai 1664, hatte er sich mit Susanne Ehrhardt, einer zwanzigjährigen Straßburger Patriziertochter, verlobt[73]. Der Magistrat gestattete ihm, außerhalb der Ordnung eine größere Zahl von Hochzeitsgästen einzuladen, als ihm seinem Stand nach zukam, da die Promotion damit verbunden war[74]. Den Entschluß zur Eheschließung hat Spener auf Drängen seiner Verwandten gefaßt. Er schreibt seinem Onkel Rebhan den Hauptanteil daran zu, spricht aber auch vom Drängen seiner Mutter und guter Freunde[75]. Die Mutter war nach siebenjährigem Witwenstand im Frühjahr 1664 eine zweite Ehe mit dem Colmarer Rat Ludwig Barth eingegangen und von Rappoltsweiler nach Colmar verzogen. Spener wußte sie und die jüngeren Geschwister versorgt und konnte nun selbst an die Gründung eines Hausstandes denken. Daß er ohne das Drängen der Seinen noch nicht an das Heiraten gedacht hätte, wird man dem seinen Studien hingegebenen Gelehrten gern glauben. Mit seinen Schwiegereltern, dem Dreizehner Johann Jacob Ehrhardt und seiner Gemahlin Katharina geb. Hartung, hat Spener in gleichbleibenden, freundlichen Beziehungen gestanden, vor allem von seiner Schwiegermutter erzählt er, daß sie ihn wie einen Sohn geliebt habe. Seine Frau muß eine sehr tüchtige, überaus praktisch veranlagte Straßburgerin gewesen sein. Sie hat ihrem Mann nicht nur elf Kinder geboren[76], sondern

---

[72] AaO 763. [73] Lebenslauf, 28.

[74] Protokolle der XXIer, Samstag den 18. Juni (Stadtarchiv Strasb.).

[75] Lebenslauf, 28. Danach auch das Folgende.

[76] Zwei der Kinder starben bei der Geburt, eines im Alter von fast sechs Jahren (Bed. 3,76). Über sie im einzelnen GRÜNBERG I,379 ff. und III,415 f. — Nach HORNING, Spener in Rappoltsweiler, 87, wurde am 19. 9. 1665 Speners älteste Tochter Susanna Katharina (spätere Gemahlin des Leipziger Theologieprofessors Rechenberg) im Münster getauft.

hat neben dem Haushalt auch die Erziehung der Kinder – später zusammen mit Hauslehrern – übernommen, so daß Spener sich zeit seines Lebens ganz den Geschäften seines Amtes widmen konnte. An der religiösen Emanzipation der Frau, die der Pietismus brachte, hat sie wohl kaum Anteil genommen. Wir wissen nicht einmal, ob sie in Frankfurt wie andere Frauen die Collegia pietatis besucht hat. Wenn von Johann Wilhelm Petersen, dem Ehemann der Eleonore von Merlau, einmal gesagt worden ist, das Pietistische an ihm war allein seine Frau[77], so kann man im Blick auf Spener nur die Umkehrung gelten lassen: was an ihm nicht pietistisch war, war seine Frau. Von jener Seelengemeinschaft, die andere Pietisten in der Ehe gesucht und gefunden haben, kann man bei Spener jedenfalls noch nichts entdecken[78].

Die gut anderthalb Jahre, die zwischen der Promotion und Eheschließung und den Verhandlungen über die Berufung nach Frankfurt liegen, sind die ruhigsten und wohl auch glücklichsten im Leben Speners gewesen. In der Stellung eines Freipredigers wußte er das Gelübde, das seine Eltern nach seiner Geburt für ihn gesprochen und das er in seinen eigenen Willen aufgenommen hatte, erfüllt. Dabei war ihm die Seelsorgearbeit, zu der er sich zeitlebens untüchtig gefühlt hat, erspart. Für seine Studien blieb ihm Zeit genug[79]. Die Monate nach der Eheschließung hat er an der Herausgabe der Sylloge genealogico-historica gearbeitet, zu der er im Januar 1665 die Widmung an die Herzöge Friedrich August und Albert von Württemberg, die Söhne seines Gönners Eberhard III., schrieb[80]. Dann warf er sich erneut auf seine Apokalypsestudien[81]. Von den Kollegs, die er an der Universität hielt und zu denen nach der Promotion nun auch solche über theologische Gegenstände kamen, berichtet Spener, daß er durch den Fleiß und die Frequenz der Studenten immer mehr animiert worden sei[82]. Er hat also einigen Lehrerfolg gehabt. Spener richtete sich darauf ein, unter seiner und seiner

---

[77] Ritschl II,248.

[78] Über Speners Verhältnis zu seiner Frau und seiner Familie handelt ausführlich Grünberg I,377 ff. und III,415.

[79] Lebenslauf, 30: ob wol sonsten meine gröste Glückseligkeit geachtet / in einem solchen Stande zu leben / da ich zwar ein Diener Göttlichen Worts nach meiner Eltern und meinem Voto, indessen die wenigste curam animarum nicht hätte / meine Zeit ohnverhindert / und doch ohne besondere Obligation, zu den Studiis anwenden zu können / und darin denen Studiosis . . . in Collegiis bedient zu seyn . . .

[80] Vites palmitibus generosis . . . sive Sylloge genealogico historica plurium serenitate sua laetissimarum Europae stirpium, Straßburg (Johann Pastorius) 1665. 8°. 285 S. *Grünberg Nr. 316.* Daß Spener während seiner Freipredigerzeit *zwei* dem württembergischen Regentenhaus gewidmete genealogische Werke herausgab, wie Grünberg (I,154) schreibt, trifft nicht zu, wird durch seine Bibliographie auch nicht bestätigt.

[81] Spener an Christoph Forstner, 13. 1. 1665 (s. oben S. 173, Anm. 58).

[82] Lebenslauf, 30.

Frau Straßburger Verwandtschaft seine Jahre zuzubringen, bis sich eines Tages eine feste Anstellung an der Universität für ihn ergeben würde[83]. Ob er dabei an eine theologische oder an eine historische Professur gedacht hat, ist nicht klar ersichtlich. Bei der Weite seiner Interessen und Studien wird er wohl beide Eisen im Feuer behalten haben. Sein Sinn war jedenfalls darauf gerichtet, die Gelehrtenlaufbahn weiter zu verfolgen.

V. Die Berufung nach Frankfurt 1666

Daß der einunddreißigjährige Spener nach nur dreijähriger Freipredigerzeit den ehrenvollen Ruf auf die Stelle des Seniors der lutherischen Geistlichkeit Frankfurts am Main erhielt, hat immer wieder Erstaunen geweckt und zur Vermutung geführt, Speners Straßburger Wirksamkeit müsse doch bedeutender gewesen sein, als es die erhaltenen kärglichen Nachrichten erkennen lassen[1]. Die Vermutung, daß die Frankfurter in Spener einen bereits bekannten und bedeutenden Theologen berufen haben, bestätigt sich, wenn man den Dingen nachgeht, jedoch nicht. Die Berufung Speners auf das Frankfurter Seniorat ist, wie sich bei näherem Studium der Quellen zeigt, von seiten der Stadt Frankfurt eine Notlösung gewesen und ganz offensichtlich nur deshalb zustande gekommen, weil man bei bestem Willen keinen anderen Mann auftreiben konnte. Um diese, für die Beurteilung der Straßburger wie der Frankfurter Wirksamkeit Speners aufschlußreichen Dinge im rechten Licht zu sehen, muß an dieser Stelle kurz in die der Berufung Speners unmittelbar vorausliegende Zeit der Frankfurter Kirchengeschichte zurückgegangen werden[2].

---

[83] Ebd.

[1] So zuletzt W. Trillhaas, Philipp Jakob Spener (in: Die großen Deutschen, Deutsche Biographie V, 1958, 136–146) 137: „Man wird sich die Tätigkeit Speners dort (sc. in Straßburg) schon als sehr bedeutend vorstellen müssen. Anders ist es nicht zu erklären, daß er nach einer dreijährigen Tätigkeit am Straßburger Münster . . . als Senior . . . nach Frankfurt am Main berufen wurde." J. von Walter (Geschichte des Christentums II,2, 1938, 574) spricht von dem „auffallenden und in seinen eigentlichen Gründen noch nicht recht aufgehellten Ruf". Daß ich der Berufung nach Frankfurt eine ausführliche Darstellung widme, bedarf wohl keiner weiteren Rechtfertigung.

[2] Die folgende Darstellung stützt sich, was die Vorgänge in Frankfurt betrifft, auf das Quellenmaterial, das abgedruckt ist oder referiert wird bei: R. Grabau, Das evangelisch-lutherische Predigerministerium der Stadt Frankfurt a. M., Frankfurt-Leipzig 1913. Dieses wenig beachtete Werk, das nach der Intention des Verfassers „als eine Sammlung von Quellen für die Frankfurter Kirchengeschichte . . . dienen" kann (III), hat nach den großen Verlusten der Frankfurter Archive während des letzten Krieges erheblich an Wert gewonnen. Für die Beurteilung der Berufung Speners und seiner Tätigkeit als Frankfurter Senior (nicht freilich für die Vorgänge um die Collegia pietatis) ist wesentlich mehr von Grabau zu lernen als aus dem flüssiger zu lesenden, aber nicht immer zuverlässigen Werk von H.

Die lutherische Geistlichkeit der Freien Reichsstadt Frankfurt am Main, seit der Reformationszeit im Predigerministerium korporativ zusammengeschlossen[3] und um die Mitte des 17. Jahrhunderts zwölf Prediger zählend[4], hatte im Juli 1665 den Tod ihres Seniors, des Predigers Christian Gerlach, zu beklagen gehabt[5]. Um die Frage der Nachfolge im Seniorat erhob sich bald nach Gerlachs Tod ein heftiger und über lange Monate anhaltender Streit, in welchem der Frankfurter Magistrat und die Mitglieder des Predigerministeriums gegeneinander standen. Gestritten wurde um das Recht zur Berufung eines neuen Seniors, das der Magistrat für sich allein beanspruchte, während der Predigerstand wenigstens das Jus praesentandi für sich zu retten suchte. Der Streit kam nicht von ungefähr. Schon zweimal zuvor – 1653 nach dem Tod des Seniors Götzenius, 1662 nach dem Tod des Pfarrers Klingler – hatte die Pfarrerschaft den Berufungspraktiken des Magistrats Widerstand zu leisten versucht[6]. Es bekümmerte sie dabei weniger die prinzipielle Frage des Jus vocandi als die besonderen Absichten des Magistrats, der nach dem Vorbild anderer großer Reichsstädte einen berühmten, auswärtigen Theologen zur „Zierde" und zum „Ansehen" der Stadt in die Mauern Frankfurts holen wollte. Dieser Plan ging zurück auf einen Vorschlag, den der Senior Dr. Tettelbach kurz vor seinem Tode dem Frankfurter Magistrat gemacht hatte[7]. Dr. Tettelbach, von 1618 bis 1644 in Frankfurt Senior und der erste und bisher einzige promovierte Theologe

---

Dechent, Kirchengeschichte von Frankfurt am Main seit der Reformation, I–II, 1913–1921. Für die Vorgänge in Straßburg habe ich außer Speners eigenen Angaben die Straßburger Ratsprotokolle der XXIer benutzt. Grünbergs Darstellung (aaO I,154 ff.) ist unzureichend und teilweise unrichtig. Grünberg hat sie selbst noch in den Nachträgen (III,396 f.) ergänzt und dabei ebenfalls die Straßburger Ratsprotokolle verwertet, freilich nicht immer zuverlässig (so liegt z. B. am 14. 7. 1666 dem Rat kein Abschiedsschreiben Speners vor, sondern „Herr Dr. Phillip Jacob Spener steht selbsten vor"). Ich erspare mir die einzelnen Korrekturen an der Darstellung Grünbergs, sie ergeben sich aus dem Vergleich mit der folgenden Darstellung von selbst.

[3] Grabau, 11.

[4] Becker, Die Kirchenagenden der evangelischen lutherischen Gemeinde zu Frankfurt, 1848, 112: „Die Zahl der Prediger, welche im Jahre 1554 sich auf 6 belief, erhob sich im 17. Jahrhundert bald auf 12, von 1674, anfänglich mit einem außerordentlichen Gehilfen, auf 13 . . ." Grabau (13) nennt für 1645: 11, für 1680: 13 Prediger. Aus der bei Grabau (613 ff.) abgedruckten Liste sämtlicher Mitglieder des Predigerministeriums ergibt sich für die Zeit der Berufung Speners die Normalzahl von zwölf Predigern, eingeschlossen den Senior. Die Prediger der zu Frankfurt gehörenden Landgemeinden waren nicht Mitglieder des Ministeriums, in welchem also nur die Stadtpfarrer saßen (aa0 13).

[5] Christian Gerlach, als Prediger nach Frankfurt berufen 11. 5. 1628, Nachfolger des 1652 verstorbenen Seniors Götzenius im Senioratsamt, gestorben 30. 7. 1665.

[6] Für die Auseinandersetzungen des Jahres 1653 vgl. Grabau, 411–414. 586; für die des Jahres 1662 Grabau, 414. 586–592.

[7] AaO 586.

unter den Frankfurter Predigern, kann als der Begründer des Frankfurter Senioratsamtes angesehen werden[8]. Zwar findet sich schon gegen Ende des 16. Jahrhunderts der Titel eines Seniors für denjenigen Pfarrer, der den Vorsitz bei den Konventen des Predigerministeriums führt[9]. Aber erst Dr. Tettelbach hat, unter deutlicher Hervorkehrung des ihm durch seinen Doktorgrad zukommenden Vorrangs, die Senioratsstelle zu einem den übrigen Predigern übergeordneten Amt ausgebaut, in welchem er sich in allen das äußere Kirchenregiment betreffenden Fragen allein dem Magistrat als dem Inhaber der kirchenregimentlichen Gewalt verantwortlich fühlte und bei seinen Entscheidungen sich um anderslautende Voten seiner Amtsgenossen wenig kümmerte[10]. Tettelbach, ohne Zweifel ein Mann von glänzenden Gaben, hat sich während seiner Amtstätigkeit dem Frankfurter Magistrat ebenso vorteilhaft präsentiert, wie er sich seinen Amtsbrüdern im Predigerministerium durch seine herrische Art verhaßt gemacht hat. Wenn er vor seinem Tod den Magistrat aufforderte, auch fürderhin einen Doktor der Theologie an die Spitze des Predigerministeriums zu berufen, so haben das die Frankfurter Prediger, wie es in ihrer Eingabe an den Magistrat vom Juli 1662 etwas boshaft heißt, nur so verstehen können, daß er gesucht habe, „seinen Collegis auch noch nach seinem Todt beschwerlich zu seyn“[11]. Im Gegensatz zu dem Tettelbachschen Vorschlag ging die Meinung der Frankfurter Pfarrerschaft dahin, „Mann solte keinen Doctorem mehr vociren umb allerley inconventien zu verhüten“[12].

Der Magistrat blieb jedoch seit Tettelbachs Tod bei dem Plan, einen auswärtigen, graduierten Theologen zu berufen, und das Predigerministerium mußte ihm bei der Benennung geeigneter Kandidaten behilflich sein. Doch blieb alles Suchen glücklos. Johann Conrad Dannhauer in Straßburg, mit dem nach Tettelbachs Tod 1645 lange verhandelt wurde[13], Johann Nicolaus Mißler in Gießen, der 1653 berufen wurde[14], Balthasar Mentzer in Darmstadt, an den 1662 ein Ruf erging[15] – sie alle und noch andere Kandidaten[16]

---

[8] Henrich Tettelbach, nach Frankfurt berufen 25. 3. 1618, wo er die bis dahin von dem Pfarrer Johannes Vitus versehene Senioratsstelle übernahm, sie mit diesem aber in einem schriftlichen Vergleich (abgedruckt bei Grabau, 550 f.), in welchem ihm die größeren Rechte eingeräumt wurden, teilte. Nach dem Tode von Vitus 1637 war Tettelbach alleiniger Senior. Er starb am 28. 6. 1644. Vor seiner Berufung nach Frankfurt war er Superintendent in Neuburg a. d. Donau gewesen, hatte diese Stelle aber 1617 verloren, nachdem im Zusammenhang des Jülichschen Erbfolgestreits der Pfalzgraf Wolfgang Wilhelm von Neuburg zum katholischen Bekenntnis übergetreten war.

[9] AaO 549.

[10] Reichliches Material hierzu bei Grabau, vgl. vor allem 58 ff. 588.

[11] AaO 588. [12] Ebd. [13] AaO 553. [14] AaO 411.

[15] AaO 553. 592.

[16] U. a. Menno Hanneken in Gießen (aaO 553), Haberkorn in Gießen (586). Als Kandidaten wurden erwogen auch Mengering in Halle (586) und Tobias Wagner in Tübingen (594).

lehnten ab. Die Geschäfte eines Seniors wurden deshalb wie in der Zeit vor Tettelbach wieder von einem aus dem Kreis des Predigerministeriums gewählten Frankfurter Prediger geführt, und je länger dieser Zustand währte, desto mehr verstärkte sich der Wunsch nach Rückkehr zu den alten Verhältnissen und der Widerstand gegen den Tettelbachschen Rat. Man erkennt das daran, daß 1662 der Widerstand gegen die Berufung eines auswärtigen Theologen schon erheblich größer ist, als er es 1658 war. Das Predigerministerium hat in einer ausführlichen Eingabe an den Magistrat vom 10. Juli 1662 den Tettelbachschen Ratschlag abgelehnt und unter Berufung auf das unrühmliche Beispiel Tettelbachs wie in einer Aufzählung verschiedener sachlicher Gründe nachzuweisen gesucht, daß die Berufung eines graduierten Theologen der Frankfurter Kirche mehr schaden als nützen würde[17]. Aus dem Gutachten spricht ebenso die berechtigte Sorge um die Wahrung der brüderlichen Einmütigkeit und Parität wie die kleinliche Angst, daß durch Anwesenheit eines Doktors „der übrigen Collegarum Respect umb ein merkliches würde abnehmen"[18]. Als der vom Magistrat gegen den Willen des Ministeriums berufene Mentzer ablehnte, war noch einmal für einige Jahre Ruhe gegeben. Nachdem aber der das Seniorat seit 1652 versehende Pfarrer Gerlach starb, entbrannte im Herbst 1665 der Streit erneut in bisher noch nicht erlebter Heftigkeit.

Verfolgen wir die einzelnen Stadien des Streites, an deren Ende die Berufung Speners steht. Am 22. September 1665 teilten die Scholarchen – diesen Titel führen die vier Ratsdeputierten, die einen ständigen Ausschuß zur Aufsicht über das Kirchen- und Schulwesen und gewissermaßen die Exekutive der kirchenregimentlichen Gewalt des Magistrats bilden[19] – dem Predigerministerium mit, es möge nach dem Willen des Rates einen graduierten Theologen als Nachfolger für Gerlach nominieren[20]. Das Ministerium antwortete am 29. September in einem ausführlichen Schreiben, in dem es recht deutlich seinem Unwillen Luft macht, daß der Magistrat, wie man gehört habe, bereits selbständig Fühlung mit einigen Personen aufgenommen habe, wodurch den Predigern das Jus nominandi genommen werde und ihre Vorschläge eigentlich umsonst gemacht würden[21]. Außerdem sei es ihnen so gut wie unmöglich, der Bitte des Magistrats zu entsprechen, „in dem wir gleichsam für Augen sehen, wie gar wehnig, zu dießer Zeit, mit vocirung einer graduirten person und Doctore Theologiae unßerer Kirchen und Ministerio werde geholffen, hiengegen vielmehr allerhand inconventien dahero zu besorgen seyn ..."[22]. Die Prediger führen im einzelnen noch einmal alle Gründe auf, die sie bereits früher gegen die Berufung eines aus-

[17] Aus dieser Eingabe sind ausführliche Partien bei GRABAU, 587–592 abgedruckt.

[18] AaO 590. [19] AaO 1. [20] AaO 592.

[21] Ausführliche Auszüge aus diesem Schreiben bei GRABAU, 592–595.

[22] AaO 593.

wärtigen, graduierten Theologen ins Feld geführt haben, zu denen auch das Argument gehört, ein auswärtiger Theologe bringe „immer etwas newes auß der vorigen Ecclesia mit, das er da einführen will, welche newerung selten gut thut"[23]. Neu ist das Argument, der berufene Doktor könne heimlich dem Synkretismus zuneigen, der jetzt auf den Universitäten allgemein sei. Angesichts der in Frankfurt zahlreichen, um Erweiterung ihrer Rechte bemühten Calvinisten würde dies „zu großem Nachtheil unserer Kirchen, ja, allmählig veränderung deß gantzen Staats" führen[24]. Die Eingabe schließt mit der deutlichen Warnung, einem ohne Zustimmung des Ministeriums Berufenen müßten mit der Zeit wegen seiner nicht rechtmäßigen Vokation Skrupel im Gewissen erwachsen, auch würde die bisherige Liebe und Einigkeit im Ministerium einen Stoß erhalten[25].

Die Scholarchen[26] und der Rat[27] blieben gegenüber dieser Eingabe dabei, „weilen der rathschluß, einen Doctorem zu vociren affirmative und mit gutem Grund resolvirt, davon nit abzusehen . . ."[28]. Städte wie Lübeck, Ulm, Dortmund, Coburg, Hamburg und Nürnberg hätten mit solchen Berufungen gute Erfahrungen gemacht, und auch Dr. Tettelbach sei „eine Zierde der Statt" gewesen[29]. Sehr geschickt parierte der Rat die Besorgnisse der Prediger: „Daß Mißhell- und uneinigkeit hierdurch entstehen könnte, wolle man sich deßen zu Ihnen alß Theologis nit versehen."[30] Eindringlich ermahnte man die Prediger, der Berufung eines Doctor theologiae zum Seniorat kein Hindernis in den Weg zu legen[31]. Zugleich wurden sie daran erinnert, daß das Jus Vocandi allein beim Magistrat liege, der durch den Passauer Vertrag und den Augsburger Religionsfrieden das Jus episcopale pleno jure erlangt habe[32].

Das Predigerministerium gab sich noch nicht geschlagen. Fast drei Wochen hat man gebraucht, um – mit Bedacht wohl ausgerechnet am Reformationstag – dem Magistrat eine Denkschrift vorzulegen, in welcher in der Form einer gründlichen wissenschaftlichen Erörterung und unter reichlicher Zitierung Luthers, der orthodoxen Theologen und Kirchenrechtslehrer nachgewiesen wird, „daß das jus vocandi keineswegs der Obrigkeit allein, noch dem Ministerio allein, sondern der gantzen Kirche zustehe"[33]. Ein Vorrang gebühre dabei dem Predigtamt, da es allein imstande sei, Reinheit der Lehre und Geschicklichkeit im Unterrichten zu beurteilen. Erst in zweiter Linie hätte die Obrigkeit als Hüterin beider Tafeln des göttlichen

---

[23] AaO 412. [24] AaO 594. [25] AaO 595.

[26] Sitzung vom 5. 10. 1665 unter Hinzuziehung einiger Ratsmitglieder (aaO 595 f.).

[27] Ratsbeschluß vom 11. 10. 1665 (aaO 596 f.).

[28] AaO 596. [29] Ebd. [30] Ebd.

[31] AaO 596 f. [32] AaO 414 f.

[33] Die Eingabe vom 31. 10. 1665 ist fast vollständig abgedruckt bei GRABAU, 415–422. Das Zitat 420.

Gesetzes das Ihre zu tun, der schließlich auch noch der dritte Stand, das gemeine Volk, folgen müsse[34]. Angesichts der schwachen Stellung der Pfarrerschaft in der Verfassung Frankfurts kann man dieser Denkschrift das Prädikat des Mutes nicht versagen. Über ihre Erfolgsaussichten machten sich die Prediger dabei keine Illusionen. Sie wollten aber dem Vorwurf entgehen, sie hätten nicht geahndet, was zu ahnden gewesen wäre, und nachlässig zugesehen, „daß die Kirche ihrer Freyheit ... beraubet werde"[35].

Der Rat verhandelte am 8. November über die Beschwerdeschrift des Ministeriums[36], freilich unter für ihn unerwartet erschwerten Umständen. Dr. Mißler aus Gießen, mit dem der Magistrat bereits verhandelt und der sich noch am 22. Oktober zur Annahme des Rufes bereit erklärt hatte, zog am 5. November seine Zusage zurück, nachdem er von den Widerständen in der Frankfurter Kirche gehört hatte[37]. Der Rat versuchte nun einerseits, mit Mißler weiter in Verhandlungen zu bleiben, mußte jedoch gleichzeitig die Scholarchen beauftragen, anderweitig nach einem Kandidaten auszuschauen und notfalls deshalb an die Stände des Reiches zu schreiben[38]. In einem Ratsdekret vom 21. November wird der Druck auf das Predigerministerium aber noch einmal verstärkt[39]. Die Beschwerden der Prediger gegen das vom Magistrat beanspruchte Berufungsrecht werden wiederum mit dem Verweis auf die durch den Passauer Vertrag und den Augsburger Religionsfrieden geschaffene reichsrechtliche Lage zurückgewiesen, nach welcher die Obrigkeit der evangelischen Territorien die Jurisdictio ecclesiastica und die Jura episcopalia überkommen habe. Der Magistrat erinnert überdies daran, daß die evangelischen Kurfürsten und Stände „sich der Bescheidenheit gebrauchen", die auf die innere Kirchengewalt (Potestas Ecclesiastica interna) sich beziehenden Jura episcopalia nicht auszuüben, sondern Wortverkündigung, Sakramentsverwaltung und Schlüsselgewalt den Predigern überlassen. Nur die äußere Kirchengewalt (Potestas Ecclesiastica externa), welche sich auf die Bewahrung der Religion und die Sorge für die Kirche erstrecke und zu welcher auch die Berufung orthodoxer Prediger gehöre, werde von ihnen beansprucht und gebraucht[40]. Es ist also die reinste Form der kirchenrechtlichen Theorie des *Episkopalismus*, die hier vom Frankfurter Magistrat ausgespielt wird gegen die Frankfurter Prediger und die von ihnen verfochtene ältere Theorie von der der Obrigkeit als praecipuum membrum ecclesiae zukommenden Sorgepflicht[41]. Abschließend wird das Ministerium noch

---

[34] AaO 421. [35] AaO 422.

[36] Vgl. das Protokoll der Schöffenratssitzung, abgedruckt aaO 422–425.

[37] AaO 598, Anm. 89. [38] AaO 597.

[39] Abgedruckt aaO 425–427. [40] AaO 426.

[41] Auf die unter kirchenrechtsgeschichtlichem Aspekt hochinteressanten Argumentationen der beiden streitenden Parteien kann hier nicht näher eingegangen werden. Als Beleg für die den episkopalistischen Theorien des Magistrats entgegenstehende Auffassung des Predigerministeriums diene die in ihrer Eingabe vom

einmal scharf aufgefordert, es möge den hochweisen Rat „in seinem jure Magistratus nicht weiteres hindern, sondern von seiner gefaßten opinion nunmehr weichen“[42].

Am folgenden Tag, dem 22. November 1665, erschienen die vier dienstältesten Pfarrer Lichtstein, Mohr, Münch und Ritter in der Sitzung der Ratsdeputierten und entschuldigten, nachdem ihnen das Ratsdekret verlesen worden war, die Fassung ihrer Eingabe vom 31. Oktober damit, daß nicht sie selbst, sondern die zitierten Autoren so harte Worte gebraucht hätten[43]. Der Grund für dieses plötzliche Zurückweichen ist einigermaßen ersichtlich. Das Ministerium hatte nämlich inzwischen den Bogen überspannt, indem es Lichtstein, dem ältesten Pfarrer, „absque scientia Senatus“ die Sonntagspredigten in der Barfüßerkirche übertragen hatte. Da nach altem Herkommen das Seniorat und die Sonntagspredigten in der Barfüßerkirche aneinander gekoppelt waren, mußte dies Vorgehen den Anschein einer Usurpation des Seniorats erwecken[44]. Der Zorn des Rats war verständlich. Lichtstein hatte Mühe, die Übertragung der Sonntagspredigten als „eine ad interim gemeinte und vicaria Provisio“ hinzustellen, die nicht in der Absicht geschehen sei, sich das Seniorat anzueignen[45]. Mit bitteren Worten klagte er, er habe der Frankfurter Kirche nun mehr als einunddreißig Jahre gedient und wolle hoffen, „ein mehreres als Beschimpfung verdient zu haben“[46]. Um schließlich bei der Berufung des Seniors nicht ganz übergangen zu werden, erbot sich Lichtstein, nun doch mit seinen Amtsbrüdern „das werck collegialiter zu überlegen und zu referiren“[47].

Zwei Tage später erschienen die Prediger Lichtstein und Mohr vor den Scholarchen und teilten den Entscheid des Predigerkollegiums mit. Da verschiedene deutsche Universitäten in der theologischen Fakultät mit dem Synkretismus infiziert seien und sie „nur Gießen und Straßburg rein be-

---

31. 10. 1665 wiedergegebene Äußerung des Kirchenrechtlers Dunte: „der Obrigkeit gepührt die Sorge für die Religion und der Gewalt und Jurisdiction in Kirchen-Sachen, nicht sofern sie Obrigkeit ist, sondern sofern sie ein Christliche Obrigkeit oder ein gliedmas der Kirche ist“ (aaO 418). Ferner: „ex Vestringio. Sollen sich derowegen Weltliche Obrigkeiten hüten, sie seyen wer sie wollen, daß sie auß eigner Macht eines fürgewandt. Juris Episcopalis oder Bischofflichen rechts und Patronatus, oder under was für ein Schein sie ihnen das recht, Prediger Zu erwählen und Zu berufen, ZuZuschreiben sich understehen“ (ebd.). Die Tiefe des Gegensatzes, in welchem sich die Frankfurter Prediger zu den Anschauungen ihres Magistrats befanden, ist hieraus leicht zu ermessen.

[42] AaO 427. [43] AaO 427. 598.

[44] Scholarchatsprotokoll vom 17. 11. 1665: . . . Ist per majora geschloßen worden, weil ob dieser Relation erscheine, daß die Herren Prediger durch Selbst Installirung Herrn Lichtensteins Zu der Sontagspredigt in der Hauptkirchen /: welches absque scientia Senatus beschehen: / Ihnen die Bestellung deß Seniorats tectè und vermeintlich asseriren wöllen, daß solches mit guter Mannier Zu unterbrechen . . . (aaO 597).

[45] AaO 598. [46] Ebd. [47] AaO 599.

funden", wären ihre Voten einstimmig auf Herrn Dr. Mißler aus Gießen gefallen[48]. Der Rat, der diesen Vorschlag am 30. November guthieß, trat daraufhin noch einmal an Mißler heran[49]. Doch dieser blieb bei seiner Ablehnung. Darauf wandte sich der Rat erneut an Mißler und bat um Benennung anderer geeigneter graduierter Theologen. Mißler antwortete am 17. Dezember, daß er auch nach Rücksprache mit Dr. Haberkorn niemanden vorschlagen könne[50]. Die in Frage kommenden Personen würden sich kaum ihrer jetzigen Stellungen begeben. So war man zu Jahresende zwar hinsichtlich der Berufung eines graduierten Theologen in Frankfurt einig geworden. Einen Kandidaten jedoch wußte niemand. Von Gießen war nichts mehr zu erwarten, es blieb unter den rechtgläubigen Fakultäten nur noch Straßburg. Aber hier kannte das Predigerministerium niemanden, den es hätte vorschlagen können[51].

Nun befand sich Anfang 1666 für einige Wochen ein Mann in Frankfurt, der über die Verhältnisse des Elsaß sehr gut Bescheid wußte: der Jurist Dr. Johann Philipp Schultz aus Colmar, Vertreter des elsässischen Zehnstädtebundes auf dem Reichstag in Regensburg[52]. Diesen verwickelte in der Barfüßerkirche der Altbürgermeister Keller in ein Gespräch, in welchem er ihm von dem Wunsch der Stadt, die Senioratsstelle neu zu besetzen, erzählte und ihn fragte, ob er nicht einen dazu tauglichen Theologen wüßte. Auf einiges Bedenken nannte Schultz den Namen Spener. Auch gegenüber dem Ratsschultheiß Bender nannte Schultz kurz darauf den gleichen Namen. Am 13. Februar, zwei Tage vor seiner Abreise nach Regensburg, erhielt Schultz von dem Scholarchen Achilles Uffenbach die Mitteilung, man hätte von der Person Speners, den er neulich vorgeschlagen habe, auf Nachfrage sehr viel Gutes vernommen und wäre nicht abgeneigt, denselben zu

---

[48] Ebd. [49] Ebd. [50] Ebd.

[51] Vgl. dazu das Votum des Predigerministeriums von 1662, wo es nach der Erwähnung der älteren und bekannteren *Doctores Theologiae* wie Hanneken und Dannhauer heißt: „Unter denen Theologis aber, da anjetzo auff hohen Schulen und anderstwo Gott und seiner Kirchen dienen . . . die wenigste Uns bekannt, . . . daher wir nicht wohl einen auß ihnen vorschlagen können" (aaO 587). Hieran scheint sich 1665 nichts geändert zu haben.

[52] Das Folgende nach einem vom 10.7.1673 datierten Brief von Schultz an einen Frankfurter Freund, den Schwarzlose im Frankfurter Kirchenkalender 1905, 31 f. abgedruckt hat. Grünberg konnte hiervon nur noch in den Ergänzungen (III,396) und in seinem Artikel Spener, RE³ 18, (609–622) 610, Gebrauch machen. — Johann Philipp Schultz war übrigens ein naher Bekannter der Familie Spener. Er war Pate einer Nichte Speners, der 1663 geborenen zweiten Tochter von Joachim Stoll und seiner Ehefrau Agatha Dorothea geb. Spener (Horning, Joachim Stoll, 23). Ab 1667 war er Vertreter der Stadt Frankfurt auf dem Reichstag in Regensburg. In den noch erhaltenen Frankfurter Ratsprotokollen (Stadtarchiv Frankfurt a. M.) taucht während Speners Seniorat kein Name so häufig auf wie derjenige von Schultz, der entweder selbst berichtet oder — dies ist das häufigere — dessen Berichte aus Regensburg vorgelesen werden.

berufen. Wenn Schultz die Sache „praktizierlich" fände, so möge er sich doch derselben annehmen und an Spener brieflich herantreten. Schultz schrieb noch am gleichen Tag an Spener nach Straßburg. Spener, völlig überrascht, antwortete ihm am 19. Februar[53]. Er dankt Schultz wie für frühere Gewogenheiten so auch für die Empfehlung nach Frankfurt, kann aber so schnell keine Entscheidung treffen. Dem Gedanken einer Wegberufung von Straßburg bringt er keine Abneigung entgegen, doch möchte er zuvor wissen, in welchen Verrichtungen eigentlich das ihm angetragene Amt bestünde. Erst wenn er Genaueres hierüber wüßte, könne er in Straßburg öffentlich darüber verhandeln. Außer Joachim Stoll und einem vornehmen Mann, dessen Gutachten er vernehmen will, werde er vorläufig niemandem von der Sache Kenntnis geben.

Ein ganzer Monat verging, ehe Spener am 19. März dem Dr. Schultz nach Regensburg auf seine inzwischen eingegangenen näheren Angaben erneut antwortete[54]. Man merkt diesem zweiten Brief ein Erschrecken darüber an, daß zu dem Frankfurter Amt Seelsorgepflichten und die Direktion über die wöchentlichen Zusammenkünfte der Prediger gehören. Sehr viel zurückhaltender als in jener ersten Reaktion schreibt Spener, daß er sein eigenes Urteil suspendieren wolle, sich rein passiv verhalten werde und die Entscheidung den beiden Magistraten von Frankfurt und Straßburg überlassen werde. Deren Entschluß werde er als göttlichen Willen annehmen und befolgen. Spener hat dies auch in den folgenden Wochen getan und hat sich weder mit Freunden und Verwandten besprochen noch mit der theologischen Fakultät beraten. Wohl die trüben Erfahrungen aus dem Jahre 1662 werden ihn dazu bewogen haben, daß er nicht einmal seinen nächsten Freunden von dem Ruf Kenntnis gab.

Die Dinge liefen nun so, daß der Frankfurter Rat sich am 21. April an den Magistrat von Straßburg mit dem Begehren wandte, Spener als Nachfolger des verstorbenen Seniors Gerlach zu bekommen[55]. In einer Sitzung des Straßburger Rats der XXIer vom 28. 4. liegt das Frankfurter Schreiben vor[56], in einer zweiten Sitzung vom 12. Mai berichtet der Consiliarius Fridt den Ratsherren über die inzwischen eingeholten Stellungnahmen Speners und der Theologischen Fakultät[57]. Spener, dessen Stellungnahme uns noch erhalten ist[58], stellt es dem Magistrat anheim, ob er ihm, der zur Zeit noch nicht „am besten accomodirt" sei, künftig eine auskömmliche Stelle an der Universität verschaffen wolle oder aber ob er dafür hielte, daß er die Berufung annehmen solle. So wie Spener die Alternative formuliert, gibt er klar zu verstehen, daß er bei fester Anstellung ein akademisches Amt in Straß-

---

[53] Die Brief ist abgedruckt Bed. 3,4 ff.

[54] Ebenfalls abgedruckt Bed. 3,7 f. [55] Grabau, 599.

[56] Stadtarchiv Strasbourg, Protokolle der XXIer.

[57] Ebd. [58] Bed. 3,8 ff.

burg vorziehen würde[59]. Das Gutachten der Theologischen Fakultät, das offensichtlich auf sich warten ließ[60], gab dem Rat jedoch keine besondere Ermunterung, sich um Speners Verbleiben in Straßburg zu bemühen. Man habe gar keine Gründe, den Herrn Dr. Spener aufzuhalten, da an der Theologischen Fakultät – so heißt es wenige Monate vor dem Tod des dreiundsechzigjährigen Dannhauer – an tüchtigen Leuten kein Mangel sei. Könne man ihn in Straßburg besser stellen, so sei es gut, wo aber nicht, so könne man ihn der Stadt Frankfurt folgen lassen. Für die Freiprädikatur würde sich ein Ersatz leicht finden lassen[61]. Jeder der Ratsherren muß bei der Verlesung dieses Votums gemerkt haben, daß die Theologische Fakultät keinen Finger rühren wollte, um Spener in Straßburg zu behalten.

Bei der Beratung im Gremium der XXIer scheinen dann, wie das umständliche und gewundene Protokoll zu erkennen gibt, noch einmal ausführlich die Gründe des pro und contra erwogen worden zu sein. Nicht von seiten der Fakultät, sondern allein aus dem Kreis der Ratsherren hören wir von dem Wunsch, „daß man diesen mann, welcher in Kürchen vnd Schulen großen nutzen schaffen könte, alhie behalten vndt also accomodiren könte, daß derselbe dadurch veranlaßt würde, diese vocation außzuschlagen“[62]. Aber wegen der kärglichen Mittel und weil, wenn man Spener besser stellte, zugleich auch Herr Dr. Bebel kommen und eine Addition begehren würde, setzte sich im Rat die Meinung durch, daß man der Stadt Frankfurt entgegenkommen und Spener, der durch kein Stipendium Straßburg verpflichtet sei und an der Fakultät nicht gebraucht würde, die An-

---

59 Das geht auch aus dem Bericht im Eigenhändigen Lebenslauf (aaO 30) hervor.

60 Speners Brief an den Magistrat ist noch im April, also kurz nach der Ratssitzung vom 28. 4., geschrieben, vor den XXIern wird die Sache aber erst am 12. 5. verhandelt. In seinem Brief vom 14. 5. an die Scholarchen in Frankfurt entschuldigt Spener die späte Antwort damit, daß in Straßburg die Sache vor unterschiedlichen Collegia verhandelt würde, er hätte daran keine Schuld (Bed. 3,11).

61 Das Protokoll der Sitzung der XXIer vom 12. 5. 1666 berichtet über die von Spener und der Fakultät angeforderten Gutachten, die in der Sitzung von dem Consiliarius Fridt verlesen wurden, folgendes: Liest dieselbige ab (sc. Fridt). Vnd erklärt sich jener dahin, daß solches zwar eine vocatio legitima seye, vnd er noch zur zeit am besten alhir nicht accomodirt seye, iedoch aber Mghen (= meine gnädigen Herren) lediglich anheim stellen wolle, ob Sie ihn künftig alhir employren oder aber daß er diese vocation annehmen solte, darfür halten wolten. Der Theol. Facult. gedancken gehen dahin, daß sie gantz keine rationes herrn Dr. Spenern aufzuhalten hetten, weilen anietzo die Facultas Theol. mit dapfferen leuthen wohl versehen seye, dannenhero darfür hielten, daß wann derselbige beßer conditionirt vnd alhir behalten werden könte, es zwar gut were, wo aber nicht man ihn der Statt Franckfurt wohl folgen lassen könte. Vnd vielleicht ein oder andern vnder den Pfarrern oder helfern zu ersetzung der Freypredicatur sich werde gebrauchen lassen.

62 Ebd.

nahme der Berufung freistellen solle. Die Ratsherren Frantz und Zeysolph bekamen an diesem Samstag den Auftrag, Spener den Entscheid des Rats mitzuteilen und ihn noch einmal darüber zu vernehmen. Bereits am Montag wird dem Rat berichtet, daß beide bei Spener gewesen seien[63]. Im Gespräch hätten sie ihm zu verstehen gegeben, daß, wenn man künftig ihn in Straßburg benötigen würde, er es ja nicht erschweren solle, nach Straßburg zurückzukommen. Spener aber habe sich dazu nicht erklären wollen[64].

Unmittelbar nach dem Besuch der Ratsherren — noch am gleichen Montag, den 14. Mai — hat Spener in einem Brief an die Frankfurter Scholarchen sein Einverständnis zu der Berufung mitgeteilt[65]. Gegenüber dem Magistrat der Stadt Frankfurt akzeptierte Spener dann offiziell die ordentliche Berufung[66], die mit der Versicherung der Zustimmung des Predigerministeriums übersandt worden war. Schließlich richtete Spener ein Schreiben an das Predigerministerium[67]. Dort hatten, als Pfarrer Lichtstein mitteilte, die Scholarchen wollten Dr. Spener berufen, einige Pfarrer sein jugendliches Alter und seine mangelnde Amtserfahrung beklagt und die Besorgnis geäußert, daß es ihm an der für das Senioratsamt nötigen prudentia theologica fehlen würde. Spener ahnte wohl diese Befürchtungen, wenn er in seinem Schreiben auf seine göttliche Berufung hinweist und die Hoffnung ausspricht, in seinen Kollegen Brüder zu erlangen, die ihm mit Wohlwollen und Eintracht entgegenkommen[68].

Im Juni hielt sich Spener für einige Zeit im Oberelsaß auf, um von dem rappoltsteinschen Hof und der Familie Abschied zu nehmen. Am 27. Juni wieder in Straßburg, lud er am Tage darauf Dannhauer in einem kurzen Brief zu seiner am folgenden Dienstag im Münster stattfindenden Abschiedspredigt ein[69]. Wenn es noch irgendwelche Zweifel daran geben sollte, daß Speners Stellung in der Straßburger Kirche eine problematische und angefochtene geworden war, so werden sie durch diese Abschiedspredigt vom 3. Juli 1666 endgültig ausgelöscht[70]. Es fällt doch ein sehr merkwürdiges Licht auf Speners Straßburger Wirksamkeit, wenn er es in seiner letzten Predigt für nötig hält, sich gegen Verdächtigungen zur Wehr zu setzen, er habe sich „einiger collusion oder Glaubensfreundschaft mit den Wider-

---

[63] Sitzung der XXIer vom 14. 5. 1666, aaO.

[64] AaO: Discursweiß seye ihme zu verstehen gegeben worden, daß wann ins künfftige man seiner person alhie benötigt sein würde, er es ja nicht erschweren werde, alhero zu kommen, er habe aber sich darauf nicht erklären wollen.

[65] Der Brief abgedruckt Bed. 3,11 ff.

[66] Bed. 3,13 f.

[67] S. darüber Dechent II,64. Der Brief ist mit den Frankfurter Archivbeständen im letzten Krieg vernichtet worden.

[68] Dechent, ebd.

[69] Spener an Dannhauer, Straßburg 28. 6. 1666 (UB Hamburg, Sup. ep. 88,219).

[70] Gedruckt in: Christliche Abschieds- und Anspruchs-Predigt (s. unten S. 231, Anm. 9).

sachern“ schuldig gemacht[71]. In Basel kursierten, wie Spener ein Jahr darauf berichtet, sogar Gerüchte, er sei wegen seiner Hinwendung zu den Reformierten aus Straßburg entfernt worden[72]. Nun hat Spener zu Recht auf die ordentliche Berufung verweisen können und ebenso auf die Orthodoxie seiner Lehre, die in ihrer strikten Ablehung des calvinistischen Prädestinationsdogmas damals wie später stets in den Bahnen der lutherischen Orthodoxie geblieben ist. Aber den Anlaß jener Verdächtigungen, die ja nicht aus heiterem Himmel gefallen sein können und die, von Straßburg nach Frankfurt weiterwandernd, auch an seiner neuen Wirkungsstätte auftauchten[73], hat Spener nicht erklärt. Man kommt um das Urteil schlecht herum, daß Speners Wirksamkeit als Freiprediger bereits um einiges aus dem Rahmen dessen, was in der vom Kirchenpräsidenten Dannhauer und seinen Schülern bestimmten Straßburger Orthodoxie als normal und gut lutherisch angesehen wurde, herausgefallen sein muß. Grünbergs Vermutung, daß Spener bei längerem Verbleiben in Straßburg mit der dortigen Orthodoxie in Konflikt gekommen wäre, hat einige Wahrscheinlichkeit für sich[74]. Wenn Speners pietistisches Programm später nirgendwo strengere Zensoren gefunden hat als in Straßburg, so hat sich offensichtlich nur eine Kritik fortgesetzt, die in ihren Anfängen bis in seine Freipredigerzeit und vielleicht noch weiter zurückreicht.

Am 14. Juli hat sich Spener in der Ratsstube vor dem Rat verabschiedet, hat seine Freiprädikatur offiziell resigniert und sich für die Wohltaten der Stadt bedankt[75]. Im Konvent verabschiedete er sich von den Pfarrern und Helfern[76]. Dann trat er mit seinem Hausstand, zu dem außer seiner Frau und der im Vorjahr geborenen Tochter Susanne Katharina noch zwei jüngere Brüder gehörten, die Reise nach Frankfurt an, wo er am 20. Juli eintraf[77].

---

[71] Christliche Abschieds- und Anspruchs-Predigt, 21: Und werde ich daher getrost dem jenigen trotz bieten dürffen / der da sich unterstehen solte / wie gleichwol schon sich einiges orts die calumni rühren wollen / mich einiger collusion oder Glaubensfreundschafft mit den widersachern zu beschuldigen.

[72] Cons. 3,8 (23. 9. 1667). Außerdem Widmung zu Christliche Predigt Von Nothwendiger Vorsehung vor den falschen Propheten, 1668: Es hatt auff einen Seit die Calumnia nicht gefeyert / noch ehe ich hieher kommen bin; indem bald von Ursach meines Abschieds von Straßburg an einem reformirten Ort dieser Verdacht geschöpfft und außgesprengt worden ist / ob wäre derselbe / wegen meiner Zuneigung zu ihnen / den Reformirten geschehen. Welches Geschrey noch fast gewähret hat / daß auch an andern frembden Orten ich durch vertraute Hand berichtet werden mußte / daß ich vor solcher Irrgläubigen sonderlichen Gönner und Beförderer gehalten würde.

[73] Ebd.

[74] AaO I,156.

[75] Protokolle der XXIer, Samstag den 14. Juli 1666. Vgl. Lebenslauf, 30.

[76] Lebenslauf, 30.

[77] Ebd.

Dritter Teil

DIE FRANKFURTER ZEIT SPENERS BIS ZUM ERSCHEINEN DER PIA DESIDERIA

Vorbemerkungen

Die Berufung auf das Frankfurter Seniorat bildet in der Biographie Speners den entscheidenden Einschnitt. Der Übergang von der Straßburger Freiprädikatur, die nur der Vorbereitung einer Gelehrtenlaufbahn dienen sollte, auf die erste geistliche Stelle einer der größten und einflußreichsten lutherischen Städte ist ein Schritt gleichsam aus dem Dunkel einer privaten Existenz in das Licht der Kirchengeschichte. Der Historiker merkt diesen Einschnitt bereits, wenn er auf die Quellenlage blickt. Für die Jugend- und Studienjahre Speners fließen die Quellen nur sehr dürftig; auch während der dreieinhalb Jahre der Freipredigerzeit wird die Quellenbasis nur langsam breiter. Sechs kleine akademische Schriften, die frommen Betrachtungen der „Soliloquien", knapp zwei Dutzend Briefe, eine Reihe von Predigten, ein paar geistliche Lieder und zwei genealogische Werke – das ist ungefähr alles, was wir aus der elsässischen Zeit Speners, die immerhin fast seine erste Lebenshälfte ausmacht, noch als Produkt seiner Feder besitzen. Mit dem Übergang nach Frankfurt verändert sich die Lage erheblich. In eben dem Maße, in welchem der Kreis der Wirksamkeit Speners ins Große wächst, schwillt auch der Strom der Quellen an. Das gilt *erstens* von denjenigen Quellen, die seit alters und wohl zu Recht für die Geschichte des Spenerschen Wollens und Wirkens als die vorzüglichsten gelten: für die Briefe und die zu allen nur denkbaren Fragen erstellten Gutachten und Bedenken. Als Spener sich in seinen letzten Lebensjahren an die Durchsicht und Herausgabe seiner Briefe machte, hat er dieselben, soweit er sie chronologisch ordnete, nur nach den drei Orten Frankfurt, Dresden und Berlin eingeteilt. Zu dem Fehlen von Straßburg bemerkt er (Vorrede zu Bedenken, Dritter Teil), daß er damals noch wenig wichtige Briefe geschrieben und auch noch keine Kopien davon behalten habe. Die gewaltigen Sammelbände der Spenerschen Briefe und Bedenken – vielleicht das umfangreichste Briefkorpus aus dem protestantischen Deutschland des 17. Jahrhunderts – enthalten aus der elsässischen Zeit Speners noch nichts, während sie aus den Frankfurter Jahren überreichliches Material darbieten. Dazu kommt noch ungedrucktes, handschriftliches Briefmaterial, das gerade aus der Frankfurter Zeit zahlreich vorhanden ist.

Zweitens haben wir für die Frankfurter Zeit eine sehr viel umfangreichere und zuverlässigere Überlieferung der von Spener gehaltenen Predigten. Das hängt einmal mit seinem regelmäßigen Predigtauftrag zusammen, der ihm gegenüber der Freiprädikatur eine schätzungsweise auf das Vierfache ansteigende Zahl von Predigten jährlich abforderte, vor allem aber damit, daß Spener in Frankfurt damit beginnt, eigene Predigten in den Druck zu geben, zunächst in kleineren Sammlungen, später — aber erst nach den Pia Desideria — in ansehnlichen Quartbänden. Während wir die frühen Predigten nur dadurch kennen, daß sie aus den Spenerschen Manuskripten zur Auffüllung später, überwiegend sogar posthumer Predigtbände dienten, besitzen wir für die Frankfurter Jahre bis 1675 neben einer Reihe von Leichpredigtdrucken bereits fünf von Spener zum Druck gegebene kleine Predigtbändchen. Auch die aus dieser Zeit stammenden, aber erst in spätere Sammlungen aufgenommenen Predigten sind zahlreich. *Drittens* muß man seit der Frankfurter Zeit von einer beginnenden, allmählich anschwellenden kirchlich-literarischen Wirksamkeit Speners sprechen, die neben der Herausgabe eigener Predigten einherläuft. In den uns interessierenden Zeitraum bis zum Erscheinen der Pia Desideria fallen, abgesehen von den genealogischen und heraldischen Werken, allerdings noch keine selbständigen Schriften Speners, dagegen eine ganze Reihe von Werken, die von ihm zum Druck befördert wurden und denen er allermeist Vorreden beigegeben hat. Die Vorrede zum Werk eines anderen Autors ist in der ersten Hälfte der Frankfurter Zeit nicht nur die bevorzugte, sondern die einzige literarische Form, die Spener außer der Predigt zur Äußerung seiner kirchlichen und theologischen Gedanken benutzt. Erst mit den Pia Desideria, die selbst zuerst als Vorrede zur Postille Arndts erschienen, beginnt die Reihe selbständiger Schriften Speners. Aber zeit seines Lebens hat er die Gattung der Vorreden gern benutzt, um ihm wichtige Anliegen in zwangloser Form und in Anlehnung an Gedanken anderer vorzubringen.

Viertens wird mit der Übernahme des Frankfurter Seniorats das Wirken Speners in den Protokollen des Predigerministeriums und in den Eingaben desselben an den Magistrat, sowie in den Scholarchatsprotokollen aktenkundig. Zum großen Schaden der Forschung sind nun während des letzten Krieges die betreffenden Bestände der Frankfurter Archive der Vernichtung anheimgefallen. Wir haben jedoch in vielen Fällen aus der Literatur noch einige Kenntnisse davon, in einzelnen Fällen sind uns im Abdruck wichtige Stücke aus dem Archivmaterial wörtlich erhalten. *Fünftens* müssen in dem Grad, in dem sich in Frankfurt unter dem Wirken Speners so etwas wie eine pietistische Bewegung bildet, neben ihm auch noch andere, uns greifbare Gestalten wie etwa der Jurist Johann Jakob Schütz oder das Freifräulein Eleonore von Merlau in die Untersuchung einbezogen werden. Es ist also auch das sie betreffende Quellenmaterial zu durchforschen.

Wenn man bei der Darstellung der Frühzeit Speners, von Nebensächlichkeiten abgesehen, die Quellen so gut wie ausschöpfen muß, um überhaupt ein Bild von seiner Entwicklung zu gewinnen, so stellt sich beim Übergang zur Frankfurter Wirksamkeit die Frage, wie man angesichts des plötzlich anschwellenden Quellenreichtums die Darstellung fortführen soll. Der Historiker muß sich entscheiden, ob er seine Darstellung ins Breite ausweiten soll, um aus den Quellen die ganze Welt der vielfältigen Beziehungen und Aktivitäten erstehen zu lassen, die ihm beim Durchforschen der Quellen in rasch wechselnden Szenen vor die Augen tritt und die er sich selbst jedenfalls in immer neuen Anläufen zu vergegenwärtigen suchen muß. Oder ob er sich erlauben darf, vieles nur summarisch darzustellen, vieles — auch Wichtiges — wegzulassen und den Stoff der Quellen strenger nach der eigenen Fragestellung zu sichten. Da unser Unterfangen nicht auf eine biographische Darstellung abzielt, sondern von der Themastellung „Spener und die Anfänge des Pietismus" geleitet ist, mag es berechtigt sein, wenn im folgenden der zweite Weg eingeschlagen wird. Es wird also im zweiten Teil der Arbeit nicht ebenso wie im ersten Teil Speners Vita dargestellt. Es wird vielmehr in genauerer und möglichst vollständiger Untersuchung nur derjenige Teil des Spenerschen Wirkens weiterverfolgt, der zur Entstehung der Collegia pietatis und zu seinen Pia Desideria führt. Alles an Speners Wirken, was nicht unmittelbar hiermit zu tun hat, wird nur summarisch behandelt. Dabei soll allerdings der Versuch gemacht werden, die ganze Breite der Spenerschen Wirksamkeit in den Blick zu bekommen und seine eigentümliche Leistung auf den einzelnen Gebieten seiner Amtsführung erkennbar zu machen, außerdem seinen wissenschaftlichen Beschäftigungen und den auf ihn wirkenden besonderen Einflüssen nachzugehen. Die der Darstellung gesteckte zeitliche Grenze des Jahres 1675 muß dabei an einigen Stellen überschritten werden, damit Linien, die in den frühen Frankfurter Jahren nur schwach angedeutet sind, deutlicher heraustreten können.

I. Wirksamkeit im Frankfurter Seniorat

Die Freie Reichsstadt Frankfurt am Main[1] zählte beim Amtsantritt Speners knappe 15 000 Einwohner. Der weitaus größte Teil der Einwohnerschaft und der herrschenden Patrizierschicht gehörten dem lutherischen Be-

[1] Zum Folgenden vgl. H. Dechent, Kirchengeschichte von Frankfurt am Main

kenntnis an. Daneben hatte sich eine kleine katholische Gemeinde in Frankfurt erhalten, der der Bartholomäusdom, die Krönungskirche der deutschen Kaiser, gehörte. Seit 1554 bestand in Frankfurt daneben eine reformierte Gemeinde, die sich überwiegend aus Flüchtlingen englischer, später niederländischer und französischer Herkunft gebildet hatte und die durch ihren Reichtum und ihre Gewerbetüchtigkeit im wirtschaftlichen Leben der Stadt eine stärkere Rolle spielte, als ihr zur Zeit Speners auf 1 000 Glieder geschätzter Bevölkerungsanteil vermuten läßt. Gottesdienstrecht besaßen die Reformierten in Frankfurt nicht, sie mußten sonntags ins benachbarte hanauische Bockenheim fahren. Schließlich lebte in Frankfurt eine ansehnliche Judenschaft, die von den christlichen Mitbürgern streng getrennt in die Judengaß, also ins Ghetto, eingeschlossen war.

Frankfurts Bedeutung lag seit dem Mittelalter in seiner Funktion als Warenumschlag- und Handelsplatz am Schnittpunkt wichtiger von Norden nach Süden wie von Westen nach Osten führender Handelsstraßen. Vom großen Krieg weniger durch Zerstörungen als durch den Verfall des Handels und durch Bevölkerungsschwund betroffen, hat sich Frankfurt in den Jahrzehnten nach dem Krieg bald wieder seinen Platz als neben Leipzig führende deutsche Handelsstadt zurückerobert. Die zwanzigjährige Amtszeit Speners fällt in eine Zeit raschen bevölkerungsmäßigen Wachstums. Im Jahre 1675 ist mit einer Zahl von 19 000 Einwohnern der Vorkriegsstand bereits überschritten, bei Speners Weggang 1686 muß die Einwohnerzahl einiges über 21 000 betragen haben. In diesem Wachstum spiegelt sich die wirtschaftliche Prosperität der mit aller Welt verbundenen Handels- und Messestadt wieder. Zu den jährlich zweimal, vor Ostern und zu Michaelis stattfindenden Messen strömen von fernher die deutschen und ausländischen Kaufleute in die Stadt, um mit ihren zu Schiff oder auf dem Wagen expedierten Waren Handel — meist ist es in dieser Zeit noch Tauschhandel — zu treiben. Die jeweils dreiwöchigen Meßzeiten bilden im Leben der Stadt die immer wiederkehrenden Höhepunkte, in denen alle andere Tätigkeit eingeschränkt wird, wenn nicht ruht. Wenn man die von Spener während seiner Frankfurter Zeit geschriebenen Briefe studiert, so findet man fast regelmäßig im Frühjahr und Herbst die Entschuldigungen, daß er wegen der vielen Gespräche und Verhandlungen gelegentlich der Messe zum Schreiben und zum Arbeiten nicht gekommen sei. Mit den reisenden Kaufleuten flossen auch Nachrichten und Neuigkeiten aus entfernteren Gebieten und aus dem Ausland nach Frankfurt, die in den Meßrelationen, Vorläufern unserer Zeitungen, dem wißbegierigen Publikum umgehend im

seit der Reformation, I—II, 1913/1921; A. DIETZ, Frankfurter Handelsgeschichte, III, 1921; F. BOTHE, Geschichte der Stadt Frankfurt a. M., 1929³. Zur Bevölkerungsgeschichte vgl. die Aufstellungen bei DIETZ, Bürgerbuch, 1897, die auch noch in E. KEYSER, Hessisches Städtebuch, 1957, zugrunde gelegt werden.

Druck übermittelt wurden. Wer in Frankfurt lebte, wußte besser als jeder andere in Deutschland über die Vorgänge in der Welt Bescheid.

Für einen Mann wie Spener war es in hohem Grade bedeutsam, daß er in eine Stadt kam, die er selbst eine „Bücherstadt" nannte[2]. Die Jahrzehnte nach dem Dreißigjährigen Krieg sind die Blütezeit des Frankfurter Buchhandels gewesen, der sich noch einmal in Deutschland die führende Stellung errang und das sich vom Krieg sehr viel langsamer erholende Leipzig auf die zweite Stelle verwies[3]. Der junge Leibniz konnte 1670 Frankfurt „das universaleste Emporium literarum durch Teutschland" nennen[4]. Diese Stellung verdankte Frankfurt nicht zuletzt dem Umstand, daß seine Messe – wenigstens bis gegen Jahrhundertende – die Leipziger Messe durch ihren internationalen Charakter an Bedeutung weit übertraf[5]. Die führende Rolle im europäischen Buchwesen, die Deutschland im 16. Jahrhundert besessen hatte, ließ sich nach dem Krieg freilich nicht zurückgewinnen. Um so wichtiger war es, daß die jetzt in die alleinige Führung eintretenden westeuropäischen Länder durch ihre Buchhändler auf der Frankfurter Messe vertreten waren. An ihrer Spitze standen die Niederländer. Zu Beginn der siebziger Jahre waren allein fünfzehn niederländische Firmen auf der Frankfurter Messe regelmäßig vertreten, davon acht aus Amsterdam[6]. Kleiner war die Zahl der französischen Firmen, von denen drei aus Lyon, eine aus Paris in dieser Zeit Frankfurt besuchten, daneben vier aus Genf[7].

Den dominierenden Einfluß, den die niederländischen Buchhändler auf der Frankfurter Messe ausübten, muß man zusammensehen mit der Vorrangstellung, die sich die Niederlande während der ersten Jahrhunderthälfte auf dem Gebiet der Wirtschaft und des Handels wie auf dem der Wissenschaft und Künste errungen hatten. Gegenüber dem vom Krieg wirtschaftlich geschwächten, in der Kapitalkraft stark dezimierten deutschen Buchhandel hatte sich der Kapitalreichtum des niederländischen Buchhandels seit den Kriegszeiten nur noch vermehrt. Das ermöglichte jene Blüte des Buchdrucks, die die niederländischen Drucke der zweiten Jahrhunderthälfte, an ihrer Spitze diejenigen des Amsterdamer Hauses Elzevier, zu den konkurrenzlos schönsten und begehrtesten auf dem europäischen Buchmarkt machte, und erleichterte die Herausgabe großer wissenschaftlicher Druck-

---

[2] Bed. 3,424 (1681).

[3] KAPP-GOLDFRIEDRICH, Geschichte des deutschen Buchhandels II,362 ff.

[4] Sämtliche Schriften (Akademieausgabe) I,1; 49.

[5] KAPP-GOLDFRIEDRICH II,153: „Die Frankfurter Messe war charakterisiert als internationale, die Leipziger als deutsche Büchermesse." – Der Vorrang der Frankfurter Messe vor der Leipziger ist 1675 auch vom Leipziger Rat noch unbestritten (aaO 138).

[6] AaO 137 f. Vgl. neuerdings I. HEITJAN, Zum Besuch der Frankfurter Fastenmesse 1671, Gutenberg-Jahrbuch 1963, (141–150) 141, Anm. 5.

[7] Ebd.

unternehmungen, für die dem deutschen Buchhandel nach dem Krieg überall die Mittel fehlten. Es brachte aber ein oft rücksichtsloses Geschäftsgebaren mit sich, das durch eine umfangreiche, die Privilegien mißachtende Nachdruckertätigkeit dem deutschen Buchhandel großen Schaden zufügte[8]. Am folgenreichsten hat sich die dominierende Rolle des niederländischen Buchhandels nach der Richtung ausgewirkt, daß der deutsche Buchmarkt mit Literatur überschwemmt wurde, die in Deutschland nie die überall streng gehandhabte kirchliche Zensur passiert hätte. Die Niederlande sind zu dieser Zeit ja nicht nur die Zufluchtsstätte für Sozinianer, mystische Spiritualisten, Separatisten und Köpfe aller möglichen geistigen Strömungen und Sekten, sondern sie sind, dank der freieren Handhabung der Zensur, zugleich ein einzigartiges Propagandazentrum für deren Ideen. Unter den Fittichen des geschäftlichen Übergewichts und des berechtigten Ansehens des niederländischen Buchhandels wird, wie Friedrich Kapp in seinen gründlichen Untersuchungen zur Geschichte des Buchhandels im 17. Jahrhundert gezeigt hat, in den Jahrzehnten nach dem Dreißigjährigen Krieg Sozinianern, Mystikern und anderen von den großen Konfessionskirchen unterdrückten Geistern eine kräftige und gesicherte Verbreitung ihrer literarischen Erzeugnisse ermöglicht[9]. Auf dem Titelblatt der meist in Amsterdam erscheinenden Werke war häufig statt Amsterdam „Eleutheropolis" gedruckt, sehr viel wurden auch fingierte Druckorte angegeben, um den Vertrieb in den lutherischen Gebieten nicht durch die Bekanntgabe des reformierten Druckortes zu erschweren. Vergegenwärtigt man sich, daß ein ganz beträchtlicher Teil der Buchproduktion — zu dieser Zeit in Deutschland noch weit mehr als die Hälfte — dem religiösen Schrifttum zugehört, so kann man das Vordringen des niederländischen Buchhandels auf dem deutschen Büchermarkt in seiner Bedeutung für die Ideenbildung der Zeit, in der sich die pietistische Bewegung bildet, kaum überschätzen. Neben dem damals weithin üblichen Versand von Büchern auf dem Korrespondenzweg muß man die Frankfurter Messe als den Einfallsort der in den Niederlanden verlegten Literatur ansehen. Es ist ein merkwürdiger, bisher in der Kirchengeschichte unbeachtet gebliebener Sachverhalt, der den Herleitungen des Pietismus aus Einflüssen des niederländischen Calvinismus oder des

[8] AaO I,499. Kapp berichtet von einer Beschwerdeschrift des Nürnberger Buchhändlers Wolfgang Endter aus dem Jahre 1653, wonach er und andere Buchhändler dem Rat zu Frankfurt am Main dargelegt hätten „wie großen Schaden vns Teutschen Buchführer durch frembde vnd benamentlichen durch dieße Holländer mit nachtruckung dergleichen privilegirten und andern Bücher zugefüget werde" (ebd.).

[9] AaO I,498. — Ein über 600 Nummern umfassender Katalog des im 17. Jahrhundert in den Niederlanden gedruckten deutschsprachigen Schrifttums ist unter dem Titel „A bibliographical catalogue of seventeenth-century German books published in the Netherlands" bei Mouton (den Haag) im Erscheinen begriffen (frdl. Mitteilung von John Bruckner, London).

mystischen Spiritualismus entgegenzukommen scheint, daß der deutsche lutherische Pietismus an einem Messeort entstand, und zwar zu einer Zeit, als der niederländische Buchhandel dort dominierte. Merkwürdig ist auch, daß jene zweite, dem Pietismus erst zum Durchbruch verhelfende Bewegung, die sich an den Namen August Hermann Francke knüpft, von der anderen großen Messestadt ihren Ausgang nahm, und zwar zu eben der Zeit, als sich das Schwergewicht des Buchhandels auf Leipzig zu verlagern begann und der niederländische Buchhandel nicht mehr nach Frankfurt, sondern nach Leipzig zog[10].

Frankfurt war aber nicht nur der Ort des großen „Bücherstechens", wie man den sich auf der Messe vollziehenden Austausch der geistigen Ware nannte, Frankfurt war ebenso eine führende, wenn nicht die führende Stadt der deutschen Buchproduktion. Unter den zwei bis drei Dutzend Verlegern, die man in der zweiten Hälfte des 17. Jahrhunderts in Frankfurt findet, ragt ein Mann besonders hervor: *Johann David Zunner*[11]. Ein Jahr bevor Spener nach Frankfurt kam, hatte er den von seinem Vater aufgebauten Verlag übernommen, den er aus unbedeutenden Anfängen bald zu dem unternehmungskräftigsten Frankfurter Verlag ausbauen sollte. Man hat von Zunner gesagt, daß er der bei weitem größte Frankfurter, ja vielleicht deutsche Verlagsbuchhändler seiner Zeit gewesen sei[12]. Legt man die Aufstellungen der zu jeder Messe erscheinenden Büchermeßkataloge zugrunde, so zeigt sich, daß Zunner, dessen Name im Jahre 1665 erstmals erscheint, nach der Zahl der Veröffentlichungen 1667 an zweiter, 1668 bereits an erster Stelle unter den Frankfurter Verlegern rangiert, welchen Platz er bis zum Jahrhundertende meistens innehält und nur zuweilen gegen den zweiten oder dritten Platz eintauscht[13]. Die Blütezeit seines Verlags hat man auf 1665–1704 datiert[14], welche Frist mit der kirchlichen Wirksamkeit Speners

[10] Die Abwanderung des niederländischen Buchhandels von der Frankfurter Messe auf die Leipziger Messe wird von Goldfriedrich in die Jahre zwischen 1686 und 1696 datiert (aaO II,220). Sie ist ein Symptom, daß die Leipziger Messe zu dieser Zeit die Führungsrolle übernimmt und die Frankfurter Messe nun endgültig auf die zweite Stelle verwiesen wird.

[11] Zunner (gest. 1704) war Sohn des gleichnamigen Buchhändlers Johann David Zunner (1610–1653). Über ihn vgl. J. Benzing, Die deutschen Verleger des 16. und 17. Jahrhunderts, Archiv für die Geschichte des Buchwesens II,1960, 505. — Noch in der dritten durchgesehenen Auflage der Alandschen Ausgabe der PD liest man (Anm. zu PD 3,14 f.), daß Zunner, der Initiator der Postillenvorrede von 1675, bereits 1653 im Rhein ertrunken sei. Hier sind Vater und Sohn miteinander verwechselt!

[12] Dietz, Frankfurter Handelsgeschichte, III,161.

[13] Ich habe für diese Angabe ausgewertet die Aufstellungen in G. Schwetschke, Codex nundinarius Germaniae literatae bisecularis, Meß-Jahrbücher des Deutschen Buchhandels von dem Erscheinen des ersten Meß-Kataloges im Jahre 1564 bis zu der Gründung des ersten Buchhändler-Vereins im Jahre 1765. Nieuwkoop 1963 (Nachdruck der Ausgabe Halle/S. 1850–1877).

[14] Kapp-Goldfriedrich II,362.

fast auf das Jahr zusammenfällt. Zunner ist bald nach Speners Übersiedlung dessen Verleger geworden und ist es bis in dessen Berliner Zeit geblieben. Er hat die von Spener zum Druck gegebenen Predigten in dem kleinen, nach dem Vorbild der niederländischen Drucke modisch werdenden Duodezformat (z. T. sogar in 24°) herausgebracht und später seine großen Predigtsammlungen und fast alle übrigen Werke Speners gedruckt. Daneben hat er schon in den frühen Frankfurter Jahren Speners Ratschläge bei der Entscheidung über die Annahme von Druckmanuskripten befolgt. In Speners Briefen aus der Frankfurter Zeit tauchen wenige Namen so häufig auf wie derjenige Zunners, dem Spener laufend an ihn übersandte Manuskripte weiterreicht und mit dem er Bücherangelegenheiten verhandelt[15]. Es wäre interessant, dem Anteil nachzugehen, welchen die nebenamtliche Lektoren- und Beratungstätigkeit Speners an der Blüte dieses größten Frankfurter Verlagshauses des 17. Jahrhunderts gehabt hat. Wenn uns eine Bibliographie der bei Zunner verlegten Werke auch fehlt, so wird man doch urteilen dürfen, daß ein ganz erheblicher Teil der bei ihm erschienenen Ausgaben, sicherlich der größere Teil der von ihm gepflegten Erbauungsliteratur, auf Speners Empfehlung gedruckt worden ist. Den bis dahin auf dem Gebiet der Erbauungsliteratur führenden lutherischen Verlagshäusern Endter in Nürnberg und Stern in Lüneburg hat Zunner in der Aera Spener den Rang abgelaufen, in den Jahrzehnten vor der Gründung der hallischen Waisenhausbuchhandlung muß man ihn als den größten lutherischen Erbauungsverlag ansehen. Sucht man nach den äußeren Bedingungen, unter welchen Spener seine weitreichende Wirksamkeit ausüben konnte, so wird man dies in der Bücherstadt Frankfurt geschlossene Bündnis zwischen dem Theologen und dem Verleger, auf das Spener noch 1702 als auf eine „über 30 Jahre unterhaltene Freundschaft" zurückblickt[16], nicht an letzter Stelle nennen dürfen. Nichts zeigt die Bedeutsamkeit dieser Verbindung deutlicher, als daß die Programmschrift des Pietismus ihre Entstehung der verlegerischen Initiative Zunners verdankt.

Wenden wir uns nun den engeren, mit dem *kirchlichen Amt* Speners zusammenhängenden Verhältnissen zu. Man liest gewöhnlich, daß der einunddreißigjährige Spener in Frankfurt an die Spitze eines Kollegiums trat, dessen Mitglieder sämtlich über sechzig Jahre alt waren[17]. Das ist nicht

---

[15] Spener hat neben Zunner — „so meine sachen ordinarie zu verlegen pflegt" (Bed. 3,212) — auch zu anderen Frankfurter Verlegern, z. B. zu Walther, engere Beziehungen gehabt und ihnen Manuskripte vermittelt. Mit keinem aber hat er in ähnlich engem Kontakt gestanden.

[16] Widmung an Zunner vom 15. 7. 1702 zu dem Predigtband „Der Göttliche Wille als die Regel Aller Gebethe". *Grünberg Nr. 54.* Zit. nach KGS II, Anhang 156.

[17] Grünberg I,161. Vgl. Aland, Philipp Jakob Spener, 523: „Als man ihn 1666 nach Frankfurt berief . . . war er ganze 31 Jahre alt, seine Amtsbrüder dagegen sämtlich über 60 Jahre alt, zum Teil sogar ganz beträchtlich." Auch M. Schmidt

richtig[18]. Spener fand im Gegenteil eine erst vor kurzem erheblich verjüngte Pfarrerschaft vor. Von den elf Predigern, die bei Speners Ankunft das Predigerministerium bildeten, waren allein vier erst im Vorjahr nach Frankfurt berufen, sämtlich jüngeren Alters, ja – bis auf einen – sogar noch jünger als ihr neuer Senior. Älter als sechzig war überhaupt keiner. Nur vier hatten die Grenze der Sechzig erreicht oder standen kurz davor[19]. Die letzte-

---

nimmt an, daß der vierzigjährige Spener seine Pia Desideria einem Kollegium von Amtsbrüdern vorgelegt hat, „die durchweg eine Generation älter waren als er selbst" (Luthers Vorrede zum Römerbrief im Pietismus, 312).

[18] Bereits Grünberg hat sich in den Nachträgen zum dritten Band dahingehend korrigiert, daß nur vier Mitglieder des Frankfurter Predigerministeriums bei Speners Amtsantritt älter als sechzig Jahre waren (aaO III,398). Grünberg hat seine späteren Darstellungen entsprechend abgeändert (vgl. seinen Artikel „Spener", RE³ 18,609 ff.), was aber außer Dechent niemand bemerkt zu haben scheint. Daß auch Grünbergs, sich auf eine Aussage Speners (Bed. 3,855) stützende Selbstkorrektur irrig ist, geht aus der Aufstellung Anm. 19 hervor.

[19] Ich gebe im folgenden eine die wichtigsten Daten enthaltende Liste derjenigen Frankfurter Prediger, die bei Speners Amtsantritt Mitglieder des Predigerministeriums waren oder während Speners Seniorat in der Zeit bis zum Erscheinen der Pia Desideria als Prediger nach Frankfurt berufen wurden. Ich benutze dafür das „Verzeichnis der Mitglieder des Predigerministeriums", das man bei R. Grabau, Das evangelisch-lutherische Predigerministerium der Stadt Frankfurt a .M., 613 ff. findet und das sich für die fragliche Zeit bei jeder Nachprüfung als zuverlässig erweist. Grabau gibt nur die Daten der Berufung und meist auch die Todesdaten. Die Geburts- und die fehlenden Todesdaten ergänze ich aus den Leichpredigten der betreffenden Prediger, die ich entweder in den alten Drucken (ein Teil ist in den Sammlungen der Spenerschen Leichpredigten enthalten) oder in neueren Leichpredigtkatalogen (hauptsächlich im Stolbergschen) gefunden habe. Ich habe sie nachträglich kontrolliert an den reichen Mitteilungen aus Frankfurter Leichpredigten, die in den ersten Jahrgängen der Frankfurter Blätter für Familiengeschichte, Frankfurt 1908 ff. enthalten sind und gerade über die Frankfurter Prediger viel Material bieten. Die von mir in Klammern gesetzte Numerierung entspricht der Predigerliste Grabaus, die die Frankfurter Prediger seit der Reformation in der Reihenfolge der Berufung fortlaufend durchzählt.

A) Mitglieder des Predigerministeriums beim Amtsantritt Speners

(72) M. Georg Philipp Lichtenstein (Lichtstein), geb. 26. 3. 1606, ber. 20. 2. 1634, gest. 17. 2. 1682.
(74) Johann Conrad Mohr, geb. 23. 5. 1606, ber. 3. 6. 1635, gest. 10. 11. 1671.
(75) M. Gerhard Münch, geb. 21. 7. 1607, ber. 19. 8. 1636, gest. 2. 3. 1671.
(78) Johann Balthasar Ritter (IV.), geb. 11. 9. 1607, ber. 7. 5. 1641, emerit. 1680, gest. 10. 8. 1683.
(80) M. Johann Georg Büttner, geb. 28. 7. 1612, ber. 9. 7. 1648, gest. 2. 10. 1666.
(82) Johannes Grambs, geb. 23. 9. 1624, ber. 2. 6. 1653, gest. 3. 6. 1680.
(84) Conrad Schudt, geb. 12. 11. 1624, ber. 23. 12. 1662, gest. 22. 3. 1680.
(86) Johann Conrad Sondershausen, geb. 6. 5. 1632, ber. 16. 3. 1665, gest. 31. 5. 1704.
(87) M. Thomas Köth, geb. 3. 1. 1639, ber. 19. 4. 1665, gest. 1. 8. 1666.
(88) Johann Philipp Benckherr, geb. 6. 6. 1637, ber. 2. 4. 1665, gest. 11. 2. 1681.
(89) Johannes Starck, geb. 20. 9. 1638, ber. 18. 12. 1665, gest. 9. 12. 1696.

ren sind die Pfarrer Lichtstein, Mohr, Münch und Ritter, die mit ihren frühen Frankfurter Amtsjahren noch in die Aera Tettelbach zurückreichten und die wir als Wortführer im Kampf gegen den Magistrat kennengelernt haben[20]. Auf diese vier, die vor seiner Ankunft die tonangebenden Männer im Kollegium gewesen waren und die ihrem Alter gemäß bei den Sitzungen des Predigerministeriums in Sitz und Stimme dem Senior folgten, hatte Spener besondere Rücksichten zu nehmen. Was ihre Meinung über einen von auswärts geholten, promovierten Senior gewesen war, muß Spener spätestens nach seiner Ankunft aus den Akten bekannt geworden sein. Spener sah es deshalb als seine erste Aufgabe an, „einen guten Grund einer Einigkeit zu legen“[21]. Sein Vorsatz, „daß ich mich der geringsten Herrschafft nicht anmassen / sondern nicht mehr als einer unter den anderen seyn wollte“[22], zeigt sehr deutlich, daß er die aus der Tettelbachschen Zeit stammenden neuralgischen Punkte des Frankfurter Senioratsamts erkannt hat[23]. Tatsächlich hat Speners ruhige Art, sicher auch sein diplomatisches Geschick alle Konflikte, die sich nach den mehrmaligen Denkschriften des Ministeriums fast zwangsläufig hätten ergeben müssen, gar nicht zum Ausbruch kommen lassen. Im späteren Rückblick konnte Spener feststellen, daß zwischen ihm

---

B) Neue Mitglieder des Predigerministeriums seit dem Amtsantritt Speners (90) bis zum Erscheinen der Pia Desideria

(91) Johann von den Poppelieren, geb. 29. 10. 1629, ber. 23. 8. 1666, gest. 13. 4. 1694.

(92) Michael Weigandt, geb. 13. 12. 1636, ber. 20. 11. 1666, gest. 25. 10. 1667.

(93) M. Johannes Emmel, geb. 17. 7. 1637, ber. 1667 (18. 6. 1668), gest. 12. 3. 1680.

(94) Anton Christian Mohr, geb. 26. 10. 1637, ber. 30. 6. 1671, gest. 21. 11. 1704.

(95) M. Christian Klauer, geb. 13. 10. 1640, ber. 21. 12. 1671, gest. 15. 8. 1712.

(96) Johann Balthasar Ritter (V.), geb. 11. 4. 1645, ber. 22. 8. 1673, emerit. 1716, gest. 25. 2. 1719.

In Speners späteren Frankfurter Jahren wurden noch berufen die Prediger (97) Jodocus Schiele (gest. 1688), (98) M. Christoph Mitternacht (gest. 1693), (99) Johann Georg Büttner (1649—1706) — alle drei berufen 1680; (100) Johann Martin Michael, ber. 1681, emerit. 1728; (101) M. Johann Christoph Holtzhausen (1640—1695), ber. 1682.

Die Liste zeigt übrigens, daß von den zwölf Mitgliedern des Predigerministeriums, die bei Verlesung der Pia Desideria (März 1675) anwesend sein konnten, insgesamt sechs — also genau die Hälfte — jünger waren als Spener (88. 89. 93. 94. 95. 96.).

[20] Vgl. oben S. 184. [21] Lebenslauf, 31. [22] Ebd.

[23] Vgl. auch „Die regeln so mir in meinem amt gemacht habe“, Bed. 3,654 ff. Diese Regeln sind, was diejenigen „gegen meine Collegas“ betrifft, nur verständlich vor dem Hintergrund der Tettelbachschen Zwistigkeiten. Die Regel „In dem votiren ihnen ihre freyheit nicht zu hemmen / ja selbs mein votum willig zu retractiren / wo ich von einem andern bessere fundamenta hörete“ (aaO 655) entspricht präzis den früheren Klagen der Pfarrerschaft über Tettelbach (vgl. oben S. 180 ff.).

und den Kollegen des Ministeriums eine äußere Einigkeit immer geblieben sei, wenn er manchmal auch eine stärkere Einigkeit des Geistes gewünscht hätte[24]. Von den vielen üblen Prophezeiungen, mit denen das Predigerministerium vorher sich selbst und den Magistrat geängstigt hatte, ist keine in Erfüllung gegangen, es sei denn die eine, daß ein auswärtiger Theologe bestrebt sein würde, etwas Neues in die Frankfurter Kirche einzuführen.

Die *Amtsverrichtungen* des Seniors Spener bestanden nach der Vokationsurkunde in folgendem: „wöchentlich nur eine, und zwar die Sonntagsfrühpredigt zu den Barfüssern halten, im übrigen Beicht anhören, absolviren, das heilige Abendmahl administriren, in den Conventen das Wort und die Feder führen, die Predigten bestellen, die neuen Prediger ordiniren, die ordinirten präsentiren, die Eheverlobten proklamiren, die Copulirten in ein Buch eintragen, Kirchen-, Buss- und Dankgebete concipiren, die conventus anstellen, die corrigendos vorbescheiden, die notdürftigen Bücher zur Bibliothek einkaufen und was dergleichen mehr sein möchte, darinnen der primarius sich ohne dess nicht vorgreifen läßt."[25] Außer diesen Amtspflichten, zu denen also der Jugendunterricht nicht gehört, stellte sich Spener bald freiwillig zur Übernahme von Vertretungspredigten und zum Halten von Betstunden zur Verfügung. Hatte er bei den Berufungsverhandlungen die Amtsverrichtungen noch einzuschränken versucht — besonders hinsichtlich der ihm mit dem Beichthören nun doch zufallenden Seelsorge[26] —, so ist diese freiwillige Erweiterung der Amtstätigkeit dem Wunsch zuzuschreiben, in der für ihn nach allem Vorgefallenen schwierigen Anfangssituation eine Brücke zu seinen Kollegen zu schlagen[27].

Speners hauptsächliche Tätigkeit in Frankfurt am Main hat wie später in Dresden und Berlin in seiner *Predigttätigkeit* bestanden[28]. Man kann darüber streiten, ob die hauptsächlichen Wirkungen Speners von seinen Predigten ausgegangen sind und ob der Spenersche Pietismus als eine Predigtbewegung verstanden werden kann[29]. Daß Spener den größten Teil seiner Zeit auf die gründliche Vorbereitung und wörtliche Ausarbeitung

---

[24] Lebenslauf, 31.

[25] Zit. nach Sachsse, Ursprung und Wesen des Pietismus, 21 f.

[26] Vgl. Bed. 3,12 (Brief Speners an die Frankfurter Scholarchen vom 14. 5. 1666).

[27] Lebenslauf, 31: Bey dem Ministerio und meinen Collegen aber / derer ich mehrere bey meiner Ankunfft antraff / welche bereits betagete Leuten waren / trachtete ich gleichfalls so bald zu erst einen guten Grund einer Einigkeit zu legen / daß mich zu denen Vicaritas-Arbeiten willig mit verstund / und auch derselben mich bey begebenden Fall nicht entzogen.

[28] Vgl. zum Folgenden die ausführliche Darstellung von Grünberg, II,31—58, die Speners „Homiletik" aus dem Blickwinkel des praktischen Theologen darstellt.

[29] Vgl. M. Schmidt, Speners Pia Desideria 83, Anm. 4: „Ich halte für nötig, den deutschen Pietismus in ähnlicher Weise als Predigtbewegung zu würdigen, wie es William Haller für den englischen Puritanismus getan hat."

seiner Predigten verwendet hat[30] und daß er selbst in der Predigt die Hauptaufgabe seines Amtes sah, die er vor allen anderen Aufgaben recht zu erfüllen suchte[31], daran ist kein Zweifel möglich. Auch machen die Predigten den weitaus größten Teil seines vielgelesenen und oft aufgelegten Schrifttums aus. Die Frankfurter Jahre vor den Pia Desideria sind die ersten, in denen die Predigttätigkeit in den Mittelpunkt seines Wirkens tritt. Sie lösen damit die Zeit eines vorwiegend der Wissenschaft gewidmeten Schaffens endgültig ab.

Überblickt man Speners Frankfurter Predigttätigkeit, die außer den regelmäßigen Sonntagspredigten eine erhebliche Zahl von Wochenpredigten, vor allem zahlreiche auf den Freitag fallende Bußpredigten umfaßt[32], so ist ein Hinausschreiten über die Straßburger Predigtart nur schwer festzustellen. Nirgendwo ist ein Bruch zu erkennen, nirgendwo eine Abkehr von der in Straßburg geübten Predigtweise, nirgendwo eine neue Methode oder ein neuer Stil. Die Eigenart der Spenerschen Predigtweise, die in einer gründlichen Erklärung des Wortsinnes des Textes und in der bedachtsamen Deduzierung dogmatischer, ethischer und seelsorgerlicher Wahrheiten besteht, die sich von allem rhetorischen Schwulst und gelehrtem Beiwerk freihält und auf das sonst übliche Zitieren von Autoritäten fast ganz verzichtet, die immer aus der Sache zu argumentieren sucht und in oft umständlicher, immer aber folgerechter Gedankenführung den Weg von der biblischen Wahrheit zur inneren Erbauung und zum tätigen Leben sucht – diese von der barocken Kunstpredigt der Orthodoxie deutlich unterschiedene, hingegen der Predigt Johann Arndts wie dem Stil der englischen Erbauungsbücher verwandte und deshalb nicht grundlegend neue Predigtart steht von allem Anfang her fest und hat nirgendwann wesentliche Veränderungen erfahren. Es ist nicht möglich, den Übergang von der Orthodoxie zum Pietismus an Formelementen der uns von Spener überkommenen Predigtliteratur zu beobachten. Sieht man die Eigenart der Spenerschen Predigt als pie-

---

[30] Er soll dabei, wie sein Frankfurter Amtsbruder Johann Balthasar Ritter (V.) berichtet, einem Rat von Johann Schmidt gefolgt sein, „der seine Auditores treuhertzig vermahnet / daß sie ihre Predigten möchten fleissig und völlig zu Papier bringen: Denn / sprach er / junge Blättler gibt alte Bettler“ (Vorrede Johann Balthasar Ritters zu den Evang. und Epist. Sonntagsandachten, 1716).

[31] Zwei Jahre vor seinem Tod schreibt Spener an Frau Kißner nach Frankfurt, ihm ginge oftmals fast die ganze Woche drauf, seine zwei Predigten zu schreiben (Halle D 107, 895, nach Grünberg II,57). In jüngeren Jahren hat er selbstverständlich weit weniger Zeit gebraucht, doch zeigen seine Predigten durchweg die Spuren gründlicher Vorbereitung.

[32] Eine Übersicht über die von Spener in Frankfurt gehaltenen, in mehrere Dutzend Bändchen und Bände verstreuten Predigten verschafft Grünbergs Chronologisches Verzeichnis der gesamten Spenerliteratur (aaO III,338 ff.). – In Grünbergs *Bibliographie* (III,213 ff.) umfassen die gedruckten Predigtwerke Speners 123 meistenteils mehrere Auflagen nennende Nummern!

tistisch an, so hat Spener bereits im Elsaß pietistisch gepredigt und in Frankfurt vom ersten Jahre an.

Trotz dieser Unveränderlichkeit im Grundtyp der Predigtweise läßt sich in der Frankfurter Zeit im Formalen eine gewisse Weiterentwicklung beobachten. Speners Predigtart wird in Frankfurt allmählich freier und formloser. An der Dreiteilung der Predigt in Exordium, Erklärung des Textes und Hauptlehre hält Spener zwar fest, und er ist auch später – abgesehen von einem zeitweiligen Weglassen der Hauptlehre in der Dresdner Zeit[33] – bei diesem orthodoxen Predigtschema geblieben. Aber innerhalb der Texterklärung, dem in der Regel ausführlichsten Predigtteil, kommt Spener in den frühen Frankfurter Jahren allmählich davon ab, aus jeder Einzelerklärung mechanisch eine „Lehre", eine „Vermahnung", einen „Trost" zu deduzieren, wie er das in Straßburg tat. Das Lehre-Vermahnung-Trost-Schema, das in den Predigten der Freipredigerzeit im mittleren Teil, der Texterklärung, ständig wiederholt wird, wird in Frankfurt bald nur noch auf die Hauptlehre angewandt. Der dritte Teil der Predigt ist also auch in Frankfurt so gut wie regelmäßig in eine Lehre, eine Vermahnung und einen Trost aufgeteilt. Aber die Texterklärung wird aus dem Prokrustesbett dieses Schemas herausgenommen, sie bekommt freieren Raum, und Spener liebt es jetzt, dem Text mit einem „wir betrachten", „wir sehen", „wir merken" entgegenzutreten. Dadurch kann der biblische Charakter der Predigt stärker hervortreten. Ab Advent 1675 fängt Spener dann an, nach der Textverlesung die Bibel aufgeschlagen auf der Kanzel liegen zu lassen und hin und wieder eine Textstelle, die er heranzieht, aus der Bibel vorzulesen. Er ermuntert auch zur gleichen Zeit die Predigthörer, ihre Bibeln mit in den Gottesdienst zu bringen, den Predigttext vor Augen zu haben und die angezogenen Stellen aufzuschlagen und mitzulesen[34]. Spener beruft sich dabei auf Vorbilder in der englischen Kirche, wo dieser Brauch viel Frucht gebracht habe[35].

Die freiere Form der Texterklärung hat jedoch ihre applikative Zuspitzung nicht beeinträchtigt. Spener bleibt in Frankfurt dabei, aus jedem Einzelzug des Textes eine Applikatio, eine Regel oder einen Nutzen zu deduzieren, auch wenn das nicht mehr nach jenem dreifachen Schema geschieht. Dies führt zuweilen zu ganz seltsamer Ausbeutung einzelner Texte. Ein Beispiel möge genügen. Spener befolgt auch in Frankfurt jenen von ihm bereits im Elsaß geübten Brauch, den Perikopentext eines Sonntags in Einzelstücke zu zerlegen, von denen er nur eines behandelt, die anderen für die nächsten Jahre aufspart. Diese Methode ist Speners Versuch, angesichts des

---

[33] Grünberg II,50.

[34] Spener an Ahasver Fritsch, Frankfurt 18. 2. 1676 (Staatsbibliothek der Stiftung Preuß. Kulturbesitz, Ms. lat. Quart 363) = Cons. 3,502. Vgl. Cons. 3,116 (30. 3. 1676).

[35] An Fritsch aaO. Vgl. unten S. 317, Anm. 45.

Perikopenzwanges — es wird ja jedes Jahr über die gleiche Perikopenreihe gepredigt — nicht im nächsten Jahr schon wieder das gleiche sagen zu müssen, und gewissermaßen ein Gegenstück zu den Vorschriften der orthodoxen Homiletik, dieser Gefahr durch Traktierung des gleichen Textes nach wechselnden Methoden zu begegnen[36]. Am zweiten Ostertag 1667 zerlegt er die Emmaus-Perikope in die drei Teile: was auf der Reise nach Emmaus, was in der Herberge, was bei der Rückkehr vorgegangen sei[37]. Die Predigt selbst behandelt nur die Reise nach Emmaus. Die Reise selbst wird nun nach Ort, Zeit und Personen untersucht, und gleich anfangs beschäftigt sich Spener ausführlich mit der Frage, ob das sonntägliche Spazierengehen und Reisen durch diesen Text gebilligt werde[38]. Daß der den Jüngern begegnende Herr sie fragt, worüber sie geredet hätten, obwohl er doch seiner göttlichen Macht nach es wissen müßte, wird von Spener zu einer Erörterung ausgesponnen, ob man mit gutem Gewissen von etwas, was man weiß, sagen kann, man wisse es nicht. Spener bringt zu dieser Stelle vor, daß niemand gehalten sei, von sich merken zu lassen, was er wisse, auch wenn der andere daraus falsche Schlüsse zieht. Vor allem Vorgesetzte in allen Ständen hätten gegen ihre Untergebenen die Freiheit, sie auf solche Weise auf die Probe zu stellen[39]. Daß schließlich der Herr die Jünger mit harten Worten rügt, nimmt Spener zum Anlaß, um den Predigthörern klar zu machen,

---

[36] GRÜNBERG (II,50) verlegt diese Praxis erst in die Frankfurter Jahre. Dafür, daß Spener sie schon in Straßburg übte, s. die drei aus den Jahren 1664, 1665 und 1666 stammenden Predigten über die Epistelperikope des Sonntags Estomihi 1. Kor. 13,1–13 (Epist. Sonntagsand. I,212 ff.; 120 ff.; 133 ff.). Spener predigt hier jeweils über einen Vers: 1664 über Vers 1, 1665 über Vers 2, 1666 über Vers 3. Wäre Spener noch länger in Straßburg geblieben, so wäre er, wie der Eingang der letzten Predigt zeigt (aaO 135), im nächsten Jahr im gleichen Perikopentext weiter vorangerückt. Auch die übrigen Straßburger Predigten sind fast vollständig nach der gleichen Methode eingerichtet und behandeln jeweils nur einen Vers.

[37] Predigt über Luk. 24,13–35, Evang. Sonntagsand., 291–306.

[38] AaO 294: Sonsten läßt sich hiemit das muthwillige spatziergehen / da man auff dem lieben sonntag / mit versäumung deß gottesdiensts spatzier-reisen und fahrten anstellet / nicht entschuldigen oder billigen / weil auch diese auff den sonntag gereiset. Denn 1. so war dieser tag kein sabbath bey den Jüden . . . 2. So war auch die ursach der reise dieser guten Jünger eben so löblich nicht . . . (folgt noch 3. usw.).

[39] AaO 298: „Wir gehen aber auch zu dem dritten theil / nemlich dem gespräch zwischen dem HErrn und seinen Jüngern . . . Da sprach Christus zu ihnen: was sind das vor reden / die ihr untereinander habet / und seyd traurig? Er fraget zweyerley. Was sie miteinander reden / und warum sie traurig sind. Der HErr wuste wohl / wovon sie geredet hatten / aber aus habender seiner macht so lässet er sie es nicht wissen / daß ers wisse / und begehrets von ihnen selbst zu erfahren. Welches dann nicht / wie einige meinen möchten / wieder die warheit lauffet. Dann ob man wohl schuldig ist / nichts wieder die warheit zu reden / und also auch mit gutem gewissen keiner austrücklich sagen könnte / daß er dasjenige nicht wüste / was er doch wahrhafftig weisst. So ist doch wiederum keiner ver-

daß Prediger und Lehrer ihre Worte „nicht allemal überzuckern“ können[40]. Die Jünger selbst sind dabei ein Exempel, mit welcher Geduld Zuhörer zuweilen harte Worte ihrer Lehrer zu ertragen haben[41]. Diese Moralia machen zwar nicht die ganze Predigt aus, es finden sich daneben auch sehr schöne Betrachtungen, daß Christus zu denen komme, die sich in frommen Gesprächen und andächtiger Betrachtung üben[42]. Aber man sieht doch deutlich, daß hier schon mehr als nur die Ansätze zur Predigtweise der deutschen Aufklärung vorliegen.

Die Trias „Lehre, Vermahnung und Trost“ hat übrigens in den späteren Frankfurter Jahren noch eine ganz andere, nicht die Einzelpredigt, sondern Predigtsammlungen strukturierende Anwendung bekommen. Vom Kirchenjahr 1679/80 an hat Spener seine Predigten über die Evangelienperikopen so eingerichtet, daß er jeweils in einem ganzen Jahrgang zunächst die Glaubenslehren, im folgenden Jahr die sittlichen Mahnungen und Pflichten, im dritten Jahr die Trostgründe dargestellt hat[43]. Spener hat diesen dreijährigen Turnus in Dresden wiederholt und die Predigten in den drei großen, oftmals aufgelegten Sammlungen „Die Evangelische Glaubens-Lehre“[44], „Die evangelischen Lebenspflichten“[45] und „Der evangelische Glaubenstrost“[46] zum Druck gegeben. Von diesen Bänden kann der erste als die Dogmatik, der zweite als die Ethik Speners angesehen werden[47]. Spener hat in der „Glaubens-Lehre“ bewußt das ganze System der altprotestantischen Dogmatik in Predigten darstellen wollen, und er sagt im Vorwort, daß es

---

bunden / alles dasjenige / was er weisst / gleich daß ers wisse / von sich mercken zu lassen / obschon aus einigem stillschweigen / oder fragen / der andere theil fälschlich schließen würde / ob wüsten wirs wahrhafftig nicht . . . Wie wohl in solchem fall sorgsam verfahren werden muß / daß man nicht unter diesem deckel auch rechte eigentliche falschheit und lügen zu verbergen suche . . . Vornehmlich aber haben vorgesetzte in allen ständen / gegen ihre untergebene mehrere freyheit / an sich zu halten / und die ihrige dardurch auff die probe zu führen / wie hie Christus thut . . .“ – Diese Probe, die zugleich einen Eindruck von Speners Predigtsprache vermitteln mag, spricht für sich und bedarf keines Kommentars.

[40] AaO 302.

[41] AaO 302: Sind ein exempel / mit was gedult auch sonderlich zuhörer von ihren lehrern zu tragen haben, / wann dieselbe auch zuweilen härtere worte brauchen müssen / als ihnen beyderseits lieb ist.

[42] AaO 304 ff.

[43] Vgl. hierzu Speners Bericht Cons. 3,437 b (1682). Zuvor hatte Spener den 1676/77 gehaltenen Predigtjahrgang unter das Generalthema „Deß thätigen Christenthums Nothwendigkeit und Möglichkeit“ gestellt (erschienen unter diesem Titel 1680 bei Zunner in Frankfurt, *Grünberg Nr. 14*).

[44] Frankfurt (Zunner) 1688. 4°. 1446 + 342 S. *Grünberg Nr. 18.*

[45] Frankfurt (Zunner) 1692. 4°. 686 + 645 S. *Grünberg Nr. 20.*

[46] Frankfurt (Zunner) 1695. 4°. 1069 + 1008 S. *Grünberg Nr. 24.*

[47] Eine zukünftige Spenerausgabe wird also auf diese Bände nicht verzichten dürfen.

keinen Glaubensartikel der christlichen Lehre gebe, den er nicht — freilich losgelöst aus seinem Ort im dogmatischen System — homiletisch abgehandelt habe. Anhangweise hat er dem Predigtband eine Tabelle mitgegeben, mit deren Hilfe der Leser die dem Kirchenjahr folgende Predigtanordnung in die Ordnung des dogmatischen Systems umsetzen kann. Postillen sind diese Bände im strengen Sinn nicht mehr. Spener hat auch diesen in der altlutherischen Orthodoxie beliebten Namen keinem seiner Predigtbände gegeben[48]. Die Sonntagsperikopen sind in diesen Bänden kaum mehr als der durch die äußerliche Predigtordnung gegebene Aufhänger der Predigt, nicht ihr Text. Spener selbst gibt zu — übrigens ohne eine Spur von Bedenklichkeit gegenüber diesem Verfahren —, daß er zu vielen Predigten den Anhalt am Text an den Haaren herbeiziehen mußte[49]. Die Schuld schiebt er auf den Perikopenzwang. Wo die Vorbilder liegen für diese Art, einen Perikopenjahrgang zu einem vollständigen Kurs in der Dogmatik und in der Ethik zu benutzen, müßte noch untersucht werden[50]. Die starke Verbreitung dieser Bände legt es nahe, von ihnen eine Einwirkung auf ähnliche Verfahrensweisen anzunehmen, die sich im 18. Jahrhundert, übrigens mehr in der Aufklärung als im Pietismus, feststellen lassen[51].

Speners *Kritik am Perikopenzwang,* wie sie vorsichtig in den Pia Desideria[52], deutlicher in seinen Briefen erhoben wird, ist viel beachtet, wenig jedoch nach ihren Motiven untersucht worden[53]. Das Entstehen dieser Kritik kann man zunächst in Verbindung bringen mit dem Übergang von der

---

[48] Nur in seinen Briefen nennt Spener seine Perikopenpredigtbände zuweilen „Postillen". Vgl. Bed. 3,128. 431. Es ist aber völlig irrig, wenn es im Artikel „Postille", RGG³ V,477 heißt, Postillen „fehlen im Pietismus". Von A. H. Francke gibt es sowohl eine Evangelien- wie eine Epistelpostille, die zahlreiche Auflagen erlebten, außerdem gibt es Postillen von Gottfried Arnold, Freylinghausen, G. C. Rieger u. a. Erst in der 2. Hälfte des 18. Jahrhunderts verschwindet *die Bezeichnung* „Postille" für Predigtbände. Vgl. dazu die Aufstellungen in dem Artikel „Postille", RE³, 15,578.

[49] Belege dafür unten Anm. 57. — Ein geradezu klassisches Beispiel ist die 1668 gehaltene und 1672 zum Druck gebene Predigt „Von genauer Vereinigung Christi und eines Christen" (EGS I,170—192; zum Erstdruck vgl. unten S. 232, Anm. 13). Text ist Joh. 1,20, das Wort des Täufers „Ich bin nicht Christus". Thema der Spenerschen Predigt ist, inwiefern ein Christ von sich sagen könne: „Ich bin Christus"!

[50] Bereits 1645 verfügte Ernst der Fromme, daß binnen eines Jahres die ganze christliche Lehre durchgepredigt werden sollte. Vgl. W. Diehl, Die Predigtreform des Herzogs Ernst von Gotha und ihre Kritik durch die hessischen Theologen, ZprTh 22, 1900, 217 ff. (nach K. Holl, III, 342).

[51] Goethe berichtet in Dichtung und Wahrheit, daß der (1762 berufene) Frankfurter Senior Johann Jacob Plitt in ähnlicher Weise predigte. Plitt „kündigte sogleich eine Art von Religionskursus an, dem er seine Predigten in einem gewissen methodischen Zusammenhang widmen wolle" (Hamburger Ausgabe 9,144).

[52] PD 54,7 ff.

[53] Grünberg handelt über Speners Perikopenkritik II,41 f.

Straßburger Freiprädikatur auf das Frankfurter Seniorat. Zwar fand Spener in Frankfurt keine von der Straßburger wesentlich abweichende Predigtordnung vor. Hier wie dort waren Sonntag früh im Hauptgottesdienst die Perikopen auszulegen, hier wie dort waren die Wochentagspredigten über einzelne biblische Bücher zu halten[54]. Verschieden war allerdings Speners Predigtauftrag. Als Freiprediger hatte er keinen Hauptgottesdienst zu halten, deshalb hatte er in Straßburg nicht über die Evangelienperikopen zu predigen. Die erhaltenen Predigten aus der Freipredigerzeit gehen sämtlich über epistolische oder alttestamentliche Texte. Dagegen als Frankfurter Senior oblag ihm der sonntägliche Hauptgottesdienst in der Barfüßerkirche, in dem die Evangelienperikopen vorgeschrieben waren. Nur in Ausnahmefällen wie den Bußtagen kam Spener an freie Texte. Spener hat also in Frankfurt alljährlich über die gleichen Evangelientexte zu predigen gehabt, und tatsächlich richtet sich seine Kritik, wie wir sie aus der Frankfurter Zeit hören, nie allgemein gegen die Perikopen, sondern immer gegen die *Evangelien*perikopen.

Speners Perikopenkritik ist nicht Straßburger Tradition. Sein Lehrer Dannhauer hat sogar von der Straßburger Münsterkanzel das Festhalten der Lutheraner an den Evangelienperikopen verteidigt und gegen das Verlangen nach anderen Texten eingewandt, dann dürfe man heute kein Brot essen, weil man gestern Brot gegessen habe[55]. Spener steht also auch hier im Gegensatz zu Dannhauer. Man erfaßt den Gegensatz zum Straßburger Lehrer jedoch noch nicht, wenn man nur auf Speners Forderung achtet, daß der Gemeinde die ganze Schrift bekannt sein sollte[56]. Zwar heißt der an erster Stelle stehende Reformvorschlag der Pia Desideria, es sei „das Wort Gottes reichlicher unter uns zu bringen". Aber das ist nicht nur im Sinne eines quantitativen „mehr" gegenüber der üblichen Praxis aufzufassen. Spener wäre nämlich kaum mit seiner Perikopenkritik hervorgetreten, wenn in der lutherischen Kirche statt der Evangelien- die Epistelperikopen im Hauptgottesdienst vorgeschrieben gewesen wären. Er zeigt geradezu eine Aversion gegen die Evangelientexte, aus denen seiner Meinung nach wenig *rechter Nutzen* zu gewinnen ist.

Der Nutzen der Schrift ist, daß sie zum Glauben und zu den Früchten des Glaubens führt, daß sie Antrieb zum Wachsen in der Frömmigkeit gibt. Für die Frömmigkeit geben aber die Evangelien nach Spener so gut wie

---

[54] Näheres bei Becker, Kirchenagende, 22.

[55] Katechismus-Milch I,424: Wir behalten von uralters her die Sonntäglichen und Festevangelien . . . es kommt dergleichen Wiederholung dem Gedächtniß zu Gut und macht große Gewißheit . . . Sollte man darum ein Evangelium dies Jahr nicht wiederholen, dieweil es erst im vorigen Jahr auch tractirt worden, so müßte man heut auch kein Brod essen, dieweil man erst gestern Brod gegessen (zit. nach Horning, Dr. Johann Conrad Dannhauer, 180).

[56] PD 54,12 f.

keinen Anstoß, der Prediger muß ihn „an den Haaren herbeiziehen"[57]. Dagegen wird im Briefteil des Neuen Testaments ständig der rechte Zusammenhang zwischen dem Glauben und seinen Früchten gezeigt[58]. Man kann geradezu behaupten, daß Spener einen wesentlichen Grund für das Fehlen des lebendigen, tätigen Glaubens darin erblickt, daß im sonntäglichen Hauptgottesdienst, dem Zentrum des gottesdienstlichen Lebens der lutherischen Kirche, immer nur Texte der Evangelien und nicht die Episteln ausgelegt werden. Speners Perikopenkritik zielt deshalb auf stärkeren Gebrauch der *epistolischen* Texte im Gottesdienst. Ihr Motiv ist die Ausrichtung der Predigt auf die Erbauung[59].

Spener hat die Bindung der Predigt an die Evangelienperikopen nicht aufzugeben gewagt, eigenmächtig konnte er dies auch gar nicht tun. Er hat aber ein gutes Jahr nach den Pia Desideria in seinen Frankfurter Predigten einen Weg einzuschlagen versucht, durch den die Evangelienperikopen praktisch in den Hintergrund treten mußten. Seit Advent 1676 hat er damit begonnen, an Stelle des Exordium der Predigt kontinuierlich die Briefe des Apostels Paulus zu behandeln[60]. Innerhalb eines Jahres hat er auf diese Weise die Gemeinde mit dem Römerbrief und den beiden Korintherbriefen bekannt gemacht, von denen er sonntäglich ein halbes oder ein ganzes Kapitel behandelte, indem er jeweils drei oder vier Verse vorlas und anschließend auslegte. Spener folgte darin einer Anregung seines Rothenburger Freundes Johann Ludwig Hartmann, der ähnliches schon vorher praktizierte[61]. Auch für die Hauptlehre hat er, wenn irgend möglich, einen episto-

---

[57] Bed. 3,128 (23. 9. 1676): Wie hertzlich wünschete ich aber / daß wir in unsren kirchen niemalen den gebrauch der pericoparum Evangelicarum angenommen hätten / sondern entweder eine freye wahl gelassen / oder aber die epistolas vor die Evangelien zu den haupt-texten genommen hätten. Indem einmal nicht zu leugnen stehet / wo man die hauptsachen / so wir in dem Christenthum zu treiben haben / vortragen will / so geben uns die Evangelische text sehr wenig anlaß / sondern muß fast alles nur bey gelegenheit eingeschoben / ja offt mit den haaren beygezogen werden / welches bey den epistolen nicht also wäre. – Vgl. auch Bed. 4,222 (1681): Es sind je die sontags episteln insgemein von mehrern erbaulichsten materien erfüllet / als man nicht solche gelegenheit in den evangelien findet / . . . wo man . . . offters manches fast mehr bey den haaren herbey ziehen muß / was in den episteln sich selbs ungezwungen giebet.

[58] Bed. 3,431 f. (1681): Wie viel reichere auferbauung in den Sonntäglichen Episteln als Evangelien zu finden wäre / meine ich ja / seye eine solche warheit / die man mit händen greiffen könne / wo man sie nicht mit augen will. Indem / wir reden vom Glauben oder Glaubensfrüchten / dieselbe unwidersprechlich deutlicher in jenen als diesen anzutreffen sind / da wir offters / wo wir alles zur seligkeit nöthige aus diesen wollen vortragen / bedörffen die Evangelia fast dahin zu beugen / wohin sie von selbst nicht incliniren.

[59] Zu Speners Perikopenkritik vgl. noch Cons. 1,412 f.; 3,281.

[60] Spener berichtet hierüber Cons. 3,596 (undatiert, dem Inhalt nach mit Sicherheit auf 1677 zu datieren); L. Bed. 3,70 f. (8. 10. 1677).

[61] Cons. 1,276 (29. 9. 76).

lischen Textvers zugrunde gelegt. Dieses Vorgehen Speners ist typisch für seine konservative Art, Neues einzuführen, ohne das Alte zu zerstören. Um es zu beurteilen, darf man aber nicht stehenbleiben bei der schulmeisterlichen Rüge Grünbergs, Spener habe die Fassungskraft seiner Zuhörer damit überschätzt[62]. Wesentlicher ist doch dies, daß Spener damit einen ganz erheblichen Eingriff vornimmt in die bisher im Hauptgottesdienst der lutherischen Kirche geübte Schriftauslegung. Für die Predigt Luthers, wie für die Predigt der altlutherischen Orthodoxie haben aufgrund des Festhaltens an der altkirchlichen Perikopenordnung die Evangelien einen ganz klaren Vorrang vor anderen Texten. Auch für die Predigtliteratur des 17. Jahrhunderts gilt, daß bei den vielgelesenen Predigtpostillen die Evangelienpostillen schon zahlenmäßig ein Übergewicht über die viel selteneren Epistelpostillen haben. Die berühmte Postille Johann Arndts, die Spener 1675 herausgab, war eine Evangelienpostille. Spener durchbricht nun diesen Vorrang der Evangelientexte. Was er praktiziert, ist nicht nur eine Ergänzung und Erweiterung der biblischen Grundlage des lutherischen Gottesdienstes, sondern zugleich eine Schwerpunktverlagerung von den Evangelien weg auf die Briefe. Hier, in den Exordien über die Briefe, brauchte Spener nicht an den Haaren herbeizuziehen, was er sagen wollte. Aus diesen Exordien sind dann im Laufe der Jahre eine ganze Reihe von Predigtbänden zustande gekommen, die keine Perikopen behandeln, dafür eine fast vollständige Auslegung des paulinischen Briefkorpus bieten, die im sonntäglichen Hauptgottesdienst vorgetragen worden ist[63]. Der Übergang von der Orthodoxie zum Pietismus ist, wenn man Kirchengeschichte als Geschichte der Auslegung der Heiligen Schrift versteht, vielleicht an diesem Punkt, an der Schwerpunktverlagerung von den Evangelien zu den Episteln am deutlichsten zu fassen.

Neben der Predigttätigkeit verdienen eine besondere Würdigung Speners Bemühungen um die Erneuerung und Verbesserung des *Katechismusunterrichts*[64]. Spener kam aus der elsässischen Tradition, wo man dem Katechismusunterricht stets besondere Wichtigkeit beigemessen und nach dem Krieg sich tatkräftig um dessen Erneuerung bemüht hatte[65]. Speners Ansicht, daß die Katechismuslehre „nicht von geringerem Wert als die öffentliche Pre-

---

[62] AaO I,194.

[63] Es handelt sich um folgende: Divi Pauli Apostoli Epistolae ad Romanos et Corinthios (die Exordien des „Tätigen Christentums" von v. Seckendorff ins Lateinische übersetzt) mit Vorrede Speners vom 27. 8. 1690. Frankfurt (Zunner) 1691. *Grünberg Nr. 16.* – Erklärung der Epistel an die Galater. Frankfurt (Zunner) 1697. *Grünberg Nr. 64.* – Erklärung der Episteln an die Ephesier und Colosser... wie auch einige Pastoralpredigten. Halle (Waisenhaus) 1706. *Grünberg Nr. 67.*

[64] Vgl. hierüber am ausführlichsten und erschöpfendsten Grünberg II,58–90.

[65] Vgl. A. Ernst u. J. Adam, Katechetische Geschichte des Elsasses, 1897; Horning, Dr. Johann Conrad Dannhauer, 213 f.

digt" ist[66], darf man wohl als Straßburger Erbe ansehen. Nun waren aber auch in Frankfurt bereits Schritte zur Reform des Jugendunterrichts unternommen worden. Ein Jahr vor Speners Ankunft, am 4. Juli 1665, hatte das Predigerministerium in einer Eingabe an den Rat über Mißstände in der Kinderlehre geklagt und eine Reihe von Verbesserungen vorgeschlagen[67]. Darauf hatte der Rat am 24. August 1665 eine strenge Verordnung erlassen, die der Jugend den Besuch der sonntäglichen Kinderlehre zur Pflicht machte, alles Spielen während dieser Zeit verbot und die Lehrer anwies, ihre Schüler klassenweise zur Kinderlehre zu führen und über sie gute Aufsicht zu halten. Die Kinderlehre selbst wurde in der Form vorgeschrieben, daß ein Prediger von der Kanzel einen Artikel des Katechismus erklären sollte, dann – nach Gebet und Schriftverlesung – sollten die Lehrer mit den Kindern das Gehörte gruppenweise besprechen. Dabei sollte der Prediger abwechselnd einen Sonntag die eine, darauf eine andere Abteilung verhören[68].

Es ist also nicht richtig, wenn man die Erneuerung des Frankfurter Katechismusunterrichts auf das Wirken Speners zurückführt. Auch ist nicht bezeugt, daß Spener, zu dessen Amtspflichten der Jugendunterricht nicht gehörte, sich bald nach seiner Ankunft desselben besonders angenommen hätte[69]. Was seine persönliche Beteiligung an der Katechismuslehre betrifft, so sagt Spener 1677, daß dieselbe von seinen Amtsbrüdern und Lehrern in Frankfurt bereits „weit gebracht wurde", ehe er selbst mitgearbeitet habe, und zwar habe er dies getan, nachdem die Anzahl der Kinder so stark wurde, daß mehr Examinatoren gebraucht wurden[70]. Wann das war, wissen wir nicht genau. Spener verbindet die Mitteilung über seine Mitarbeit an der Kinderlehre mit der Nachricht, daß er auf Vorschlag einiger Amtsbrüder versucht habe, in den Sonntagfrühpredigten eine Vorbereitung zu den nachmittäglichen Examina einzurichten[71]. Letzteres läßt sich datieren. Spener

[66] Zuschrift zu „Einfältige Erklärung der Christlichen Lehr, nach der Ordnung deß kleinen Catechismi ... Lutheri", Frankfurt 1677 *(Grünberg Nr. 137)*.

[67] Die Eingabe ist abgedruckt bei GRABAU, 262 ff. – Unter den Frankfurter Predigern war es besonders der kurz nach Speners Ankunft verstorbene Joh. Georg Büttner, der sich um die Verbesserung des Katechismusunterrichts bekümmert hat (Spener an Fritsch [s. oben S. 202, Anm. 34], 28. 3. 1676).

[68] Über die Ratsverordnung zur Kinderlehre vom 24. 8. 1665 siehe das Referat bei SACHSSE, Ursprung und Wesen des Pietismus, 28. Außerdem GRABAU, 630; GRÜNBERG I,169. – Leider findet sich bei H. STEITZ, Geschichte der Evangelischen Kirche in Hessen und Nassau, II, 1962, keine Kenntnis hiervon. STEITZ weiß nur von der Eingabe vom 4. 7. 1665 und urteilt deshalb irrig, Spener habe beim Antritt seines Amtes „eine noch unerledigte Sache" vorgefunden (187). Zu dieser Annahme hat ihn wohl der unvollständige Bericht von DECHENT (aaO II,69 f.) geführt, dessen Unrichtigkeiten STEITZ leider auch an anderen Stellen übernimmt.

[69] Gegen STEITZ, aaO 187, der meint, Spener hätte, um „die Lage zu studieren", alsbald selbst Katechisation gehalten.

[70] Zuschrift zu „Einfältige Erklärung", 1677.

[71] Ebd. – Bereits vorher war in den Nachmittagspredigten von anderen Pre-

hat mit dem 1. Advent 1669 beginnenden Kirchenjahr angefangen, in den Exordien der Sonntagfrühpredigten dasjenige Katechismusstück zu behandeln, das in der nachmittäglichen Katechismusübung an der Reihe war[72]. Damit sollten die Eltern am Katechismusunterricht der Kinder interessiert und zum Besuch desselben ermuntert werden. Vielleicht geht Speners persönliche Teilnahme an den Katechismusstunden ebenfalls auf dieses Jahr zurück, möglicherweise datiert sie aber erst von der Mitte der siebziger Jahre.

Daß der Senior der lutherischen Geistlichkeit, überdies ein Doktor der Theologie, persönlich Kinderlehre hielt, muß zu Speners Zeit allgemeine Verwunderung geweckt haben. Auch später in Dresden, wo Spener die Übung beibehielt, hat er bei manchen Theologen Anstoß erregt[73]. Spener hat die Mißachtung des Katechismusunterrichts der Jugend, wie sie nach dem Krieg unter den Theologen üblich war, scharf gerügt. Seiner Meinung nach darf sich kein Superintendent oder graduierter Theologe dafür zu gut dünken[74]. Spener hat durch das Beispiel seiner persönlichen und freiwilligen Beteiligung an den Katechismusstunden zu einer Aufwertung derselben in den Augen der Frankfurter Gemeinde beigetragen. Er hat außerdem versucht, in der Katechismuslehre nicht nur die Kinder, sondern auch die Erwachsenen zu versammeln. Dies war eine Neuerung in Frankfurt, zu der ihn vielleicht Straßburger Vorbilder angeregt haben. Spener ging dabei sehr geschickt vor, wies zunächst in der Frühpredigt auf den Nutzen der Katechismusübung für Erwachsene hin, nahm dann seine eigene Magd und zwei Freundinnen derselben dazu, am Sonntag darauf kamen schon mehrere andere, und schließlich erschienen so viel Erwachsene, daß ihre Zahl fast so groß wurde wie die der Kinder[75]. Diese öffentlichen Katechismusübungen sind in Frankfurt bald eine Art von Sehenswürdigkeit für Durchreisende und Meßbesucher geworden. Es ist zu vermuten, daß ein erheblicher Teil der Berühmtheit, die Spener in der evangelischen Kirche schon während seiner Frankfurter Zeit erlangte, von diesen Katechismusübungen

digern der Stoff der Katechismuslehre behandelt worden. „Weilen aber in solchen nachmittagspredigten nicht eben die meiste gemeinde / sonderlich nicht alle haußväter / wären hat mir solches anlaß gegeben / daß ich in den morgen- und hauptpredigten auch trachtete eine vorbereitung dazu zumachen" (Vorrede zu Kurtze Catechismus-Predigten, Frankfurt 1689). Nach Bed. 1 II, 60 sind auch einige andere Prediger Spener darin gefolgt, in den *Morgenpredigten,* also im Hauptgottesdienst, den Katechismus zu behandeln. Merkwürdigerweise stellt es Steitz (aaO 187) als Neuerung Speners hin, daß in den *Nachmittagspredigten* der Stoff der Katechismuslehre erklärt wurde.

[72] Grünberg I,169; II,69 f.

[73] Grünberg I,226 berichtet von dem Vorwurf, daß es „seinem Amtsrespekt zuwider wäre, mit solcher Kinderarbeit umzugehen", der Kurfürst habe statt eines Oberhofpredigers einen Schulmeister bekommen.

[74] S. hierzu ausführlich L. Bed. 1,486 f. (1687).

[75] Cons. 3,313 f. (27. 3. 1678).

ausgegangen ist, deren Ruhm durch die vielen nach Frankfurt kommenden Reisenden bald überallhin getragen wurde. Selbst in Wittenberg empfahl Abraham Calov den Frankfurter Katechismusunterricht öffentlich zur Nachahmung[76].

Der beispielhaften Wirkung Speners ist die literarische Wirkung zur Seite zu stellen. Fremde Pfarrer, die zur Messe oder besuchshalber nach Frankfurt kamen, waren von den Spenerschen Katechismuserklärungen in den Sonntagfrühpredigten so angetan, daß sie sich Abschriften derselben nach dem Spenerschen Manuskript anfertigen ließen und dabei keine Kosten scheuten[77]. Vielfältigen Wünschen nachkommend hat Spener 1676 damit angefangen, den seit Jahren in den Exordien behandelten katechetischen Stoff in einen Fragekatechismus zusammenzufassen, der zur Frühjahrsmesse 1677 unter dem Titel „Einfältige Erklärung der christlichen Lehr nach Ordnung deß kleinen Catechismi deß theuren Manns Gottes Lutheri" im Druck erschien[78]. In insgesamt 1283 Fragen und Antworten wird hier die christliche Lehre in einer Form dargeboten, die allgemeine Verständlichkeit (Einfalt) mit dem durchgehenden Beziehen aller Wahrheiten auf die Frömmigkeit und auf die Praxis verbindet. Die „Einfältige Erklärung" ist mit ihren über zwanzig Auflagen das verbreitetste Werk Speners geworden. Ihr folgten im Jahre 1683 die ebenfalls häufig aufgelegten „Tabulae Catecheticae", von Spener Anfang der siebziger Jahre für seine Frankfurter Amtsbrüder geschriebenen Tabellen, die den Stoff des Katechismusunterrichts gleichmäßig in 95 Pensa aufteilen[79]. Schließlich veröffentlichte Spener 1689 die Exordien der siebziger Jahre über den Katechismus unter dem Titel „Kurze Katechismuspredigten"[80]. Alle diese Werke, deren weitreichende Wirkung nicht nur in den zahlreichen Auflagen, sondern ebenfalls in der Beeinflussung anderer Katechismen erblickt werden muß[81], sind Produkte der Jahre 1670 bis 1676, also der Jahre vor und kurz nach der Abfassung der Pia Desideria.

Das Wesentliche und das Neue an Speners Darbietung des Katechismusstoffs läßt sich in wenigen Sätzen nicht erschöpfend darstellen. Spener selbst schreibt während der Abfassung der „Einfältigen Erklärung" an Ahasver Fritsch, daß kaum irgendwo sonst jene Abzielung des katechetischen Stoffs auf die pietas und die praxis zu finden sei, auf die alles bei ihm ausgerichtet sei[82]. Neben der praktischen Abzweckung, die Spener vor allem

---

[76] Cons. 3,291 (1679). Vgl. auch Cons. 1,365 (1678).

[77] Zuschrift zu „Einfältige Erklärung", 1677.

[78] Frankfurt (Zunner) 1677. 12°. 863 S. *Grünberg Nr. 137.*

[79] Frankfurt (Wust) 1683. 2°. 108 S. *Grünberg Nr. 138.*

[80] Frankfurt (Zunner) 1689. 4°. 942 S. *Grünberg Nr. 58.*

[81] Zur Wirkung auf die württembergischen Katechismen, vgl. Brecht, aaO 451 f.

[82] An Ahasver Fritsch 6. 7. 1676 = Cons. 3, (449—501) 501.

bei den dogmatischen Wahrheiten herauszuarbeiten sucht und wobei er gewissermaßen den von der Dogmatik längst behaupteten Satz vom praktischen Charakter aller theologischen Erkenntnis katechetisch fruchtbar zu machen sucht, geht es Spener darum, daß man nicht nur Worte lernt, sondern ein Verständnis der Sache bekommt. Das übliche Auswendiglernen der Katechismen hat Spener streng gerügt und darin eine Überladung des Gedächtnisses gesehen, die mehr Schaden als Nutzen bringt[83]. Seinen eigenen Katechismus hat er ausdrücklich nur zum Lesen und Meditieren bestimmt — was bei dessen Umfang freilich auch kaum anders denkbar ist — und nur das Lernen von Bibelsprüchen empfohlen[84]. Überhaupt soll der Katechismus nur eine Brücke zur Heiligen Schrift sein, mit der vertraut zu werden das eigentliche Ziel des Unterrichts ist. Im Februar 1676 schreibt Spener einmal, er lasse seit kurzem die Kinder ihre Neuen Testamente mit in den Katechismusunterricht bringen, damit man die Fundamente der Katechese aus der Schrift nachweisen könne[85].

Man kann in den drei Punkten, die Spener 1678 für eine gute Katechese als notwendig erklärt[86], eine Zusammenfassung seiner katechetischen Bestrebungen sehen: 1. daß man mehr auf den Sinn als auf die Worte achtet; 2. daß die Katechese biblisch, vor allem neutestamentlich fundiert und demonstriert werden soll; 3. daß alles auf die Praxis bezogen werden soll, wie Luther das in den Erklärungen zum Glaubensbekenntnis getan habe. — Ob und wieweit Spener in seiner Katechetik von den mancherlei pädagogischen Reformbestrebungen des 17. Jahrhunderts beeinflußt ist, bedarf noch der Aufhellung.

Im Zusammenhang der Spenerschen Bemühungen um den Katechismusunterricht muß auch sein Eintreten für die *Konfirmation* genannt werden. Sie war in Frankfurt nicht gebräuchlich, ebensowenig kannte sie Spener aus Straßburg. Dagegen war in dem Frankfurt benachbarten Gebiet von Hessen-Kassel die Konfirmation als eine Handlung, bei der die Katechisanden vor dem ersten Gang zum Heiligen Abendmahl der Gemeinde vorgestellt, über ihre Glaubenskenntnis verhört und durch Handauflegung eingesegnet wurden, seit ihrer Einführung durch Martin Bucer gebräuchlich. Ein aus dem Hessischen kommender Pfarrer hatte sie von dort in das zu Frankfurt gehörende Dorf Bonames eingeführt, wo sie Spener bei einer Vi-

---

[83] L. Bed. 3,450 (1702): Ich habe meine catechetische erklärung darzu nicht geschrieben, daß jemand . . . alle fragen auswendig lernen solle, als der ich weder dergleichen beladung der gedächtnüß beliebe, noch damit viel ausgerichtet achte, wo jemand viel auswendig hersagen kan, sondern allein, wo er eine sache also in den verstand gefaßt, daß er mit eigenen worten sich zu erklären weiß.

[84] L. Bed. 3,450 f.

[85] An Ahasver Fritsch, 18. 2. 1676 = Cons. 3, (501—503) 502.

[86] Cons. 2,61 f. (20. 3. 1678).

sitation der Frankfurter Landgemeinden im Jahre 1667 vorfand[87]. In dem Visitationsbericht, der von allen Predigern unterzeichnet am 12. Oktober 1667 dem Rat übergeben wurde[88], wird auf diese Besonderheit von Bonames hingewiesen und der Vorschlag gemacht, man möge doch entgegen dem üblichen Brauch, daß sich ein einzelner Ort nach den anderen richten müsse, hier einmal umgekehrt verfahren. Die Konfirmation sei zwar kein Sakrament, jedoch ein seit den Zeiten der Apostel gehaltener Ritus, außerdem ein Akt, welcher der zusehenden Gemeinde wie denen, welche vorgestellt werden, „zu so viel mehrerer Erbauung" diene. Dabei wird besonders auf das öffentliche Bekenntnis hingewiesen, durch das der Konfirmand an seine Taufe und die ihm dadurch auferlegte Pflicht, sich Gott zu verbinden, erinnert werde. Alle diese Ursachen, die auch viele andere evangelische Kirchen zu dieser erbaulichen Zeremonie bewogen hätten, seien von solcher Wichtigkeit, daß man die übrigen Gemeinden dem Beispiel von Bonames folgen lassen sollte.

Es ist fraglich, ob man diesen Vorschlag, wie es üblich ist, einfach auf das Konto Speners setzen darf. Daß Spener nach nur einjährigem Seniorat von sich aus auf eine solch einschneidende Neuerung hingedrängt hätte, ist nach allem, was wir über seine Amtsführung wissen, nicht recht denkbar. Da die Konfirmation den Abschluß des Katechismusunterrichts bildete, der zu Speners eigenen Amtspflichten gar nicht gehörte, hätte er ja seine Tätigkeit mit Eingriffen in den Amtsbereich seiner Kollegen begonnen, deren Empfindlichkeit gegenüber Neuerungen zu respektieren er allen Grund hatte. Spener legt sich selbst in späterem Rückblick auch keine besondere Rolle bei dem Vorschlag der Einführung der Konfirmation in Frankfurt zu, sondern spricht meist im Plural „wir". Man muß deshalb überlegen, ob der Vorschlag nicht im Zusammenhang der bereits vor Speners Ankunft begonnenen Bemühungen der Frankfurter Pfarrerschaft um die Erneuerung des Katechismusunterrichts gesehen werden muß. Das schließt Speners Initiative und Einsatz nicht aus. Aber nirgendwo bei den von Spener versuchten Neuerungen finden wir die Frankfurter Pfarrerschaft später so einstimmig derselben Meinung wie hier. Das läßt es geraten sein, die Einführung der Konfirmation als Vorschlag des Frankfurter Predigerministeriums in corpore anzusehen.

Der Magistrat hat den Vorschlag nur für die Landgemeinden genehmigt, wo auch zu Speners Zeit die Konfirmation überall eingeführt wurde. Für

---

[87] Bed. 4,259 (1692): . . . doch erinnere mich / als wir in den Franckfurtischen land-kirchen die erste visitation zeit meines daseyns hielten / daß wir solchen ritum allein in einer kirchen funden / da die ursach angeführet wurde / daß ein pfarrherr lange da gewesen / so vorhin in den Heßischen gestanden / und also vor sich die sache eingeführet. Wir funden aber die sache so gut . . . Vgl. L. Bed. 1,501; Bed. 1 I,636.

[88] Abgedruckt bei SACHSSE, aaO 73–80.

die Stadt erhielt man die Erlaubnis nicht, doch wurde von den meisten Predigern die Konfirmation privatim in den Häusern gehalten, ein Brauch, der wohl schon vor Speners Zeit üblich war. Spener hat jedenfalls diese Privatkonfirmation sehr gefördert und vor allem in dem Bekenntnis der sich zum ersten Abendmahlsgang rüstenden Kinder, das sie in Gegenwart der Eltern und Verwandten ablegten, viel „herzliche Bewegung" beobachten können[89]. In das Programm der Pia Desideria hat Spener die Konfirmation nicht aufgenommen, doch hat er in vielen Briefen und Bedenken sich für ihre Einführung eingesetzt. Ein Blick auf die Daten der Introduktion in den einzelnen Stadt- und Landeskirchen[90] zeigt allerdings, daß die Einführung der Konfirmation nicht einfach dem Pietismus zugeschrieben werden kann.

Neben Predigt und Katechismusunterricht ist die *Kirchenzucht* der dritte wichtige Bereich der Tätigkeit Speners zu nennen. Daß die Kirchenzucht in der lutherischen Kirche im argen liege, ist die einhellige Klage der Reformliteratur des 17. Jahrhunderts, und auch Spener schließt sich ihr vielfach an. In der Frankfurter Kirche zumal waren die äußeren rechtlichen Verhältnisse jeder ernsthaften Handhabung der Kirchenzucht hinderlich. Frankfurt kannte keine einzelnen Kirchspiele, wie sie Spener von Straßburg her gewohnt war. Es gab nur Personalgemeinden, wobei der Pfarrer seine Gemeindeglieder nur zum Teil wirklich kannte[91]. Die Einzelbeichte, die im Gegensatz zu Straßburg in Frankfurt üblich war, gab wenig Gelegenheit zur Gewissenserforschung und Sittenprüfung. In einer Stunde hatten die Pfarrer zehn bis zwanzig Leute zu absolvieren, wobei mit den einzelnen nicht so geredet werden konnte, daß es die anderen nicht hörten. Spener hat diese Art des Beichtstuhls bereits in Frankfurt als eine Gewissensbelastung empfunden und es für besser gehalten, man hätte die Beichte nicht[92]. Presbyter oder, wie in Straßburg, Kirchspielpfleger, denen die Aufsicht über die Sitten oblag, kannte die Frankfurter Kirchenverfassung nicht. Wohl konnten die Prediger jemanden, der gegen die Kirchendisziplin verstieß, vor das versammelte Ministerium zitieren. Aber mehr als eine Vermahnung stand ihnen nicht zu. Für weitergehende Maßnahmen war die Genehmigung des Rats einzuholen, der sich derartigen Eingaben des Ministeriums selten aufgeschlossen zeigte.

---

[89] Bed. 3,397 (1680).

[90] S. dazu E. Ch. Achelis, Lehrbuch der praktischen Theologie II, 1898², 47.

[91] Spener klagt hierüber ausgiebig in einem undatierten, c. 1677 geschriebenen Brief (Bed. 1 I,685).

[92] Bed. 1 I,695 (1677): Wir haben den Beichtstuhl / aber also / daß ich wünschete / wir hätten ihn lieber gar nicht / als auf diese weise: Wie ich alsdenn keine geringe erleichterung meines gewissen haben würde. Wir müssen singulos, und etwa ieglicher in einer stunde / 10. 12. 15. 20. absolviren / daß nur alles auf der post gehet / und keine rechtschaffene prüffung geschehen kan ...

Aus den ersten Frankfurter Jahren sind zwei Fälle von Kirchenzucht besonders bemerkenswert. In dem einen Fall handelt es sich um einen namentlich nicht bekannten vornehmen Frankfurter Bürger und Handelsmann, der sich über längere Zeit vom Abendmahlsgang in der Spitalkirche fernhielt. Spener hat im Namen des Ministeriums den Mann zur Rede gestellt und ist nicht müde geworden, über einen Zeitraum von zwei Jahren hinweg – von 1667 bis 1669 – in insgesamt sieben, noch erhaltenen Briefen ihm sein Versäumnis vorzuhalten, die Heilsnotwendigkeit des Abendmahls darzulegen, ihm andere Gelegenheiten des Abendmahls, falls er nicht in der Spitalkirche gehen wolle, vorzuschlagen und ihn an seine zwischendurch gegebenen Versprechen zu erinnern[93]. Erreicht hat Spener offensichtlich nichts. In einem anderen Fall, der Spener in der ersten Zeit erhebliche Sorgen machte, konnte er über den Rat schließlich eine Ausweisung aus der Stadt erreichen. Es handelte sich um den schwedischen Baron Benedikt Skytta, der sich 1669 für einige Zeit in Frankfurt aufhielt und in seinen Reden die Lehren der christlichen Religion verächtlich machte, die Trinität leugnete, die Heilige Schrift für ein menschliches Buch hielt, nichts von den Höllenstrafen glaubte und die Einehe für der göttlichen Ordnung entgegenstehend erklärte[94]. Spener erfuhr, welches Aufsehen die Reden dieses im übrigen hochgebildeten Mannes, der ein Sohn des Hofmeisters Gustav Adolfs war[95], in Kreisen der Frankfurter Bürger erregten, und wies namens des Predigerministeriums den Rat auf die der lutherischen Kirche durch diesen Freigeist drohende Gefahr hin. Der Rat entzog Skytta daraufhin im Sommer 1669 die Aufenthaltserlaubnis für Frankfurt, worauf er sich ins nahe Homburg begab und von dorther Spener zürnte.

Was allgemeine Kirchenzuchtmaßnahmen betrifft, so hat sich Spener in seinen ersten Frankfurter Jahren auf einem Gebiet mit ganz besonderer Intensität um Besserung bemüht: auf dem der *Sonntagsheiligung*. In der von Fremden viel besuchten Handelsstadt Frankfurt war es um die Sonntagsheiligung nicht nur während der Meßzeiten, wo traditionell auch am Sonntag gehandelt wurde, schlecht bestellt. Ein von Spener verfaßter umfangreicher Bericht über die Sabbatentheiligung, der dem Rat im November 1668 vorgelegt wurde, gibt ein reiches und anschauliches Bild von dem

[93] Die sieben Briefe sind abgedruckt: L. Bed. 2, 358–360. 360–362. 363 f. 364 f. 365 f. 366–369. 369 f.

[94] Spener ausführlich darüber Cons. 3,560 ff. (wahrscheinlich ist dies der am 1. 7. 1669 an Elias Veiel geschriebenen Brief, über den in der Abschrift der Spenerbriefe an Veiel, UB Tüb. Mc 344, p. 17 referiert wird).

[95] Vgl. F. Arnheim, Freiherr Benedikt Skytta, in: Beiträge zur brandenburgisch-preußischen Geschichte, Festschrift Schmoller, 1908, 65–89. – Skytta hatte 1667 den brandenburgischen Kurfürsten Friedrich Wilhelm zur Gründung einer überkonfessionellen Universität in Tangermünde bewegen wollen, an der außer Christen aller Konfessionen auch Juden, Araber und sonstige Ungläubige lehren sollten.

sonntäglichen Treiben in Frankfurt[96]. Andere Städte wie Leipzig, Straßburg und Mainz, heißt es hier, würden niemals eine solche Feiertagsentheiligung gestatten, wie sie in Frankfurt üblich geworden sei. Umständlich werden die einzelnen Arten der Sonntagsentheiligung aufgezählt, die vom Handel während der Meßzeiten, dem lauten Treiben der Juden, Komödienspiel, Branntweintrinken, Würfel- und anderem Spiel, Berufsarbeit, Betteln bis zum mutwilligen Spazierengehen reichen. Dem wird die Wichtigkeit der „Sabbathsfeier" entgegengehalten, die ein Gebot Gottes vor allen anderen Geboten sei[97]. Man müsse erkennen, daß „in entheiligung des Sabbaths und Sonntags eine große Ursach bestehet des allerorts so gar tieff gefallenen Christenthumbs"[98]. So wird der Magistrat aufgefordert, durch strengere Verordnungen dem losen Treiben Abhilfe zu schaffen. Das würde der Stadt nicht nur großen Nutzen im Geistlichen bringen, weil man dann bessere Christen hätte, sondern Gott würde bei Befolgen seiner Gebote auch im Leiblichen die Stadt mehr segnen[99].

Speners Bericht über die Sabbatentheiligung in Frankfurt entsprach einem Ersuchen des Magistrats, nachdem das Ministerium am 28. Oktober 1668 wegen dieser Frage vorstellig geworden war[100]. Der Rat hatte schon vor Speners Zeit Sonntagsbestimmungen erlassen, die aber nicht streng eingehalten wurden[101]. Etwas grundsätzlich Neues hat Spener mit seinem Drängen auf Sonntagsheiligung nicht nach Frankfurt verpflanzt. Höchstens die Forderung nach sonntäglicher Handelsruhe in den Meßzeiten war für Frankfurt neu[102]. Man wird aber kaum darin, daß während Speners Zeit die Frage der Sonntagsheiligung häufiger und eindringlicher als früher vor den Magistrat gebracht wird, daß strengere Forderungen erhoben werden und daß tatsächlich durch einige neue Verordnungen eine Besserung der Sonntagsheiligung versucht, teilweise wohl auch erreicht wird, den Beginn eines Neuen erblicken wollen. Spener versucht hier doch nur nachzuholen, was Johann Michael Dilherr in Nürnberg, was die Straßburger Kirchenpräsidenten Schmidt und Dannhauer, was Herzog Ernst in Thüringen schon längst versucht hatten[103]. Das Betreiben einer strengen Feiertagsheiligung findet man in der Reformliteratur der Jahrhundertmitte überall. Das Auffallende an Speners Frankfurter Bestrebungen ist dies, daß sie zeitlich zusammenfallen mit einer aus der lutherischen Orthodoxie sich jetzt herausbildenden Gegenbewegung gegen eine gesetzliche Auffassung des drit-

---

[96] Abgedruckt bei Grabau, 335–348.

[97] AaO 346. [98] AaO 347. [99] AaO 348. [100] AaO 335.

[101] Vgl. die Eingabe des Ministeriums über die Sabbatentheiligung vom 21. 5. 1661, bei Grabau, 332 ff.; außerdem die Ratsverordnung vom 28. 6. 1664, aaO 334 f.

[102] AaO 337.

[103] Die Berufung auf die Sonntagsordnungen von Straßburg und Nürnberg findet sich schon in der Eingabe des Ministeriums von 1661. Grabau, 332.

ten Gebots. Zur gleichen Zeit, in welcher in der reformierten Kirche ein offener Streit zwischen der voetianischen und der coccejanischen Richtung um die Geltung des Sabbatgebotes entbrennt[104], droht auch in der lutherischen Kirche über diese Frage ein Streit auszubrechen. Ein Streit zwischen Theologen, die für eine strikte, durch obrigkeitliche oder kirchliche Zucht zu erreichende Feiertagsruhe eintreten, und anderen, die unter Berufung auf Luther und die Bekenntnisschriften darin eine gesetzliche und puritanische Verfälschung der evangelischen Freiheit erblicken[105].

In Augsburg war im Jahre 1669 der Diakon Johann Jakob Beyer, der gegen einen Fall von Sonntagsentheiligung disziplinarisch vorgegangen war, seines Amtes entsetzt worden[106]. Der Fall erregte weithin Aufsehen, vor allem im nahen Herzogtum Württemberg, wo strenge Feiertagsbestimmungen nach dem Dreißigjährigen Krieg eingeführt waren. Auf herzoglichen Wunsch verteidigten die württembergischen Theologen Johann Adam Osiander und Johann Conrad Zeller die Feiertagsbestimmungen als dem Wort Gottes gemäß[107]. Spener in Frankfurt war über die Amtsenthebung besonders betroffen, da er durch Augsburger Kaufleute viel Gutes über den Frömmigkeitseifer Beyers gehört hatte, Predigtnachschriften von ihm nach Augsburg gewandert waren und sich das Gerücht bildete, er hätte Beyer in seinen Ansichten bestärkt und sich in Augsburger Angelegenheiten ein-

---

[104] Vgl. H. B. Visser, De geschiedenis van den Sabbatstrijd onde de Gereformeerden in de 17e eeuw, Theol. Diss. Utrecht, 1939.

[105] Im Unterschied zu dem reformierten Sabbatstreit sind die fast gleichzeitigen Zwistigkeiten um die Sonntagsheiligung im Lutherthum so gut wie unbekannt. Der Artikel „Sonntagsfeier“, RE³ 18,521 ff. erwähnt als erstes Zeugnis der als „Wellenschlag“ des reformierten Streites verstandenen lutherischen Kontroverse über die Sonntagsheiligung eine Schrift von Fecht aus dem Jahre 1688 (526,30). Der Artikel „Sonntag“, RGG³ VI, 140 ff. bringt nur den lapidaren Satz: „Auch im deutschen Pietismus (Großgebauer, Spener) wird die Freiheit der Reformationszeit aufgegeben“ (141). Wenn damit gesagt sein soll, daß die lutherische Orthodoxie diese Freiheit noch behalten habe, so ist diese Auskunft falsch. Zumindest ist der Satz aber irreführend, denn die Abkehr von der reformatorischen Freiheit ist für den gesamten Bereich der orthodoxen Reformbestrebungen, in denen die Frage der Sonntagsheiligung eine zentrale Rolle spielt (vgl. Leube, aaO 72. 76. 79. 119. 121. 123. u. ö.), also bereits für die vorpietistische Zeit, charakteristisch.

[106] Das folgende nach den unten Anm. 109 genannten Briefen Speners. Vgl. Grünberg I,172.

[107] Johann Conrad Zeller, Widerholte Christliche und beständige Bekantnus Der wahren Evangelischen Kirchen in dem Herzogthum Würtemberg / Von dem wochentlichen Sabbath in dem Newen Testament / Voest gegründet in dem heiligen Wort Gottes . . . auff gnädigstes Anbefehlen Des Durchlauchtigsten Fürsten und Herrn / HERRN EBERHARDI / Hertzogen zu Württemberg . . . Tübingen 1672. — Joh. Adam Osiander, Dissertatio de Sabbatho Jussu serenissimi ducis Wirtenbergensici, resp. M. Joh. Eberh. Brauch, Tübingen 1672. — Spener erwähnt in einem undatierten, c. 1673 geschriebenen Brief seine Kenntnis dieser Schriften (Cons. 2,8 f.).

gemischt[108]. Vom Dezember 1669 an hat Spener über diese Frage eine Reihe von Briefen mit Sebastian Schmidt gewechselt, in denen zum ersten Mal ein klarer und deutlicher Gegensatz zwischen dem Frankfurter Senior und dem Straßburger Kirchenpräsidenten, Speners Lehrer, erkennbar ist[109]. Spener hat sich dabei auf die Ansicht Dannhauers berufen, nach welcher die Heiligung des siebenten Tages ein positives Moralgebot ist, das dem freien Willen Gottes entsprungen ist, im Unterschied von den zeremoniellen Festtagsordnungen von niemand außer Gott geändert werden kann und bis zum Jüngsten Tag alle Menschen bindet. Sebastian Schmidt vertrat dagegen die altevangelische und auch in den Bekenntnisschriften ausgedrückte Lehre von der Abrogation des Sabbatgebotes durch das Evangelium, wobei er Spener nachdrücklich auf den Artikel 28 des Augsburger Bekenntnisses verwies[110].

Dieser intern ausgetragene Streit zwischen Spener und Schmidt hat keine Lösung erbracht, hat aber Spener im öffentlichen Eintreten für die Sabbatheiligung Zurückhaltung auferlegt. Spener hat zwar im Bereich seines Einflusses durch Eingaben an den Frankfurter Magistrat wie durch seine Briefe weiterhin für die Heiligung des Sonntags gewirkt, und er hat in der Sonntagsheiligung eines der vornehmsten Mittel der kirchlichen Besserung gesehen[111]. Aber öffentlich dafür einzutreten, wagte er aus Furcht vor darüber ausbrechenden Streitigkeiten nicht. Als Tobias Wagner in Tübingen der Meinung Sebastian Schmidts zufiel, merkte Spener, daß die gegenteilige Ansicht, die um die Jahrhundertmitte noch kaum öffentliche Befürworter gefunden hatte, an Boden gewann[112]. Er weiß 1677, daß in der Frage der Sonntagsheiligung ein Riß durch die ganze evangelische Kirche geht und daß fast an allen lutherischen Universitäten die Geister geteilt sind[113]. Spener hat alles vermieden, um diesen Riß aufbrechen zu lassen. Schon 1673 äußert er gegenüber Eleonore von Merlau die Sorge, es würde in dieser der Erbauung so nötigen Frage bald ein schwerer Streit in der evangelischen Kirche ausbrechen[114]. Vier Jahre später ist Spener froh, daß Sebastian Schmidt keine Schrift über diese Frage herausgegeben hat und dadurch ein

---

[108] Ebd.

[109] Die Briefe Speners: Cons. 2,35 f. (21. 12. 1669); 2,36 f. (29. 1. 1670); 2,39 ff. (27. 2. 1670); 2,45—50 (11. 6. 1670). Die Briefe Sebastian Schmidts: Cons. 2,37 ff. (4. 2. 1670); 2,41—44 (10. 3. 1670); 2,50—59 (25. 6. 1670).

[110] Cons. 2,51.

[111] L. Bed. 3,222 (undatiert): . . . von der Sabbaths-entheiligung, ists auch eine meiner sehnlichen klagen, nach der ich versichert bin, daß die rechte heiligung . . . eines der vornehmsten haupt-mittel der besserung seyn sollte . . .

[112] Bed. 1 II,91 (1688). [113] Cons. 1,189 (s. unten Anm. 115).

[114] Bed. 3,75. — Ähnlich Spener am 26. 8. 1673 an J. Ch. Mehlführer: „Controversiam de Sabbathi sanctificatione inter Theologos acrius, uti apparet, agitari maxime doleo: et si in publicum erumpat dissensiones praevideo mille Ecclesiae scandala, quae Deus prohibeat" (Hamburg, Sup. ep. [4°] 28,11).

größerer Kirchenstreit vermieden worden ist[115]. Der Grund für die Zurückhaltung Schmidts ist wohl nicht zuletzt darin zu suchen, daß inzwischen eine Schrift erschienen war, die mit einem Schlag ins Blickfeld aller reformerischen Kreise der lutherischen Kirche trat, ohne doch die heikle Sonntagsfrage überhaupt zu berühren. Es ist ein kaum beachteter, aber für das geschichtliche Verständnis der Spenerschen Pia Desideria höchst wichtiger Tatbestand, daß dieser in der lutherischen Reformliteratur so zentrale Punkt in ihnen überhaupt nicht berührt wird. Die durch das ganze 17. Jahrhundert zu beobachtende Welle des Einflusses der puritanischen Sonntagsheiligung hat wohl den Begründer des Pietismus selbst erfaßt und seine Frömmigkeitsanschauung geprägt, sie hat aber in sein Reformprogramm keinen Eingang gefunden.

Besondere Beachtung haben in jüngster Zeit die *sozialen Bestrebungen* Speners gefunden, über die wir durch die gründliche Untersuchung von Willy Grün fundiert und ausreichend unterrichtet sind[116]. Gegenüber dem von Ritschl entworfenen Zerrbild des Pietismus als einer den gesellschaftlichen Aufgaben abgewandten, zur Weltflüchtigkeit verleitenden Bewegung bestätigen sie Max Webers und Ernst Troeltschs These von der sozialen Fortschrittlichkeit des Pietismus. Greifbar werden sie in dem zu Speners Zeit vom Predigerministerium geführten Kampf gegen den in Frankfurt nach dem Dreißigjährigen Krieg überhand nehmenden „Gassenbettel“ und in der Errichtung des Frankfurter Armen-, Waisen- und Arbeitshauses im Jahr

---

[115] Cons. 1,189 (2. 4. 1677): D. Schmidius de eo argumento (sc. über den Sabbat) typis, ut mihi constat, nihil edidit. Gavisus sum, ne grave oriretur incendium, quod praevidebam, ob divisos fere in omnibus Academiis circa illam quaestionem Professorum animos.

[116] W. GRÜN, Speners soziale Leistungen und Gedanken. Ein Beitrag zur Geschichte des Armenwesens und des kirchlichen Pietismus in Frankfurt a. M. und in Brandenburg-Preußen, 1934. — Diese ausgezeichnete, aus gründlichen Archivstudien erarbeitete Darstellung verdient über den Rahmen ihres Themas hinaus Beachtung, weil sie über Speners Stellung im Predigerministerium und die kollegiale Zusammenarbeit mit den Amtsbrüdern Aufschluß gibt, wie wir ihn nach der Zerstörung der Frankfurter Archive anderweitig nicht mehr erhalten können. GRÜN schreibt: „Man stößt bei der Durchsicht der Akten und Protokolle des Predigerministeriums in den 20 Jahren, die Spener in Frankfurt geweilt hat, auch nicht einmal auf ein Anzeichen von Mißstimmung oder Auflehnung gegen Spener.“ (10) „Schon die Durchsicht der Protokolle der Convente . . . zeigt die kollegiale Art der Zusammenarbeit mit dem Senior . . .“ (11). — Es ist demgegenüber mehr als mißlich, wenn in der neuesten ausführlicheren Darstellung von Speners Frankfurter Wirksamkeit (H. STEITZ, aaO [oben S. 209, Anm. 68] 186 ff.) das Verhältnis Speners zu seinen Kollegen rein negativ gezeichnet wird (aaO 187 heißt es sogar: „Spener . . . brachte . . . die lutherischen Pfarrer in Wut“!) und behauptet wird: „Spener blieb einsam im Predigerministerium“ (ebd.). Was das letztere betrifft, so vgl. unten S. 317, Anm. 45 (Emmel als „collega meus amantissimus“) oder auch die von verehrender Liebe zeugende Vorrede von J. B. Ritter zu Speners Evangel. Sonntagsand., 1716.

1679. Die Initiative zum Handeln ist nicht von Spener ausgegangen, sondern von dem schon betagten Pfarrer Lichtstein, der zuerst im April 1670, dann noch einmal im Dezember 1673 und Januar 1674 das Bettlerunwesen auf die Tagesordnung der Sitzungen des Predigerministeriums brachte[117]. Spener selbst hatte allerdings schon im Juli 1669 in einer Predigt die Obrigkeit an ihre Pflicht zur Armenfürsorge erinnert und vorgeschlagen, nach dem Vorbild anderer Städte in Frankfurt ein „Zucht- und Arbeitshaus" zu errichten[118]. Er ist es auch, der nach Lichtsteins Initiative im Auftrag des Predigerministeriums durch mehrmalige Eingaben den Rat zum Handeln zu bewegen suchte und, als dies wenig half, den Vorschlag machte, durch private Beeinflussung der Räte voranzukommen[119]. Spener hat im August 1674 in einer Bußpredigt ganz energisch diejenigen, die nicht auf Abhilfe des Bettels sinnen, für den verwahrlosten Zustand der Bettler verantwortlich gemacht[120] und wohl auch im Collegium pietatis Mitarbeiter und Opferwillige für das Arbeitshaus zu gewinnen gesucht[121]. Bald nach jener Predigt wurden von dem Frankfurter Bürger Johann Moritz Altgeld 2000 Gulden für das Arbeitshaus gestiftet, jetzt endlich fand sich auch im Rat eine Mehrheit für Speners Pläne, und eine sechsköpfige Ratskommission wurde im Herbst 1674 mit den Vorbereitungen beauftragt[122].

So kann das 1679 endlich gegründete Frankfurter Armen-, Waisen- und Arbeitshaus mit gutem Grund als ein Werk Speners angesehen werden. Speners Freund, der Jurist Johann Jakob Schütz, wurde von der Ratsdeputation als einer der zwölf Vorsteher des Arbeitshauses gewählt und hat unter diesen als Tagebuchführer eine besondere Stellung innegehabt[123]. Spener selbst hat, was typisch für seine Auffassung von der Sozialfürsorge ist, nach der Errichtung des Arbeitshauses nur noch seelsorgerliche Beziehungen zu ihm unterhalten, die ganze technische und verwaltungsmäßige Sache dem Rat überlassen[124]. Diese Art des Anpackens der sozialen Frage, die unter der Bürgerschaft die Opferbereitschaft und soziale Mitverantwortlichkeit zu wecken sucht und den obrigkeitlichen Stand zur Einrichtung sozialer Anstalten drängt, ohne diese unter die Direktion des Predigerstandes bringen zu wollen, ist noch die typisch altevangelische Auffassung und von den Praktiken August Hermann Franckes deutlich unterschieden. Spener hat sie übrigens nicht als eine beschränktere Praxis angesehen, sondern umgekehrt das Hallische Waisenhaus als eine „Privatanstalt" betrachtet, die gegenüber den von ihm in Berlin betriebenen Reformbestrebungen in ihrer Wirkung nur begrenzt sein könnte[125]. Mag Spener die von Halle ausgehenden Impulse, deren Auswirkungen er nicht mehr erlebte, auch unterschätzt ha-

[117] GRÜN, 11 f. 16. [118] Evang. Sonntagsand., 523.
[119] GRÜN, 17. [120] Christliche Bußpredigten I,170. Vgl. GRÜN, 17.
[121] GRÜN, ebd. [122] AaO 18 ff. [123] AaO 17. [124] AaO 27.
[125] Vorrede zur Predigt über christliche Verpflegung der Armen, 7. Nach GRÜN, 82.

ben, so sind die von Spener ausgehenden Wirkungen auf dem Gebiet der Armen- und Waisenfürsorge sicher zu Unrecht nur wenig bekannt geworden. Durch Spener selbst hat das Frankfurter Vorbild den Haupteinfluß auf die Reform des Armenwesens in Berlin von 1693 gehabt, einen starken Einfluß hat es auf die Begründung des Waisenhauses in Kassel 1690 ausgeübt, schließlich diente für das 1710 in Stuttgart begründete Waisen-, Arbeits- und Zuchthaus dasjenige in Frankfurt als direktes Vorbild[126].

Als Senior der lutherischen Geistlichkeit stand Spener mehr als seine Amtsbrüder im Blickfeld der anderen Konfessionen und Glaubensgemeinschaften, die, neben der lutherischen Mehrheit lebend, das religiöse Bild der Stadt Frankfurt im Gegensatz zum fast rein lutherischen Straßburg recht bunt färbten. Am wenigsten problematisch scheint das Verhältnis Speners zur *römisch-katholischen Gemeinde* gewesen zu sein, deren rechtliche Stellung und Kultusfreiheit in Frankfurt gesichert war, so daß es hier kaum Reibungsflächen gab. Spener berichtet, daß er während seiner Frankfurter Zeit gegen die Papisten nicht weniger stark und gründlich als irgendeiner seiner Kollegen gepredigt habe, daß sie ihn aber weniger als die meisten seiner Kollegen gehaßt hätten[127]. Benachbarte römisch-katholische Standespersonen, denen ein lutherischer Pfarrer sonst ein Greuel wäre, hätten sich oftmals ungewöhnlich gütig, gnädig und höflich gegen ihn bezeugt[128]. Den Grund dieses im konfessionalistischen Zeitalter außerordentlichen Ansehens eines hohen lutherischen Geistlichen bei den Katholiken wird man nicht nur in Speners Verzicht auf alle persönlichen Angriffe von der Kanzel her zu erblicken haben. Es beruht sicher auch auf dem Ruf, den er sich als Genealoge und Heraldiker unter den katholischen Standesfamilien erworben hatte. Im Vorwort seiner ersten heraldischen Schrift, die 1668 in Frankfurt erschien, bekennt der lutherische Senior offen, daß er von einem Jesuiten in einem Jesuitenkolleg in die Heraldik eingeführt worden sei[129]! Der humanistische Geist der Wissenschaft ist es, der sich hier als ökumenischer Geist erweist und die Brücke zu Gliedern der anderen Konfession schlägt. Wie scharf in der Lehrfrage der Gegensatz zum katholischen System bleibt, ersieht man daraus, daß der streitbare Frankfurter Domprediger Johann Breving, der pünktlich nach Speners Antrittspredigt mit der Polemik gegen den lutherischen Senior begann, Anfang der achtziger Jahre Spener wegen seiner Rechtfertigungslehre literarisch angriff[130]. Spener hat 1684 mit seiner

[126] AaO 35. [127] Bed. 1 II,18 (1687). [128] Ebd.

[129] Vorwort zu Insignia serenissimae familiae Saxonicae, 1668. *Grünberg Nr. 321.*

[130] Johann Breving, Des Glaubensstreits Anfang und Ende, oder kurze Erklärung, wie die Glaubensgerechtigkeit von Luther allein erfunden . . . Mainz 1682. Vgl. ders., Enge und Angst Herrn D. J. Ph. Speners, Mainz 1684; Unleugbare Enge, Angst und Unkraft, so Herrn D. Jak. Phil. Spenern wegen nicht erretteter also genannter Glaubensgerechtigkeit zugestoßen, Mainz 1685. *(Grünberg Nr. 370–372).*

umfangreichen „Evangelischen Glaubensgerechtigkeit“ geantwortet, wohl der ausführlichsten deutschsprachigen Widerlegung der tridentinischen Rechtfertigungslehre, die es gibt[131]. Zu einer Annäherung der Konfessionen hat Speners Tätigkeit nicht geführt. Daß der Papst der Antichrist und Rom Babel ist, das hat Spener von der Frankfurter Kanzel weiterhin verkündet wie schon vor ihm die orthodoxen Prediger[132]. So ist die Programmschrift des Spenerschen Pietismus auch keine ökumenische Programmschrift geworden – wenn man den Begriff ökumenisch nicht gegen seinen Sinn auf die unsichtbare Kirche anwenden will. Durch ihre Verklammerung der erhofften Besserung der Kirche mit dem erwarteten Fall des päpstlichen Roms sind die Pia Desideria eine im Grunde viel stärker antirömische Schrift als irgendeine der orthodoxen Streittheologie.

Wesentlich problematischer gestaltete sich Speners Verhältnis zu der *reformierten Gemeinde*. Da diese kein Kultusrecht in Frankfurt besaß, existierte sie gegenüber den Lutheranern, Katholiken und selbst den Juden als eine Gemeinde minderen Rechts, was zu der wirtschaftlichen Kraft und dem Reichtum ihrer Glieder in einem horrenden Widerspruch stand. Die Geschichte des Kampfes der reformierten Gemeinde Frankfurts um das Gottesdienstrecht erstreckt sich im ganzen über mehr als zwei Jahrhunderte und hat eine Fülle von Eingaben und Gegenschriften an den Rat, an den Kaiser und an das Reichskammergericht hervorgebracht[133]. Stets war das Predigerministerium um die Wahrung des lutherischen Charakters der Stadt Frankfurt besorgt. So war dem Rat vor Speners Nominierung die Gefahr vor Augen gemalt worden, die der Stadt durch einen vom Synkretismus infizierten Senior erwachsen müsse[134]. Für Spener war es im höchsten Maße prekär, daß die alten Verdächtigungen, er hielte es mit den Reformierten, nicht verstummten, sondern weiter Fuß faßten und auch nach Frankfurt zu dringen begannen. Vielleicht durch solche Gerüchte ermuntert, unternahmen die Frankfurter Reformierten bald nach dem Amtsantritt Speners einen neuen Vorstoß beim Magistrat. Am 28. Juli 1667, also gerade ein Jahr in Frankfurt, nahm Spener deshalb das sonntägliche Evangelium Matthäus 7,15–23 („Sehet euch vor vor den falschen Propheten . . .“) zum Anlaß, um eine scharfe Predigt gegen die Reformierten und ihre Irrlehren, vor

---

[131] Die evangelische Glaubensgerechtigkeit von Herrn D. Joh. Brevings vergeblichen Angriffen gerettet, samt einem Anhang gegen D. Brevings letztes Skriptum „Enge und Angst“. Frankfurt 1684. 4°. 1486 + 30 S. *(Grünberg Nr. 302).*

[132] Bed. 1 II,18 (1687).

[133] Vgl. dazu die zwei Foliobände umfassende Sammlung: Franckfurtische Religions-Handlungen, Welche zwischen Einem Hoch-Edlen und Hochweisen Magistrat und denen Reformirten Bürgern und Einwohnern daselbst Wegen des innerhalb denen Ring-Mauren dieser Stadt gesuchten Exercitii Religionis reformatae Publici . . . gepflogen worden, Frankfurt 1735. – Reiches Material auch bei Grabau, 291 ff.

[134] Oben S. 182.

allem das reformierte Prädestinationsdogma, zu halten. Daß schon diese Predigt gegen seine Orthodoxie laut gewordene Verdächtigungen abweisen sollte, wird man gegen Grünberg behaupten dürfen[135]. Als dann wegen dieser Predigt eine anonyme Schmähschrift gegen Spener verfaßt und heimlich in der Sakristei der Barfüßerkirche hinterlegt wurde, als Spener den reformierten Ursprung derselben, den die Reformierten zunächst abgeleugnet hatten, an der von ihm erkannten Handschrift des Verfassers nachweisen konnte, da meinte er einen Anlaß zu haben, um die Predigt zum Druck zu geben[136]. Seinen Frankfurter Amtsbrüdern namentlich gewidmet erschien im Frühjahr 1668 Speners „Christliche Predigt Von Nothwendiger Vorsehung vor den falschen Propheten", umfangreich erweitert um historische Anmerkungen über die von Täuschungen und Intrigen reiche Geschichte des reformierten Verlangens nach dem Kultusrecht[137]. Spener hat diese Schrift zugestandenermaßen zum Druck gegeben, um auch den an anderen Orten laut werdenden Argwohn zum Schweigen zu bringen[138]. Daß er dabei an Straßburg dachte, dürfte sicher sein. Schon 1686 bei seinem Weggang nach Dresden hat er aber diese Veröffentlichung nicht mehr anerkannt, und noch auf seinem Totenbett hat er sie bereut und widerrufen[139].

Das amtliche Verhältnis Speners zu den Reformierten in Frankfurt blieb infolge der von ihm entworfenen Antwort auf das Kultusbegehren[140] weiterhin gespannt. Am 18. August 1674 wandten sich die Reformierten wiederum an den Rat mit der Bitte, in der Stadt eine Kirche bauen zu dürfen. Unterstützt wurde ihr Gesuch vom Großen Kurfürsten und vom Landgrafen zu Hessen-Kassel, der wenigstens für eine Kirche vor den Toren der Stadt auf seinem Gebiet das Einverständnis suchte. Aber sofort wurde vom Predigerministerium unter Speners Führung eine Gegenschrift eingereicht, und der Rat beschied das Gesuch abermals abschlägig[141]. Man wird Speners Anteil an der Entscheidung des Rats nicht gar zu hoch veranschlagen dürfen. Die wegen ihrer wirtschaftlichen Macht und ihres engen Zusammenhalts unter der Frankfurter Bürgerschaft gar nicht beliebten Reformierten hatten in der lutherischen Kaufmannschaft und dem Patriziat ihre geborenen Feinde. Der Rat hätte ohne das Votum des Predigerministeriums

---

[135] Vgl. Grünberg I,162.

[136] Vgl. dazu Cons. 3,8 (23. 9. 1667).

[137] Christliche Predigt Von Nothwendiger Vorsehung vor den falschen Propheten, Frankfurt 1668. 4°. 91 S. *(Grünberg Nr. 34).*

[138] Cons. 3,8 (23. 9. 1667): Homiliam istam publicis typis ob hanc causam vulgabo, ut extra civitatem quoque de mea constare volenti possit innocentia.

[139] Völlige Abfertigung Pfeiffers, 1697, 186 ff.; Canstein, Vorrede zu L. Bed. 33.

[140] „Des Ministerii Antwort auff der Reformirten eingegebne Schrifft", unterschrieben von Spener und den elf übrigen Predigern am 31. 8. 1667, vorgelesen im Rat am 12. 9. 1667 (Franckfurtische Religions-Handlungen II,379–390).

[141] AaO II,390–394. Vgl. Sachsse, 33.

wahrscheinlich genauso entschieden[142]. Spener hat noch in Dresden den Eigensinn der Frankfurter Reformierten gerügt, die sich der Kirchendisziplin des lutherischen Ministeriums, der sie früher unterstanden, entzogen und die lutherischen Wochengottesdienste und Betstunden nicht besuchten[143]. Daß er die Praxis des reformierten Gemeindelebens in Frankfurt, besonders die dort geübten Hausbesuche und die kirchliche Zucht, für weit besser ansah als die der lutherischen Gemeinde Frankfurts[144], dies hat auf seine Stellung zur reformierten Gemeinde ebensowenig Einfluß gehabt wie die Tatsache, daß im Collegium pietatis auch einige reformierte Christen saßen. Von einer Verbesserung des Verhältnisses der lutherischen Kirche Frankfurts zu den Reformierten läßt sich während des Seniorats Speners also nichts feststellen. Als er nach Dresden gegangen war, konnten sich sogar Gerüchte bilden, er hätte noch vor seinem Weggang dafür gesorgt, daß dem reformierten Drang nach Kultusfreiheit endgültig ein Riegel vorgeschoben würde[145]. Ähnlich wie bei den römischen Katholiken, nur in umgekehrter Tendenz, ist aber auch bei den Reformierten das amtliche Verhältnis Speners von seinem theologischen Urteil zu unterscheiden. Jene Predigt gegen die Reformierten von 1667 ist die einzige offizielle Polemik gegen den Calvinismus geblieben. Der antirömischen Zuspitzung der Pia Desideria steht keine anticalvinistische zur Seite.

Man kann die Frankfurter Wirksamkeit Speners nicht darstellen, ohne seine Stellung zu der *Frankfurter Judenschaft* zu erwähnen. Spener kam aus Straßburg, wo den Juden überhaupt kein Wohnrecht eingeräumt und höchstens zeitweiliger Aufenthalt zu Handelsgeschäften erlaubt war, in eine Stadt, die nach Wien und Prag die größte jüdische Gemeinde Mitteleuropas in ihren Mauern hatte[146]. Vor dem Dreißigjährigen Krieg durch den Fettmilchschen Aufstand für zwei Jahre aus Frankfurt vertrieben, war die Frankfurter Judenschaft 1616 von kaiserlichen Kommissaren nach Frankfurt zurückgeführt worden, wobei eine Verfassung, die vom Kaiser und der

---

[142] Vgl. hierzu den für die Beurteilung der Frankfurter Verhältnisse hochinteressanten Bericht Speners vom 17. 8. 1689 „Ursachen / warum den Reformirten das exercitium religionis in Franckfurt am Mayn versaget worden", L. Bed. 3,272 ff.

[143] L. Bed. 3,273.

[144] Bed. 1 II,78 (1689): . . . ich nicht leugne / daß ich in Franckfurt die Reformirte Prediger und kirche glücklicher als die unsrige geschätzet habe / nachdem jene in Gebrauch haben / so oft sie zu Bockenheim ihre communion halten wollen / daß vorher Prediger und Aeltesten von hauß zu hauß zu den gliedern ihrer gemeinde gehen / und sich ihres wandels erkundigen / welches uns Evangelischen von der obrigkeit nicht gestattet worden wäre. — Vgl. PD 15,14 ff.

[145] L. Bed. 3,272.

[146] Vgl. I. Kracauer, Geschichte der Juden in Frankfurt a. M., Bd. II, Frankfurt 1927; S. Dubnow, Die Geschichte des jüdischen Volkes, Bd. VI, 1927 (darin § 26: Das Frankfurter Ghetto) und Bd. VII, 1928 (darin § 38: Das alte Ghetto in Frankfurt am Main). Das Folgende nach der Darstellung von Dubnow.

Stadt signierte „Judenstättigkeit", die Zahl und die Bedingungen ihres Aufenthaltes festsetzte. Danach durfte die Gesamtzahl der die „Judengasse" — das seit dem Mittelalter zwischen Stadtmauer und Graben angelegte Ghetto — bewohnenden Familien nicht 500 überschreiten. Wie wir aus amtlichen Zählungen wissen, ist gegen Jahrhundertende diese Höchstgrenze annähernd erreicht worden[147]. Man wird für die Zeit Speners bei einer durchschnittliche Familiengröße von sechs Personen mit 2500 bis 3000 Juden rechnen dürfen, also mit etwa einem Sechstel der Gesamtbevölkerung[148].

Auf engem Raum in hohen, meist brüchigen Häusern zusammengedrängt, durch bewachte Tore von der christlichen Stadt getrennt, die sie bei Tageslicht nur zu dringenden Geschäften betreten durfte, von allem Handwerk ausgeschlossen und für ihren Unterhalt auf den Kaufhandel und Geldverleih angewiesen, fristete die in der Judengasse zusammengepferchte Frankfurter Judenschaft ein kümmerliches Dasein. Wie überall in den Ghettos deutscher Städte durften auch die Frankfurter Juden eine Synagoge besitzen und ihren jüdischen Kult ausüben. Einzelne Juden konnten sich durch Übertritt zum Christentum den Eingang ins Frankfurter Bürgertum verschaffen, doch war die Zahl der Judentaufen nicht sonderlich hoch. Immerhin war Pfarrer Lichtstein, der dienstälteste lutherische Pfarrer Frankfurts, ein aus der Judengasse stammender Jude, den sein zum lutherischen Glauben übergetretener Vater als Kind hatte taufen lassen[149].

Spener berichtet, daß die Juden, bevor er nach Frankfurt kam, durch die Mutwilligkeit von Kindern und liederlichen Leuten in solchem Ausmaß belästigt wurden, daß sie kaum sicher und ohne Ungemach durch Frankfurt gehen konnten. Er sei von der Kanzel oft dagegen angegangen, und die Juden hätten selbst bekannt, daß ihnen unter dem Seniorat von Spener nicht mehr so viel Bösartigkeit angetan worden sei wie früher[150]. Man muß dies doch wohl so verstehen, daß die lutherischen Prediger bzw. Senioren vor Speners Zeit nicht im gleichen Maße gegen das Unwesen der üblichen Judenverspottung und Judenbelästigung gepredigt haben. Gerade in den ersten Jahren seiner Frankfurter Zeit sind andererseits von Spener im Namen des Predigerministeriums einige Eingaben an den Rat gerichtet wor-

[147] Dubnow VII, 319 f.: „Durch die amtliche Zählung von 1694 wurden im Judenviertel 414 Haushaltungen nebst 75 Fremden festgestellt, und die Erhebungen vom Jahre 1709 ergaben einen Gesamtzahl von 3024 Personen, die sich auf 505 Haushaltungen verteilten." Danach muß man einen jüdischen Haushalt auf ungefähr sechs Personen berechnen.

[148] Grünbergs bereits von Rade und Dechent bestrittene Angabe: „Die Bewohner Frankfurts waren ungefähr zu einem Drittel Juden" (I,159; vgl. aber III,398) wird noch in neueren Arbeiten wiederholt (u. a. von H. L. Althaus, Speners Bedeutung für Heiden- und Judenmission. Lutherisches Missionsjahrbuch 1961, 35). Sie ist nach den obigen Ausführungen als irrig anzusehen.

[149] Grün, 11, Anm. 42. — Er hieß vorher Süsskind Mayer.

[150] L. Bed. 1,288 (1702).

den, die praktisch auf eine Verschlechterung der Lage der Juden hinausliefen. So beschwerte sich am 13. Mai 1668 das Ministerium über die „Sabbath Gojim", also die Christen, die den Juden am Sabbat mit Lichtanzünden, Feuermachen und anderen Dienstleistungen halfen, und bat darum, diese davon abzuhalten[151]. In dem umfangreichen Bericht über die Sabbatentheiligung vom 28. Oktober des gleichen Jahres[152] wird wiederum und mit noch schärferen Worten über die „Schabbesgojim" geklagt, durch die die ganze christliche Religion geschändet werde. Flehentlich wird der Rat gebeten, er möge „dießen Greuel aus unserer Kirchen abschaffen"[153]. Überhaupt wird den Juden ein Großteil der Schuld an der Sonntagsentheiligung zugesprochen, durch die sich Frankfurt vor anderen Städten auszeichne. So wird angeprangert „der muthwillen derer auff dem wollgraben an dem Sonntag mit grossem geschrey und üppigkeit sich übenden Juden", dann aber auch, daß die Juden des Sonntags „nicht allein vielmahl außer der Gaß spatzieren gehend, sondern auch fahrend angetroffen worden"[154]. Die Prediger fordern, diesem Übelstand zu steuern „durch die sperrung der gaß, die gantz christlich und löblich wäre, auff den Sonntag"[155].

Die Bekämpfung des Judenhasses und die Beschränkung der jüdischen Freiheiten am christlichen Sonntag scheinen nach äußerlichem Schein zueinander in Widerspruch zu stehen. In Wirklichkeit hat beides bei Spener eine gemeinsame Wurzel, und erst von dieser her begreift man das bei ihm sich abzeichnende Neue in der Stellung zu den Juden. Spener sieht in dem lieblosen Verhalten der Christen gegenüber den Juden weniger einen Verstoß gegen das christliche Liebesgebot als einen entscheidenden Hinderungsgrund für deren Bekehrung[156]. Und die Freiheitsbeschränkungen der Juden am Sonntag zielen darauf, sie merken zu lassen, wie ernst es den Christen mit dem Feiertagsgebot ist, und ihnen den Anlaß zum Spott über einen Christus zu nehmen, dessen Jünger die Sonntagsfeier zwar für nötig halten, über ihre Durchführung aber doch nicht gewissenhaft wachen[157]. Speners Verhalten den Juden gegenüber ist also weder von einem „Philosemitis-

---

151 Grabau, 335.

152 Vgl. oben S. 215 f., bei Anm. 96.

153 Grabau, 338. 154 Ebd. 155 Ebd.

156 Das geht aus dem Zusammenhang der bei Anm. 150 angezogenen Stelle L. Bed. 1,288 eindeutig hervor.

157 Grabau, 350 (Bericht über Sabbathentheiligung vom 15. 3. 1670): Jetzo nicht zu gedencken, wie durch solches (sc. die Sabbatentheiligung) den Namen des Herren und das Christenthumb Zu lästern den Feinden derselben den Juden würde gelegenheit an die hand gegeben. Dann wie können sie glauben, da sie umb keines Gewinns willen ihren Sabbat Zu brechen getrawen, . . . daß auch uns gleicher Ernst seyn müße mit unserm Christlichen Glauben . . .? Was sie von einem solchen Christo, deßen Jünger die Sabbatsfeyer selbst nöthig Zu seyn glaubten, aber nichts desto weniger umb des Zeitlichen Willen nicht achteten, halten, kan ein vernünfftiger leicht ermeßen . . .

mus" bestimmt[158], der den Juden als Juden Achtung und Liebe entgegenbringt, noch liegt es auf der Linie jener in der altlutherischen Orthodoxie weitverbreiteten Geringschätzung der Juden, die sie auf einem möglichst niedrigen sozialen und rechtlichen Stand zu halten sucht. Spener fühlt sich vielmehr gedrungen von einer missionarischen Zuwendung zu den Juden, die rein religiöser Art ist und ihre Begründung aus der biblischen Verheißung von der noch ausstehenden allgemeinen Bekehrung der Juden nimmt.

In den Pia Desideria tritt diese missionarische Zuwendung zu den Juden erstmals in Deutlichkeit hervor[159]. Es muß, wenn man das Reformschrifttum der Orthodoxie zum Vergleich heranzieht, auffallen, welche Bedeutung die Judenfrage im Spenerschen Programm einnimmt. Nachdem Spener den verderbten Zustand der evangelischen Kirche beschrieben hat, setzt er, noch ehe er auf die papistische und spiritualistische Kritik an der lutherischen Kirche eingeht, mit der Klage ein, daß zuvörderst die Juden, die unter uns wohnen, daran Anstoß nehmen und in ihrem Unglauben gestärkt werden[160]. Die Hoffnung auf einen besseren Zustand der Kirche begründet er an erster Stelle mit der noch ausstehenden Verheißung von der Bekehrung der Juden in Röm. 11[161]. Schließlich findet sich auch unter den Reformvorschlägen der Rat, daß Theologen, in deren Heimat Juden wohnen, zur Disputation mit ihnen gründlicher vorbereitet werden sollen[162]. Dieser Ratschlag ist zwar nicht weiter ausgeführt, ist aber deshalb bemerkenswert, weil die Frage der Heidenmission, die im Pietismus später eine so große Rolle spielt, in der Programmschrift des Pietismus überhaupt nicht angerührt wird[163]. Der Ehrenplatz, den man dem Begründer des lutherischen

---

[158] Gegen S. Riemer, Philosemitismus im deutschen evangelischen Kirchenlied, 1963, 27: „Durch Spener hat der Philosemitismus eine wirkliche Pflegestätte in der Kirche gefunden." Richtig H. L. Althaus, aaO 37: „Spener war kein Philosemit."

[159] Aus den ersten Frankfurter Jahren habe ich Zeugnisse hierfür nicht beibringen können. Der oben Anm. 157 genannte Bericht von 1670 redet von einer solchen Bekehrungshoffnung auch noch nicht, sondern will nur vor der „schweren Verantwortung" warnen, daß die Christen die Juden „in ihrer härtigkeit stärcketen" (aaO 350). Anders die Eingabe von 1681, wo die Bekehrungshoffnung deutlich ausgesprochen ist. S. unten Anm. 167.

[160] PD 36,38 ff. [161] PD 43,33 ff. [162] PD 73,7 ff.

[163] Gewöhnlich nennt man Speners Himmelfahrtspredigt aus dem Jahr 1677 (Tätiges Christentum, 2. Aufl., 1687, I, 907–911) als erstes kräftiges Zeugnis für seine Missionsanschauungen (Grünberg II,242; H. L. Althaus, aaO 28 ff.). Spener vertritt in dieser Predigt die in der lutherischen Orthodoxie nicht unbestrittene Meinung, daß der Missionsbefehl noch heute gilt. Darin folgt er seinen Straßburger theologischen Lehrern, vor allem Dannhauer. Ein Jahr darauf (1678) schreibt Spener (Bed. 1 I,585): „Im übrigen bin ich selbs auch der meinung, / daß das *gehet aus in alle welt / und lehret alle völcker* / nicht gantz aufgehöret habe: Wie es aber werckstellig gemacht werden könne / und wo die leute darzu zu finden / gestehe ich / daß ichs noch nicht habe absehen können / oder jetzo nur einige vorschläge wüste / wie die sache anzugreifen." Diesen Satz, der durch

Pietismus in der Geschichte der Heidenmission neuerdings einräumt, ist von sehr zweifelhafter Berechtigung – hinter den Gedanken der Holländer, des Baron von Weltz oder des Philosophen Leibniz bleibt Spener weit zurück[164]. Aber von dem Gedanken der Judenmission wird man sagen können, daß ihm Spener in der evangelischen Kirche zum Durchbruch verholfen hat.

Speners missionarische Zuwendung zu den Juden ist in Frankfurt ohne nennenswerte Wirkung gewesen, mit den gleichzeitigen Bemühungen Esdras Edzards in Hamburg läßt sie sich nicht vergleichen[165]. Ein einige Jahre nach den Pia Desideria von dem Predigerministerium eingebrachtes Gesuch, der Rat möge den Juden das Anhören christlicher Predigten zur Pflicht machen, fand zuerst keine Beachtung, schließlich wurde den Predigern entgegnet, ihr Antrag widerstreite dem Reichsrecht, das das Judentum als religio licita zulasse[166]. Daß die Juden „auch wider ihren Willen" zum Anhören christlicher Predigten gezwungen werden könnten, hat Spener noch 1681 in Frankfurt für recht und für nützlich gehalten[167]. Erst in seinen

keine späteren Äußerungen Speners korrigiert oder überholt wird, hat H. L. Althaus leider nicht beachtet. Er macht doch wohl klar, warum in den Pia Desideria die Heidenmission nicht erwähnt wird. Ganz abgesehen von der ungewollten, aber notwendig folgenden Unterstellung, daß Spener in den Pia Desideria die Heidenmission zu erwähnen *vergessen* hat, kann man die Behauptung nicht für richtig halten: „Speners Äußerungen zur Heidenmission sind methodisch-inhaltlich seinen Pia Desideria vergleichbar: sie klagen die Zustände seiner Zeit an . . . geben auch wichtige Ratschläge zur Besserung" (Althaus, 28). Wo sind die Ratschläge?

164 Ich sehe also die Tendenz der Arbeit von H. L. Althaus, der Speners seiner Meinung nach zu wenig beachtete Bedeutung für die Mission herausstellen will, insofern für verfehlt an, als Althaus nachweisen will, daß Spener „einer der wenigen des 17. Jh. (war), die in Wort und Schrift, durch Handeln und Anregung für die Mission unter den Ungläubigen wichtige und vorbereitende Dienste getan haben" (aaO 22). Dieser Satz ist nur dann richtig, wenn man ihn auf die Judenmission einschränkt, was Althaus, der Heidenmission und Judenmission zwar gesondert darstellt, ihren verschiedenen Stellenwert im Denken Speners aber kaum beachtet, gerade nicht tut.

165 Über den unter der Hamburger Judenschaft mit bedeutendem Erfolg wirkenden Judenbekehrer Esdras Edzard (1629–1708) siehe RE[3] 13, 177 und NDB 4,318. – Die Angabe in RGG[3] III, 976, daß 1650 in Straßburg das erste Institutum Judaicum gegründet wurde, von wo Edzard ausgegangen sei, bleibt mir dunkel. Spener berichtet von einem solchen Institut nichts, auch sonst findet sich in den Quellen davon keine Spur. Edzard studierte in Straßburg hauptsächlich bei Dorsche, der für die Judenbekehrung im Unterschied zu seinem Kollegen Dannhauer aufgeschlossen gewesen ist. Die entscheidende Zurüstung hat Edzard aber bei Buxtorf dem Jüngeren in Basel bekommen (vgl. auch den Artikel „Edzard" bei Zedler).

166 Cons. 3,795 (1702). Offensichtlich berichtet Spener an dieser Stelle über die Eingabe des Predigerministeriums an den Rat vom 22. 12. 1681, die bei Sachsse, aaO 81–90, abgedruckt ist und dringende Vorstellungen über Maßnahmen zur Bekehrung der Juden enthält.

167 Sachsse (vgl. oben Anm. 166), 88: . . . dieses erfordert die christliche Liebe, für solches Volks Bekehrung mit Ernst zu sorgen, und also, gleichwie sie . . . mit

letzten Jahren hat er den Nutzen solchen Zwanges bezweifelt, wenn er der Obrigkeit das Recht dazu auch nicht abgesprochen hat[168]. Dabei ist von ihm streng unterschieden worden zwischen dem Zwang zum Besuch des Gottesdienstes, welcher eine äußerliche, das Gewissen nicht berührende Sache sei, und der Entscheidung zum christlichen Glauben, auf die als eine der Freiheit des Gewissens zugehörige Sache kein Zwang ausgeübt werden dürfe[169]. Spener hat sich selbst damit in der Judenfrage als ein Sachwalter der Gewissensfreiheit verstanden, wie er in seinen zahlreichen späteren Gutachten und Bedenken auch stets Pläne zur Vertreibung der Juden oder Abschaffung der Synagogen abgelehnt hat[170]. Andererseits äußert Spener schon in Frankfurt die Klage, daß geeignete Theologen fehlten, die mit einem Juden Glaubensgespräche führen könnten[171]. Auf die spezielle Ausbildung von Predigern in den zur Judenbekehrung dienlichen Studien hat er je länger je mehr seine Hoffnung gesetzt. Daß die 1670 publizierten Pläne der Professoren Ravius und Wasmuth, in Kiel ein Collegium orientale zu gründen, scheiterten, hat Spener aus solchen Gründen lebhaft bedauert[172]. In seinen letzten Jahren hat er an das hallesche Collegium orientale theologicum seine Hoffnungen geknüpft[173], nachdem er zuvor das Studium bei dem Hamburger Esdras Edzard und die Lektüre der 1681 erschienenen „Tela ignea Satanae" des Altorfer Judenkenners Johann Christian Wagenseil zu empfehlen pflegte[174]. Diese Dinge, die hier in Vollständigkeit nicht genannt werden können[175], dürften wesentlich dazu beigetragen haben, das Verhältnis der lutherischen Kirche zum Judentum aus der in der altprote-

---

besserem Exempel zum Christentum zu reizen, also Gelegenheit auch wider ihren Willen zu machen, daß sie etwas von Christo und seiner Lehre hören müssen, weil ja das Wort des Herrn das Mittel des Glaubens ist, und wo es recht klüglich geführt würde, obwohl freilich noch nicht vor der Zeit des geendigten göttlichen Gerichts bei allen die Decke und auch Härtigkeit ihrer Herzen weggenommen, aber auf das wenigste wir bei ihrer vielen vieles fruchtbares auszurichten, oder doch endlich unser . . . Gewissen beruhigen würden.

[168] Vgl. das ausführliche Bedenken zur Judenfrage vom 22. 9. 1702 (L. Bed. 1,286—295).

[169] Vgl. ein undatiertes „Christliches bedencken wegen der anstalten zur bekehrung einiger Juden an denen orten / da dieselbe wohnen" (Bed. 4,87—99).

[170] Vgl. Cons. 2,66—69 (13. 6. 1682). Ähnlich Cons. 2,85 f. (1689). Vgl. auch die Anm. 168 und 169 genannten Bedenken, die zusammen mit Cons. 3,795—799 die ausführlichsten Darlegungen Speners zur Judenfrage darstellen.

[171] Cons. 1,64 b (undatiert).

[172] Ebd. — Vgl. Christian Ravius und Matthias Wasmuth, Literae circulares, Wegen Einrichtung eines Collegii Orientalis, Kiel 1670. 4°. 24 + 16 S. (Das im zweiten Teil dieser Schrift abgedruckte Gutachten der Rostocker Theol. Fakultät vom 27. 4. 1670 spricht sich für die Bekehrung der Juden vor dem Jüngsten Tag aus.)

[173] Cons. 3,797 (1702).

[174] Bed. 4,95 f. Ein Brief Speners an Wagenseil ist Cons. 2,81 f. (1682) abgedruckt.

[175] Weiteres Material bei ALTHAUS, 35—42.

stantischen Zeit herrschenden Judenverachtung und dem Judenhaß herauszuführen. Erst von den Gedanken Speners aus hat wohl die lutherische Kirche eine positive Stellung zu der aus merkantilistischen Motiven betriebenen, für das geistige Leben Deutschlands im 18. Jahrhundert so bedeutsamen Judenemanzipation in Preußen gewinnen können[176].

II. Studien und literarische Wirksamkeit

Neben den vielfältigen Anforderungen des Seniorats fand Spener immer noch Zeit zum eigenen Studium und zu literarischer Betätigung. Zu nennen sind hier an erster Stelle seine historischen Studien, die neben der kirchlich-theologischen Arbeit in der Frankfurter Zeit merkwürdig unverbunden herlaufen. Der Briefwechsel mit dem Basler Mediziner Johann Kaspar Bauhin[1], der außer persönlichen Mitteilungen fast nur die historischen, speziell die heraldischen Arbeiten Speners berührt, läßt allerdings erkennen, wie mühsam er teils wegen der Senioratsgeschäfte, teils wegen seines schwachen Gesundheitszustandes die Zeit hierfür erübrigen kann und wie schleppend sich die Herausgabe der heraldischen Werke über Jahre hinzieht. Die gründlichen Nachforschungen, die Spener über die Wappen der deutschen Adelsgeschlechter anstellte, gaben ihm die Chance, den von Straßburg her gewohnten Verkehr mit dem Adel nicht nur fortzusetzen, sondern noch zu erweitern. Wenn er nur die geringste Gelegenheit eines Zugangs zu Hofe erblicke, schreibt Spener 1673 gelegentlich einer heraldischen Nachfrage an den Schwarzburg-Rudolstädter Kanzler Ahasver Fritsch, so pflege er seine Wappenbeschreibungen vor dem Druck den betreffenden Höfen mit der Bitte um Verbesserungen und Ergänzungen zuzuschicken[2]. Sogar die Leipziger Meßkataloge hat Spener benutzt, um durch Inserate auf sein geplantes heraldisches Werk hinzuweisen und damit dessen Vollständigkeit zu sichern[3].

Aus dem ersten Frankfurter Jahrzehnt gibt es indes nur eine Reihe kleinerer historischer Veröffentlichungen, die großen Werke hat Spener erst nach den Pia Desideria beendet. Zur Frühjahrs- und Herbstmesse 1668 erschienen die beiden ersten Teile des genealogischen Werks „Theatrum no-

---

176 Vgl. dazu SELMA STERN, Der preußische Staat und die Juden, 1961. — Die gegenüber der Orthodoxie veränderte Haltung des Pietismus zum Judentum bedürfte gerade für das in der Judenemanzipation führende Territorium Preußens einer eingehenden Untersuchung. DEPPERMANNS Untersuchung der Beziehungen zwischen dem halleschen Pietismus und dem preußischen Staat (s. Lit.-Verz.) berührt diese Frage nicht.

1 S. oben S. 128 bei Anm. 22.

2 Spener an A. Fritsch (s. oben S. 202, Anm. 34), 11. 9. 1673.

3 S. Leipziger Meßkatalog des Johann Grosse von der Ostermesse 1679, bl. D 3, wiederholt im Katalog der Herbstmesse 1679, bl. C 3.

bilitatis Europeae", gewidmet dem ehemaligen Schüler Pfalzgraf Christian bei Rhein und dem Onkel Johann Rebhan in Straßburg[4]. Der dritte Teil erschien 1673, gewidmet dem alten Studienfreund Johann Andreas Frommann in Tübingen[5], der vierte Teil erst 1677. Wechselte Spener beim „Theatrum nobilitatis Europeae" noch mehrmals den Verleger, so fand er 1668 in Johann David Zunner den Mann, der fortan fast alle Schriften Speners in seinen Verlag nahm. Zunner veranstaltete 1668 aus dem Rest der 1665 in Straßburg erschienenen „Sylloge Genealogico Historica" eine Titelauflage[6] – es ist das erste bei ihm erschienene Werk Speners – und gab noch im gleichen Jahr Speners erste heraldische Veröffentlichung, das dünne Bändchen der „Insignia Familiae Saxonicae", heraus[7]. Es ist dies ein Spezimen des großen, in zwei Teilen 1680 und 1690 erschienenen heraldischen Hauptwerkes[8], mit dem Spener seine historischen Arbeiten abgeschlossen hat gerade zu dem Zeitpunkt, als seine Feder für die Auseinandersetzung mit der antipietistischen Spätorthodoxie gebraucht wurde.

Neben den historischen Studien zeigen die Arbeiten auf kirchlich-theologischem Gebiet, nach den literarischen Früchten betrachtet, ein noch nicht sehr reiches, aber recht buntes Bild. Außer der Antrittspredigt vom 1. August 1666 über Röm. 1,16, die Spener zusammen mit seiner Straßburger Abschiedspredigt im Herbst 1666 herausgab[9], und der bereits erwähnten Predigt „Von nothwendiger Vorsehung vor den falschen Propheten"[10], hat er bis zum Erscheinen der Pia Desideria noch drei kleine Predigtbändchen drucken lassen[11]. An ihnen ist das Auffallendste das außergewöhnlich kleine Format, das man bei den Predigtbänden seiner Straßburger Lehrer, die durchweg in Quart gedruckt sind, noch nicht findet. Die Bändchen sind

---

[4] Grünbergs Bibliographie verzeichnet unter *Nr. 317* nur den ersten Teil (fälschlich mit Pars I. II. bezeichnet). Titel des zweiten, bei Grünberg fehlenden Teils: Theatrum nobilitatis Europeae . . . Pars posterior. Widmung an Johann Rebhan vom 26. 8. 1668. Frankfurt (Aegidius Vogel) 1668. 4°. 124 S. + Index.

[5] Die Widmung vom 26. 3. 1673 fehlt bei Grünbergs Angaben *(Nr. 318)*.

[6] Fehlt bei Grünberg. Die Titelauflage hat den vereinfachten Titel „Sylloge Genealogico-Historica", sonst wie *Grünberg Nr. 316 (a)* (LB Stuttgart).

[7] Insignia Serenissimae Familiae Saxonicae. Frankfurt 1668. *Grünberg Nr. 321.*

[8] Historia Insignium Illustrium seu Operis Heraldici Pars Specialis. Frankfurt 1680. – Insignium Theoria seu Operis Heraldici Pars Generalis. Frankfurt 1690. – Beide Werke erschienen zusammen in zweiter Auflage 1717. *Grünberg Nr. 322/323.*

[9] Christliche Abschieds- und Anspruchspredigt. Frankfurt (Johann Gerlin) o. J. (1666). 4°. 45 S. (UB Strasb.) *Grünberg Nr. 81.*

[10] S. oben S. 223, Anm. 137.

[11] Ich sehe dabei ab von zehn Leichpredigtdrucken, die in der Zeit von 1666 bis 1675 in Frankfurt erschienen, aber nicht von Spener herausgegeben sind. Siehe Grünberg III, 229 f. Die in ihnen enthaltenen Spenerschen Leichpredigten sind abgedruckt in: Zwölf christliche Leichpredigten, Frankfurt (Zunner) 1677. *Grünberg Nr. 89.*

1671[12], 1672[13] und 1673[14] erschienen, also in den ersten Jahren des Bestehens des Frankfurter Collegium pietatis, und sind wohl zur Erbauung jener frommen Kreise herausgegeben, die sich von Speners Predigten besonders angesprochen fühlten und als eine Art von Personalgemeinde unter seiner Kanzel sammelten. Vor allem das 1672 erschienene Bändchen „Von der Pharisäer ungültigen und frommer Kinder Gottes wahrer Gerechtigkeit“ ist besonderer Beachtung wert, denn es enthält eine von Spener am 6. Sonntag nach Trin. 1669 gehaltene Predigt über Matth. 5,20, die unter seiner Zuhörerschaft recht geteilte Aufnahme gefunden und die Verdächtigungen gegen seine Orthodoxie wieder neu belebt hatte. Spener hatte in dieser, auf das Thema der ungültigen pharisäischen Gerechtigkeit beschränkten Predigt das äußerliche Gewohnheitschristentum der Frankfurter Kirchgänger scharf angegriffen und mit der ungenügenden, äußeren Gerechtigkeit der Pharisäer, die von Jesus verworfen wird, gleichgesetzt. In Anlehnung an Johann Arndt, der in seiner Evangelienpostille über den gleichen Text ähnliches gesagt hatte[15], forderte Spener seine Zuhörer zu ernsthafter Selbstprüfung darüber auf, ob sie ihr Vertrauen nicht auf ihr äußerliches Bekenntnis zur reinen Lehre, auf den Kirchgang, die Tatsache des Getauftseins, die Teilnahme am Abendmahl und die Enthaltung von groben äußerlichen Sünden und Lastern legten, ohne im Herzen einen wahren, lebendigen Glauben zu haben, der in Liebe zu Gott brennt und täglich die Früchte eines gottseligen Lebens mit sich bringt. Die Brandmarkung des durchschnittlichen Frankfurter Kirchgängerchristentums als eine zur Verdammnis führende pharisäische Gerechtigkeit entfachte unter einem großen Teil der Zuhörerschaft, wie Spener in der Vorrede mitteilt, Entrüstung und Beschuldigungen, daß der evangelische Trost vergessen und papistische Lehre vorgetragen werde. Spener berief sich vierzehn Tage später von der Kanzel herab auf Martin Luther und erklärte, keine andere Lehre getrieben

---

[12] Der Gläubigen aus des himmlischen Vaters Liebe und Christi Verdienst habendes ewiges Leben (4 Predigten über Joh. 3,16 gehalten 1668. 1669. 1670. 1671). Widmung an die Mutter und den Stiefvater. Frankfurt (Zunner) 1671. 12°. 409 S. (LB Stuttg.) — 2. Aufl. Frankfurt (Zunner) 1687. 12°. 407 S. (Nürnberg Landeskirchl. Archiv). *Grünberg Nr. 38.* Die zweite Aufl. nicht bei GRÜNBERG.

[13] Von der Pharisäer ungültigen und frommer Kinder Gottes wahrer Gerechtigkeit (2 Predigten über Matth. 5,20 gehalten 1669. 1670. Eingang einer Predigt über Matth. 7,15 geh. 1669. Predigt über Joh. 1,20 geh. 1668). Widmung an seine drei Schwestern vom 11. 12. 1671. Frankfurt (Zunner) 1672. 24°. 374 S. (LB Stuttg.). *Grünberg Nr. 39.*

[14] Drey Christliche Predigten von Versuchungen (geh. 1670). Widmung an Maria Juliana Bauer von Eyseneck geb. von Hynßberg vom 28. 3. 1673. Frankfurt (Zunner) 1673. 12°. 504 S. (LB Stuttg.) — 2. Aufl. Frankfurt (Friedgen) 1677. 12°. 506 S. (Nürnb. Landesk. Arch.). *Grünberg Nr. 40.* Die zweite Aufl. nicht bei GRÜNBERG.

[15] Vgl. Johann Arndt, Postilla, Lüneburg 1645, Teil III, 160 (dritte Predigt des 6. Sonntag nach Trin.).

zu haben als diejenige, die Luther in seiner Römerbriefvorrede mit der Rede vom Glauben als einem „lebendig, tätig, mächtig, schäfftig Ding" treibe[16]. Spener hat diese Rechtfertigung dem Druck jener Predigt über Matth. 5,20 angehängt, im Vorwort sagt er, daß gute Freunde den Druck gewünscht hätten. Daß er dem gleichen Band eine im Jahr 1668 gehaltene Predigt „Von genauer Vereinigung Christi und eines Christen" beigefügt hat, zeigt, daß man jene Predigt über die ungültige Gerechtigkeit der Pharisäer nicht isolieren und etwa als den Anfang einer neuen, jetzt erst pietistisch zu nennenden Predigtweise ansehen darf. Die Unruhe jedoch, die in der Frankfurter Gemeinde durch jene Predigt über Matth. 5,20 entstand und offensichtlich zu einer Spaltung der öffentlichen Meinung über Spener führte, hat Spener aus späterem Rückblick als den Beginn der pietistischen Bewegung in Frankfurt angesehen[17].

Neben der Veröffentlichung von Predigten ist es die Erbauungsliteratur, um deren Verbreitung sich Spener im ersten Frankfurter Jahrzehnt kümmert. Den Anfang macht die bereits erwähnte Herausgabe der eigenen Übersetzung eines Traktats von Labadie, die 1667 in Frankfurt unter dem Titel „Kurzer Unterricht von andächtiger Betrachtung" erschien[18]. Spener hat dieser Schrift Labadies nicht nur eine kurze Vorrede vorangestellt, in der er die Herausgabe eines Autors „fremder Religion" mit dem Hinweis auf die unterschiedlichen aus dem Englischen übersetzten Erbauungsbücher rechtfertigt, er hat auch als Anhang ein umfängliches eigenes Lehrgedicht „Von der Gewißheit der Seligkeit" abgedruckt, das sicherlich noch aus der Straßburger Zeit stammt. Es enthält einen Abriß der lutherisch-orthodoxen Dogmatik in Versen und sollte wohl nicht nur als ein Beispiel andächtiger Betrachtung, sondern an dieser Stelle zugleich als ein orthodoxes Alibi des nicht genannten, aber doch wohl nicht überall unbekannt bleibenden Übersetzers und Herausgebers dienen.

[16] AaO 144 = EGS I, 142. — Zu Luthers Römerbriefvorrede vgl. unten S. 246 ff.

[17] Warhafftige Erzehlung, 44. Vgl. auch Speners Brief an A. H. Francke vom 9. 7. 1692 (G. KRAMER, Beiträge zur Geschichte August Hermann Franckes, 1861, 231).

[18] Kurtzer Underricht von Andächtiger Betrachtunge / Wie solche Christlich und Gottselig angestellet und geübet werden solle. Verfasset in einem Sendschreiben H. Johann von Labadie, und Auß der Frantzösischen den Teutschen zum besten in unsere Sprache übersetzet. Samt einem Zusatz deß Ubersetzers von Gewißheit der Seeligkeit. Frankfurt (J. Gerlin) 1667. 12°. (28) + 304 S. (LB Stuttgart). *Grünberg Nr. 272.* — Dem Werk ist eine zwölf Seiten lange Vorrede des Verlegers Johann Gerlin vom 26. 1. 1667 vorangestellt, die aber, wie Stil und Gedankenführung nahelegen, von Spener verfaßt sein dürfte, außerdem eine weitere zwölf Seiten zählende undatierte Vorrede Speners, dessen Name jedoch nicht genannt ist (über Spener als Übersetzer des Traktats von Labadie vgl. Cons. 3,14 und Canstein, Vorrede zu L. Bed., 14). — Über das der Spenerschen Übersetzung zugrunde liegende französische Original vgl. oben S. 141, Anm. 83. — Die im Titel als *Zusatz* bezeichnete, wohl umfangreichste geistliche Dichtung Speners umfaßt insgesamt fünfzig Seiten, je Seite sechzehn Alexandriner (aaO 254—304).

Fast ein Jahr nach der Herausgabe des Traktats von Labadie, am 17. Dezember 1667, schrieb Spener die Vorrede zu einer von ihm veranstalteten Ausgabe einiger früher einzeln erschienener, jetzt in einem Band zusammengefaßter Traktate des Andreas Cramer (1582—1640), eines lutherischen Pfarrers aus Mühlhausen in Thüringen[19]. Die Herausgabe der Schriften Cramers hat eine interessante Vorgeschichte, auf die etwas näher eingegangen werden muß.

Bald nach seinem Amtsantritt hatte Spener im Auftrag des Predigerkonvents einen der Theologiestudenten, die sich zahlreich in Frankfurt aufhielten und in Erwartung einer künftigen Stelle mit gelegentlichem Predigen, Unterrichten oder Korrekturlesen ihr Brot verdienten, auf seine Rechtgläubigkeit zu prüfen, die wegen einer Predigt und wegen des Umgangs mit verdächtiger Literatur in Zweifel gezogen worden war[20]. Das inkriminierte Buch war die „Geistliche Schatzkammer" des Danziger Pfarrers Martin Statius, ein im Jahre 1636 aus Traktaten des Salzwedeler Pfarrers Stephan Prätorius (1536—1603) zusammengestelltes Erbauungsbuch. Spener kannte es nicht, empfing aber von dem Studenten einen vorteilhaften Eindruck und lieh sich nach einiger Zeit die Geistliche Schatzkammer von einem Amtskollegen aus, der ihm die verdächtigen Stellen zeigte. Spener konnte daran nichts Anstößiges finden, wurde dagegen von dem Buch aufs äußerste gefesselt und las es „mit großem Vergnügen"[21].

In der Geistlichen Schatzkammer wird die Lehre getrieben, daß die in Christus erworbenen Gnadenschätze uns durch die Taufe schon in diesem Leben ganz zuteil werden, so daß das Heil und die Seligkeit in diesem Leben nicht der Art, sondern nur dem Grade nach von der zukünftigen Seligkeit des ewigen Lebens unterschieden sind[22]. In diese „heilige und treff-

---

[19] Andreas Cramer, Der Gläubigen Kinder Gottes Ehrenstand und Pflicht. Frankfurt 1668. 12°. *Grünberg Nr. 228.* — Eine zweite Auflage mit neuer Vorrede Speners erschien 1688. *Grünberg Nr. 229.*

[20] Vgl. hierüber Speners ausführlichen Bericht Bed. 3,339 ff. (1680). Außerdem Bed. 3,271 (1678, an Dilfeld).

[21] Bed. 3,340. Vgl. Bed. 4,481 f. (1685): Ich bekenne auch / wol inniglich dadurch bewogen zu seyn worden / als ich es das erstemal lase; Worüber sich darzu so vielmehr zu verwundern ist / weil ich es mit eingenommenem gemüthe lase: also daß ich die irrthum darinnen suchen wolte; massen es mir als etwas irriges / oder doch verdächtiges / war angegeben worden. In welcher bewandnüß des gemüthes man sonsten eben nicht so leicht eine gute bewegung fühlet / und ein buch zu lieben beginnt.

[22] Ich benutze folgende Ausgabe: Geistliche Schatz-Kammer der Gläubigen / In welcher die Lehre vom wahren Glauben / Gerechtigkeit / Seligkeit / Majestät / Herrlichkeit / Christlichem Leben / und heilsamen Creutz der Kinder Gottes / ec. Anfänglich von M. Stephano Praetorio, weiland Pastorn zu Saltzwedel / Stückweise an den Tag gegeben . . . Nunmehro mit sonderm Fleiß in richtige Ordnung gebracht von M. Martino Statio, Predigern zu St. Johannis in Dantzig. Lüneburg (Stern) 1733.

liche Lehre", von der er bei Dannhauer nicht mehr als einen Begriff gefaßt hatte[23], will Spener durch diese Lektüre eine sehr viel klarere Einsicht gewonnen haben. Auch sei er durch dieses Buch tiefer in Luther eingewiesen worden, aus dessen Schriften Prätorius seine Lehre vorzüglich schöpfe[24]. Wie stark Spener von der Lektüre der Geistlichen Schatzkammer beeindruckt wurde, ist an den zahlreichen lobenden und empfehlenden Äußerungen abzulesen. Es gibt wenig Bücher, von denen Spener wie von diesem rückhaltlos bekennt, Erhebliches daraus gelernt zu haben[25], wenig Bücher auch, die er so häufig wie dieses anderen zur Aufmunterung und zum Trost in Anfechtungen empfiehlt. Gegen Verdächtigungen hat er es stets in Schutz genommen und seine Lektüre trotz einiger undeutlicher Stellen für jeden einfältigen wie gebildeten evangelischen Christen als unbedenklich erklärt[26].

Die Lektüre des Statius fesselte Spener derart, daß er Lust bekam, sich in dessen Quellen, die Traktate des Stephan Prätorius, zu vertiefen. Sie waren 1622 von Johann Arndt in Lüneburg herausgegeben worden[27]. Spener konnte sich die Lüneburger Ausgabe von 1662 beschaffen[28]. Er hat sie sehr aufmerksam studiert, stieß aber hin und wieder auf Mängel in der Lehre, so daß Prätorius an der Hochachtung, die er zuerst für ihn gefaßt hatte, wieder einiges verlor[29]. Dagegen stellte Spener durch einen sorgfältigen und, da er eine andere Ausgabe als Statius benutzte, für ihn sehr mühevollen Vergleich der Geistlichen Schatzkammer mit dem zugrunde liegenden Original die unbezweifelbare Orthodoxie des Statius fest, der manches Verfängliche und an reformierte Irrtümer Anklingende ausgelassen

---

[23] Bed. 3,339 f.: Ich hatte . . . die lehr selbst, wie uns die seligkeit in Christo geschencket sey, dem grund nach gefasset, wie der sel. Hr. D. Dannhauer, als mein Praeceptor, solche getrieben . . . Jedoch gestehe ich gern, daß ich damalen, als dem Lutheri schrifften auch noch fremd waren, so viel absonderliche erkäntniß davon nicht gehabt.

[24] Bed. 3,340: Also daß ich nicht leugne, solche heilige und treffliche lehre . . . daraus so viel klärer eingesehen zu haben, so mich niemal reuen wird; Ich bin auch damit in Lutheri schrifften weiter eingewiesen worden, die ich mir folgendes soviel emsiger zu lesen habe angelegen seyn lassen.

[25] Bed. 2,723 (1674): dann ich kaum jemal gelernet / die gnade GOttes höher zu achten / und die tauffe herrlicher zu preisen / als eben aus solchem lieben und einfältigen büchlein.

[26] Bed. 1 I,163. 332; 2,643. 723. 745; 3,101. 134. 272. 304. 340. 423. 447. 714; 4,108. 137. 482. 516. 672; Cons. 1,38; 3,17. 86. 521. 582. 654.

[27] Vorh. Stadtbibliothek Lüneburg. Vgl. RITSCHL II,12, Anm. 3.

[28] Cons. 1,38. Die gleiche Ausgabe Lüneburg 1662 bei H. BECK, Erbauungsliteratur, 223, Anm. 2.

[29] Der Hauptirrtum des Prätorius liegt nach Spener in der der reformierten Prädestinationslehre zuneigenden Annahme, „bey den auserwehlten seye der glaube der massen ein ewiger glaube, daß er nimmermehr vergehen, oder durch einige sünden verlohren werden könte" (Bed. 4,109). — Dagegen hat A. RITSCHL Prätorius als „Vertreter des correctesten Lutherthums" (II,12) und als einen „musterhaften Lutheraner" (II,16) gewürdigt.

hatte. Statius stieg dadurch nur noch mehr in seiner Wertschätzung, und er hat daraufhin dessen Schatzkammer für „viel besser als Prätorius eigene schrifften“ angesehen[30]. Als ihm noch im gleichen Jahr 1667 einige Traktate des Andreas Cramer in die Hand kamen, in denen er die gleichen von der Taufgnade ausgehenden Lehren wie bei Prätorius, aber ohne dessen Irrtümer fand, da entschloß er sich zu einer Neuausgabe dieses unverdächtigen Autors. Fünf Traktate Cramers stellte er zu einem Band zusammen, dem er den Titel „Der Gläubigen Kinder Gottes Ehrenstand und Pflicht“ gab und der im Frühjahr 1668 in Frankfurt erschien[31]. In der Vorrede legte Spener dar, „wie alle wahre frömmigkeit aus dem Evangelio herkommen müste“, nicht aber aus dem Gesetz[32]. Wenn Spener hier scharf den evangelischen Ansatz des Frömmigkeitsstrebens betont und von jeder gesetzlichen Nötigung abhebt, so bringt er eine Erkenntnis zum Ausdruck, die ihm wohl erst jetzt völlig klarzuwerden begann und für die er sich in der Folgezeit auf Luther berufen sollte. Die den tertius usus legis treibende Orthodoxie Dannhauers und die puritanischen Erbauungsbücher hatten sie ihm nicht vermitteln können.

Noch eine weitere, für den Spenerschen Pietismus wesentliche Lehre hat Spener in den frühen Frankfurter Jahren literarisch zu verbreiten gesucht. Es ist die Lehre vom *allgemeinen Priestertum*. Ungefähr im Jahre 1670 – also zur Zeit der Entstehung des Collegium pietatis und möglicherweise durch Mitglieder desselben vermittelt – lernte Spener die Schriften des märkischen Pfarrers Joachim Betke (1601–1663) kennen, die von dessen Freund Christian Hoburg in Amsterdam herausgegeben wurden[33]. In Betkes „Mensio Christianismi“, die Spener zuerst in die Hände kam und ihn außerordentlich ansprach[34], fand er den Hinweis auf den Verfall des allgemeinen Priestertums als einer Ursache für das Verderben der Kirche. Als er folgends auch die anderen Schriften Betkes las, stieß er in dessen Traktat „Sacerdotium“ auf eine monographische Behandlung dieser wichtigen, in der Zeit nach Luther gar zu sehr in Vergessenheit geratenen Lehre[35]. Nun kann Spener nicht erst durch Betke mit der Lehre vom allgemeinen Priestertum bekannt geworden sein. Bereits in einer Straßburger Predigt Spe-

---

[30] Bed. 4,110 (1684).

[31] S. oben Anm. 19. Spener nennt Cramer fast immer im Zusammenhang mit Statius-Prätorius. Vgl. die aus Bed. 1–3 genannten Stellen oben Anm. 26.

[32] Vgl. dazu Bed. 3,341.

[33] Über Betke s. die Arbeit von M. Bornemann (Lit.-Verz.).

[34] Cons. 3,685 (23. 5. 1689): pene viginti anni sunt, quod cum primum ipsius legissem mensionem Christianismi, viri memoriam prae multis aliis longe celebrioribus Doctoribus colere coepi. Vgl. Bed. 2,277. – Betkes Mensio Christianismi et Ministerii Germaniae erschien Amsterdam 1636.

[35] Sacerdotium h. e. Neutestamentliches Königliches Priesterthumb . . . unserm fast priesterlosen Christenthumb zum Unterricht und Nutzen aufgesetzt, Amsterdam 1640.

ners vom Januar 1664 handelt das Exordium vom „Geistlichen Priestertum“[36]. Johann Schmidt und Dannhauer rekurrieren bei ihren Ermahnungen zur wechselseitigen Erbauung der Christen auf diese Lehre zwar nicht, doch muß Spener durch Großgebauers „Wächterstimme“ auf die Notwendigkeit des königlichen oder geistlichen Priestertums hingewiesen worden sein[37]. Aber erst im Zusammenhang des Collegium pietatis und erst nach der Lektüre Betkes wird ihm diese Lehre so wichtig, daß er es für angebracht hält, auch literarisch für ihre Verbreitung zu sorgen. Bezeichnenderweise wählt er dafür keine eigene Abhandlung — eine solche folgt erst 1677 im „Geistlichen Priestertum“ —, sondern er besorgt wiederum die Neuauflage eines bereits erschienenen Werkes. Der spiritualistisch beeinflußte Jakob Böhmefreund Betke eignete sich dazu freilich nicht, zumal Spener seine Lehre vom Priestertum zu radikal und das ordentliche Predigtamt beeinträchtigend fand. Wie es Spener auch diesmal fertigbringt, eine in einem verdächtigen Buch aufgefundene Lehre kurz darauf in einem unverdächtigen Buch wiederzufinden, bleibt sein Geheimnis. Jedenfalls stieß Spener kurz nach dem Bekanntwerden mit den Schriften Betkes auf die drei Predigten über das königliche Priestertum, die der Quedlinburger Pfarrer Johann Vielitz, ein Mann, der Spener sonst unbekannt war, im Jahre 1640 herausgegeben hatte[38]. Dieses Buch, welches ihm gegenüber Betke „vorsichtiger zu gehen geschienen“, ließ Spener im Frühjahr 1671 in Frankfurt nachdrucken[39]. In den Pia Desideria, wo die Aufrichtung und fleißige Übung des geistlichen Priestertums den zweiten Reformvorschlag bildet, werden dafür allein die Predigten von Vielitz empfohlen[40].

Im Frühjahr 1671 wurde von Spener die Neuauflage eines weiteren Werkes betrieben, wozu ihn allerdings mehr der Wunsch des Autors als eine eigene Absicht bewegte[41]. Es handelt sich um die „Hellklingende Zuchtpo-

---

[36] Epist. Sonntagsand. I,106 f.

[37] Wächterstimme, Kap. VII: Von dem Königlichen Priesterthum (aaO 145 bis 152). Es handelt sich allerdings um das bei weitem kürzeste Kapitel der ganzen Wächterstimme.

[38] S. Speners Bericht hierüber Cons. 3,44. Vgl. Bed. 2,279 (1683): . . . so kommt mir auch vor / ob erinnerte ich mich / daß er (sc. Betke) ebenfalls in solchem tractate (sc. Mensio Christianismi) / so dann in einem andern / welcher austrücklich von dem Geistlichen Priesterthum geschrieben / dieses fast weiter als sichs geziehmen wolte extendirte / daher ich hingegen / als mir eben damal solches in die hände auch fiele / Herren Vilitzen Geistliches Priesterthum lieber habe hier aufflegen lassen / und also bey uns bekant machen wollen / welches mir vorsichtiger zu gehen geschienen. — Nachweis für das Regale Sacerdotium von Vielitz bei Aland, PD 60,17 Anm.

[39] Cons. 3,37. 44. — Vgl. *Grünberg Nr. 273.* Alands Angabe (PD 60,17 Anm.), daß Spener diese Schrift „1677 gleichzeitig mit seiner eigenen Schrift über das geistliche Priestertum herausgab“, ist ein Irrtum, der einem Mißverstehen von Bed. 2,279 entsprungen sein dürfte.

[40] PD 60,17.

[41] Spener an Spizel, 5. 5. 1671 (2° Cod. Aug. 409 bl. 522 v): Prodiit etiam sed

saune“ des Rostocker Pfarrers Joachim Schröder (1613–1677), eines der schreibfertigsten lutherischen Reformschriftsteller der Jahrhundertmitte[42]. Seine „Zuchtposaune“ war erstmals 1667 im Druck erschienen[43], geschmückt mit einer ganzen Reihe von Gutachten einzelner Theologen und Fakultäten, denen er schon lange Jahre zuvor sein Manuskript zur Begutachtung übersandt hatte. Darunter befindet sich auch das Gutachten der Straßburger Theologischen Fakultät vom 26. 8. 1653. Schröders Werk besteht zu einem erheblichen Teil aus Zitaten Arnold Mengerings, Johann Sauberts, Johann Quistorps d. Ä. und anderer Reformtheologen und zeichnet sich weniger durch gedankliche Originalität als durch Derbheit der Sprache und ein ermüdendes Aufzählen aller möglichen Mängel des evangelischen Kirchenwesens samt Vorschlägen zu deren Abstellung aus. Eine Art Summa der Reformideen der Orthodoxie. Besserung erwartet Schröder vor allem von einer durchgreifenden Erneuerung der Zivil- und Kirchenzucht, von strenger Sonntagsheiligung, Unterdrückung der Juden und gewaltsamem Vorgehen gegen christliche Sektierer. Dem Frankfurter Predigerministerium hatte Schröder ein Druckexemplar zugeschickt, ermutigt durch deren Zuspruch bat er um neuerliche Drucklegung in Frankfurt. Es ist ein singulärer Fall, daß wir zu einem Werk des orthodoxen Reformschrifttums ein Gutachten der Straßburger Fakultät aus Speners Studienzeit und zugleich eine Vorrede des Frankfurter Seniors Spener besitzen. Beide sind in der Frankfurter Ausgabe von 1671 abgedruckt[44]. Das Feld der Übereinstimmung wird hier ebenso deutlich sichtbar wie die Bahn, die Spener von seinen orthodoxen Lehrern wegführen sollte. Die Übereinstimmung liegt in der Klage über den Verfall des Christentums und dem Ruf nach Reform und Besserung. Während aber das Straßburger Gutachten von einer allgemeinen Reformation aller Stände redet, die mit guten heilsamen Gesetzen befördert werden möge, fällt in Speners Vorrede von der auctoritate publica angeordneten allgemeinen Besserung kein Wort. Er redet nur von Krankheiten und Gebrechen der Kirche als eines Leibes, der überall einerlei Natur hat, so daß jeder Gemeindepfarrer über die seiner Sorge anvertraute Einzelgemeinde auch das Wohl und den Nutzen der Gesamtkirche suchen

---

finitis jam nundinis, atque adeo serius quam ut mittere potuissem, Pientissimi M. Schroederi Rostockiensis, Tuba disciplinae, Zuchtposaune quam ante aliquot annos jam impressam, sed nova exegesi auctam, cum praefatione nostri collegii iterum hic excudi voluit.

[42] Über ihn RGG³ V, 1546; Leube, 77 ff. [43] Leube, 78.

[44] Hellklingende Zucht-Posaune, Das ist / Bewegliche Erinnerung an die Evangelische H. Geistliche und Weltliche Kirchen und Land-Vätter / daß sie . . . vermittelst Der Kirchen und Civil-Zucht vor allem die in der ersten Tafel verbottene Sünden-Greuel . . . auß dem Weg räumen. Frankfurt (G. Schiele) 1671. 12°. 408 S. (Stadtbibl. Memmingen). – Auf bl. bX–cIV die zwölf Seiten lange Vorrede des Seniors und der lutherischen Prediger Frankfurts vom 29. 3. 1671. Nicht bei Grünberg und auch sonst in der Spenerforschung bisher nicht bekannt.

darf, und zwar nicht nur in Gebet und Fürbitte, sondern auch in der Veröffentlichung von Ratschlägen. Das sind Gedanken, die in seinen Pia Desideria (PD 3, 27 ff.) wiederkehren.

Spener hat sich mit dieser Vorrede, die am Mittwoch, dem 29. März 1671, also einem Konventstag, vom Senior und der gesamten Predigerschaft verabschiedet wurde, gewissermaßen im voraus das Plazet des Kollegiums für ein ähnliches Vorgehen seinerseits geben lassen. Denn schon vier Jahre vor den Pia Desideria hatte sich das Predigerministerium insgesamt öffentlich für die Diskussion über die Kirchenreform ausgesprochen. Daß Spener mit manchen Forderungen Schröders nicht übereinstimmte — zum Beispiel der wohl von Mengering entlehnten Unterdrückung der Juden —, mochte demgegenüber zurücktreten. Spener hat Schröder schwerlich für einen Mann seiner Art gehalten. Er hat ihn in seiner Postillenvorrede keiner Erwähnung für wert gehalten, hat die Vorrede zur „Zuchtposaune" auch nicht in die Sammlung seiner Vorreden aufnehmen lassen. Schröder war ihm gerade gut genug, um im Sommer 1675 mit der Herstellung eines Registers zur Arndtschen Postille betraut zu werden[45].

Die Herausgebertätigkeit Speners in den Jahren vor den Pia Desideria wird abgerundet durch die 1674 von ihm veranstaltete Neuausgabe des „Wahren Christentums" von Johann Arndt[46]. Die Spenersche Ausgabe, von der trotz guter Bezeugung[47] bisher noch nirgendwo ein Exemplar hat nachgewiesen werden können, ist nur eine in der unzähligen Reihe von Auflagen, die dieses meistgelesene evangelische Erbauungsbuch durch das ganze 17. Jahrhundert an den verschiedensten Orten erlebt hat. Sie zeichnet sich aber dadurch aus, daß sie Anmerkungen enthält, durch welche die von Lukas Osiander in Zweifel gezogene Orthodoxie Arndts verteidigt und ein rechtgläubiger Sinn aller diskriminierten Sätze nachgewiesen werden soll. Diese Anmerkungen sind zum einen Teil Exzerpte, die Spener selbst aus Heinrich Varenius' „Rettung der vier Bücher vom wahren Christentum" gesammelt hat. Zum andern Teil sind sie Material, das er von seinem Frankfurter Kollegen Johann Grambs erhalten hat, dem Schwiegersohn des Straßburger, später Rostocker Professors Johann Georg Dorsche. Sie waren in Dorsches Exemplar des Wahren Christentums von dessen Hand eingetragen gewesen. Spener, der die Anmerkungen aus dem Lateinischen über-

---

[45] Vgl. Joachim Schröders Vorrede vom 10. 8. 1675 zu: Geistlicher Schlüssel Deß Geistlichen Evangelischen Schatz-Kastens S. Hn. Johannis Arndij / Das ist: Drey vollständige Register über dessen Geistreiche Postillen der Evangelien. Frankfurt (Zunner) 1675. 12°. 168 S. — Es handelt sich hierbei um einen gleichzeitig mit dem zweiten Teil der Arndtschen Postille zur Herbstmesse 1675 erschienenen Separatdruck der Register. Schröder gibt an (aaO 6), den Auftrag zur Anfertigung der Register von Spener bekommen zu haben.

[46] Grünberg III,253, *Nr. 274.*

[47] Bed. 3,186; Cons. 3,132. 371; Warhafftige Erzehlung (s. oben S. 120, Anm. 138) 21.

setzt hat, vermutet, daß sie Dorsches eigene Arbeit sind, gibt aber zu, keine Sicherheit darüber zu haben. In späteren Jahren registriert er mit Genugtuung, daß diese Anmerkungen in die meisten anderen Ausgaben des Wahren Christentums übernommen worden sind[48].

Wir sind der literarischen Beschäftigung Speners in den Frankfurter Jahren vor Erscheinen der Pia Desideria nachgegangen im Verfolgen der Spuren, die seine aus dieser Zeit stammenden eigenen oder von ihm herausgegebenen Schriften hinterlassen haben[49]. Auf die wichtigste und folgenreichste Beschäftigung Speners in dieser Zeit sind wir dabei noch nicht gestoßen. Es ist die Beschäftigung mit den Werken Martin Luthers.

Daß Spener in seiner Straßburger Studien- und Freipredigerzeit zum Studium der Werke des Reformators nicht geführt wurde, ist bereits gezeigt worden. Als er nach Frankfurt kam, waren ihm Luthers Schriften praktisch unbekannt. Neun Jahre später jedoch, als die Pia Desideria erscheinen, ist die Lage völlig verändert. Spener weist sich als ein glänzender Kenner der Schriften Luthers aus, die er alle gelesen hat und an deren Kraft und Geistesgewalt gemessen er das theologische Schrifttum seiner Zeit als ein allermeist kraft- und geistloses Gerede aburteilt. In den Pia Desideria ist Luther der bei weitem am meisten genannte und zitierte Autor, mehr als dreimal so häufig genannt wie Johann Arndt; nur die Bibelzitate kommen der Berufung auf Luther zahlenmäßig und an Gewicht noch zuvor. Luther wird fortan von Spener als sein vorzüglichster Lehrer genannt, dem er keinen an

---

[48] Wahrhafftige Erzehlung, 21.

[49] Ich nenne der Vollständigkeit halber noch die übrigen, vor dem Erscheinen der Pia Desideria von Spener mit einem eigenen Vorwort herausgegebenen Werke.

1. Narcissus Rauner, Davidischer Jesuspsalter, Augsburg 1670. Speners Vorrede vom 13. 8. 1670 (= EGS II,36–43). *Grünberg Nr. 230* (vorh. Stadtbibl. Memmingen).

2. Johann Philipp Degenhard, Königliche Harfe Davids, Frankfurt 1672. Speners Vorrede vom 9. 9. 1672 (= EGS II,18–25). *Grünberg Nr. 231* (nicht auffindbar).

3. Christliches Lehr-, Beicht- und Betbüchlein für gottselige Kommunikanten, Frankfurt?, Speners Vorrede undatiert (= EGS II,25–36). *Grünberg Nr. 236* (Originalausgabe nicht auffindbar). — GRÜNBERG nennt als früheste Ausgabe diejenige von 1680. Speners Vorrede muß aber vor den Pia Desideria geschrieben sein, denn sie redet davon, daß die Mittel zur Besserung des Christentums sich in die Enge einer Praefation nicht fassen lassen (EGS II,29). Auch die Plazierung neben den frühen Vorreden weit vor den Pia Desideria im Wiederabdruck der EGS spricht für ein früheres Erscheinen. Außerdem redet Spener schon am 9. 9. 1667 von einem unter seiner Inspektion gedruckten Büchlein für Kommunikanten (L. Bed. 2,365). — Nachträglich kann ich durch die Einsicht in die Abschrift der Cansteinschen Spenerbiographie noch hinzufügen, daß Canstein diese Vorrede in das Jahr 1672 datiert hat (AFSt D 69, 267; leider hat SCHICKETANZ bei seinem Vergleich der Cansteinschen Spenerbiographie mit Grünbergs Spenerbibliographie diese Differenz — die einzig erhebliche — übersehen [Cansteins Beziehungen zu Spener, 174]).

die Seite zu stellen wisse und dem nur Johann Arndt nahekomme. Wie erklärt sich dieser Wechsel? Was hat Spener dazu gebracht, als mit Amtsgeschäften wie wissenschaftlichen Vorhaben reichlich versehener Frankfurter Senior sich noch einem intensiven Lutherstudium hinzugeben?

Der kurpfälzische Rat Johann Heigel in Heidelberg, ein Mann, von dem Kirchen- und Profangeschichte sonst keine Notiz zu nehmen haben, kann den Ruhm für sich beanspruchen, zu jenem für Speners eigene Bildung wie für die Gestalt des von ihm beeinflußten Pietismus höchst bedeutsamen Lutherstudium den Anstoß gegeben zu haben. Allein Heigel ist es zuzuschreiben, daß Spener, kaum drei Jahre in Frankfurt, seine mit den Veröffentlichungen des Jahres 1668 angekündigten historischen Arbeiten für Jahre liegen läßt, um sich mit Luther zu beschäftigen. Merkwürdigerweise sind diese für die Entstehung des Pietismus in hohem Grade wichtigen Dinge praktisch unbekannt[50]. Sie verdienen es, näher dargestellt zu werden[51].

Über den aus der Oberpfalz stammenden Johann Heigel ist nicht viel mehr zu ermitteln, als daß er in Frankfurt während des Krieges dem schwedischen Kanzler Oxenstierna, darauf dem Grafen Georg Friedrich von Waldeck gedient hatte, ehe er als Rat in die Dienste des Kurfürsten von der Pfalz trat[52]. Als Spener ihn in Frankfurt kennenlernt, ist er bereits betagt, aus seiner Ehe mit einigem Vermögen versehen, aber kinderlos. Heigel scheint nun sein Vermögen hauptsächlich für einen Zweck bestimmt zu haben, der ihm geradezu als Lebensaufgabe vorgeschwebt haben muß. Er hatte sich in den Sinn gesetzt, die Kenntnis Luthers im Nachkriegsdeutschland zu befördern. Spener selbst urteilt von Heigel, daß er ein großer Lutherverehrer und, obwohl theologisch nicht gebildet, ein großer Lutherkenner sei[53]. Zur Erreichung seiner Ziele brauchte er freilich Theologen. Er fand sie zuerst am Ort des ständigen Reichstages in Regensburg. Der dortige lutherische

---

[50] Grünberg hat innerhalb seines dreibändigen Werkes ganze sieben Zeilen Platz für die Mitteilung, daß sich Spener seit 1669 zehn Jahre lang mit Luther beschäftigte (aaO I,170). Es ist also kein Wunder, daß die vollständig von Grünberg abhängige Literatur von diesen Dingen nichts meldet, zumal Grünberg über das nichtssagende Urteil nicht hinauskommt, die Beschäftigung mit Luther habe „nicht unwesentlich dazu beigetragen, den Blick Speners zu erweitern und die Haltung seiner Theologie zu bestimmen" (ebd.).

[51] Spener redet in einer Vielzahl von Briefen und Bedenken der Jahre nach 1669 von der Lutherarbeit, Die wichtigsten Stellen sind: Cons. 3,21 f. (29. 10. 1669; nach der Beschreibung der inzwischen verschollenen Briefe Speners an Elias Veiel ist dieser Brief an Veiel gerichtet, vgl. UB Tüb. Mc. 344, p. 18); Cons. 3,117 f. (18. 4. 1676); L. Bed. 3,284–286 (1690). 629–632 (1697). 632–634 (o. D.). Die Belege für die folgende Darstellung finden sich, soweit nicht anders angegeben, in diesen fünf Zeugnissen.

[52] Cons. 3,117.

[53] Cons. 3,117: Studiis imbutus non est, sed Megalandri nostri Lutheri, si quisquam in tota Ecclesia, studiosissimus, atque in ejus operibus non mediocriter versatus.

Theologe Erasmus Gruber verfaßte in seinem Auftrag eine „Theologia Lutheri“, die Heigel 1657 drucken ließ[54]. Denselben Erasmus Gruber und mit ihm sechs andere Theologen konnte er für den Plan der Herausgabe einer auf acht Bände veranschlagten Lutherausgabe gewinnen, über die Heigel 1659 in Frankfurt mit Genehmigung des Predigerministeriums einen Vertrag mit den Buchhändlern Ammon und Gerlin abschloß[55]. Die einzelnen Bände sollten umfangreiche Auszüge aus den acht deutschen Bänden der Jenaer Lutherausgabe bringen und erschienen auch 1665 in Frankfurt unter dem Titel „Lutherus redivivus“. Wegen des gleichzeitigen Erscheinens der Altenburger Lutherausgabe des Christfried Sagittarius fanden sie jedoch keine Käufer und blieben größtenteils als Makulatur liegen[56]. Obwohl finanziell dadurch erheblich geschädigt, verfolgte Heigel seine Ziele weiter. Eine Äußerung des Generalsuperintendenten Michael Walther in Celle, es sollte aus den Schriften Luthers einmal ein Kommentarwerk über die ganze Heilige Schrift zusammengestellt werden, fiel bei ihm auf fruchtbaren Boden. Es gelang ihm, den Frankfurter Prediger Bernhard Waldtschmid für die Ausarbeitung eines solchen Bibelkommentars zu gewinnen. Waldtschmid kam aber nicht zur Ausarbeitung des Werks. Er starb im Herbst 1665[57], ein knappes Jahr vor Speners Kommen. Nun suchte Heigel, dem daran lag, das Werk in der Bücherstadt Frankfurt selbst redigieren zu lassen, einen Ersatzmann für Waldtschmid. Wann er das erste Mal an Spener herangetreten ist, wissen wir nicht. Jedenfalls ist Spener lange Zeit ausgewichen, weil er wegen seiner Gesundheit und seiner anderweitigen wissenschaftlichen Pläne sich diese Arbeit nicht meinte aufhalsen zu können[58]. Schließlich sagte er im Jahre 1669 doch zu. Zuvor hatte er sich der Mitarbeit zweier jüngerer, erst während seines Seniorats berufener Frankfurter Amtsbrüder, Johann Emmel und Johann von den Poppelieren, versichert.

Spener hat diese Arbeit widerstrebend, aber keineswegs widerwillig übernommen. Durch die Lektüre der Geistlichen Schatzkammer des Statius war er bereits über die dürftigen Kenntnisse seiner Straßburger Zeit hinaus „weiter in Luther eingewiesen“ worden. In einem Brief vom 29. Oktober 1669, gerichtet an den ebenfalls mit Luther sich beschäftigenden Studienfreund Elias Veiel in Ulm, schreibt Spener, daß es nichts gebe, was er lieber lesen wollte als Luther[59]. Der Brief enthält zugleich die ersten Nachrichten

---

[54] Über Gruber (1609–1684) s. Zedler und Jöcher, wo dies von Spener Cons. 3,117 genannte Werk unter den Schriften Grubers aufgeführt ist.

[55] S. darüber A. Dietz, Frankfurter Handelsgeschichte III,135 f. Danach bekam Heigel Finanzhilfe von dem Frankfurter Handelsmann Johannes Ochs. Das Werk sollte in einer Auflage von 700 Exemplaren erscheinen.

[56] Cons. 3,117; L. Bed. 3,284.

[57] Vgl. Grabau, 617.

[58] Cons. 3,21 f. (vgl. oben Anm. 51): diu enim tergiversabar, non quod quicquam quam Lutherana lubentius legam, sed meae mihi tenuitatis & variorum negotiorum distrahentium conscius alium, qui magis idoneus publicae expectationi satisfaceret, quaeri optabam.

[59] Ebd. (vgl. oben Anm. 51).

über den Plan der Arbeit. Alles, was in den deutschen und den lateinischen Schriften Luthers zur Erklärung und Auslegung einzelner Schriftstellen anzutreffen sei, werde von ihnen ausgeschrieben und nach der biblischen Ordnung zusammengestellt. Zusammenhängende Auslegungen ganzer biblischer Bücher fasse man kompendienhaft zusammen. Bis auf wenige im Druck kenntlich gemachte Verbindungssätze sollten nur Äußerungen Luthers gebracht werden, deren Fundstellen am Rande angemerkt würden. Der Registerband der Altenburger Ausgabe leiste ihnen gute Dienste, obwohl er sie von der Lektüre der einzelnen Bände nicht befreie. So beschreibt Spener am Anfang die Arbeit und meint, sie in einem Jahr oder wenig darüber beenden zu können. Aber nach über drei Jahren kann er an Elias Veiel noch immer nicht das Ende des Unternehmens melden[60], und wiederum drei Jahre später, als die Pia Desideria erscheinen, ist es auch noch nicht vollendet[61]. Die Arbeit erwies sich als sehr viel umfangreicher, als Spener und seine beiden Mitarbeiter es anfangs hatten absehen können. Im Einverständnis mit Heigel erweiterte Spener – offensichtlich schon im ersten Jahr – den Mitarbeiterkreis, wobei man eine strenge Arbeitsteilung vornahm[62]. In das Alte Testament teilten sich Johann von den Poppelieren und Johann Emmel mit dem Frankfurter Prediger Christian Klauer, dem Inspektor Christoph Huth aus Friedberg in der Wetterau, dem Hofprediger Johann Ulrich Wild in Darmstadt, Speners Schwager, und dem Prorektor Francke in Frankfurt. Im Neuen Testament gewann Spener für die Evangelien die Mitarbeit von Christfried Sagittarius in Altenburg. Er selbst behielt sich, was bei seiner Vorliebe für epistolische Texte nicht wundernimmt, den Briefteil des Neuen Testamentes einschließlich der Apokalypse vor. Außerdem hatte Spener aber die Haus- und Kirchenpostille und die vier lateinischen Bände der Jenaer Ausgabe auf die gesamte Bibel hin zu bearbeiten, die lateinischen Texte auch selbst ins Deutsche zu übersetzen. So fiel ihm außer der Direktion die bei weitem größte Arbeitslast zu, weshalb ihm vertraglich auch ein höheres Entgelt zugesichert war. Schließlich hatte Spener noch die Revision des ganzen Werkes vorzunehmen[63].

Die Arbeit an dem Lutherkommentarwerk hat Spener von 1669 an mehr als jede andere Arbeit neben den unmittelbaren Amtspflichten beansprucht. Mehrmals erzählt er später, daß er nichts von Luthers Schriften übergehen durfte, sondern seiner Aufgabe nach den gesamten Luther durcharbeiten mußte[64]. Dabei nahm, nachdem er seine spezielle Aufgabe wohl schon 1672

---

[60] UB Tüb. Mc. 344, p. 22 (25. 11. 1672): Nostrum quod ex Luthero molimur opus explicationi Scripturae inserviens divina gratia fere ad umbilicum perductus est . . . [61] S. unten bei Anm. 65. [62] Zum folgenden vgl. besonders L. Bed. 3,633.

[63] Hierbei half ihm (nach L. Bed. 3,633) später der 1673 nach Frankfurt berufene Prediger Johann Balthasar Ritter (V.), der Sohn des bis 1680 amtierenden Johann Balthasar Ritter (IV.).

[64] Vorrede zu dem Luthero redivivo, 1697: Indessen erforderte dieses (sc. die

erfüllt hatte, die Revision des Gesamtwerkes noch mehr Zeit in Anspruch. Wenigstens zeugen gerade die Briefe zwischen 1672 und 1675 von stärkster Inanspruchnahme durch das Lutherwerk. Alle anderen wissenschaftlichen Arbeiten treten in dieser Zeit völlig zurück. Daß von Speners heraldischen Arbeiten nach dem Spezimen von 1668 vorerst nichts mehr erscheint, hat allein im Lutherstudium seinen Grund. In dem ältesten erhaltenen Begleitbrief zu einem Exemplar der Arndtschen Postillenvorrede, einem am 5. April 1675 an Ahasver Fritsch gerichteten Brief, schreibt Spener, seine heraldischen Studien müßten so lange ruhen, bis das Lutherwerk vollendet sei[65].

Anfang 1676 war man mit der Arbeit fertig. Der Frankfurter Bibliopole Balthasar Wust, der den Verlag übernommen hatte, druckte im Sommer 1676 Probebogen, die Spener zur Begutachtung an Bekannte verschickte. Den Umfang des Gesamtwerkes schätzte Wust auf zwei große Folianten von insgesamt 1000 großen Bogen[66]. Der Druck verzögerte sich jedoch, da die Kosten sich erheblich höher gestalteten, als der Verleger veranschlagt hatte. Heigels Mittel reichten nicht aus, doch suchte er Geld zu beschaffen, was ihm dank seiner weitreichenden Beziehungen auch wohl gelungen wäre. Da zerstörte der plötzliche Tod Heigels im Frühjahr 1677 alle Hoffnung auf schnelle Kapitalbeschaffung. Die vergeblichen Versuche Speners, den Druck doch noch zu bewerkstelligen, ziehen sich über viele Jahre und noch bis in seine Berliner Zeit hin. Sie interessieren hier nicht mehr[67]. Der Druck des Werkes, von dem sich Spener einen beträchtlichen Nutzen für Theologie und Kirche erhoffte, ist nie zustande gekommen. Spener hat einen Teil der Manuskripte nach Dresden und Berlin mitgenommen, ein anderer Teil blieb in Frankfurt zurück. Seine pietistischen Freunde in der Berliner Zeit scheinen wenig von dem Ausmaß dieses Vorhabens gewußt zu haben. Überrascht meldet der Freiherr von Canstein Jahre nach Speners Tod an August Hermann Francke in Halle, er habe im Nachlaß Speners „einen schatz gefunden, nemblich einen Commentarium von den actis apostolorum an biß zu Ende des N. T. aus den Schriften des Seel. Lutheri, von ihm gezogen“[68].

Arbeit an dem Lutherkommentar) / daß nichts von des mannes schrifften wäre / welches nicht hätte durchgehen / und daran nicht geringen fleiß anwenden müssen (EGS II,365). Vgl. Bed. 3,510; Cons. 3,439 b.

[65] AaO Nr. 4 (s. oben S. 202, Anm. 34): Heraldica mea donec quod ex Megalandro Luthero concinnatum opus ad finem perductum sit quiescunt . . .

[66] Cons. 2,83. 143. Bed. 3,711. – E. W. Zeeden (aaO [s. unten Anm. 69] II,187) hat aus Bed. 3,711 versehentlich „ein werck auf 100. bogen“ statt „ein werck auf 1000. bogen“ ausgeschrieben. Kurioserweise wird dann dieses gewaltige Werk bei ihm ein „Lutherbrevier“!

[67] Über die unerfreulichen, zum Teil gerichtlichen Auseinandersetzungen mit den Erben Heigels s. L. Bed. 3,284 ff.

[68] Canstein an A. H. Francke 24. 5. 1718. Canstein fügt hinzu: „daß Er dergleichen über die propheten verfertiget war mir wohl bekannt, aber nicht über das N. T. . . .“ Zit. nach Schicketanz, 120.

Die Frage „Spener und Luther" ist eine zu komplexe Frage, als daß wir sie im Zusammenhang dieser Arbeit umfassend angehen könnten. Die Forschung hat bisher nur nach dem „Lutherbild" Speners gefragt und festgestellt, daß es sich von dem der Orthodoxie noch kaum unterscheidet[69], oder hat versucht, die Theologie beider nach systematischen Gesichtspunkten zu vergleichen[70]. Die eigentlich *historische* Frage, die suchen muß, den *Einfluß* Luthers auf Spener zu ermitteln, ist noch gar nicht gestellt worden. Die Feststellung, daß sich Spener häufig auf Luther beruft[71], sagt ja noch gar nichts darüber aus, ob und in welchem Maße er von ihm abhängig oder beeinflußt ist. Wir haben die Frage Spener und Luther anzugehen gesucht, indem wir nach der Beschäftigung Speners mit Luther fragten. Von daher lassen sich nun nach dem bisher Dargestellten folgende Feststellungen treffen. Zunächst einmal hat sich die in der neueren Forschung festgesetzte Meinung, Spener sei bereits in seiner Straßburger Zeit unter dem Einfluß Dannhauers zu einem intensiven Lutherstudium geführt worden, als irrig herausgestellt[72]. Spener ist tatsächlich erst als Frankfurter Senior, genauer seit dem Sommer oder Herbst 1669 zum Lutherstudium gekommen. In der Biographie Speners fällt also der Beginn des öffentlichen pietistischen Wirkens (Collegium pietatis, Pia Desideria) mit einer intensiven Beschäftigung mit den Schriften Luthers zeitlich genau zusammen. Es gibt kein anderes Schrifttum, dem sich Spener in den Anfangsjahren der pietistischen Bewegung auch nur annähernd so intensiv zugewendet hat. Das schließt die Frage nach anderen Einflüssen nicht aus. Aber wenn man schon nach den literarischen Einflüssen fragt, denen Spener in den ersten Jahren des Frankfurter Pietismus ausgesetzt war, so muß man die Schriften Luthers an erster Stelle nennen.

Zweitens macht nun aber die Art des Spenerschen Lutherstudiums die Feststellung sehr schwierig, welche Werke Luthers auf Spener besonders gewirkt haben können. Er mußte ja das Gesamtwerk Luthers durcharbeiten, hat sich also nicht nur einer bestimmten Schriftengruppe zugewandt. Es wäre eine interessante Aufgabe, anhand einer umfassenden Überprüfung der Lutherzitate in Speners Schriften einmal festzustellen, wie sich die Durcharbeitung des Gesamtwerks von Luther verhält zu der Ausbeute, die sich Spener für seine Predigten und Schriften daraus geholt hat. Vielleicht würde sich dabei ergeben, daß Spener eine bestimmte Schriftengruppe Luthers bevorzugt oder gar allein benutzt[73]. Sicherlich würde sich dabei zei-

---

[69] H. STEPHAN, Luther in den Wandlungen seiner Kirche, 2. Aufl. 1951, 23 ff., bes. 31 f.; E. W. ZEEDEN, Martin Luther und die Reformation im Urteil des Luthertums I, 1950, 151 ff.; II, 1952, 186 ff.

[70] M. SCHMIDT, Spener und Luther, LuJ 1957, 102—129.

[71] SCHMIDT, aaO 124. Vgl. auch ders., Speners Pia Desideria, 108 f.

[72] Vgl. bereits oben S. 111 ff.

[73] Ich formuliere damit als Frage, was in der Literatur zuweilen bereits als

gen, daß der Luther, den Spener für sich entdeckt hat, ein ganz anderer gewesen ist als der Luther, auf den sich Dannhauer berufen hat[74]. Das Werk des Reformators hat ja eine Spannweite, die breit genug ist, um Orthodoxie wie Pietismus das Recht zur Berufung auf ihn zu gewähren, und die Geschichte des Luthertums ist in gewissem Sinn die Geschichte einer wandlungsreichen Auslegung des Werkes von Luther. Im Rahmen dieser Arbeit kann aber diese Frage nur vorbereitet werden. Sie zu beantworten würde die Beschäftigung mit den Schriften aus der zweiten Lebenshälfte Speners, den Jahren nach den Pia Desideria, notwendig machen.

Leichter ist die Frage zu beantworten, welche besonderen Gedanken oder Äußerungen Luthers für Spener wichtig geworden sind. An der Spitze steht Luthers Vorrede zum Römerbrief, in der der Glaube als ein göttliches Werk in uns, das uns wandelt und neu gebiert, und als ein lebendig, tätig Ding beschrieben wird[75]. Spener zitiert die Römerbriefvorrede außer in den Pia Desideria[76] auch sonst an zahlreichen Stellen[77]. Mit Recht hat man sie das klassische Dokument genannt, in welchem Spener die Übereinstimmung seines Wollens mit dem Reformator am deutlichsten ausgesprochen fand[78]. Zweitens ist es Luthers Rede vom allgemeinen Priestertum, auf die sich Spener ebenfalls in den Pia Desideria und sonst an vielen Stellen beruft[79]. Dann folgt Luthers Lob der mystischen Schriftsteller, vor allem Johann Taulers, und der „Deutschen Theologie". Auch hier bringt Spener einen Katalog

---

Tatsache ausgegeben wird. Vgl. KANTZENBACH, Orthodoxie und Pietismus, 147: „Er (sc Spener) entnimmt darum nur aus einer bestimmten Schriftengruppe Luthers Zitate und verändert diese auch gelegentlich in seinem Sinn." Bei M. SCHMIDT, auf dem KANTZENBACH fußt, finde ich dafür leider keinen Nachweis (vgl. M. SCHMIDT, Spener und Luther, 124). Ohne Nachweis und vor allem ohne Angabe, aus *welcher* Schriftengruppe Luthers Spener seine Zitate nimmt, bleibt diese Behauptung aber wertlos. Daß Spener Lutherzitate verändert, ist übrigens eine sehr ungenaue Redeweise. Wenn er „gratia" mit „Kraft" *übersetzt* und ein vom Glauben handelndes korrektes Zitat auf die „neue creatur" *bezieht* (vgl. SCHMIDT, ebd.), so ist das doch keine Zitatveränderung! In Wirklichkeit gibt es kaum jemand im 17. Jahrhundert, der im Zitieren Luthers genauer und sauberer verfahren ist als Spener. Man vergleiche mit ihm nur einmal Gottfried Arnold!

74 Vgl. dazu oben S. 116. 75 WA Deutsche Bibel, VII, 9 f. 76 PD 34,1 ff.

77 Vgl. die Aufzählung bei M. SCHMIDT, Spener und Luther, 124, Anm. 62. Ergänzend dazu die noch weitere Belege verwertende Darstellung in: Luthers Vorrede zum Römerbrief im Pietismus, Festschrift für Franz Lau, 1967.

78 M. SCHMIDT, Artikel „Pietismus", RGG^3 V, 371; Spener und Luther, 124.

79 PD 58,11 ff. (zweiter Reformvorschlag): Neben dem würde unser offt-erwehnte D. LUTHERUS noch ein anders . . . mittels vorschlagen / welches jetzo das 2. seyn soll / die auffrichtung und fleissige übung deß Geistlichen Priesterthums. Niemand wird seyn / der etwas fleissig in Lutheri schrifften gelesen / der nicht beobachtet haben solte / mit was ernst der selige Mann solches Geistliche Priesterthum . . . getrieben habe. — Vgl. Cons. 3,37. 43. 335. 530. Ein ganzes Florilegium von Lutheräußerungen zur Lehre vom allgemeinen Priestertum hat Spener seiner Schrift „Das geistliche Priestertum" (1677) angehängt (aaO 76 ff.).

von empfehlenden Lutherstellen in den Pia Desideria[80], führt sie aber auch sonst zur Rechtfertigung der Lektüre mystischer Schriftsteller an[81]. Schließlich ist eine Äußerung Luthers zu nennen, die Spener in den Pia Desideria nicht erwähnt, auf die er sich aber in der Folgezeit gern berufen hat[82]: Luthers Vorrede zur Deutschen Messe mit dem Vorschlag, neben dem öffentlichen Gottesdienst in lateinischer und deutscher Sprache eine dritte Form des Gottesdienstes einzurichten unter denen, die mit Ernst Christen sein wollen und sich als engerer Kreis in der volkskirchlichen Gemeinde namentlich zusammenschließen[83]. Natürlich gibt es noch viele andere Lutherstellen, die Spener wichtig gewesen sind. Ich wüßte aber nichts, was mit den genannten vier Punkten auf eine Stufe gehört oder ähnlich häufig zitiert wird.

Nun fällt es allerdings schwer, alle diese vier Gedanken als Frucht des Spenerschen Lutherstudiums zu erweisen. Was zunächst Luthers Römerbriefvorrede betrifft, so hat sie Spener schon lange vorher gekannt, denn sie steht in den meisten Bibelausgaben des 17. Jahrhunderts. Wenn Spener in einer Predigt auf sie zu sprechen kommt, kann er seine Zuhörer anhalten, sie zu Hause in den eigenen Bibeln nachzuschlagen[84]. Tatsächlich hat er sie bereits in einer Straßburger Predigt des Jahres 1663 zitiert[85]. Diese Stelle ist ihm also nicht erst in Frankfurt am Main wichtig geworden, er hat sie schon

---

[80] PD 74,10–75,15.

[81] Vgl. Speners Vorrede zur Ausgabe der Predigten Taulers, EGS II,152 ff.

[82] Cons. 3,71 (1675); 3,76 (1675); 3,138 (1676); 3,500 (1676); Sendschreiben, 1677, 73; Bed. 2,71 f. (1693) und öfter.

[83] WA 19,75 (= Clemen 3,296).

[84] Predigt vom 8. Sonntag nach Trin. 1669: Wir wollen einen einigen ort anziehen aus Lutheri vorrede über die Ep. an die Röm. welche ihrer wichtigkeit halben E. C. L. (= Eure Christlichen Liebden) wie sie fast in allen Editionen der Bibel / vor der Epist. an die Röm. finden werden / . . . vor heut / zur Sonntagslection mit Auffmercksamkeit lesen und öffters wiederholen wolle (EGS I,140). – Spener hat den vom Glauben handelnden Passus aus der Römerbriefvorrede außerdem natürlich aus der Konkordienformel gekannt, auf die er als Straßburger Theologe verpflichtet wurde (vgl. BSLK, 1952², 941, 11 ff.). In späteren Jahren kann er daran erinnern, „daß unsre gantze kirche solche wort gleichsam authentisiret habe, da sie in die Form. Concord. art. de Bon. Op. einverleibet worden" (L. Bed. 1,297).

[85] Predigt vom 20. 9. 1663, geh. in St. Thomas zu Straßburg, Epist. Sonntagsand. II,171. Hier soll die Römerbriefvorrede allerdings die tridentinische Lehre vom Glauben entkräften: „Ferner sind auch diejenige bey päbstischer kirchen unrecht daran / die die krafft dieses geistes / so in dem glauben stecket / nicht erkennen wollen / wie derselbe vor sich selbst schon den menschen zu allem guten antreibe / nach deß seel. Lutheri worten: Es ist ein lebendig / geschäfftig / thätig / mächtig ding um den glauben / daß es ohnmöglich ist / daß er nicht solte ohn unterlaß gutes würcken . . ." – Diese Stelle ist M. Schmidt unbekannt geblieben. Nach seiner Darstellung ist Spener zwar in Straßburg zur intensiven Beschäftigung mit Luther gekommen, die ersten Anzeichen für ein Aufgreifen der Römerbriefvorrede seien aber erst in Frankfurter Predigten zu finden (Luthers Vorrede zum Römerbrief, aaO 310). Tatsächlich verhält es sich genau umgekehrt.

vor der Beschäftigung mit den Schriften Luthers geschätzt. Ebenfalls Luthers günstiges und empfehlendes Urteil über Tauler und die Theologia Deutsch muß Spener vorher gekannt haben. Der Katalog von Lutheräußerungen über Tauler und die Deutsche Theologie, der sich in den Pia Desideria findet, ist nicht von Spener selbst aus Luther herausgesucht worden. Diese Zusammenstellung stammt von Johann Arndt, den Spener an dieser Stelle nur ausschreibt[86]. Wenn Spener von Luther behauptet, daß er nächst der Bibel aus den Schriften Taulers geworden ist, was er war[87], so ist er vollständig von Arndt abhängig, und dies stand ihm jedenfalls schon vor der Beschäftigung mit Luthers Schriften fest. Weiterhin muß man auch bei dem Gedanken des allgemeinen Priestertums in Zweifel ziehen, ob er Spener erst durch die Beschäftigung mit Luther wichtig geworden ist. Die Schriften Joachim Betkes und die Predigten von Johann Vielitz lernt er ja bereits zu einer Zeit kennen, als die Arbeit am Lutherkommentar eben erst begonnen hat[88]. Spener wird die betreffenden Äußerungen Luthers, auf die sich auch Betke und Vielitz berufen, also von vornherein mit geschärften Augen gelesen haben. Wenn Spener in den Pia Desideria schreibt, niemand, der Luthers Schriften fleißig gelesen habe, könne übersehen, wie ernstlich Luther das geistliche Priestertum getrieben habe, und wenn er zur Lektüre Luthers Schrift an die Böhmen von 1523 empfiehlt[89], so zeugt das von seiner selbständigen Beschäftigung mit den betreffenden Partien bei Luther, nicht aber davon, daß er diesen Gedanken von Luther hat. Spener selbst hat auch nie gesagt, daß er durch Luther auf die Wichtigkeit der Lehre vom geistlichen Priestertum gebracht worden sei. Dagegen scheint nun von der Vorrede zur Deutschen Messe mit ihrem Vorschlag einer dritten Form des Gottesdienstes gelten zu können, daß Spener sie für sich selbst bei Luther „entdeckt" hat. Eine anderweitige Beeinflussung, durch die er auf diese Stelle aufmerksam gemacht wurde, ist nicht festzustellen.

Eine Kenntnis Speners von Luthers Vorrede zur Deutschen Messe läßt sich erst aus dem Jahre 1675 nachweisen. Den frühesten Beleg finde ich in

---

[86] PD 74,14—75,15. Vgl. die Vorrede Arndts zu seiner Ausgabe: Postilla Johannis Tauleri . . . Item / zwey Geistreiche Büchlein. Das erste / die Deutsche Theologia . . . das ander / die Nachfolgung Christi . . . durch Thomam de Kempis . . . beschrieben. Mit einer Vorrede Johannis Arndtes, Hamburg (Michael Hering) 1621. 2°. 554 + 168 + 122 S. (UB Strasb.). Der Vorrede Arndts folgt die Zusammenstellung der Zeugnisse Luthers (denen solche von Melanchthon, Weller und Neander beigegeben sind). Von dort wandert sie zu Varenius (vgl. ALAND, Spener-Studien, 52 f.) und zu Spener (PD 74,14 ff.). Daß Spener Varenius ausschreibt, wie ALAND (aaO) bewiesen zu haben meint, wird durch Speners eigenen Verweis auf die Vorrede Arndts (PD 75,15 ff.) unwahrscheinlich und durch die mit Arndt, aber nicht mit Varenius übereinstimmende Anordnung der Zeugnisse ziemlich sicher ausgeschlossen. — In ALANDS Ausgabe fehlt (bei PD 75,16) der Nachweis der Taulerausgabe Arndts.

[87] So PD 74,11 f. [88] S. oben S. 236 f. [89] PD 58,14 ff.

einem Brief vom 1. Juli 1675, mit dem Spener aus der Sauerbrunnenkur in Bad Schwalbach dem Generalsuperintendenten Johann Olearius in Halle auf seine Zuschrift zur Postillenvorrede antwortet[90]. Spener erwähnt hier Luthers Gedanken von einer Sammlung derer, die mit Ernst Christen sein wollten, und verweist aus dem Gedächtnis auf den dritten Band der Altenburger Lutherausgabe. Entweder täusche er sich gewaltig, schreibt er, oder aber dies sei das einzige Mittel, aus welchem bei dem allgemeinen Verderbnis noch Heilung erwachsen könne[91]. Drei Wochen später hat er, wieder in Frankfurt, die Stelle in seiner Ausgabe nachgeschlagen[92], und seitdem gibt er, wenn er sich auf sie beruft, immer den Fundort in der Altenburger Ausgabe an. Zwei Jahre darauf, im „Sendschreiben" von 1677, beruft er sich dann zum ersten Male öffentlich auf diese Stelle[93]. Wie bereits in den vorhergehenden Briefen schränkt Spener die Berufung auf Luther dahingehend ein, daß er die von ihm vorgeschlagene Form einer Sakramentsgemeinde wegen der Gefahr eines Schismas für gefährlich und unratsam halte und die Freiwilligkeitsgemeinde allein als eine um das Wort sich sammelnde Gemeinschaft verstehen wolle[94].

Daß die Vorrede Luthers zur Deutschen Messe von Spener, soweit ich sehen kann, vor dem Sommer 1675 nirgendwo genannt wird, seit dieser Zeit aber häufig erwähnt wird, spricht dafür, daß sie ihm erst verhältnismäßig spät wichtig geworden ist. Ob Spener bei Abfassung der Postillenvorrede unter dem Einfluß dieser Lutherstelle stand, ist also ungewiß. Dagegen muß ihn, als er im Spätsommer 1675 die Vorrede zur Separatausgabe der Pia Desideria schrieb, dieser Luthertext sehr bewegt haben. Tatsächlich läßt sich in der am 8. September 1675 fertiggestellten Vorrede zum Separatdruck der Pia Desideria eine Nähe zu den Gedanken aus Luthers Deutscher Messe deutlich erkennen. Spener will im September 1675 alle seine Vorschläge dahingehend verstanden wissen, daß sich die Pfarrer in besonderem Maße der Willigen und Folgsamen in ihren Gemeinden annehmen und die anderen, Unfolgsamen, einstweilen zurückstehen lassen[95]. Das heißt doch,

---

[90] Cons. 3,69–73. Daß der Brief an Olearius gerichtet ist, ergibt sich aus dem Vergleich mit dem von Spener, Gründliche Beantwortung des Unfugs, 1693, 25 bis 27, abgedruckten Brief desselben vom 1. 5. 1675.

[91] Cons. 3,71: Memini, ubi Beatus Lutherus, nisi fallor, Tom. 3. Alt. Von der Art Meß zu halten / tertiam illam Missae celebrationem commendat, ut qui serio Christiani esse decreverunt, nominibus etiam scriptis consignatis, ad cultum divinum seorsim conveniant, verbum audiant, sacramentis utantur, & reliqua peragant, quae Christianorum sunt munia. Aut vehementer fallor, aut consilium hoc unicum est, ex quo corruptioni seculi fiat medela.

[92] Cons. 3,76 (20. 7. 1675), (vermutlich an den Oberhofprediger Geyer in Dresden). [93] Sendschreiben, 73. [94] Cons. 3,71. 76; Sendschreiben, 74 ff.

[95] PD 8,25 ff.: Lasset uns erstlich diejenige / welche noch selbs willig sind . . . an meisten befohlen seyn . . . Wie dann alle meine Vorschläge noch fast einig und allein dahin gehen / wie jenen folgsamen erstlich möge geholffen . . . wer-

daß Spener sein ganzes Reformprogramm auf den einen Gedanken des Bildens von Kerngemeinden ausrichtet. Das steht in der Postillenvorrede *so* noch nicht. Nirgendwo werden dort die Reformvorschläge *explicite* zu jener Konsequenz des Sammelns einer Freiwilligkeitsgemeinde innerhalb der volkskirchlichen Gemeinde fortgeführt. Die Vorrede vom Herbst 1675 geht hier über die Postillenvorrede vom Frühjahr deutlich noch einen Schritt hinaus. Es ist anzunehmen, daß die Spener inzwischen bewegenden Gedanken aus Luthers Vorrede zur Deutschen Messe darauf Einfluß gehabt haben.

Die seit Sommer 1675 wichtig werdenden Gedanken Luthers über die dritte Form des Gottesdienstes dürften dann auch von Einfluß gewesen sein auf die Prägung desjenigen Begriffs, in welchem Spener die Eigenart seines kirchenreformerischen Wollens auf die knappste und klarste Formel gebracht hat, auf den Begriff der „Ecclesiola in Ecclesia". Dieser Begriff läßt sich, soweit ich sehen kann, bei Spener erst 1676 nachweisen. Spener scheint ihn erst, nachdem er jene Lutherstelle aus der Deutschen Messe aufgegriffen hatte, zur Kennzeichnung seiner Reformgedanken geprägt zu haben. Er gebraucht ihn dann, vor allem in den Jahren 1676 und 1677, sehr häufig[96]. Der Begriff einer Ecclesiola in ecclesia, einer Freiwilligkeitsgemeinde innerhalb der volkskirchlichen Gemeinde, ist also auf jeden Fall unter dem Einfluß der Gedanken Luthers entstanden. Damit ist nicht gesagt, daß er rundweg auf Luther zurückzuführen ist. Speners Beschränkung der Ecclesiola auf eine Wortgemeinde innerhalb der volkskirchlichen Sakramentsgemeinde zeigt eine sehr eigenständige Aneignung, so daß man von einer Abhängigkeit nicht reden kann. Denkbar sind durchaus noch andersartige Einflüsse[97], wie man ja auch berücksichtigen muß, daß so etwas wie eine Ecclesiola in ecclesia im Frankfurter Collegium pietatis schon längst existierte, ehe Spener den Begriff dafür prägte. Zwar nicht auf die Entstehung des Collegium pietatis, wohl aber auf die endgültige Konzeption, die Spener mit solchen Zusammenkünften der Frommen verband, haben Luthers Worte Einfluß gehabt. Sie sind keineswegs nur der nachträgliche

---

den ... Ist dieses geschehen und zum Grund gelegt / so mag nachmahl der Ernst gegen die Ungehorsame mehrers fruchten.

[96] Ich finde ihn zuerst im Briefwechsel mit Ahasver Fritsch, wenngleich noch nicht formelhaft: „Cum vero mihi firmissime persuasum sit, si Ecclesiae nostrae medela adhiberi debeat, sperari non posse talem, quae autoritate publica et solemni instituatur (hanc enim praesens seculum vix concedit) sed quovis loco pastores id agere debere, ut in Ecclesia, cuius faciem externam immutare nequeunt, Ecclesiolas colligant, ast sine schismate" (Spener an Fritsch [s. oben S. 202, Anm. 34] 28. 3. 1676, ähnlich schon im vorhergehenden Brief vom 21. 2. 1676). Formelhaft dann ab Sommer 1676. Vgl. Cons. 3,129 (20. 7. 1676); 3, 138 (10. 8. 1676); Bed. 3,132 (1676); Cons. 1,370 (26. 4. 1677); Bed. 3,160 (15. 5. 1677); Cons. 1,433 (14. 9. 1677); 1, 429 (1. 10. 1677). Außerdem Bed. 3,130. 218. 721; L. Bed. 3,588. 704; u. ö.

[97] Vgl. dazu unten S. 296, bei Anm. 65.

Beleg eines bereits fertigen Gedankens. Luthers Vorrede zur Deutschen Messe dürfte als eine unmittelbar gepflückte Frucht des Lutherstudiums also derjenige Text sein, der auf Speners Gedankenbildung den bedeutendsten und folgenreichsten Einfluß ausgeübt hat. Steht die schon in Straßburg zitierte Lutherische Römerbriefvorrede für die Kontinuität gut, welche Speners Frömmigkeitsstreben mit der Arndtschen Richtung verbindet, so markiert die Berufung auf Luthers Vorrede zur Deutschen Messe denjenigen Punkt, an dem bei Spener etwas Neues beginnt, an dem sich die Reformbestrebungen des Pietismus von denen der Orthodoxie unterscheiden.

Aber schrumpft nach dem bisher Gesagten die Antwort auf die Frage „Spener und Luther" nicht zusammen auf die Feststellung, daß Spener eigentlich nur wenig Neues durch Luther gelernt hat? Muß es nicht unverständlich werden, daß Spener in der Frankfurter Zeit anfängt, Luther seinen vorzüglichsten Lehrer zu nennen? Man kommt auch nicht weiter, wenn man neben den genannten vier Kardinalpunkten nach anderen Gedanken sucht, die er von Luther übernommen haben könnte. Fragt man, wo in der theologischen Gedankenbildung Speners sich in der Zeit seines Lutherstudiums überhaupt etwas Neues nachweisen läßt, so kann man — abgesehen von dem Gedanken der Ecclesiola in ecclesia — nur einen Punkt nennen. Dies ist Speners Eschatologie, seine Hoffnung besserer Zeiten. In der hierfür zentralen Frage der Judenbekehrung hat er sich aber zu einem Luther gerade entgegengesetzten Standpunkt durchgerungen. Was Spener in den Jahren seines intensiven Lutherstudiums theologisch dazugelernt hat, hat er also gerade nicht von Luther! Mit dem Versuch, Speners Verehrung für Luther von seinem Lutherstudium her verständlich zu machen, scheinen wir damit in ein Dilemma zu geraten, das die Frage nach dem Einfluß Luthers auf Spener unbeantwortbar zu machen droht.

Es besteht indes nur ein scheinbarer Widerspruch zwischen diesen Feststellungen und Speners Behauptung, daß er nächst der Heiligen Schrift das meiste seiner Theologie Luther verdanke. Spener selbst hat nämlich seine Schülerschaft von Luther gar nicht so bestimmt, daß er in seiner Theologie durch Luther neue Ideen bekommen habe. Er sagt nur, daß er durch das Lutherstudium eine größere Gewißheit, Einsicht und Kräftigung in der Theologie erfahren habe. Wahrscheinlich läßt sich das Verhältnis Speners zu Luther gar nicht treffender bestimmen, als es Spener selbst an einer Stelle tut, wo er sich über seine Stellung zu Luther grundsätzlich Rechenschaft gegeben hat. In der Vorrede zu Seidels „Lutherus redivivus" vom Jahre 1697 berichtet Spener, wie er erst spät, nämlich durch die Arbeit am Lutherkommentar, zum Studium der Werke Luthers gekommen sei, wie er aber, je mehr er diese Schriften las, desto mehr in der Wahrheit der evangelischen Lehre gekräftigt wurde und manches heller und deutlicher einzusehen begann, als er es vorher aus dem Studium anderer theologischer

Schriften getan hatte[98]. Indem er gesteht, das „vornehmste" seiner Theologie nächst der Schrift Luther zu verdanken, womit er Dannhauer stillschweigend entthront, gibt er im folgenden einen Katalog von insgesamt sechzehn Lehren, die er selbst am meisten treibe und worin er sich als Schüler Luthers wüßte[99]. Auch die Lehre vom geistlichen Priestertum befindet sich darunter[100]. Spener führt diesen Katalog ein mit dem Satz: „Sonderlich sind diejenige lehren / die ich am meisten treibe / ja auch wegen derselben von so vielen angefochten werde (ausser der materie von der künfftigen besserung) immer solche / die ob sie nicht erst von ihm hergenommen hatte / doch darnach von ihm darinnen gestärcket worden bin"[101]. Hier sagt Spener selbst, daß er seine vorzüglichsten Lehren nicht von Luther hergenommen habe, der Einfluß Luthers auf Spener also kein den Inhalt der Lehre umbildender gewesen ist. Es ist aber fraglich, ob man ihn bloß einen formalen Einfluß nennen kann. Man müßte unter Form schon dasjenige Prinzip verstehen, das einer Sache zum Sein verhilft. Tatsächlich läßt sich die Entstehung des pietistischen Wirkens Speners ohne das Lutherstudium kaum begreifen. Wenn, wie man mit Recht festgestellt hat, Speners „gesamte Theologie durch eine Abwendung vom Luthertum seiner Zeit einerseits und eine Hinwendung zu Luther andererseits charakterisiert ist"[102], so ist die Abwendung von der Orthodoxie, mag immer sie durch Arndt, den Puritanismus, Labadie und andere Einflüsse vorbereitet sein, erst durch jene Zuwendung zu Luther Spener zu klarem und bestimmtem Bewußtsein gekommen und damit auch, wie er es in den Pia Desideria erstmals tut, öffentlich aussprechbar geworden[103]. Ohne das Bewußtsein, durch Luther legiti-

---

[98] EGS II,365: Daß ich aber darnach gleichfals mich tieffer hinein (sc. in Luthers Schriften) gegeben / war die anlaß eines grossen wercks . . . nemlich auß allen schrifften Lutheri . . . einen Commentarium perpetuum zu verfertigen . . . Je mehr ich aber solche schrifften laß / je mehr wurde ich bekräfftiget in der wahrheit unserer Evangelischen lehr / fing aber manches deutlicher und heller an einzusehen / als vorhin bey lesung anderer Theologischer schrifften gethan hatte / auch weiß / daß insgemein von andern geschihet. Daher ich nicht in abrede bin / daß nechst der H. Schrifft / dem lieben Luthero / das vornehmste meiner Theologie zu dancken habe.

[99] AaO 366 f.

[100] An letzter Stelle, aaO 367.

[101] AaO 366.

[102] Bellardi (s. unten S. 254, Anm. 2), 3 f.

[103] Hierzu etwa PD 22,25 ff.: „Man vergleiche unsers theuren Lutheri schrifften / wo derselbe mit erklärung göttlichen worts umbgehet / oder die Christliche glaubens-articul handelt . . . hingegen einen grossen theil der heut heraußkommenden. Man wird wahrhafftig finden / wann man es redlich herauß bekennen wil / daß so viel geistreiche krafft / und in höchster einfalt vorgetragene weißheit in jenen angetroffen und darauß gefühlet wird / so lähr sind fast diese gegen jenen . . ." Spener ist hier nicht „ganz von der Verfallsidee beherrscht" (so E. Seeberg, Gottfried Arnold, 336), sondern er urteilt aus der Erfahrung seines Lutherstudiums. Mit Gottfried Arnold, der in der Geschichte nur den Beleg für seine vorgefaßten Ideen findet, darf man den Empiriker Spener nicht verwechseln (gegen Seeberg, dessen These von der Arnold gleichartigen Spenerschen Verfallsidee übrigens der überzeugenden Belege vollständig ermangelt).

miert zu sein, was Spener vor seinem Lutherstudium angesichts des Dannhauerschen Ausspielens Luthers gegen Arndt zweifellos nicht besaß, wären die Pia Desideria kaum geschrieben worden[104]. Ohne die in der Begegnung mit dem Werk Luthers erfahrene Bestätigung, Kräftigung und Autorisierung hätte Spener kaum die Sicherheit gehabt, der Führer einer kirchlichen Erneuerungsbewegung, der er ohne sein Wollen geworden war, in der Folgezeit auch zu bleiben. So kann man den Einfluß des Spenerschen Lutherstudiums auf die Entstehung des von Spener ausgehenden Pietismus kaum überschätzen[105]. Es steht auf einem anderen Blatt, ob die Zuwendung zu Luther konsequent genug war, auf einem anderen Blatt auch, ob Dannhauer nicht klarer sah, wenn er Luther und Arndt nicht so leicht auf einen Nenner zu bringen wußte.

III. Das Collegium pietatis

1. Die Entstehung des Collegium pietatis

In den Sommer des Jahres 1670 fällt ein Ereignis, welches als das folgenreichste in der gesamten Frankfurter Wirksamkeit Speners angesehen werden muß. Im August dieses Jahres findet sich im Studierzimmer des Spenerschen Pfarrhauses neben der Barfüßerkirche erstmals eine Gruppe von Frommen ein, um außerhalb des öffentlichen Gottesdienstes sich der Übung der Frömmigkeit, dem Exercitium pietatis, zu widmen. Diese von nun an

---

[104] Die zahlreichen Berufungen auf Luther in den Pia Desideria (vgl. PD 58,11 „unser offt-erwehnte D. LUTHERUS) sind also keineswegs ornamental. Luther wird genannt PD 10,21; 22,16. 25. 36; 25,5. 21; 28,21; 33,4. 15. 35; 34,24; 38,25; 44,5. 19; 45,13. 36; 57,9; 58,11. 15. 25; 59,17; 60,16; 64,26; 74,12. 14; 77,6; 80,36.

[105] Ich habe dabei noch nicht berührt, in welchem Ausmaß das Lutherstudium Spener im Festhalten an der reformatorischen Rechtfertigungslehre bestärkt hat. Bekanntlich hat Karl Holl den Spenerschen Pietismus als Drängen auf das „persönliche Erleben der Rechtfertigung" charakterisiert (Ges. Aufs. III,543). Ob mit dieser Formel die Eigenart des Pietismus getroffen ist, kann man bezweifeln. Allerdings ist sie immer noch richtiger als die neuerdings auf das Konto Speners gesetzte „Verdrängung der Rechtfertigung durch die Wiedergeburt". Tatsächlich ist es Speners Verdienst, daß — anders als im mystischen Spiritualismus — im älteren lutherischen Pietismus durch das Drängen auf Wiedergeburt die Rechtfertigung nicht verdrängt wird. Jedenfalls gilt das von dem auf Speners Bahnen bleibenden kirchlichen Pietismus. Spener hat an der Rechtfertigungslehre des orthodoxen Luthertums ohne Abstriche festgehalten, und zwar gerade an deren forensischem Verständnis. Ich kann auf der jetzigen Stufe meiner Untersuchung auf die kontroverse Frage nach der Mitte der Theologie Speners nicht näher eingehen. Die Diskussion darüber muß hauptsächlich anhand der nach den Pia Desideria datierenden Quellenschriften geführt werden. Zur Forschungslage vgl. das Referat J. Wallmann, Pietismus und Orthodoxie, in: Festschrift Hanns Rückert, 1966, (418—442) 432 ff.

regelmäßig gehaltenen Veranstaltungen haben bald den Namen eines „Collegium pietatis" erhalten und sind in den nächsten Jahren weit über die Grenzen Frankfurts bekannt geworden. Wie Spener im späteren Rückblick schreibt, sind über sie „in gantz Teutschland nach jedes bewandnüß unterschiedliche urtheil entstanden"[1]. Spener selbst haben diese Veranstaltungen den Ruf als Vater und Begründer des Pietismus eingebracht. Ihre weitreichende Wirkung, die im Weiterleben in den pietistischen „Stunden" und in den Gemeindebibelstunden bis in die Gegenwart reicht, ist hinlänglich bekannt. Über die Entstehung des Collegium pietatis wissen wir aber noch immer wenig. Eine Untersuchung hierüber fehlt in der Literatur[2]. Noch immer können die verschiedenartigsten Mutmaßungen über den Ursprung des Spenerschen Collegium pietatis ihren Platz halten. Ursache dieser äußerst unsicheren Forschungslage ist in erster Linie die unklare Quellenlage. Jede Untersuchung der Entstehung des Collegium pietatis muß damit beginnen, an diesem Punkt größere Klarheit zu bekommen.

Was die Quellen über die Entstehung des Spenerschen Kollegiums betrifft, so sind wir vollständig auf Äußerungen Speners angewiesen. Andere Berichte als die seinigen sind bisher nicht bekannt geworden, und es ist kaum zu erwarten, daß noch, womit allein gerechnet werden könnte, briefliche Mitteilungen der frühen Mitglieder des Kollegiums aufgefunden werden. Hauptquelle, aus der alle bisherigen Darstellungen geschöpft haben, ist Speners Bericht in dem 1677 in Frankfurt erschienenen „Sendschreiben an einen christeifrigen ausländischen Theologum", wo er ausführlich die Geschichte des Kollegiums von den Anfängen bis ins Jahr 1677 wiedergibt[3]. Dieser Bericht, der mannigfach umlaufende Gerüchte und Verdächtigungen entkräften und widerlegen soll, tritt mit dem ausdrücklichen Anspruch ans Licht, die „Historische wahrheit" zu bieten[4]. Spener hat, wenn

---

[1] Warhafftige Erzehlung 1698[2] (s. oben S. 120, Anm. 138), 47.

[2] Praktisch unbekannt geblieben ist die Untersuchung von W. BELLARDI, Die Vorstufen der Collegia pietatis, Diss. Theol. Breslau 1931, die im ersten Kapitel (S. 2–15) eine sehr sorgsame, aus den Frankfurter Archiven gearbeitete Darstellung der Entstehung und Entwicklung des Frankfurter Collegium pietatis enthält. Es ist die einzige den Ansprüchen historischer Methode genügende Darstellung, die es gibt. Auch wenn ich in der Beurteilung der Quellenlage durch die Heranziehung unbeachteter gedruckter Zeugnisse nicht unwesentlich von BELLARDI abweiche, verdanke ich dieser Arbeit doch ganz wesentliche Einsichten, vor allem in die wandlungsreiche Geschichte des Kollegiums. – BELLARDIS Arbeit ist in der Pietismusforschung nur an entlegener Stelle beachtet worden (SCHATTENMANN, Blätter f. württ. Kirchengesch. 40, 1936, 29 f.).

[3] Sendschreiben An Einen Christeyffrigen außländischen Theologum, betreffende die falsche außgesprengte aufflagen / wegen seiner Lehre / und sogenanter Collegiorum pietatis, mit treulicher erzehlung dessen / was zu Franckfurth am Mayn in solcher sache gethan oder nicht gethan werde. Frankfurt (Zunner) 1677. 12°. 115 S. *Grünberg Nr. 278.*

[4] AaO 10.

er nach 1677 auf die Gründung des Frankfurter Kollegiums zu sprechen kam, regelmäßig auf den Bericht im „Sendschreiben“ verwiesen und ihm nichts Wesentliches hinzugefügt. Die in Speners Briefen und Bedenken zahlreich begegnenden Äußerungen über das Collegium pietatis bestätigen den Bericht des „Sendschreibens“ durchgehend und geben nirgendwo Veranlassung, die Zuverlässigkeit desselben in Zweifel zu ziehen. Trotzdem reicht diese vorzügliche Quelle für eine zureichende Erfassung der Entstehung des Kollegiums nicht aus. Dem Historiker Spener hat nämlich bei der Abfassung der kirchenpolitische Diplomat Spener die Feder geführt. Bei der Durchsicht der in Speners Briefen zu findenden Äußerungen stößt man hin und wieder auf Dinge, die in den offiziellen Bericht nicht aufgenommen worden sind. Dabei handelt es sich meist um Dinge aus der Frühzeit des Kollegiums, die in späterer Zeit aufgegeben wurden und die Spener 1677 zu erwähnen nicht mehr für notwendig oder nicht für geraten hielt. Gerade diesen im offiziellen Bericht von 1677 ausgelassenen Dingen wird man besondere Beachtung schenken müssen. Vor allem aber muß versucht werden, hinter den Bericht von 1677 zurück an ältere Quellen zu gelangen, die uns näher an die Ereignisse des Sommers 1670 heranführen. Welches sind überhaupt die ältesten Quellen für die Entstehung des Collegium pietatis?

Zeugnisse, die unmittelbar aus der Zeit der Entstehung des Kollegiums stammen, besitzen wir nicht. In den Briefen der zweiten Jahreshälfte 1670, von denen eine ganze Reihe überkommen sind, finden sich — bis auf zwei gleich zu nennende Ausnahmen — keine Andeutungen über das Kollegium[5]. Auch aus den Predigten des Jahres 1670 und aus der im August verfaßten Vorrede zu Rauners „Jesuspsalter“, der einzigen in diesem Jahr von Spener zum Druck gegebenen Schrift[6], ist nichts über die neue Einrichtung zu entnehmen. Die im letzten Krieg verlorengegangenen Archivbestände in Frankfurt a. M., die zuletzt Werner Bellardi auf Quellen zur Entstehung des Kollegiums durchsucht hat, haben ebenfalls keine in den Sommer 1670 zurückreichenden Dokumente enthalten[7]. Das Fehlen von Quellen aus der Entstehungszeit deutet auf den privaten Charakter der neuen Unternehmung hin, die sich in beabsichtigter Distanz von der Öffentlichkeit vollzogen zu haben scheint.

Ein erstes Zeugnis findet sich erst ein Vierteljahr nach der Gründung des Kollegiums. Es ist ein Brief, den Spener am 9. November 1670 an seinen Freund und Verwandten Johann Ludwig Hartmann, Superintendent in

---

[5] Es handelt sich um ein Dutzend zum Teil gedruckt, zum Teil handschriftlich überlieferter Briefe, die an Stenger, Hanneken, Calov, Hartmann, Leibniz u. a. gerichtet sind. Ein Teil davon bei GRÜNBERG III,340.

[6] Vgl. oben S. 240, Anm. 49.

[7] BELLARDI, aaO Anhang 4, Anm. 5.

Rothenburg o. T., geschrieben hat[8]. Spener bittet darin Hartmann um ein freundschaftliches Urteil „de isto pietatis exercitio", dessen einige Monate zurückliegenden Beginn und dessen Beschaffenheit er ihm in einigen Sätzen schildert. Dieser nur in einem Abdruck des 18. Jahrhunderts erhaltene Brief muß vorläufig als das älteste Zeugnis für das Frankfurter Kollegium gelten[9].

Daneben besitzen wir aber noch eine zweite, in das Jahr 1670 zurückreichende Quelle. In Speners „Consilia et Judicia theologica latina" ist im Teil 3, 334—337 ein längeres Schreiben abgedruckt, in dem Spener sehr viel ausführlicher als gegenüber Hartmann von dem Kollegium berichtet. Spener erbittet hier nicht ein Urteil über das Unternehmen, sondern sucht Verdächtigungen, die dem Adressaten von dritter Seite hinterbracht worden waren und um derentwillen er sich an Spener gewandt hatte, aus dem Weg zu räumen. Das Schreiben ist undatiert, doch ist die Zeitbestimmung „ab aliquot mensibus", mit der auf den Beginn der Zusammenkünfte zurückgesehen wird[10], die gleiche wie in dem Brief an Hartmann. Diesem Brief sind nun, wie inhaltliche Entsprechungen evident machen, zwei weitere Briefe Speners an den gleichen Adressaten gefolgt, die Cons. 3,328—333 und 543—548 abgedruckt sind. Diese Briefe zeigen, daß Speners Briefpartner von den Auskünften nicht beruhigt worden ist, sondern Besorgnisse geäußert hat, die Spener zu weiteren, genaueren Angaben über Art und Zweck des Kollegiums veranlaßt haben. Der erste dieser beiden Briefe, der der zweite des ganzen Briefwechsels ist, trägt das Datum des 20. Januar 1671[11]. Da er Neujahrswünsche enthält, macht er die Datierung des vorhergehenden in das Jahr 1670 sicher.

In diesen drei Briefen an einen Kritiker des Collegium pietatis ist uns der von Speners Hand herrührende Teil jenes Briefwechsels erhalten, über den Spener im „Sendschreiben" von 1677 berichtet. Spener meldet dort, daß bald nach dem Beginn der Zusammenkünfte ein Freund und Theologe ihm

---

[8] Abgedruckt in: Fortgesetzte Sammlung von alten und neuen theologischen Sachen . . ., Leipzig 1742, 164—167. Vgl. *Grünberg Nr. 214*.

[9] Bellardi, der diesen Brief nicht beachtet, nennt als ältestes Dokument eine handschriftliche Relation aus dem Frankfurter Predigerarchiv (PA IX 118 b), deren Verfasser — nicht sicher auch deren Schreiber — Spener gewesen sein muß (Anhang 4, Anm. 5). Sie wurde im letzten Krieg vernichtet. Bellardi datiert sie auf die Zeit um die Jahreswende 1670/71. Nach der Darstellung Bellardis scheint sie nichts enthalten zu haben, was nicht auch anderweitig überliefert wäre. Nach Bellardis Zitaten ist sogar auf weitgehende Übereinstimmung mit Cons. 3,334 ff. zu schließen. — Von einem anderen Dokument des Frankfurter Predigerarchivs „Origo huius exercitii" (PA IX 118 a), das bei Becker, Kirchenagende, 1848, 118 bis 121, abgedruckt ist, hat Bellardi nachgewiesen, daß es sich um ein Konzept handelt, das die Entstehung des Collegium pietatis vom Standpunkt des Jahres 1676 aus darstellt und ohne eigenen Quellenwert ist. Der bei Becker abgedruckte Text ist übrigens, was bisher nicht gesehen worden ist, identisch mit Cons. 3,324—327.

[10] Cons. 3,334 a.

[11] Cons. 3,333 b.

einige Bedenken geäußert habe, worüber sie etliche Briefe gewechselt hätten, ohne zu einer Einigung gekommen zu sein[12]. Spener nennt den Namen des Freundes hier nicht, sagt aber an anderer Stelle, daß es der Straßburger Theologieprofessor Balthasar Bebel gewesen sei[13]. Daß es sich bei den drei genannten Briefen aus den Consilia um Speners Briefe an Bebel handelt, ist vom Inhalt her evident[14]. Somit besitzen wir drei von Ende 1670 und Anfang 1671 herrührende Briefe Speners an Bebel, die neben dem Brief an Hartmann als die ältesten Quellen für das Frankfurter Kollegium zu gelten haben. Da diese Briefe die ausführlichste Darstellung vor dem Sendschreiben von 1677 enthalten, sind sie von einzigartigem Quellenwert.

Diese ältesten Zeugnisse sind uns nur in Abdrucken aus der Zeit nach Speners Tod überliefert, die Brieforiginale müssen als verschollen gelten. Als älteste handschriftliche Quelle muß, nachdem ein Ende 1670 oder Anfang 1671 verfaßter dreiseitiger Bericht über die Gründung des Kollegiums im Frankfurter Stadtarchiv während des Krieges vernichtet wurde[15], ein Bericht gelten, den Spener mit einem Brief vom 10. 1. 1671 an seinen Augsburger Freund Theophil Spizel gesandt hat. Das Original dieses Briefes befindet sich im Spizelschen Briefwechsel in der Augsburger Stadtbibliothek[16]. Spener bittet darin den Freund um seine Meinung zu dem von ihm eingerichteten Exercitium pietatis, für dessen Entstehung und Beschaffenheit er auf einen beigelegten Bogen (adjecta pagella) verweist, auf dem ein Amanuensis abgeschrieben habe, was von ihm selbst zuvor für einen anderen Zweck niedergeschrieben worden sei. Dieser Bericht liegt dem Spenerschen Brief bei[17]. Inhaltlich erweist er sich als ein wörtlich übereinstimmender, aber größere Partien auslassender Auszug aus dem ersten an Balthasar Bebel gerichteten Brief[18]. Dieses älteste erhaltene handschriftliche Zeugnis hat also keinen über die erwähnten Druckzeugnisse hinausgehenden inhaltlichen, sondern nur formalen Quellenwert.

---

[12] Sendschreiben, 66 f.: Ich leugne zwar nicht / daß nachdem solches angehaben / bald darauff ein geehrter freund und Theologus mit mir davon communiciret / und einige bedencken entdeckt / darüber wir etzliche briefe miteinander gewechselt haben / und es dabey geblieben ist / nach deme . . . die sache also gelassen und fortgesetzt. Als ich darauff 1675 solchen vorschlag auch in die vorrede über Arndii Postill oder pia desideria gesetzet, / so hat obiger Freund sich auf sein voriges vor sich und seine Collegen bezogen.

[13] Cons. 3,194 (21. 9. 1678): Quod attinet Dominos Argentoratenses, illis etiam praefationem illam supra Desideria, cum primum prodiissent, transmiseram: sed soli omnium fuere, qui interprete D. Bebelio se alieniores visi sunt ostendere (cujus rei in apologetica epistola [= Sendschreiben] aliqua mentio) . . .

[14] Vgl. außerdem die Berufung auf den gemeinsamen Lehrer Dannhauer (Cons. 3,335 b, 543 a und 545 b).

[15] S. oben Anm. 9.

[16] 2° Cod. Aug. 409, bl. 512—516. Abgedruckt Cons. 3,42—46.

[17] AaO bl. 517. Abdruck in den Consilia fehlt (vgl. den beziehungslosen Hinweis auf die adjecta pagella in Cons. 3,46 b).

[18] Cons. 3,334—337 (vgl. oben S. 256).

Damit haben wir den Kreis der ältesten Zeugnisse bereits abgeschritten. Weitere Zeugnisse aus der frühen Zeit bis 1675 fehlen. Die häufige Erwähnung des Collegium pietatis in den Spenerschen Briefen beginnt erst nach Veröffentlichung der Pia Desideria. Die Darstellung der Entstehung des Frankfurter Kollegiums ist aus den genannten Quellen, also dem Sendschreiben und den frühen Briefen, aufzubauen. Was hat sich danach im Sommer 1670 in Frankfurt begeben?

Aus einer Gruppe von Männern, die mit ihm bereits im näheren Umgang standen[19], wurde Spener mehrfach die Klage entgegengebracht, wie sehr das heutige Christentum doch in Verfall geraten sei. Alle Geselligkeit sei so verderbt, daß man bei ernsthafter Selbstprüfung kaum mit unverletztem Gewissen aus einer Gesellschaft kommen könne. Alle Gespräche im gemeinen Leben gingen nur um die Dinge dieser Welt. Denen, die doch den Namen Christi trügen, sei nichts fremder, als über erbauliche Dinge zu reden. Statt dessen würden bei allen Zusammenkünften nur eitle und sündhafte Dinge gehört, man ziehe über die Nebenmenschen her, treibe Narreteien und unziemliche Scherze, belustige sich mit „kurtzweil und zeitvertreib“ — ohne Sorge, daß man sich damit versündige und dereinst für jedes unnütze Wort Rechenschaft zu geben habe. Fange man selbst aber an, von erbaulichen Dingen zu reden, so würde einem durch Schweigen oder durch deutliche Gebärden das allgemeine Mißfallen ausgedrückt, im besten Fall suche man schleunigst auf ein anderes Thema zu kommen. Sie hätten deshalb einen „verdruß“, weiterhin mit Leuten umzugehen, bei denen sie keine Erbauung fänden und bei denen der Keim des Guten in ihnen nur zerstört würde. Deshalb sei es ihr Wunsch, daß eine Gelegenheit geschaffen würde, wo „zuweilen Gottseelige gemüther möchten zusammen kommen / und von dem einigen ihnen allen nothwendigen / so sie auch deßwegen allem übrigen vorzögen / in einfalt und liebe sich bespрächen: auff daß sie in solchen conversationen, was sie anderstwo bey andern vergeblich suchten / unter sich finden möchten.“[20]

Sämtliche Berichte stimmen darin überein, daß nicht Spener selbst, sondern Männer der Frankfurter Gemeinde den Anstoß gegeben haben. Spener sagt nirgendwo, daß das Unternehmen die Verwirklichung einer von ihm ausgesprochenen Idee gewesen oder auf seinen Vorschlag erfolgt sei. Es ist schlechterdings kein Grund denkbar, warum Spener hier nicht getreu berichten, eine eigene Initiative verheimlichen und den Anstoß anderen nur unterschieben sollte. Eine Gruppe von Männern hat demnach im Sommer 1670 die Absicht ausgesprochen, eine Vereinigung zu gründen, in der man sich in Abkehr von weltlichen Vereinigungen und Gesell-

[19] Cons. 3,334 a: nonnulli mecum colloqui soliti.

[20] Sendschreiben, 44 ff., das Zitat 46. Fast gleichlautend in dem lateinischen ersten Brief an Bebel, Cons. 3,334.

schaften ganz der Pflege der Frömmigkeit, vor allem dem erbaulichen Gespräch widmen könne. Man hat an die Sozietäten erinnert, die das 17. Jahrhundert auf den verschiedensten Gebieten hervorgebracht hat, in denen sich Liebhaber einer Sache zu kleinen Gesellschaften mit mehr oder weniger festen Ordnungen zusammenschließen[21]. Es liegt tatsächlich nahe, an den Plan einer frommen Gesellschaft, einer „societas piarum animarum", zu denken, der zu jener Zeit in der Luft lag und in den nächsten Jahren noch von verschiedener Seite an Spener herangetragen wurde[22]. Jedenfalls hören wir von den Ideen, die Spener in seinen Pia Desideria mit dem Vorschlag erbaulicher Versammlungen verknüpft, daß sie Mittel zur Kirchenreform sein sollen, dem Vorbild der apostolischen Kirchenversammlungen nachstreben und die Kenntnis der Heiligen Schrift verbreiten sollen, in den Anfängen noch nichts. Ursprünglich geäußert war dagegen der Wunsch, daß unter den Teilnehmern eine engere Freundschaft und Liebe gestiftet werden solle[23]. Offensichtlich wünschten die an Spener herantretenden Frankfurter Bürger die Gründung einer christlichen Liebesgesellschaft oder Gesprächsgesellschaft als Gegenstück zu den mancherlei weltlichen Gesellschaften, die in Frankfurt zusammenkamen. Der „Verdruß"[24] und der „Ekel"[25], den sie an aller weltlichen Geselligkeit empfanden, trägt dabei deutliche Anzeichen einer Absonderung der Frommen von der Welt.

Über den Kreis, aus dem der Wunsch nach erbaulichen Zusammenkünften kam, wissen wir nur ungefähr Bescheid. Spener nennt nirgendwo die Namen der Anreger, sondern gibt nur an, daß es „etliche gottselige Freunde" gewesen seien[26]. Im Sendschreiben von 1677 meldet Spener, daß einer der Anreger, ein frommer Theologiestudent, bereits gestorben sei[27]. Zwanzig Jahre später lautet sein Bericht, zwei Männer, ein Student der Theologie und ein Jurist, die beide bereits gestorben seien, hätten den allerersten Anlaß gegeben[28]. Seit Tholuck[29] pflegt man diesen Juristen mit Speners Freund

---

[21] Bellardi, 6. — Zu den Sozietätsgründungen des 17. Jahrhunderts vgl. W. E. Peuckert, Die Rosenkreutzer, Jena 1928, S. 169 ff.

[22] Vgl. „Von einem vorschlag einer heiligen liebesgesellschaft" (1672), Bed. 3,63 ff. und Speners Stellungnahme zu dem Plan einer „Fruchtbringenden Jesusgesellschaft" von Ahasver Fritsch, Bed. 3,194 f. (1677). Dazu Ritschl II,141.

[23] Sendschreiben, 51: „So war auch die absicht / daß also unter Christlichen gemüthern eine heilige und genauere freundschaft gestifftet würde." — Für die Ursprünglichkeit dieses Gedankens spricht Speners Hinweis, daß dieser Zweck später aufgegeben werden mußte (aaO 64).

[24] Sendschreiben, 45. [25] Warhafftige Erzehlung, 46.

[26] Sendschreiben, 44. Die Bezeichnung „Freunde" fehlt allerdings in den beiden ältesten Zeugnissen, den Briefen an Hartmann und Bebel.

[27] AaO 44.

[28] Völlige Abfertigung Pfeiffers, 1697, 111: „ . . . und obwol die beyde / ein gottseliger Studiosus Theologiae, und ein Jurist, so die allererste anlaß gegeben / wie auch die meiste / so ihm zuerst beygewohnet / bereits diese welt verlassen . . ."

[29] RE[1] 14,618.

Johann Jakob Schütz zu identifizieren. Das ist, da dieser nachweislich neben Spener die größte Rolle im Frankfurter Kollegium gespielt hat, sehr gut möglich, ja wahrscheinlich. Bezeugt ist es aber nicht[30]. Wer jener fromme Theologiestudent gewesen ist, bleibt uns verborgen[31]. – Bei diesen beiden Initiatoren darf man aber nicht stehenbleiben. In dem Brief an Bebel vom 20. 1. 1671 berichtet Spener, einer der Scholarchen hätte zu den ersten Anregern gehört und durch einen Vertrauten die Sache betrieben. Er wäre auch Teilnehmer des Exercitiums geworden, wenn er nicht zwei oder drei Wochen später erkrankt und ihnen entrissen worden wäre[32]. Diese Angaben treffen auf den Scholarchen Konrad Stein zu, der nach der Spenerschen Leichpredigt ein besonders frommer, der „wahren Pietät" ergebener Mann gewesen ist und auch tatsächlich Ende August 1670 erkrankte und im Sep-

---

[30] RITSCHL hat deshalb in seiner Darstellung überhaupt keine Namen genannt und nur in einer Anmerkung vermerkt „Tholuck . . . nennt als diese Männer . . . Johann Jakob Schütz und den Gymnasiallehrer Diefenbach. Aufgrund welcher Quelle sagt er nicht, habe ich auch nicht ermitteln können" (aaO II,136, Anm. 2). Der Quellennachweis ist auch seit RITSCHL nicht erbracht worden. Trotzdem wird von GRÜNBERG, DECHENT u. a. die Veranlassung durch Schütz und Diefenbach (zu diesem vgl. die folg. Anm.) als Tatsache ausgegeben, wobei es im Unterschied zu dem vielgescholtenen RITSCHL von niemand für nötig erachtet wird, die Ungesichertheit dieser Tradition auch nur zu erwähnen.

[31] Da Theologiestudenten, bevor sie eine Pfarrstelle bekamen, oft als Lehrer tätig waren, ist zu fragen, ob THOLUCKS Gymnasiallehrer Diefenbach (vgl. oben Anm. 29. 30) nicht mit jenem von Spener 1677 als verstorben gemeldeten Studenten identisch sein könnte. Diese Identifikation nimmt DECHENT vor (ChW 3, 1889, 852; Kirchengeschichte II,67). Aber der von THOLUCK genannte Diefenbach ist 1686 noch am Leben (RE[1] 14,622; vgl. GRÜNBERG III,398)! Er kann es also nicht sein. GRÜNBERG hat dies offenbar auch bemerkt, verfährt aber nicht viel glücklicher als DECHENT, wenn er THOLUCKS Diefenbach einfach zu Schütz und dem Theologiestudenten als einen dritten Anreger hinzuaddiert (aaO I,167). Diese Konstruktionen fallen aber in sich zusammen, wenn man einmal den Spuren des von THOLUCK namhaft gemachten Gymnasiallehrer Diefenbach nachgeht. Derselbe, Martin Diefenbach mit Namen, ist am 31. 1. 1661 in Frankfurt als Sohn von Georg Gustav Diefenbach (1641 Bürger von Frankfurt) geboren, war zuerst Lehrer am Gymnasium, ab 1689 – also drei Jahre nach Speners Weggang – Prediger in Frankfurt, wo er am 6. 6. 1709 starb (über ihn: DIETZ, Bürgerbuch, 20; Leichpredigt in der Leichenpredigtensammlung der Niedersächs. Staats- und Univ.-Bibl. Göttingen). Bei Speners Weggang von Frankfurt im Jahre 1686 begleitete Diefenbach Spener bis Hanau (vgl. den Brief Diefenbachs an J. H. May vom 10. 7. 1686, Sup. ep. [4°] 13,136). Im Jahre 1697 trat er in den pietistischen Streitigkeiten mit einem *Sendschreiben an Adam Rechenberg betreffend die schuldige Rettung der Ehre und Lehre Martini Buceri* literarisch hervor (Göttingen, Acta pietist. X, 6 und 7). Diefenbach war einer der eifrigsten Parteigänger Speners in Frankfurt. Die Tatsache, daß er im Jahre 1670 neun Jahre alt war, dürfte aber genügen, um ihn dort, wo es um die Entstehung des Frankfurter Collegium pietatis geht, ein für allemal aus der Literatur zu vertreiben.

[32] Cons. 3,329 a.

tember starb[33]. In dem gleichen Brief an Bebel gibt Spener weiter an, zwei mit der Doktorwürde ausgezeichnete Söhne eines anderen Scholarchen nähmen an dem Kollegium teil, einer von ihnen sei sogar beinahe der erste Urheber (tantum non primus auctor) gewesen[34]. Bei diesen muß es sich um Söhne des Scholarchen Achilles Uffenbach handeln, von denen drei graduierte Juristen waren, altersmäßig aber nur die beiden älteren Zacharias Conrad Uffenbach (1639–1691) und Johann Christoph Uffenbach (1643 bis 1684) in Frage kommen[35]. Die Zahl derer, die den Plan solcher Zusammenkünfte gefaßt hätten, gibt Spener für den Anfang mit vier oder fünf an. Über weiteren Zuzug sei man zuerst noch ungewiß gewesen[36].

Auch über die Zusammensetzung des Kreises, der dann ab August 1670 zusammentraf, erfahren wir namentlich nichts Genaues. Nach ungefähr einem Vierteljahr nennt Spener als Teilnehmer: zwei Söhne eines Schol-

---

[33] Herrn Archivdirektor Dr. ANDERNACHT, Frankfurt a. M., bin ich für Angaben über die Besetzung des Scholarchatsamts in Speners Frankfurter Zeit zu Dank verpflichtet. Danach waren im Jahre 1670 wie schon 1669 folgende Scholarchen im Amt (die Lebensdaten entnehme ich den sämtlich von Spener gehaltenen Leichpredigten, vgl. *Grünberg Nr. 124. 108. 114. 119*):

Philipp Christian Lersner (1611–1684)
Konrad Stein (1604–1670)
Achilles Uffenbach (1611–1677)
Johann Hektor Bromm (gest. 1680).

Konrad Stein war nach den Angaben seiner Leichpredigt seit dem 23. August unpäßlich, seit dem 24. August bettlägerig (er starb am 13. 9. 1670). Da Spener von einem Scholarchen spricht, der die Zusammenkünfte mitanregte und teilgenommen hätte „nisi secunda vel tertia septimana mox in morbum incidisset", läßt sich die Gründung des Collegium pietatis in den Anfang des Monats August 1670 datieren. – Konrad Stein ist am 5. 1. 1604 in Freienseen in der Grafschaft Solms-Laubach geboren, hat die Schule in Laubach besucht, seit 1621 in Gießen, seit 1625 in Marburg unter Goclenius studiert und war ursprünglich für eine philosophische Professur bestimmt, trat jedoch in die Dienste der Stadt Frankfurt, wo er seit 1628 Adjunkt am Gymnasium war. Ging 1633 „seiner studien und umb mehrer qualificirung willen" nach Leiden, anschließend Reisen durch Holland, England, Frankreich. Seit 1637 wieder in Frankfurt, 1650 Pfleger des Almosenkastens, 1651 Ratsherr, 1663 jüngerer Bürgermeister, 1665 Schöffe. Hat „ein solch herrlich Christenthum und starcken glauben auff seinem siechbett erwiesen / daß Gott-liebende hertzen / so gegenwärtig und umb ihn gewesen / sich dessen hertzlich erfreuet / und höchlich verlanget / diese selige sterbkunst ihm abzulernen" (Spener, Leichpredigten I,1677, 203). Zwei Töchtern von Konrad Stein ist Speners 1667 erschienene Übersetzung des Traktats von Labadie (oben S. 233, Anm. 18) gewidmet.

[34] Cons. 3,329 a.

[35] Den Hinweis auf die beiden graduierten Söhne des Scholarchen Uffenbach verdanke ich Dr. ANDERNACHT. Ich habe dadurch eine frühere, durch die Angaben DECHENTS (Kirchengeschichte II,75) veranlaßte Vermutung, daß es sich um Söhne des Scholarchen Lersner handele, korrigieren können. Zu Achilles Uffenbach und seiner Familie vgl. Frankfurter Blätter für Familiengeschichte II, 1909, 40 f.

[36] Cons. 3,547 b.

archen, die beide den Doktorgrad besitzen, Söhne, Verwandte und Bekannte verschiedener Ratsmitglieder und Schöffen, Söhne und Verwandte einiger Frankfurter Prediger, zuweilen auch einige Amtsbrüder Speners[37]. Frauen, deren Teilnahme in den späteren Jahren bezeugt wird, sind am Anfang nicht beteiligt gewesen. Es ist auch keiner dabei, der nicht dem lutherischen Bekenntnis angehört[38]. Auch fehlen die Angehörigen der unteren Stände, Handwerker und Bedienstete. Der Kreis, der im Sommer 1670 zusammentritt, scheint fast ein reiner Akademikerkreis gewesen zu sein. Mehrmals erwähnt Spener, daß die wenigen, die anfangs zusammenkamen, meistenteils „gelehrte" waren[39]. Angehörige des Frankfurter Patriziats müssen am Anfang eine dominierende Rolle gespielt haben. Neben den beiden Uffenbachs scheinen Herren von Lersner und von Ochsenstein unter den frühen Teilnehmern gewesen zu sein[40]. Auch Johann Vincenz Baur von Eyseneck, mit Spener seit der Genfer Zeit befreundet, scheint früh zu dem Kreis gestoßen zu sein, dem er durch seinen frühen Tod jedoch bald entrissen wird[41]. Die Urzelle des Frankfurter Kollegiums muß jedenfalls eine ebenso gelehrte wie vornehme Gesellschaft gewesen sein.

Zurück zu den Anfängen und zu Spener! Seine Reaktion auf den an ihn herangetragenen Vorschlag ist bemerkenswert. Er lobt den Vorschlag, sieht aber die Gefahr von Verdächtigungen, wenn solche Zusammenkünfte fern von den Augen des Ministeriums stattfinden. Deshalb bietet er sich zur Teilnahme an und stellt sein Pfarrhaus zur Verfügung. Daß er um seine Teilnahme gebeten wurde, sagt er nirgends. Spener spricht davon sogar als von einer Bedingung, die er gestellt und die die Männer akzeptiert hätten[42]. Eine sehr interessante Bemerkung, die sonst nirgendwo wiederholt wird, fällt in jenem ersten Bericht an Hartmann. Spener schreibt dort, wenn er dem Begehren der Männer nicht entgegengekommen wäre, wären sie auch ohne ihn zusammengekommen. Das hätte er aber nicht gewollt[43]. Ohne Speners Zustimmung und Beteiligung hätte sich also im Sommer 1670 möglicherweise eine Art frommer Gemeinschaft gebildet, die nicht unter Aufsicht des Predigtamtes stand. Derartiges konnte nicht im Interesse des Frankfurter Seniors liegen. So zeigt Speners erste Reaktion bereits jenes

---

[37] Cons. 3,329 a.

[38] Cons. 3,329 b: Nemo adest heterodoxus, nemo fidei suspectus.

[39] Sendschreiben, 62: Was die personen anlangt / welche dieser hausübung beywohnen / waren anfangs allein unser gantz wenige und deß meistentheils gelehrte. Vgl. Cons. 3,327.

[40] DECHENT, aaO 75; ChW 3, 1889, 852.

[41] Er starb am 16. 8. 1672. Näheres über ihn oben S. 139.

[42] Cons. 3,334 b.

[43] AaO (oben S. 256, Anm. 8) 165: Nisi optimorum Virorum, qui primi hoc exercitium petiere, voluntati obsecundassem, etiam sine me coituri erant: quod maluissem, ne videretur ὕπουλόν τι subesse ejusmodi conventibus, qui sine inspectione ministerii ordinarii instituerentur.

Drängen auf „Verkirchlichung“, das er in der ganzen Geschichte des Frankfurter Kollegiums weiterverfolgt hat bis zur Übersiedlung des Kollegiums in den Kirchenraum. Es ist die gleiche Reaktion, die man bei seinen Stellungnahmen zu den Plänen einer christlichen „Liebesgesellschaft“ oder „Jesusgesellschaft“ beobachten kann[44]. Bei den Anregern des Kollegiums scheint dagegen, wenn Spener ihrem Unternehmen den Charakter der Verdächtigkeit nehmen muß, eine gewisse kirchliche Indifferenz geherrscht zu haben. Es ist nicht ausgeschlossen, daß der Keim der aus dem Frankfurter Kollegium hervorgegangenen separatistischen Bewegung bereits in der Entstehung des Kollegiums selbst liegt[45].

Außer Spener waren auch noch andere Prediger von dem Vorhaben informiert worden. Spener besprach sich mit diesen, hielt es aber nicht für nötig, die Sache vor den Predigerkonvent zu bringen[46]. Er erreichte nicht nur das Einverständnis der angesprochenen Amtsbrüder, einige von ihnen haben in der ersten Zeit auch an Zusammenkünften teilgenommen. Ebenfalls nicht für nötig hielt es Spener, den Magistrat offiziell in Kenntnis zu setzen. Auf persönlichem Wege hatte man sich des Wohlwollens der Scholarchen versichert, man brauchte also von dieser Seite keinen Einspruch zu befürchten[47].

Anfang August kam man in Speners Studierzimmer das erste Mal zusammen. Von nun an traf man sich zweimal wöchentlich[48]. Sonntag- und Mittwochabend nach der Betstunde, die sommers um 5 Uhr, winters um 4 Uhr in der Barfüßerkirche gehalten wurde[49], ging eine kleine Gruppe von Männern in das neben der Kirche gelegene Pfarrhaus hinüber[50]. Spener

---

[44] S. oben S. 259, Anm. 22.

[45] Auffällig ist auch die Tatsache, daß Spener bereits zur Zeit der Entstehung des Collegium pietatis öffentlich in einer Predigt vor der Gefahr einer Trennung warnen muß (Predigt vom 14. Sonntag n. Tr. 1670, Lauterkeit I,2; 379–394. Vgl. dazu Grünberg I,198).

[46] Sendschreiben, 46 f.: Ich überlegte auch die sache mit einigen meiner Herren Collegen, sonderlich denen solche Freunde selbst part davon gegeben hatten.

[47] AaO 57; Cons. 3,329 a.

[48] An Hartmann 9. 11. 1670, aaO 165: per septimanam bis. An Bebel, Cons. 3,334: bis in septimana in Museo meo. Bellardis Annahme, man habe sich zuerst nur einmal wöchentlich getroffen, der zweite Versammlungstag sei erst später – allerdings schon bis spätestens 1670 – dazu gekommen (aaO II, 5, Anm. 10), ist unbegründet.

[49] Über die Einrichtung der 1620 vom Rat dekretierten täglich – auch sonntags – zu haltenden Betstunden s. Becker, Kirchenagende, 23.

[50] Die ältesten Zeugnisse enthalten keine Angaben über die Wochentage, sondern reden nur von Zusammenkünften „bis in septimana“. Die ersten genaueren Angaben finde ich im November 1675 (an Joachim Stoll): „Sonsten bestehet mein gewöhnlich exercitium zu hauß (so auch einige collegium pietatis nennen) in dem, daß wir wochentlich zweymal, nemlich sonntags und mittwochs abends nach der betstunde zusammen kommen“ (L. Bed. 3,7). So auch Cons. 3,577 a (undatiert, vom Inhalt her auf 1675 zu datieren). Ab 1676/77 reden alle Zeugnisse von Zusam-

sprach zu Beginn ein Gebet, dann las er einige Seiten aus einem Erbauungsbuch vor. War er fertig, so faßte er den Inhalt noch einmal zusammen und wies auf dasjenige hin, was ihm besonders wichtig und beherzigenswert schien. Dann folgte die Aussprache. Ohne bestimmte Ordnung, wie sie in anderen Kollegien, etwa bei den Predigerkonventen bestand, konnte ein jeder seine Meinung vorbringen, Fragen stellen, auf Dinge hinweisen, die ihm besonders wichtig schienen. Es sollte ein freies Gespräch unter Freunden sein. Von vornherein hatte man sich dafür aber bestimmte Regeln gesetzt. Spener bestreitet zwar, daß sie sich wie andere Gesellschaften bestimmte „leges" gegeben hätten[51], weiß aber doch von einer „lex" zu reden, die die „Methode" ihrer Gespräche regelte. Danach sollte alles fallengelassen werden, was der Erbauung nicht dienlich wäre[52]. Subtile Erörterungen, die keinen praktischen Bezug auf die Frömmigkeit hätten, sollten ebenso abgewiesen werden wie alle auf die Kontroversien gehenden Fragen. Das Gespräch sollte sich vollziehen als ein gegenseitiges brüderliches Anspornen zum Eifer für die Frömmigkeit, zur Liebe Gottes und zu dem daraus fließenden Gehorsam. Ob diese vereinbarte „Methode" schriftlich fixiert wurde, ob die einzelnen Mitglieder des Kollegiums sich schriftlich zur Einhaltung verpflichteten, das wissen wir nicht. Jedenfalls war sie für alle verbindlich, und wer dagegen verstieß, wurde zurechtgewiesen. Auf diese Weise begann man mit dem Gespräch über den vorgelesenen Text. Man hatte sich dafür die „Praxis pietatis" von Lewis Bayly und ein lutherisches Erbauungsbuch, Joachim Lütkemanns „Vorschmack göttlicher Güte", ausgewählt. In den nächsten Jahren wurde außerdem die „Epitome Credendorum" des Nicolaus Hunnius[53], ein in deutscher Sprache geschriebener

menkünften montags und mittwochs. Vgl. Cons. 3,326 a; Sendschreiben, 52. Auch bei der Verlegung der Zusammenkünfte in die Kirche 1682 werden Montag und Mittwoch genannt (A. A. von Lersner, Chronik der Stadt Frankfurt II, 1734, Buch 2,21). Das Sonntagskolleg muß also, wie schon Bellardi gesehen hat (aaO II,5, Anm. 10), ungefähr 1676 auf den Montag verlegt worden sein; vermutlich ist das wegen der Sonntagnachmittag gehaltenen öffentlichen Katechismuslehre geschehen, zu der jetzt auf Speners Anraten auch die Erwachsenen kamen.

[51] Cons. 3,328 a: nullae certae leges.

[52] Cons. 3,325: Hanc solam legem nobis scripsimus, ut caveremus nobis ab iis, quae ad aedificationem nostram parum conducerent. Vgl. Cons. 3,328 a: imo nihil statum, quam certae horae, & methodus.

[53] Nicolaus Hunnius, Epitome Credendorum, Oder Kurtzer Inhalt Christlicher Lehre / So viel einem Christen darvon zu seiner Seelen Seligkeit zu wissen und zu glauben hoch nötig und nützlich ist, Wittenberg 1633. 8°. 938 S. + Reg. (Erstausgabe 1625, vgl. RGG³ III,491). Die Gräfl. Solms'sche Bibliothek Laubach besitzt außer dieser Ausgabe von 1633, die den Besitzvermerk Gräfin Benigna Solms, einer Teilnehmerin des Frankfurter Kollegiums (Grünberg I,171, Anm. 1; vgl. über sie H. Renkewitz, Hochmann von Hochenau, 1935 [1969²], 54 f.) enthält, noch ein mit weißen Blättern durchschossenes Exemplar Wittenberg 1664. 8°. 630 S. + Reg. Dieses Exemplar ist, wie sich aus der Handschrift einiger weniger Randbemerkungen eindeutig ergibt, das Handexemplar von Johann Jakob Schütz!

Abriß der orthodoxen Dogmatik, gelesen. Hatte man über das Gelesene eine Weile geredet, konnte ein beliebiges anderes Thema angeschnitten werden. So kam man, wie es im Gespräch unter Freunden üblich ist, auf dieses und jenes, so daß auch über politische und wirtschaftliche Themen gesprochen werden konnte. Auch hier war jeder zum Einhalten einer Regel verpflichtet. Es durfte nicht über abwesende Personen gesprochen werden, Mißstände in der Stadt sollten nur im allgemeinen benannt werden. Schließlich wurde das Zusammensein wiederum mit Gebet beendet. In so bescheidener Form spielten sich die frühen Zusammenkünfte des Frankfurter Kollegiums ab, die in den ersten Monaten in Speners Studierzimmer Platz hatten.

Wir haben die Entstehung des Collegium pietatis nach den ältesten Quellen nachzuzeichnen versucht und fragen jetzt erst nach den Einflüssen und Vorbildern, die auf die Entstehung eingewirkt haben können. Nach dem bisher Dargestellten ist deutlich, daß man nicht einfach, wie es gewöhnlich geschieht, nur nach den Einflüssen fragen darf, die auf Spener gewirkt haben. Man muß auch mit Einflüssen auf den Kreis derjenigen rechnen, von denen der Vorschlag besonderer Zusammenkünfte kam. Die Unterscheidung zwischen diesen beiden Urhebern würde freilich sachlich bedeutungslos, wenn die an Spener herantretenden Männer selbst wiederum nur von Gedanken Speners angeregt wären. Für diese Annahme scheint zu sprechen, daß Spener am 17. Sonntag nach Trin. 1669 eine Predigt gehalten hat, in der bereits der Gedanke, daß gute Freunde sich zur Lektüre frommer Bücher und zum erbaulichen Gespräch treffen sollten, in aller Deutlichkeit ausgesprochen ist. In dieser auf den 3. Oktober 1669 zu datierenden Predigt heißt es gegen Ende des Exordiums[54]:

„O wie würde es so viel nutzen schaffen / wann sonntags zuweilen gute freunde zusammen kämen / und an statt der gläser / karten / oder würffel / entweder ein buch vor sich nähmen / darauß zu aller erbauung etwas zu lesen / oder aus den predigten / was sie gehöret / wiederholten / und je einer / der anders etwas noch behalten hat / den andern wieder drein hülffe / daß sie nutzen aus den predigten haben möchten. Wann sie insgesambt von den göttlichen geheimnissen mit einander redeten / und der / welchem GOTT mehr gegeben hat / seine schwächere brüder darmit suchte zu unterrichten. Wo sie aber nicht gantz sich drein finden könten / einen prediger deßwegen besprächen / und ihnen die sache erläutern liessen. Ach! geschähe dieses / wie würde so wohl allerhand böses unterwegen bleiben / als insgesambt / der heilige sonntag mit grosser erbauung / und mercklichem nutzen bey allen geheiliget werden. Hingegen ists gewiß / daß wir prediger von den cantzlen die leut nicht so viel / als vonnöthen ist / unterrichten können / wo nicht auch andere unter der gemeinde / die ihr Christenthum aus gött-

[54] Evang. Sonntagsand., 638.

licher gnade besser verstehen / krafft ihres allgemeinen priesterlichen ambts / sich befleissen neben und unter uns ingleichen an seinem nächsten so viel zu bessern und zu bereiten / als er nach der maas seiner gaben und einfalt kan. Wie nun dazu alle zeit heilig ist / da man gelegenheit bekommt / dasselbe zu thun: Also ist vor andern gleichwol der sonntag hierzu absonderlich geheiligt."

Grünberg, der auf diese Predigt wohl erstmals hingewiesen hat, hält es für möglich, daß der an Spener herangetragene Wunsch nach erbaulichen Zusammenkünften durch diese Äußerungen hervorgerufen worden ist[55]. In der neueren Literatur wird diese Vermutung bereits als Tatsache ausgegeben[56]. Dagegen sind jedoch erhebliche Bedenken zu erheben. Zwar hat Grünberg sicher recht, daß in dieser Predigt bereits klar und einfach ausgedrückt ist, was fromme Zusammenkünfte *nach Speners Idee* ursprünglich sein sollten. Man wird auch annehmen müssen, daß die Anreger des Kollegiums, die ja zu Speners Predigthörern zählten, von dieser Predigt beeinflußt waren, wenn sie im August 1670 auch schon zehn Monate zurücklag. Trotzdem reicht der Verweis auf sie bei weitem nicht aus. Das zeigt bereits Speners Reaktion, die völlig widersinnig erscheint, wenn die Männer nur die Vorschläge seiner Predigt befolgen wollten. Erst hatte er zum Zusammenkommen guter Freunde geraten, wobei der Prediger nur im Notfall herangezogen werden sollte – jetzt hat er Besorgnis, wenn die Zusammenkünfte ohne einen Prediger stattfinden würden! Daß sich Spener mit Amtsbrüdern abspricht und sich des Einverständnisses der Scholarchen versichert, wenn nur ein Gedanke einer vor knapp einem Jahr gehaltenen Predigt befolgt wird, wäre ebenfalls äußerst seltsam. Da muß der Plan der Männer doch erheblich über das in der Predigt Vorgeschlagene hinausgegangen sein! Es gilt auch zu beachten, daß jene Predigt vom Oktober 1669 zur Sonntagsheiligung aufruft und die darin vorgeschlagenen Zusammenkünfte eine gute Weise der Feiertagsheiligung beschreiben. Nirgendwo hören wir aber, daß die im August 1670 veranstalteten Zusammenkünfte der Sonntagsheiligung dienen sollen. Sie finden ja von Anfang an zweimal in der Woche statt. Der Gedanke des Stiftens einer Sozietät und einer engeren Freundschaft zwischen den Teilnehmern geht ebenfalls weit über die Spenerschen Anregungen hinaus. Von einem philadelphischen Ideal, wie es die Männer

[55] Grünberg I,166 f.: „... entschieden bezeugt er (sc. Spener), daß er zur Verwirklichung dieses Gedankens nicht von sich aus die Initiative ergriffen hat, sondern die Anregung dazu ihm von außen, von guten Freunden, gegeben wurde, eine Anregung, die freilich eben durch jene Äußerung Speners (welcher vielleicht ähnliche Äußerungen zur Seite gingen) hervorgerufen sein *konnte*" (Auszeichnung von mir).

[56] Vgl. Aland, Philipp Jakob Spener, 527: „Schon im Sommer des nächsten Jahres traf man, entsprechend den Anregungen, die auf Speners Predigt hin aus der Gemeinde kamen, ... zu solchen Versammlungen zusammen." Ähnlich schon Stephan-Leube, Handbuch der Kirchengeschichte IV, 1931², 44.

vom August 1670 offensichtlich hegen, ist in jener Predigt nichts zu finden. Schließlich ist es doch auffällig, daß Spener selbst die Entstehung des Kollegiums nicht in Zusammenhang mit dieser Predigt bringt. Er bringt sie – aber auch erst in späterer Zeit – in Zusammenhang mit jener Predigt vom Sommer 1669 über Matthäus 5,20, in welcher er in schockierender Schärfe das Allerweltschristentum als „pharisäische Gerechtigkeit" angeprangert und die wahre Gerechtigkeit des lebendigen Glaubens gefordert hat[57]. Durch diese Predigt sei eine starke Bewegung in der Frankfurter Gemeinde entstanden, von der Spener später den Beginn des Frankfurter Pietismus datiert[58]. Spener legt also nahe, in den Anregern des Kollegiums solche Leute zu sehen, die durch jene Predigt von der falschen Gerechtigkeit der Pharisäer angerührt waren. Aber wenn er schon ein Interesse bekundet, diese Männer als unter dem Einfluß seiner Predigt stehend darzustellen, warum verweist er nirgendwo auf jene Predigt von der Sonntagsheiligung? Nur eine Antwort scheint mir plausibel zu sein. Für Spener selbst ging der Vorschlag der Männer so weit über die Anregungen seiner Predigt hinaus, daß er ihn selbst nicht als Verwirklichung eines eigenen Gedankens begreifen konnte. Erst in der Form, die Spener dem Gedanken der Männer aufzuprägen versuchte, und in der Sprache, mit der er als der einzigen Quelle, die wir besitzen, davon berichtet, rückt das Unternehmen, ohne freilich die andersartigen Elemente ganz verschwinden zu lassen, in die Nähe zu den Sätzen jener Predigt vom Oktober 1669. Wir müssen also damit rechnen, daß Einflüsse anderer und unbekannter Art, die in Richtung des Gesellschafts- und Philadelphiaideals liegen könnten, neben Speners Ideen bei der Entstehung des Kollegiums mitgewirkt haben.

Wenn wir die Dinge richtig nachgezeichnet haben, so ist die Entstehung des Frankfurter Collegium pietatis nicht als die Verwirklichung einer Idee zu begreifen, die Spener längst gehegt hatte. Was im August 1670 zustande gekommen ist, zeigt eher die Form eines Kompromisses, der sich aus der von einigen Frankfurter Bürgern gefaßten Idee einer christlichen Liebesgesellschaft und den Ideen des Frankfurter Seniors ergeben hat. Man kann also nicht von einer planvollen Gründung Speners reden. Es ist schon auffällig, daß Spener, der übrigens den von Mißgünstigen geprägten Begriff „Collegium pietatis" nur widerstrebend aufgenommen hat, vor dem Sommer 1670 nirgendwo von der Einrichtung besonderer, unter der Direktion des Predigtamtes stehender Erbauungsveranstaltungen spricht. Speners Briefwechsel aus den Jahren vor 1670, in denen er mit einigen Freunden bereits im lebhaften Austausch über Reformgedanken steht, müßte doch eigentlich

[57] Warhafftige Erzehlung, 44 ff. Das Sendschreiben von 1677 berichtet im ersten seiner drei Teile ebenfalls von der Predigt über Matth. 5,20 (aaO 13), bringt sie aber mit der Entstehung des Collegium pietatis in keinen unmittelbaren Zusammenhang. Zur Predigt selbst vgl. oben S. 232 f.

[58] Warhafftige Erzehlung, 45.

Spuren dieser Idee zeigen, wenn er sie ernsthaft gehegt hätte. Noch auffälliger aber ist, daß auch in den ersten Jahren nach 1670 sich nirgendwo jene Idee der Collegia pietatis finden läßt, die Spener dann 1675 in den Pia Desideria ausspricht. In den Pia Desideria versteht Spener fromme Erbauungsversammlungen als Erneuerung der alten apostolischen Kirchenversammlungen nach dem Muster von 1. Kor. 14. Diese Schriftstelle liefert Spener und dem sich an ihn anschließenden Pietismus später regelmäßig den biblischen Rechtsgrund für die Erbauungsversammlungen. Unter den zahlreichen Bibelstellen, mit denen Spener Ende 1670 das Unternehmen gegenüber Balthasar Bebel zu verteidigen sucht, findet sich aber 1. Kor. 14 nicht[59]. Auch sonst findet sich in den ersten Jahren keine Spur eines Rekurses auf jene spätere Kardinalstelle. Eine Idee der Collegia pietatis, wie sie Spener in den Pia Desideria vorträgt, hat sich offensichtlich erst sehr allmählich bei ihm gebildet. Die Wirklichkeit ist eher dagewesen als die Idee.

Trotzdem ist die Frage sinnvoll und notwendig, ob man in Frankfurt von anderen ähnlichen Einrichtungen gewußt hat und ob Einflüsse solcher Vorbilder auf das Frankfurter Kollegium angenommen werden müssen. Die sehr interessante Frage, von woher der Kreis der Frankfurter Bürger und jener bald gestorbene Theologiestudent in ihren Ideen einer christlichen Liebesvereinigung bestimmt waren, muß dabei außer Betracht bleiben, weil für die Beantwortung dieser Frage die Quellen nicht genug hergeben. Es ist sehr wohl möglich, daß ausländische, etwa niederländische Vorbilder einigen aus dem Kreis der Initiatoren bekannt waren. Es gibt ja nur wenige unter den Frankfurter Patriziern dieser Zeit, die nicht auf ihrer Bildungsreise die Niederlande besucht haben[60]. Es ist wahrscheinlich, daß mystisch-spiritualistische Literatur, die aus den Niederlanden nach Frankfurt kam, auf die Gedankenbildung der Anreger Einfluß gehabt hat. Einige Anzeichen sprechen dafür, daß Gedanken von Johann Amos Comenius in diesem Kreis Eindruck gemacht und vielleicht sogar die „Methode" der Collegia mitbeeinflußt haben[61]. Über Vermutungen wird man aber hier

[59] Cons. 3,335 a (s. unten S. 280, Anm. 37).

[60] Vgl. die den Spenerschen Leichpredigten auf Frankfurter Patrizier beigegebenen Lebensläufe. Auch Konrad Stein, der Mitanreger des Kollegiums, hatte sich lange in den Niederlanden aufgehalten (s. oben S. 261, Anm. 33). – Natürlich müssen ebenso von niederländischen Reisenden nach Frankfurt gebrachte Nachrichten als Einflußquellen in Rechnung gestellt werden.

[61] Da es sich bei dem Kreis der Anreger um akademisch Gebildete handelt, muß jedenfalls mit der Möglichkeit literarischer Einflüsse gerechnet werden. Vielleicht liegt ein Fingerzeig in Speners Mitteilung, die Freunde hätten Gelegenheit gesucht, sich „von dem einigen ihnen allen nothwendigen" zu besprechen (s. oben S. 258 bei Anm. 20). Diese Formulierung – in dem lateinischen, gegenüber der deutschen Fassung ursprünglicheren Bericht: *„de uno necessario"* (Cons. 3,325 a) – findet sich in jener Spenerschen Predigt von der rechten Sonntagsheiligung nicht. Sie entspricht aber vollständig der berühmten um das Jahr 1670 unter den Gebildeten diskutierten Spätschrift des Johann Amos Comenius: UNUM NECESSARIUM,

nicht hinauskommen. Einzig bei Spener läßt sich die Frage einigermaßen beantworten, welche Kenntnis er besessen hat von Einrichtungen, die für das Frankfurter Kollegium vorbildlich gewesen sein können.

Freiwillige Erbauungsversammlungen neben dem öffentlichen Gottesdienst unter der Direktion des Predigtamtes hat es in der lutherischen Kirche in der ersten Hälfte des 17. Jahrhunderts vereinzelt bereits gegeben. In Görlitz hielt der Pastor Martin Moller zu Anfang des Jahrhunderts Hausversammlungen, an denen Jakob Böhme teilgenommen haben soll. Im oberhessischen Butzbach ist 1623 der Hofprediger Heiland, ein Anhänger Arndts, wegen privater Bibelerklärung, die er daheim mit etlichen Bürgern hielt, fast seines Amtes entsetzt worden[62]. Die Straßburger Theologische Fakultät spricht 1636 von „Übungen“ der Pfarrer mit ihren Gemeindegliedern an unterschiedlichen Orten, die aber durch den Krieg in Abgang gekommen seien[63]. Herzog Ernst der Fromme suchte außergottesdienstliche Erbauungsversammlungen in seinem Gebiet einzuführen[64]. Nach dem Krieg sind von Theologiestudenten eingerichtete Privatversammlungen aus Hamburg

---

Scire quid sibi sit necessarium, in Vita et Morte, et post Mortem. Quod Non-necessariis Mundi fatigatus, et ad Unum Necessarium sese recipiens, senex J. A. Comenius Anno Aetatis suae 77 Mundo expendendum offert, Amsterdam 1668. – Mit dem im Anschluß an Jesu Wort an Martha (Luk. 10,42) gebildeten Titel seiner Schrift will Comenius zum Ausdruck bringen, daß alle seine früheren Überlegungen und Pläne den Gedanken der Martha ähnlich gewesen seien, es ihm jetzt aber um das Eine Notwendige der Maria gehe (vgl. vor allem die Professio Authoris, p. 69). Alles Übel in der Welt habe darin seine Ursache, daß die Menschen zwischen dem Notwendigen und dem Nichtnotwendigen nicht unterscheiden, dabei das Notwendige außer acht lassen und sich unaufhörlich mit dem Nichtnotwendigen beschäftigen. Comenius will deshalb die *Mariana ars*, beides recht zu unterscheiden, vorstellen, wobei er u. a. auch Leseregeln für die Lektüre von Büchern gibt (p. 43), die stark an die im Collegium pietatis geübte Praxis erinnern. Durch die Befolgung der *Regula Christi de Uno Necessario* könne, wenn Gott es zulasse, die ganze Welt zum Besseren verändert werden. – Spener hat die Schrift des Comenius zur Zeit der Gründung des Collegium pietatis gekannt. In dem Brief an Theophil Spizel vom 10. 1. 1671, in dem er diesem von den Zusammenkünften erstmals mitteilt (Cons. 3,42–46; vgl. oben S. 257), gibt er ein von Spizel erbetenes ausführliches Urteil über sie ab, in welchem er grundsätzlich zustimmt, den Kreis des Notwendigen aber weiter gezogen haben will, um nicht auch die Sozinianer als Christen anerkennen zu müssen. Außerdem will er mit den in dieser Schrift allerdings nur schwach angedeuteten chiliastischen Anschauungen des Comenius nichts zu tun haben. Johann Jakob Schütz hat die Schrift des Comenius ebenfalls gekannt. Die Amsterdamer Ausgabe von 1668 befindet sich in einem zwölf Schriften aus den Jahren 1664–1673 enthaltenden Sammelband, dessen erste Titelseite den handschriftlichen Eintrag: *Joh. Jac. Schütz L.* trägt, in der Gräfl. Solms'schen Bibliothek in Laubach. Anweisungen zur engeren Gemeinschaftsbildung enthält diese Schrift allerdings nicht. Der Begriff des „einig Notwendigen“ begegnet auch in den Pia Desideria (PD 27,15.25; vgl. 25,9).

[62] Die beiden Fälle bei THOLUCK, Kirchliches Leben I, S. 103 (vgl. RITSCHL, II,137).

[63] S. oben S. 27 bei Anm. 117.

[64] S. unten bei Anm. 67.

und Lübeck bezeugt, die allerdings in Konflikt mit dem Predigtamt gerieten und von separatistischen Tendenzen nicht frei waren[65]. Von den beiden Theologen, die in Lübeck Privatversammlungen gehalten haben, kommt der eine, Jacob Taube, aus Arnheim in Holland, der andere, Thomas Tantow, hatte sich eine Zeitlang bei Breckling in Zwolle aufgehalten[66]. Die Hamburger und Lübecker Privatversammlungen haben in dem Jahrzehnt zwischen 1660 und 1670 stattgefunden. Es ist für die Beurteilung des Frankfurter Kollegiums interessant, daß die einzigen gleichzeitigen Parallelen, die man in der deutschen lutherischen Kirche findet, deutliche separatistische Tendenzen zeigen.

Spener scheint von Einrichtungen, die früher in der deutschen lutherischen Kirche bestanden, kein Wissen gehabt zu haben. Nicht mit Sicherheit kann man das von den Lübecker Vorgängen behaupten, die ihm durch den Meßverkehr sehr wohl könnten zu Ohren gekommen sein. Wenn er diese nicht erwähnt, dann möglicherweise, um sich nicht unnötig zu kompromittieren. Dagegen hätte er sich auf unverdächtige Einrichtungen mit Sicherheit berufen. Im Falle der von Herzog Ernst dem Frommen für einige Zeit eingerichteten Erbauungsversammlungen kann man noch deutlich sehen, daß Spener davon erst nach den Pia Desideria Kenntnis bekommen hat. Adam Tribbechovius in Gotha, dem Spener ein Exemplar der Pia Desideria zugeschickt hatte, machte ihm davon Mitteilung, und Spener ist über diesen Vorgänger freudig überrascht[67]. Bald danach beruft er sich gegenüber Sebastian Schmidt auf dieses Beispiel[68]. Auch sonst dürfte Spener erst auf Grund seines öffentlichen Eintretens für die Collegia pietatis zu Ohren gekommen sein, daß Privatversammlungen schon früher in Deutschland stattgefunden haben. Das gilt auch von den Straßburger kirchlichen Laienversammlungen, die Martin Bucer um 1550 ins Leben gerufen hat[69]. Hätte sich von der „Christlichen Gemeinschaft" Bucers, die in Straßburg für wenige Jahre bestand und die den wohl interessantesten Vorläufer des Spenerschen Collegium pietatis darstellt, irgendeine mündlich oder literarisch vermittelte Kenntnis bei Spener gefunden, so hätte er mindestens seinen Freunden darüber berichtet. Als Johann Schilter 1691 Bucers Schrift über die Christliche Gemeinschaft in den Straßburger Archiven entdeckte, da begrüßte Spener den Fund und förderte selbst die Drucklegung bei Zunner in Frankfurt[70]. Aus Speners Freude über den „aus dem Dunkel hervor-

[65] S. Ritschl, II,137 f.

[66] Über beide G. Arnold, Kirchen und Ketzerhistorie, Teil III, Kap. XV.

[67] Postskript eines Briefes Speners an Ahasver Fritsch vom 6. 7. 1676, wiederholt im nächsten Brief an Fritsch vom 22. 8. 1676 (oben S. 202, Anm. 34).

[68] Cons. 3,176 (21. 9. 1677): Serenissimus Dux Saxoniae, Ernestus, talia colloquia institui voluit, quod Consiliarius ejus Ecclesiasticus me docuit.

[69] S. oben S. 32, bei Anm. 156.

[70] Cons. 3,734 f. (14. 8. 1691).

gezogenen Fund" geht deutlich hervor, daß er von Bucers Schrift zuvor keine Kenntnis hatte[71].

Es bleibt zu fragen, ob Spener Kenntnis von Veranstaltungen außerhalb der lutherischen Kirche und außerhalb Deutschlands gehabt hat. Auch hier finden sich nur wenig Spuren, und es ist anzunehmen, daß Kunde von ähnlichen Unternehmungen auf reformiertem Gebiet ihm erst nach und auf Grund der Bildung des Frankfurter Kollegiums zuteil geworden ist. Spener erwähnt im Jahre 1678, daß bereits der reformierte Theologe Gisbert Voetius in seinen Disputationes selectae von der Materie der erbaulichen Zusammenkünfte geschrieben habe[72]. Da er sich auf eine kurz zuvor in Hanau erschienene Schrift bezieht, wird man nicht damit rechnen können, daß er sich 1670 bereits an Voetius orientiert hat[73]. Ähnliches gilt von den Unternehmungen Theodor Undereycks, des Begründers des Konventikelwesens in der deutschen reformierten Kirche[74]. Daß er von den Erbauungsversammlungen wußte, die Undereyck seit 1665 in Mülheim an der Ruhr gehalten hat, ist nicht festzustellen. Spener äußert sich 1674 lobend über einen Traktat von Undereyck[75], von dessen Collegia redet er nicht vor 1677[76]. Wenn es zutrifft, daß Spener den von Undereyck beeinflußten reformierten Kirchenliederdichter Joachim Neander während dessen Frankfurter Hauslehrerzeit kennenlernte, so könnte er auch erst 1673 oder 1674 Näheres über Undereyck erfahren haben[77].

Anders verhält es sich, wenn man fragt, ob Spener Kenntnis gehabt habe von den Privatversammlungen, die der seit seiner Genfer Zeit von ihm hoch-

---

[71] Cons. 3,727 (29. 2. 1692 an Schilter): Pro Buceri scripto Zunnero & per hunc toti Ecclesiae communicato gratias habeo maximas, & easdem haec tibi debet, nam plane oportuno tempore opusculum hoc e tenebris protractum est. — Daß Spener von der Schrift Bucers erst 1691 Kenntnis erhielt, hat Grünberg (I,166, Anm. 1) bereits festgestellt. Mir ist nicht einsichtig, wie M. Schmidt meinen kann, Spener habe die Konventikel „einem Straßburger Vorschlag Bucers folgend" 1670 ins Leben gerufen (Artikel „Pietismus", RGG³ V,374; ebenfalls: Zeitalter des Pietismus, XXXII).

[72] Bed. 3,224 (12. 4. 1678).

[73] So auch Ritschl II,139. — Es handelt sich um folgende, von Grünberg nicht verzeichnete Schrift: Herrn ‖ GISBERTI VOETII, ‖ Vornehmen Theologi und Profes- ‖ soris zu Utrecht ‖ von Eintzeler ‖ Versammlung ‖ der Christen / ‖ . . . Ins Teutsche übersetzt. ‖ Hanau (Joh. Eichenbergk) 1678. 12°. 60 S. (vorh. Laubach). — Nach der Vorrede des ungenannten Übersetzers, der das Buch ausdrücklich zur Verteidigung frommer Versammlungen herausgegeben hat, handelt es sich um eine Übersetzung des Passus *Disputationes selectae, part. V, p. 396—408*, der Ausgabe von 1667.

[74] Über ihn RGG³ VI,1122.

[75] Cons. 3,829 (2. 6. 1674).

[76] Cons. 3,180 (21. 9. 1677); L. Bed. 3,71 (8. 10. 1677); 3,149 (16. 10. 1681).

[77] Über Neander (1650—1680) vgl. RGG³ IV,1389. Sehr vorsichtig über die von Reitz stammende Überlieferung, daß Neander mit Spener in näherem Umgang gestanden habe, äußert sich Simons (RE³ 13,688). Ich habe bei Spener keine Spuren dieser Bekanntschaft gefunden.

geschätzte Jean de Labadie eingerichtet hat. Die Frage ist mehrfach, zuletzt in Alands Spener-Studien, verhandelt worden[78]. Ihre Beantwortung hat aber darunter gelitten, daß sie von der Frage der *Abhängigkeit* Speners von Labadie nicht unterschieden worden ist, was den Blick für den historischen Sachverhalt nicht unwesentlich getrübt hat.

Der Argwohn der Abhängigkeit von Labadie taucht in den Quellen überraschend früh auf. Er ist so alt wie das Collegium pietatis selbst. Bereits 1670 muß Spener in seinem ersten Brief an den Straßburger Freund Balthasar Bebel zu den Gerüchten Stellung nehmen, er trete in die Fußspuren Labadies[79]. Es ist hier freilich nicht davon die Rede, daß er Privatversammlungen, die er bei Labadie in Genf kennengelernt habe, in die lutherische Kirche einführen wolle. Dies ist erst spät — 1697 — behauptet worden, wobei Spener die Widerlegung leicht fiel, konnte er doch darauf hinweisen, daß Labadie in Genf gar keine Privatversammlungen gehalten habe. Daß er bei seinem Genfer Besuch 1660 von Privatversammlungen Labadies nichts wußte, hat Spener unbezweifelbar gewiß machen können[80]. Er hat aber nirgendwo behauptet, daß er im Jahre 1670 in Frankfurt keine Kenntnis hatte von jenen Privatversammlungen, die Labadie in Holland eingerichtet hatte[81].

Der gleich nach der Entstehung des Kollegiums auftauchende Verdacht lautete, Spener führe ein Schisma im Sinne Labadies herbei[82]. Spener hat dies mit der Begründung abgestritten, daß man grundsätzlich niemand aus-

---

[78] AaO 41 ff., besonders 45 ff.

[79] Cons. 3,336 (1670; zur Datierung s. oben S. 256): De Schismate Labadiano, quod ais nonnullis in mentem venisse, miror . . . — Schleierhaft bleibt mir, warum Aland (Spener-Studien, 43) gegen die Behauptung K. D. Schmidts polemisiert, Spener sei schon zu Lebzeiten Labadismus vorgeworfen worden. Außer an der hier genannten Stelle hat Spener ja 1677 im Sendschreiben (aaO 108 ff.) bereits zu diesem Vorwurf öffentlich und ausführlich Stellung nehmen müssen. Die von Aland (aaO 44 ff.) beigebrachten Auskünfte Speners über seine Beziehungen zu Labadie sind doch sämtlich Verteidigung gegenüber diesem Vorwurf. Wenn Aland argumentiert, der Vorwurf des Labadismus sei auf Spener so angewandt worden wie sonst der Vorwurf des Weigelianismus, d. h. er bezeichne nur irgendeine Ketzerei, ohne daß er etwas mit der Person zu tun zu haben brauche, so genügt ein Blick auf das von Aland zwei Seiten (aaO 45 f.) weiter abgedruckte Zitat aus der Völligen Abfertigung Pfeiffers (sc. Speners Verteidigung gegenüber dem Vorwurf, die bei seinem Genfer Aufenthalt besuchten Versammlungen Labadies in die evangelische Kirche eingeführt zu haben), um die Unrichtigkeit dieser Argumentation zu erkennen. Die Frage nach der Berechtigung dieses Vorwurfs ist dann noch einmal eine ganz andere Frage.

[80] S. dazu oben S. 142 f. (besonders Anm. 88). Vgl. Aland, Spener-Studien, 45 f.

[81] Das wird leider nicht gesehen von Aland, der die gesamte Frage des Einflusses von Labadie mit dem Abdruck eines Spenertextes lösen will, in dem doch nur die Kenntnis von Genfer Versammlungen bestritten wird (aaO 45 f.).

[82] Dies und das Folgende nach dem Brief Speners an Bebel von Ende 1670, Cons. 3,336. Vgl. oben Anm. 79.

schließe, daß alle Mitglieder am öffentlichen Gemeindegottesdienst teilnähmen und daß Prediger des öffentlichen Lehrstandes, die von allen als legitime Pastoren anerkannt würden, die Leitung hätten. Er hat sich aber zugleich als ein Verehrer des Frömmigkeitsstrebens Labadies bekannt, wenn er auch dessen calvinistische Religion, vor allem das von ihm scharf verfochtene Decretum absolutum, nicht billigen könne. Noch immer liebe er seine in Frankreich herausgegebenen Werke de meditatione et de regulis Christianismi. Über die Vorgänge in Holland sei er durch Zeitungen informiert. Auch habe er einen Teil der von ihm und über ihn in Holland herausgegebenen Schriften zur Hand[83]. Die in Amsterdam von Labadie eingeführte Gütergemeinschaft beurteile er ablehnend und halte sie für eine Absurdität. Was die Streitigkeiten Labadies mit den reformierten Pastoren angehe, die zu seiner Trennung von der reformierten Kirche geführt hätten, so traue er sich ein Urteil nicht zu. Seine Ausstoßung sei wohl nicht gänzlich ungerechtfertigt gewesen. Er sehe aber nicht, wie das Schisma Labadies die fromme Intention des Frankfurter Kollegiums suspekt machen könne.

Der im Jahre 1670 geäußerte Verdacht einer Abhängigkeit von Labadie blickt also nicht auf Genf, sondern auf die Niederlande. Labadie ist 1666 von Genf nach Middelburg gekommen. Im Frühjahr 1669 erfolgt sein Ausschluß aus der reformierten Kirche, und im Herbst des gleichen Jahres sammelt sich in Amsterdam eine separatistische Hausgemeinde unter seiner Leitung[84]. Die entscheidenden Vorgänge in Holland liegen, als Spener mit Bebel korrespondiert, nicht viel mehr als ein Jahr zurück. Zu dieser Zeit hat es noch kein Schlagwort „Labadismus" gegeben, das man wie „Weigelianismus" auf jede verdächtige Bewegung anwandte. Man glaubte in Straßburg, eingedenk Speners aus der Genfer Zeit stammender Labadieverehrung, daß er mit der Einrichtung des Frankfurter Kollegiums den neuesten holländischen Unternehmungen Labadies nachfolgen wolle. Dabei ist interessant, daß sich 1670 in Straßburg mindestens eine ungefähre, bei Spener, wie seine Ausführungen an Bebel zeigen, bereits eine recht detaillierte Kenntnis der holländischen Vorgänge findet. Spener dürfte also bei der Gründung des Frankfurter Kollegiums eine Kenntnis des labadistischen Konventikels in Holland gehabt haben. Er dürfte sich damit bewußt gewesen sein, daß der Plan einer näheren Vereinigung der von weltlichen Gesellschaften sich absondernden Frommen dem Unternehmen Labadies nicht unähnlich war und gerade zu diesem Zeitpunkt leicht zu Verdächtigungen führen konnte. Seine Vorsichtigkeit, sein Wunsch, daß die Zusammenkünfte unter der Direktion des Predigtamts bleiben und im Pfarrhaus stattfinden sollten, das ganze Drängen auf Verkirchlichung des Unterneh-

[83] Cons. 3,336: Habeo etiam ad manum partem scriptorum ab ipso (sc. Labadie) & ipsius causa in Batavia editorum, sed tanti nondum credens, ut legendis tempus impenderem . . .

[84] S. dazu die Darstellung bei GOETERS, 152 ff.

mens ist möglicherweise von Anfang an auch von dem Bestreben geleitet worden, jeden Anschein einer Separation im Stile Labadies zu vermeiden.

Daneben läßt sich noch eine weitere Kenntnis einer Privatversammlung bei Spener feststellen, die ebenfalls nach den Niederlanden weist. Er hat bereits als Student in Straßburg Kunde bekommen von einer um 1650 in Amsterdam gehaltenen Privatübung, die ein lutherischer Pfarrer Fischer gehalten hat. Ein holländischer Kommilitone Speners, der ebenfalls Fischer hieß, hatte an dieser Übung teilgenommen, hatte dadurch Lust zum Theologiestudium bekommen und seinen früheren Beruf — er war Goldschläger gewesen — aufgegeben[85]. Spener hat hier aus erster Hand von jemandem, der großen inneren Gewinn davon empfangen hatte, von einer Erbauungsversammlung gehört. Bei der Einrichtung des Frankfurter Kollegiums muß er sich dieses Vorgängers erinnert haben. Im Unterschied zum Konventikel Labadies hat er die Verwandtschaft mit diesem anerkannt[86]. Wenn er später andere Kollegia als das Frankfurter aufzählt, so nennt er das Amsterdamer Kollegium das einzige, was „vordem", d. h. vor dem Frankfurter Kollegium gehalten wurde[87]. Daß die Übung dieses lutherischen Pfarrers in Amsterdam eine Nachbildung reformierter Muster gewesen ist, wird man mit Albrecht Ritschl[88] für sicher halten können. Sowenig Spener 1670 von sich aus eine Einrichtung der niederländischen Kirche nach Frankfurt einzuführen plante, so sehr muß er sich bewußt gewesen sein, daß er mit dem in seinem Pfarrhaus veranstalteten Kollegium etwas einrichtete, was es in ähnlicher Form bereits in den Niederlanden gab.

2. *Die Entwicklung des Collegium pietatis bis zum Erscheinen der Pia Desideria*

Wir haben bisher nur die Entstehung des Frankfurter Kollegiums im Jahre 1670 untersucht. Überblickt man den ganzen Zeitraum der Frankfurter Wirksamkeit Speners, so zeigt sich, daß das Kollegium eine erstaunliche Entwicklung durchgemacht hat. Am Anfang eine kleine Gesprächsgemeinschaft in Speners Studierzimmer, am Ende — seit 1682 — eine von Hunderten besuchte Bibelstunde in der Barfüßerkirche, wo außer Spener fast nur noch Theologiestudenten das Wort ergreifen[1]. Daneben haben sich nach einigen Jahren andere Zusammenkünfte in Frankfurter Bürgerhäusern gebildet. Es würde den Rahmen dieser Arbeit überschreiten, eine Geschichte des Frankfurter Kollegiums und der übrigen in Frankfurt entstandenen Zusammenkünfte zu geben. Wir müssen aber deren Verlauf so weit verfolgen, bis diejenige Form gefunden ist und sich diejenige Idee herauskristallisiert hat, für die Spener in den Pia Desideria den klassischen, im deutschen Pietismus weiterwirkenden Ausdruck gefunden hat.

[85] Bed. 3,292.547. Vgl. auch Ritschl II,138. [86] Cons. 3,176 (21. 9. 1677).
[87] Bed. 3,547 (1682). [88] AaO II,138. [1] S. dazu Grünberg I,182 ff.

Ausmaß und Art des Wachstums des Frankfurter Kollegiums lassen sich aus den Quellen nicht mehr in voller Klarheit erkennen. Als eine Privatveranstaltung war das Kollegium anfangs nicht für jedermann zugänglich. Man mußte um die Erlaubnis zur Teilnahme bitten, und es scheint in der ursprünglichen Absicht und auch Praxis gelegen zu haben, daß nur Leute, von deren ernsthaftem Frömmigkeitseifer man überzeugt war, zugelassen wurden. Nur unter dieser Bedingung ließ sich ja die Idee des Stiftens einer „heiligen Freundschaft" unter den Mitgliedern verwirklichen. Nun scheint das Bedürfnis nach Mitgliedschaft aber sehr rege gewesen zu sein. Spener berichtet 1671 an Bebel, daß der Kreis anfangs sehr klein war, daß aber bald dieser, bald jener um Zulassung bat und so die Zahl merklich wuchs[2]. Fünfzehn bis zwanzig Männer dürften sich gegen Ende 1670 in Speners Pfarrhaus zusammengefunden haben. Im Januar 1671 faßt Spener bereits den Fall ins Auge, daß der Kreis so groß werden würde, daß er einen Amtsbruder bitten müßte, ein ähnliches Exercitium einzurichten[3]. Tatsächlich ist die Zahl auch weiter gewachsen, wenn auch nicht mehr im gleichen Maß wie im ersten halben Jahr. Für das Jahr 1675 haben wir Speners Angabe, daß manchmal 50 und mehr das Kollegium besuchen[4]. Es ist aber bis dahin kein zweites Kollegium unter einem Frankfurter Prediger eingerichtet worden, und von einem entsprechenden Herantreten Speners an einen Amtsbruder hören wir nichts. Diejenigen Prediger, die anfangs gelegentlich am Kollegium teilnahmen, hatten sich schon bald wieder davon zurückgezogen[5].

Zwischen der Idee, eine heilige Freundschaft unter den Mitgliedern zu stiften, und dem Faktum eines unbeschränkten Wachsens der Mitgliederzahl liegt ein Widerspruch, der erklärt werden muß. Es ist klar, daß bei der immer größer werdenden Zahl der Teilnehmer sich die angestrebte nähere Freundschaft gar nicht mehr verwirklichen ließ. Spener gibt 1677 im Sendschreiben auch zu, daß dieser Zweck fallengelassen werden mußte. Er habe nicht mehr verwirklicht werden können, weil es allmählich dahin geraten sei, daß ohne Unterschied jeder Beliebige dazu komme[6]. Die Praxis einer besonderen Zulassung, die man anfangs übte, hat man also später aufge-

---

[2] Cons. 3,547 (vgl. oben S. 261 f.): initio ... quatuor saltem vel quinque fuimus ... deinceps autem factum est, ut modo hic modo ille admitti peteret ... Sensim ergo crevit numerus, quamvis nunc etiam non adeo amplus sit ...

[3] Cons. 3,333 b (20. 1. 1671 an Bebel): ... si numerus nostrorum forte excresceret, ut commode non una esse possemus, jure suo quivis ex Dominis Collegis nostris, me non refragante, sed ultro potius invitante, simile exercitium instituere posset. Vgl. auch den folgenden Brief an Bebel, Cons. 3,546 b.

[4] Cons. 3,576 (undatiert, nach dem Inhalt 1675): nonnunquam 50 & plures.

[5] Bed. 3,109; Sendschreiben, 47.

[6] AaO 64: In dem übrigen / weil es allgemach dahin gerathen / daß ohne unterscheid wem es beliebt darzu komt / so ist der eine zweck / den ich vor augen hatte / zwar gefallen / welcher war / daß unter gottseligen gemüthern ein so viel genauere freundschaft und kundschafft damit gestiftet würde ...

geben. Der Wegfall besonderer Zulassungsbedingungen ist vielleicht der folgenreichste Einschnitt in der Geschichte des Kollegiums gewesen. Er ist schon in sehr früher Zeit erfolgt und hat seinen Grund in der Abwehr aller möglichen Verdächtigungen, die Spener für die Zusammenkünfte befürchten mußte.

Verdächtigungen gegen das Unternehmen, das nicht unbekannt bleiben konnte, hatten sich in der Stadt recht bald erhoben. Ein Frankfurter Ratsherr, der Spener nicht günstig gesonnen war, hatte in öffentlicher Gesellschaft seinen Unwillen geäußert und mit einem Verbot des Kollegiums gedroht[7]. Von Frankfurt drangen die Verdächtigungen nach Straßburg, von woher Bebel, wie bereits berichtet, im Herbst 1670 Spener schreibt, einige dächten, er wolle ein labadianisches Schisma einführen[8]. Spener mußte alles daran liegen, solchen Verdächtigungen den Boden zu entziehen. So antwortet er Bebel, daß niemand, der wolle, von dieser Übung ausgeschlossen würde – mit Labadies Schisma wäre das Kollegium deshalb nicht zu vergleichen[9]. Im Januar 1671 meldet er Bebel, es gebe keinen „certus personarum numerus“[10]. Schließlich heißt es im dritten Brief an den Straßburger Freund, ihre Zahl sei allmählich gewachsen, da, wenn man irgend jemand nicht zugelassen hätte, man den Verdacht erregen würde, Dinge zu treiben, die die Anwesenheit von Zuschauern nicht ertrügen[11]. Man sieht hier deutlich, wie das Kollegium bereits im ersten Jahr des Bestehens sehr starke Rücksichten auf Argwohn und Angriffe von außen zu nehmen hatte. So wurde es auf eine Linie gedrängt, die es von seinem ursprünglichen Ideal wegführen mußte. Eine besondere Zulassung wird sicherlich in den ersten Jahren noch eingeholt worden sein[12]. Aber von dem Vorsatz, nur wirkliche Liebhaber der Frömmigkeit aufzunehmen[13], kam man schon nach den ersten Monaten ab. Im April 1671 schreibt Spener an den Augsburger Freund Theophil Spizel, bei seinem Exercitium pietatis richte er seine hauptsächliche Sorge darauf, allen Anschein des Bösen und Gefährlichen fernzuhalten. Aus diesem Grunde werde niemand von den Zusammenkünften ferngehalten, und man lasse sogar denjenigen zu, von dem feststehe, daß er nur komme, um auszukundschaften[14]. Damit ist mit dürren Worten gesagt, daß die ursprüngliche Idee bereits nach gut einem halben Jahr nicht mehr rein verwirklicht werden kann.

Eine weitere Veränderung scheint dagegen nicht gegen den Willen der Urheber gegangen zu sein. Es ist das Hinzukommen ungebildeter Leute.

---

[7] Cons. 3,336 b. [8] Cons. 3,336 a. Vgl. oben S. 272.

[9] Ebd. [10] Cons. 3,328 a. [11] Cons. 3,547 b.

[12] Das ist aus dem „modo hic modo ille admitti peteret“ (Cons. 3, 547 b) zu erschließen. Spener widerrät übrigens noch 1675 einem Amtsbruder, anfangs promiscue jeden in ein Exercitium pietatis aufzunehmen (Cons. 3,100 b).

[13] Der Ausdruck „pietatis amantiores“ in dem Brief vom 9. 11. 1670 an Hartmann (aaO [oben S. 256, Anm. 8] 165). [14] Cons. 3,39 b.

Am Anfang waren es, wie oben dargestellt, fast nur Akademiker[15]. Aber schon in den Berichten von Ende 1670 spricht Spener von einer gemischten Zusammensetzung von docti und indocti[16]. Dabei muß er gestehen, daß es keine Zusammenkünfte gebe, wo er nicht auch durch die Worte derer, die als ungebildet (simpliciores) gelten, sich erbaut fühle[17]. Der Zuzug der nichtstudierten Leute nimmt in den nächsten Jahren derart zu, daß sie das Übergewicht über die Akademiker bekommen. Im Jahre 1675 meldet Spener, jetzt gehörten die meisten Teilnehmer zu den „simpliciores“[18]. Zwei Jahre später schreibt er, es seien „ohne unterscheid allerley standes und alters leute / gelehrte und ungelehrte / edle und unedle / Studiosi Theologiae / Juristen / Medici / Kaufleut / Handwercksleut / ledige Leute“[19]. Auch Frauen und Jungfrauen kämen in großer Zahl. Sie säßen aber getrennt in einem besonderen Raum, wo sie zwar alles hören, von den anderen aber nicht gesehen werden könnten[20]. Diese Beschreibung des Kollegiums aus dem Jahre 1677 setzt schon Zustände voraus, wo niemand mehr Spener um Erlaubnis fragt, sondern jedermann ins Pfarrhaus kommen kann, soweit der Platz reicht. Das Collegium pietatis ist eine öffentliche Veranstaltung geworden. Unter diesen Verhältnissen haben in späteren Jahren, ohne daß Spener sie namentlich kannte, reformierte, ja sogar römisch-katholische Christen an den Zusammenkünften teilgenommen[21].

Spener selbst scheint diese Entwicklung zu einem offenen Kreis nicht unlieb gewesen zu sein. Schon im Januar 1671 kann er an Hartmann schreiben, daß die Unruhe in Frankfurt sich gelegt habe[22]. In den folgenden Jahren hören wir von besonderen Schwierigkeiten nichts. Erst nach 1675 kommt es zu neuen Verdächtigungen und Konflikten. Für längere Zeit scheint aber die Öffnung des Kreises den gewünschten Zweck erreicht zu haben. Es ist nun aber nicht sicher, ob auch die übrigen Erstmitglieder des Kollegiums diese von den ursprünglichen Idealen wegführende Entwicklung gebilligt haben. Im Jahre 1675 macht Spener einmal die interessante Mitteilung, daß die Mehrzahl der Gebildeten, mit denen er die Hausübung am Anfang begonnen habe, jetzt nicht mehr komme. Spener erklärt das mit Platzmangel in seinem Haus und der Unbequemlichkeit, daß viele stehen müßten[23].

---

[15] Cons. 3,576 b. Vgl. oben S. 262. [16] An Hartmann, aaO 165.

[17] Cons. 3,335 a (an Bebel, 1670): Ego certe fateri non vereor, quod nunquam collucuti simus, quin me aliquando etiam ex eorum, qui simpliciores videbantur, verbis aedificatum senserim . . .

[18] Cons. 3,577. [19] Sendschreiben, 62 f. [20] AaO 63.

[21] Lersner, Chronik der Stadt Frankfurt, 1734, II,2,21.

[22] An Hartmann, 28. 1. 1671, aaO 663.

[23] Cons. 3,576 f. (vgl. oben Anm. 4): Cum vero locus in aedibus meis non ita multos capiat, & non sine molestia ob ejus incommoditatem, ut multis standi sit necessitas, exercitium frequentetur, ii majori ex parte emanserunt, qui literis imbuti erant, ut iam plerique sint ex simplicioribus, qui intersunt, viri tamen DEI sui amantes.

Ob er hier wirklich alles sagt, wird man fragen müssen. Hinter dieser knappen Nachricht verbirgt sich immerhin die Tatsache, daß der Kreis, der 1670 den Anstoß zur Gründung des Kollegiums gab, fünf Jahre später in seiner Mehrzahl das Kollegium verlassen hat. Wir haben keinen Grund zu der Annahme, daß dies nicht in wechselseitigem guten Einvernehmen geschehen ist. Spener hat sich nicht widersetzt, als diese Männer sich weiterhin untereinander trafen und besuchten, um ihre ursprünglichen Ideale nun außerhalb des Spenerschen Kollegiums zu verwirklichen. Die Separation vom Hauptkollegium bedeutet dabei noch keine Separation von der Kirche, zu der man sich in diesen Kreisen trotz der Klage über den Verfall vorläufig noch hält. Auch haben die Zusammenkünfte dieser Freunde anfangs kaum zahlenmäßige Bedeutung gehabt. Erst als Eleonore von Merlau Anfang 1675 nach Frankfurt kam und bei der verwitweten Juliana Baur von Eyseneck im Saalhof Quartier nahm, vollzog sich auch hier eine Wandlung zu raschem Wachstum. Diese faszinierende, durch Verstandesklugheit ebenso wie durch visionäre Veranlagung sich auszeichnende Frau, die von Kindheit an ihrem Hang zu einem skrupulösen und weltflüchtigen Empfindungschristentum gelebt hatte, wurde bald der Mittelpunkt jenes Kreises frommer Freunde, der sich im Hause der Gastgeberin und Freundin der Merlau, der Frau von Eyseneck, traf und von daher den Namen der „Saalhofpietisten" erhalten hat[24]. In diesem Kreis ist 1677 William Penn bei seinem Besuch in Frankfurt gewesen und hat im Saalhof eine Andacht gehalten. In diesem Kreis sind die philadelphischen Ideale weitergepflegt worden, bis schließlich die latenten separatistischen Neigungen offenbar wurden und man den Plan zur Auswanderung nach Pennsylvanien faßte. Diese anderweitig dargestellten Dinge[25] gehören aber sämtlich der Zeit nach 1675 an und sollen hier nur ausblickhaft Erwähnung finden.

Besondere Beachtung verdient nun aber die Entwicklung, die sich bis 1675 mit dem Hauptkolleg im Spenerschen Pfarrhaus vollzogen hat. Erwähnt ist bisher nur, daß es sich entgegen der ursprünglichen Absicht zu einer quasi öffentlichen Veranstaltung entwickelt hatte, zu der jedermann Zutritt hatte, und daß es nach Weggang der meisten Akademiker eine Versammlung von überwiegend unstudierten Leuten aus allen Ständen geworden war. Es lassen sich jedoch noch weitere wichtige Veränderungen beobachten. Zunächst in der äußeren Form, wo sich zu Ende des Jahres 1674 ein einschneidender Wandel vollzieht[26]. Seit dieser Zeit vertauscht man die Lektüre erbaulicher und theologischer Bücher mit dem Bibelstudium. Lütke-

---

[24] S. darüber Dechent II,79 ff.

[25] Dechent, ebd.; F. Nieper, Die ersten deutschen Auswanderer von Krefeld nach Pennsylvanien, 1940, 80 f.

[26] s. Bed. 3,110 (10. 8. 1675): „Daher es noch kein Jahr . . ." Vgl. Sendschreiben, 51; Cons. 3,577. Grünberg (I,168) datiert „von 1675 an", Bellardi (aaO 8) richtiger „zu Ende 1674".

manns „Vorschmack göttlicher Güte", Baylys „Praxis pietatis" und Hunnius' „Epitome credendorum" hatte man zu diesem Zeitpunkt durchgelesen[27]. Danach fing man an „die menschliche bücher beyseit zu legen / und die H. Schrifft selbst in kindlicher einfalt vorzunehmen"[28]. Erst jetzt also bekommt das Kollegium diejenige Gestalt, die Spener in den Pia Desideria den Gemeindeversammlungen vorschreibt[29]. Erst jetzt wird es zu einer Übung, in der die Bibel gelesen und besprochen wird.

Es scheint nahezuliegen, den Wechsel von einem Literaturkreis zu einer Bibelstunde mit dem Weggang der Gebildeten und dem Überwiegen der Ungelehrten in Verbindung zu setzen. Dieser Wechsel läßt sich jedoch von dem veränderten Personenkreis her nicht erklären. Spener hat nämlich 1671 gegenüber Bebel erklärt, man hätte statt der Erbauungsbücher ein biblisches Buch zur Hand genommen, wenn das nicht größeres Studium und Vorbereitung erforderte. So aber läsen sie lieber Autoren, die ihren Stoff so darbieten, daß alles leicht verständlich sei[30]. Es ist doch auffallend, daß man jetzt, wo die „docti" fortgeblieben sind oder eben fortgehen[31], mit den überwiegend Ungebildeten gerade das zu traktieren beginnt, was einem anfangs zu schwer dünkte[32]. Man muß also nach anderen Gründen suchen. Wahrscheinlich steckt in der Klassifizierung der bisher gelesenen Bücher als „menschlicher Bücher", die man beiseite legt, ein Hinweis, der den Wechsel verständlich macht. Im August 1675 schreibt Spener einmal, er habe sich zu lange mit anderen Büchern aufgehalten, die, wenn auch erbaulich, doch der Heiligen Schrift nicht gleichzuachten wären. Jetzt wünsche er, daß man gleich mit der Bibel angefangen hätte[33]. Mit der Umbildung in eine Bibelbesprechungsstunde taucht also ein neues Moment auf, von dem her die frühe Gestalt des Kollegiums kritisiert wird.

---

[27] Sendschreiben, 51. Nach Cons. 3,577 muß sich irgendwann zwischen 1670 und 1674 der Brauch gebildet haben, daß Spener im Sonntagnachmittagskolleg mit einer Wiederholung der am Morgen gehaltenen Predigt begann, zu der dann Fragen gestellt werden konnten. Dieser Brauch ist auch nach der Verlegung des Sonntagskollegs auf den Montag weitergepflegt worden (Sendschreiben, 52).

[28] Sendschreiben, 51. [29] PD 55,22 ff.

[30] Cons. 3,543: Sumpsissemus librum aliquem biblicum ad manus, nisi id visum esset majori studio indigere, & praeparatione, quam requiritur, cum legimus autores, qui argumentum quod tractant jam ita excoluerunt, ut omnia digesta sint & intellectu facilia.

[31] Oben bei Anm. 23. Ob der Weggang des größeren Teils der Gebildeten mit dieser Umbildung des Kollegiums zusammenhängt, ist nicht mehr zu erkennen.

[32] Man kann also schlecht, wie Grünberg (I,168) das tut, in der oben Anm. 30 zitierten Briefstelle die Erklärung finden, warum man erst so spät zur Bibellektüre kommt. Grünberg hat diesen Brief allerdings nicht datieren können.

[33] Bed. 3,110 f. (10. 8. 1675): Ich habe mich länger aufgehalten in andern büchern / die ob wol erbaulich / dennoch der heiligen Schrifft nicht gleich zu achten seind. Daher es noch kein jahr / daß wir angefangen / die Bibel mit einander zu lesen. Wünschte aber so bald anfangs solches gethan zu haben.

Diesen um die Wende der Jahre 1674/1675 zu beobachtenden Gestaltwandel des Collegium pietatis muß man nun zusammensehen mit einer weiteren Veränderung, die Bellardi zutreffend einen „Bedeutungswandel" genannt hat[34]. Greifbar wird der Bedeutungswandel in der im Frühjahr 1675 erscheinenden Spenerschen Vorrede zur Arndtschen Postille. Hier unterbreitet Spener den Vorschlag, daß neben den gewöhnlichen Gottesdiensten auch Gemeindeversammlungen nach der von Paulus 1. Kor. 14 beschriebenen Art eingerichtet werden sollten, in denen neben dem Prediger auch andere aus der Gemeinde die Heilige Schrift auslegen[35]. Von der Idee des Stiftens einer heiligen Freundschaft ist in den Pia Desideria keine Rede mehr, lediglich ein vertrauensvolleres Verhältnis zwischen dem Prediger und seinen Zuhörern wird von diesen Versammlungen erwartet[36]. Die Collegia pietatis werden jetzt aber nicht mehr als eine bloße Privatsache hingestellt, sondern sie werden als ein kirchliches Verfassungsinstitut verstanden, das in der Heiligen Schrift als eine apostolische Einsetzung vorgefunden wird. Dieser Gedanke ist gegenüber den früheren Äußerungen Speners aus den Jahren 1670 und 1671 neu. Spener hat schon 1670 die Einrichtung des Kollegiums mit einer Reihe von Bibelsprüchen begründen können. Es waren dies aber nur Stellen, die von der Pflicht zur wechselseitigen Ermahnung der Christen untereinander reden[37]. Nirgendwo wird in den ersten Jahren das Kollegium als eine Versammlung nach Muster von 1. Kor. 14 verstanden. Die Idee, daß Veranstaltungen der Art des Collegium pietatis eine Wiederaufnahme von Einrichtungen des Urchristentums sein sollen, taucht bei Spener erst 1675 auf.

Es ist kaum anzunehmen, daß der Gedanke, Versammlungen der Art des Frankfurter Kollegiums sollten eine Wiederherstellung eines Stück Lebens der Urchristenheit sein, Spener erst beim Abfassen der Postillenvorrede im März 1675 in den Sinn gekommen ist, daß er also jenem um die Jahreswende vollzogenen Gestaltwandel mit einem Zeitabstand von mehreren Wochen nachfolgt[38]. Er wird mit diesem aufs engste zusammengehören,

---

[34] AaO 9.

[35] PD 55,13 ff.: Solte auch . . . vielleicht nicht undienlich seyn / wo wir wiederumb die alte Apostolische art der Kirchen versammlungen in den gang brächten: Da neben unseren gewöhnlichen Predigten / auch andere versammlungen gehalten würden / auff die art wie Paulus 1. Corinth 14. dieselbe beschreibet . . .

[36] PD 56,13 ff.

[37] Cons. 3,335 a (erster Brief an Bebel 1670): ex hac relatione nuda jam haud dubie vides, nihil a nobis suscipi, quod illi rumori vel suscipionibus justam causam dedisset. Jubet Apostolus ad Col. III. ut verbum divinum in nobis habitet πλησίως, it. Hebr. III,13. X,24.25. 1. Thess. IV,18. V,14. Rom. XV,14. Ephes. V,19. certe non solum in congregationibus, ubi illud ab uno praedicatur, a reliquis auscultatur, sed etiam privatim & in ejusmodi congressibus, ubi interrogandi & sententias conferendi occasio commodior est . . .

[38] Hier weiche ich von Bellardi ab, der (aaO 8 f.) den Ende 1674 zu beobachtenden „Gestaltwandel" von dem im März 1675 in der Postillenvorrede greifbaren

so daß also jene Umbildung des Kollegiums in eine Gemeindeversammlung, in der die Bibel ausgelegt und besprochen wird, bereits unter jener Idee der Wiederaufnahme einer urchristlichen Einrichtung gestanden haben muß. Das heißt, daß sich zu Ende 1674 oder Anfang 1675 eine umfassende, die Gestalt wie die Idee des Kollegiums betreffende Umbildung vollzogen hat. Die Jahreswende 1674/1675 ist als die entscheidende Wende in der Geschichte des Frankfurter Kollegiums anzusehen. Werner Bellardi, der als erster und bisher einziger den Wandlungen des Frankfurter Kollegiums eingehender nachgegangen ist, urteilt zu Recht, daß erst zu dieser Zeit sich die „entscheidende Ausgestaltung" des Kollegiums vollzieht[39].

Wenn es richtig ist, daß die Jahreswende 1674/1675 eine tiefgreifende Veränderung in Gestalt und Konzeption des Spenerschen Kollegiums bringt, die aus dem quantitativen Wachstum nicht erklärt werden kann, so wird die Frage nach den Einflüssen, die wir bei der Entstehung des Kollegiums im Jahre 1670 gestellt haben, hier noch einmal gestellt werden müssen. Lassen sich um diese Zeit Einflüsse auf das Kollegium beobachten, die den beschriebenen Wandel verständlich machen? Die Frage ist deshalb wichtig, weil das Verständnis der Kollegia als Wiederaufnahme der apostolischen Kirchenversammlungen nach Art von 1. Kor. 14 ja übereinstimmt mit Traditionen, die sich vorwiegend im reformierten Bereich finden[40]. Auch besteht erst jetzt eine Übereinstimmung mit Labadies Vorschlag der „Exercices prophétiques", die gleichfalls eine Erneuerung der urchristlichen Versammlungen von 1. Kor. 14 sein sollen[41].

„Bedeutungswandel" trennt und folglich eine kurze Zwischenphase annehmen muß, in der das Kollegium bereits eine neue Form, aber noch die alte Bedeutung hat. Bellardi schreibt: „Ein Bedeutungswandel vollzieht sich erst mit dem Erscheinen der „Pia Desideria" vom Jahre 1675" (aaO 9). Muß man aber nicht präziser sagen, daß er hier erst „greifbar" wird? Daß, wie Bellardi im folgenden ausführt, erst in den Pia Desideria die Collegia pietatis „ihre feste Stelle in dem offiziellen Reformprogramm Speners" finden, ist natürlich richtig, weil es ja erst jetzt ein offizielles Reformprogramm gibt. Aber gerade wenn man mit Bellardi die neue Bedeutung der Collegia pietatis darin erblicken kann, daß sie jetzt „nichts anderes sein (sollen) als die altapostolische Art der Kirchenversammlungen (1. Kor. 14), d. h. ihre Wiedereinführung soll die Wiederherstellung eines Stückes der Urkirche bedeuten" (aaO 9), so scheint mir doch fraglich, ob Spener in den Pia Desideria etwas schreibt, was dem Selbstverständnis des Collegium pietatis zu dieser Zeit noch gar nicht entspricht, daß er diesem also vom Schreibtisch her eine neue Bedeutung gibt. Die Entsprechung von neuer Gestalt und neuer Bedeutung ist sicher nicht nur zufällig, so daß es am naheliegendsten ist, den Gestaltwandel mit dem Bedeutungswandel unmittelbar zu verknüpfen. Beweisen läßt sich hier freilich nichts. — Durch diese Differenz wird meine Übereinstimmung mit Bellardi in der Grundthese, daß sich um die Wende 1674/75 ein grundlegender Gestalt- und Bedeutungswandel des Collegium pietatis vollzogen hat, nicht berührt.

[39] AaO 8. [40] Vgl. Artikel „Prophezei", RE³ 16,108 ff.

[41] Vgl. Goeters, 174 ff.

Diese Frage läßt sich nun, was Spener betrifft, weder positiv noch negativ beantworten. Die wenigen Briefzeugnisse aus dem Winter 1674/1675 und der umliegenden Zeit geben keinen Anhaltspunkt für die Annahme besonderer in diese Zeit fallender Fremdeinflüsse. Man darf die Frage aber nicht nur bei Spener selbst stellen. Je deutlicher im Lauf der Jahre das Frankfurter Kollegium uns aus den Quellen entgegentritt, desto mehr tritt eine Gestalt in den Vordergrund, die allem Anschein nach eine mindestens ebenso starke, wenn nicht zeitweise sogar stärkere Rolle gespielt hat als Spener. Es ist dies der Jurist Johann Jakob Schütz. Wir haben Schütz als einen der mutmaßlichen Anreger des Kollegiums kennengelernt[42]. Zu den Akademikern, die nach einigen Jahren nicht mehr ins Kollegium kamen, zählt er nicht. Zwar hat auch er nach der Ankunft der Eleonore von Merlau an den Zusammenkünften im Saalhof teilgenommen und in diesen Kreisen sogar eine Führerstellung innegehabt. Man muß sogar damit rechnen, daß er von Anfang an die treibende Kraft im Kreis jener Männer gewesen ist, die das Hauptkollegium verließen, um untereinander engere Gemeinschaft zu pflegen. Schütz hat aber das Spenersche Kollegium nicht verlassen, sondern hat über Jahre hinaus noch an diesem teilgenommen. Dabei hat er, wie wir aus dem Bericht Johann Wilhelm Petersens wissen, um 1675 bei den Zusammenkünften im Spenerschen Pfarrhaus eine dominierende Rolle gespielt[43]. Ein hohenlohischer Pfarrer will sogar gehört haben, im Kollegium Speners habe nicht dieser, sondern Schütz das Präsidium inne[44]. In allen Berichten, die wir von Besuchern Frankfurts aus den Jahren um 1675 haben — zu ihnen zählen Eleonore von Merlau[45], Johann Wilhelm Petersen[46], Pierre Poiret[47], Christian Fende[48] —, wird regelmäßig neben Speners Namen der Name von Schütz genannt. Wer war dieser Mann, und was läßt sich Näheres über ihn in Erfahrung bringen?

---

[42] Oben S. 259 f.

[43] J. W. Petersen, Lebens-Beschreibung, 2. Edition, o. O. 1719, 20 (über seinen Besuch in Frankfurt 1675): „Ich ward auch sehr in dem Guten bekräfftiget von dem Herrn Lic. Schützen, welchen ich in dem Collegio pietatis, welches der Hr. D. Spener in seinem Hause angestellet hatte, offtmahls reden hörete."

[44] Brief des Pfarrers Christian Philipp Leutwein, Pfarrer in Pfedelbach, an Balthasar Bebel von Cal. Jul. 1679. Leutwein erbittet darin ein Urteil über Spener, über den er die Vorwürfe kennt, daß er Labadie empfehle, daß seine Collegia privata den quäkerischen und weigelianischen Konventikeln ähnelten, außerdem „non esse Spenerum in Collegio praesidem, sed Dn. Schützium" (J. H. Seelen, Deliciae epistolicae, 1729, 422).

[45] Vgl. unten S. 289, Anm. 34. [46] Vgl. unten S. 318, Anm. 50.

[47] Vgl. M. Wieser, Peter Poiret, Der Vater der romanischen Mystik in Deutschland, 1932, 44 f.

[48] Vgl. H. Oswalt, Christian Fende. Ein Beitrag zur Geschichte des Pietismus in Frankfurt/M., Philos. Diss., Frankfurt 1921. Fende (1651—1741), einer der engsten Freunde und Schüler von Schütz, will nach einem Selbstzeugnis aus dem Jahre 1721 in Frankfurt „zu des sel. Herrn D. Speners und Herrn Lic. Schützens

IV. Johann Jakob Schütz

Unter den Gestalten, die in der Frühzeit des Pietismus eine bedeutende Rolle gespielt haben, ist der Frankfurter Jurist Johann Jakob Schütz die dunkelste, am schwersten zu greifende[1]. Die Erinnerung an ihn wird in der evangelischen Kirche wachgehalten durch sein noch immer vielgesungenes Lied „Sei Lob und Ehr dem höchsten Gut". Aber weniger dieses Lied als die Rolle, die er am Anfang der pietistischen Bewegung gespielt hat, nötigen zur Beschäftigung mit diesem Mann. Er ist es ja nicht nur, von dem das Frankfurter Kollegium vermutlich angeregt wurde, er ist daneben jedenfalls der Mann, der das in Frankfurt begonnene Werk, von dem Spener eine allmähliche Besserung der Kirche erhoffte, wiederum zerschlagen hat. Albrecht Ritschl hat Schütz den „Urheber" der ersten *separatistischen* Bewegung im lutherischen Pietismus genannt[2]. Als solcher steht er in seiner Bedeutung neben Spener, dem Urheber des *kirchlichen* Pietismus[3], in anderer Hinsicht neben Labadie, dem Urheber des Separatismus in der *reformierten* Kirche[4]. Aber auch abgesehen von seiner kirchengeschichtlichen Bedeutung muß sich jede Spenerdarstellung mit diesem Mann beschäftigen. Spener hat von ihm in Tönen gesprochen wie — ausgenommen die Lehrer seiner Jugendzeit — sonst von keinem anderen Menschen. Zwei Jahre nach den Pia Desideria nennt er ihn „eine person, von dero durch GOttes gnade mehr in meinem christenthum gelernet hab, als vielleicht jemand von mir"[5]. Daß ihre Wege sich später trennten, hat ihm dieses Urteil nicht benommen. Nach Schütz' Tod schreibt er 1690 an Frau Elisabeth Kißner nach Frankfurt, er habe noch am Jüngsten Tage das Gute zu rühmen, das Gott durch ihn an seiner Seele getan habe[6].

Johann Jakob Schütz wurde am 7. September 1640 in Frankfurt am Main als Sohn des Syndicus Jacob Schütz geboren[7]. Der Vater stammte aus

---

Zeit" zum wahren Glauben gekommen sein (aaO 4), und zwar nachdem er, seit 1676 in Frankfurt ansässig, „in dem damaligen Spenerischen Collegio pietatis in Sonderheit durch den melliloquum Lt. Schützen sel. von oben stark beweget worden" (aaO 5).

[1] Über Schütz gibt es außer der 1889 erschienenen Aufsatzserie von Dechent in der Christlichen Welt (s. Lit.-Verz.) keine Literatur von Forschungswert. Dechent hat seine Forschungen zusammengefaßt in dem Artikel „Schütz" in ADB 33,129—132, und in seiner Kirchengeschichte von Frankfurt am Main II, 1921. Über Schütz vgl. weiter RGG³ V,1552 f. und Handbuch zum EKG II,1, 1957, 209 f. Das Städtische Heimatmuseum Bad Homburg vor der Höhe besitzt Ölporträts von Schütz, seiner Gattin und seiner Tochter (alle drei unsigniert), dasjenige von Schütz zeigt ein schmales, durchgeistigtes Gesicht. Den Hinweis auf diese Bilder verdanke ich Prof. William Nagel, Greifswald.

[2] Ritschl II,156. [3] AaO II,163.

[4] AaO I,194. [5] L. Bed. 3,72 (8. 10. 1677).

[6] AFSt D 107, 374 f.; (vgl. auch Grünberg III,400).

[7] Die folgenden Angaben über die Herkunft von Schütz entnehme ich der

Württemberg, er war 1587 in Möhringen bei Stuttgart als Sohn des dortigen Pfarrers Georg Schütz und seiner Frau Maria, einer Tochter des Tübinger Kanzlers Jacob Andreä, geboren. Johann Jakob Schütz gehört also als Urenkel in die große Zahl der Nachkommen des mit achtzehn Kindern gesegneten schwäbischen Kirchenvaters, zu dessen Enkeln auch Johann Valentin Andreä zählt. Der Vater Jacob Schütz war in Tübingen aufgewachsen, wo sich seine Mutter nach dem frühen Tod ihres Gatten mit dem Juristen Johann Harpprecht im Jahre 1590 ein zweites Mal verheiratet hatte. Durch Harpprecht scheint der Juristenberuf in die Familie Schütz gekommen zu sein. Jacob Schütz studierte in Tübingen Jurisprudenz, zog 1608 als Informator adliger Herren von Crailsheim und Bietigheim für einige Jahre auf Reisen, die ihn unter anderem nach Leiden, Paris und Arles führten. Nachdem er 1619 in Tübingen den Doktorgrad in utroque jure erworben hatte, verheiratete er sich im gleichen Jahr mit Anna Maria Burckhard, einer vornehmen Patriziertochter aus Nürnberg. Von den neun Kindern dieser Ehe sind bis auf zwei alle in jungem Alter an der Pest gestorben. Allein 1635, dem Jahr nach der Schlacht von Nördlingen, verlor Schütz drei Kinder, dazu seine Frau. Bisher als Jurist und Legat in den Diensten verschiedener süddeutscher Herren stehend, wurde er 1636 durch eine zweite Ehe in Frankfurt am Main seßhaft. Aus der Ehe mit Margarethe Müller, der begüterten Witwe eines Frankfurter Schöffen, gingen drei Kinder hervor, zwei Töchter und der Sohn Johann Jakob.

Über die Jugend von Johann Jakob Schütz haben wir keine Nachrichten, wie es uns an unmittelbaren Selbstzeugnissen von ihm fast völlig fehlt[8]. Er muß in wohlhabenden Verhältnissen aufgewachsen sein, auch später begegnet er als vermögender und finanzkräftiger Mann[9]. Da der Vater schon 1654 starb, mag der ältere Stiefbruder, der sich 1643 durch die Herausgabe des Frankfurter Rechts einen Namen gemacht hat[10], die Entscheidung für

Schützschen Familienbibel, die mit der Bibliothek von Johann Jakob Schütz nach dessen Tod in den Besitz der Grafen Solms-Laubach nach Schloß Laubach gekommen ist. Für die Überlassung einer Abschrift bin ich Graf Ernstotto zu Solms, Frankfurt am Main, zu Dank verpflichtet.

[8] Ich habe trotz einiger Nachforschungen bisher nur drei Briefe von Johann Jakob Schütz auffinden können, zwei davon befinden sich in der Suppellex epistolica in Hamburg (an J. D. Arcularius, 1687, in Kopie; an J. H. Majus, 1689), einer in der Spizelschen Briefsammlung in Augsburg (an Spizel, undatiert, c. 1680). Daß sich an entlegenen Orten noch weitere Briefe finden werden, ist anzunehmen.

[9] Nach Dechent (ChW 3, 1889, 935) läßt sich das aus der hohen Besteuerung seines Vermögens erkennen, die ihn mit den vornehmsten Patriziern wie Lersner, Günterode, Bienenthal u. a. auf eine Stufe stellte. Ritschl (II,156) möchte sogar seine Anziehungskraft zum guten Teil auf seinen Reichtum zurückführen.

[10] Dechent, aaO 851. – Der Stiefbruder Georg Schütz war, wie aus einem 1665 an Herzog August von Braunschweig gerichteten Brief hervorgeht (vorh. Herzog August Bibliothek, Wolfenbüttel), später Advokat im Dienst des württembergischen Herzog Friedrich in dessen Residenz Neuenstadt am Kocher.

das juristische Studium mitbeeinflußt haben. Zum Studium zog Schütz, was bei den verwandtschaftlichen Beziehungen der Familie nach Württemberg nicht verwundert, im Jahre 1659 nach Tübingen. Dort schloß er sich besonders an den bedeutenden Rechtslehrer Wolfgang Adam Lauterbach an[11]. Aus Nachschriften von dessen Vorlesungen hat er später ein Compendium Juris zusammengestellt, das 1679 in Tübingen erschien[12], mehrmals aufgelegt und auch von Leibniz beachtet wurde[13]. Die Tübinger Studienzeit beendete Schütz 1665 mit einer Dissertation „De falso procuratore", mit welcher er sich die juristische Licentiatenwürde erwarb[14]. Ob er 1662 Spener bei dessen längerem Aufenthalt in Tübingen kennengelernt hat, wissen wir nicht; es ist, da Spener mit Lauterbach nachweislich näheren Umgang hatte[15], nicht ausgeschlossen. Jedenfalls muß die Tübinger Alma Mater für die späteren Frankfurter Freunde manchen Berührungspunkt gegeben haben.

Als Spener im Sommer 1666 nach Frankfurt kam, kann Schütz die nach beendetem Studium in seiner Vaterstadt eröffnete juristische Praxis noch nicht lange ausgeübt haben. Die nähere Bekanntschaft zwischen beiden fällt in die ersten Frankfurter Jahre Speners. Spener hat mehrfach darüber berichtet, doch ohne den Namen von Schütz zu nennen, weshalb die für die Biographie von Schütz außerordentlich aufschlußreichen Nachrichten bis heute unbekannt sind[16]. Danach hat Schütz dem Frankfurter Senior ein-

[11] Wolfgang Adam Lauterbach, geb. 27. 12. 1618 Schleiz im Vogtland, gest. 18. 8. 1678 auf Schloß Waldenbuch. Nach Studium in Jena, Leipzig, Basel, Straßburg seit 1647 seßhaft in Tübingen, wo er im gleichen Jahr Doktor Juris utriusque, im folgenden Jahr Professor der Rechte wird. In seinem letzten Lebensjahr – seit Januar 1678 – war Lauterbach Direktor des Konsistoriums in Stuttgart. Ausführliche Bibliographie bei Zedler. Leichpredigt von Balthasar Raith.

[12] Compendium Juris . . . e Lectionibus . . . W. A. Lauterbachii . . . primum usui privato collectum, jam vero multorum rogationibus publico datum a Joh. Jac. Schütz. Tübingen (Cotta)-Frankfurt (B. Ch. Wust) 1679 (vorh. Laubach). – Enthält auf bl. 1 einen Brief Lauterbachs an den Advocatus ordinarius J. J. Schütz vom 31. 5. 1677, in dem er das Vorhaben des Druckes billigt und wünscht, daß alle unsere Gedanken, Worte und Werke zur Ehre Gottes und zu des Nächsten „Nutzen und Erbauung" gereichen. Dechent (851) nennt eine Ausgabe Tübingen 1677, die ich nicht feststellen konnte. Bereits 1686 erschien in Frankfurt eine vierte Aufl. (vorh. Laubach). Eine weitere Aufl. Frankfurt-Leipzig 1694. – In der Gräfl. Solms'schen Bibliothek Laubach befindet sich noch das von Schütz zum privaten Gebrauch angelegte handschriftliche Urexemplar, geschrieben in der sehr kleinen, gestochenen Schrift von Schütz, ein stattlicher, gebundener Oktavband, auf dessen Deckel die Gravüre *I I S 1664* (= Johann Jakob Schütz 1664) zu lesen ist.

[13] Leibniz, Gesammelte Schriften (Akademieausgabe) VI, 1; 346.

[14] 74. S. (vorh. UB Tübingen). [15] S. oben S. 153.

[16] Das folgende nach Speners ausführlichem Bericht Bed. 1 I,43 f. (1692); 52 f. (undatiert); Cons. 1,14 (undatiert, Original in Augsburg, 2 Cod. Aug. 409, Nr. 362, Datum 31. 8. 1676). Vgl. außerdem die kürzeren Berichte Cons. 3,204. 213. – Daß es sich bei dem „Lic. Juris . . . so nachmal ein sehr gottseliger mann worden . . . daß ich ihm selbst vor mich nicht weniges zu dancken habe" (Bed. 1 I,43 f.) um

mal einen Besuch abgestattet und ihm im Gespräch beiläufig die Frage gestellt, was er für seine Person von dem Mystiker Tauler halte und in welchem Kredit dieser bei anderen lutherischen Theologen stehe. Spener nannte darauf Luthers lobendes Urteil über Tauler und wies dann besonders auf des Varenius „Rettung der vier Bücher vom wahren Christentum“[17] hin, worin weitläufig von Tauler gehandelt und der sich auf Tauler stützende Johann Arndt verteidigt würde. Schütz, dem der Varenius fremd war, bat sich daraufhin von Spener das Buch aus und nahm es mit sich nach Hause. Als er nach längerer Zeit das Buch zurückbrachte, muß er Spener wie verwandelt erschienen sein. Spener hatte die Frage nach dem Tauler als eine bloße Wissensfrage verstanden, vernahm aber jetzt von Schütz, daß sie die Tiefen seiner religiösen Existenz betraf. Was Spener bei dieser Gelegenheit von Schütz erfuhr, kommt einer Lebensbeichte gleich. Schütz erzählte, daß er von Jugend auf im Geist des orthodoxen Luthertums erzogen worden war und sich eine solide buchstäbliche Wissenschaft der lutherischen Theologie angeeignet hatte. Die katechetischen Unterweisungen des Ulmer Superintendenten Dieterich, eines der meist gebrauchten katechetischen Werke des 17. Jahrhunderts, hatte er sorgfältig seinem Gedächtnis eingeprägt, also wohl nach der von Spener später so gerügten Weise des orthodoxen Unterrichts auswendig gelernt. Dies völlige Bescheidwissen in der lutherischen Lehre hatte aber nicht verhindert, daß er je länger je mehr ein Ungenügen an seinem Glauben empfand. Ihn ergriff immer stärker die Empfindung „nichts dessen, was er glaubte, gewissen grund zu haben“[18]. Das Bewußtsein, mit seinem lutherischen Glauben sich nur ein kraftloses Hirngespinst angelernt zu haben, ergriff allmählich von ihm Gewalt, raubte ihm alle Gewißheit und stürzte ihn in eine Verfassung, die Spener mit einer Begriffsskala beschreibt, die von Ungewißheit[19], Zweifel an der Wahrheit der christlichen Religion[20] bis zu einem „nichts mehr glauben“[21] und völligem „Atheismus“[22] reicht. In diesem Zustand scheint Schütz einen Teil, wenn nicht die ganze Zeit seiner Studien verbracht zu haben. Nun war er jedoch vor einiger Zeit — wir erfahren nicht, ob durch eigenes Suchen oder fremden Hinweis — auf die Schriften Johann Taulers gestoßen. Beim Lesen der Predigten Taulers fühlte er sich merkwürdig ergriffen und verspürte plötzlich „einige rührung“[23]. Taulers Drängen auf das „inwendige“, seine Rede von den innerlichen Wirkungen Gottes in der Seele schien dem offensichtlich immer noch Suchenden einen gewisseren Weg zu zeigen als den früher

---

Johann Jakob Schütz handelt, dürfte kaum bezweifelt werden können. Eine zusätzliche Sicherheit gibt der unten Anm. 27 genannte Brief der Anna Maria van Schurman.

[17] S. oben S. 117, Anm. 126. [18] Bed. 1 I,43.

[19] Bed. 1 I,43. [20] Cons. 1,14.

[21] Bed. 1 I,52. Vgl. Cons. 1,14: bene multo tempore omni fide vacuus.

[22] Bed. 1 I,43. 52. Vgl. Cons. 3,204: plane atheus. [23] Bed. 1 I,43.

beschrittenen. Aber da er in Predigten oft von der Gefährlichkeit der Enthusiasten gehört hatte, die ihre eigenen Phantasien für göttliche Eingebungen hielten, kam ihn die Furcht an, er möchte durch weiteres Vertiefen in Tauler aus einem Atheisten zu einem Phantasten werden und in einen noch schlimmeren Zustand geraten als den, in welchem er sich schon befand. Spener bemerkt dazu, daß ein Atheist den Enthusiasmus fürchte, scheine ein monstrum rei zu sein, es habe sich aber tatsächlich so verhalten[24]. So legte Schütz den Tauler wieder beiseite. Es ließ ihm jedoch keine Ruhe, was es mit jener seltsamen Kraft der Worte Taulers auf sich habe. So kam es endlich zu jener Anfrage bei Spener.

Speners Antwort bewirkte für Schütz eine Erlösung von seinen langjährigen Skrupeln. Die Lektüre des Varenius versicherte ihn der Vereinbarkeit der Gedanken Taulers mit der lutherischen Kirchenlehre. Endlich konnte er sich mit gutem Gewissen in die Schriften des großen Mystikers vertiefen, alles das, was er früher kaum aufzunehmen wagte, nun ungehemmt auf sich wirken lassen. Was Schütz über seiner Taulerlektüre erfuhr, kann nach Speners Berichten nicht anders denn als eine *Erweckung* verstanden werden. Angeleitet durch Tauler las Schütz die Heilige Schrift und wurde jetzt der göttlichen Kraft in ihr gewahr. Seine vorher buchstäbliche Erkenntnis wurde in eine lebendige innere Erkenntnis gewandelt[25]. Dieser „trefflichen Erkenntnis", zu der Schütz durch die göttliche Gnade gelangt sei, will Spener selbst wiederum Erhebliches zum Wachstum seiner eigenen Erkenntnis zu danken gehabt haben[26].

Für Schütz ist Tauler immer der Mann geblieben, den er als Werkzeug Gottes an seiner Seele ehrte und dessen Gedanken er nun zu verbreiten suchte. An Anna Maria van Schurman schreibt Schütz 1674, wer ihn zum lebendigen Glauben geführt habe, und die berühmte Freundin Labadies bekundet ihm ihre Freude über das, was er über den von ihr geliebten Tauler berichtet habe[27]. Ein Jahr zuvor hat Schütz sein „Christliches Gedenck-

---

[24] Cons. 3,204.

[25] Bed. 1 I,53: Daher er das buch (sc. den Varenius) mit nach hause nahm / und nach einiger zeit mir alles entdeckte / wie es eine zeitlang mit ihm gestanden / aber daß / als er nach Varenio Taulerum mit weniger sorge wieder zu lesen angefangen / und seinem anweisen gefolget hätte / er nunmehr der göttlichen krafft der schrifft in dero lesung selbs gewahr / auch seine vorige buchstäbliche erkäntnüs recht lebendig in ihm worden seye. Welches sich auch in seinem ferneren leben gnugsam geoffenbahret hat.

[26] Bed. 1 I,44: Dieser (sc. Varenius) führte ihn auf Taulerum, daher er denselben darnach mit so viel mehr attention laß / und daraus lernete / auch die schrift mit mehr acht geben zu lesen. Dessen frucht war / daß er zu einer treflichen erkäntnüs durch GOttes gnade gelangte / daß ich ihm selbst vor mich nicht weniges zu dancken habe.

[27] Anna Maria van Schurman an Johann Jakob Schütz, Altona, 22. 12. 1674 (s. unten S. 290, Anm. 38): Gratissima porro fuere omnia quae de toto vitae cursu, per insigniores Divinae gratiae notas, quibus ejus intervalla sunt interpuncta, di-

Büchlein“ herausgegeben, in dem er sich eng an Tauler anlehnt und im Anhang zwei Gespräche von Tauler abdruckt[28]. Die 1681 in Frankfurt mit einem Vorwort Speners erschienene große Ausgabe der Taulerschen Predigten[29] ist nicht zuletzt der Rührigkeit von Schütz zu danken, der sich zur Besorgung der Edition aus Augsburg eine ehemals von ihm verliehene Basler Taulerausgabe zurückerbittet und dabei Theophil Spizel um Ratschläge für die Edition ersucht[30]. Schütz hat, wenn auch nicht als einziger, den An-

---

stincto, commemoras, atque ordine, saltuatim licet, proponis. Prae caeteris vero me affecerunt mirabiles Divinae Providentiae anfractus, quibus ad rectum usum et amorem mihi amati Tauleri, sed inprimis sacrarum literarum perductus es.

[28] Christliches Gedenck-Büchlein zu Beförderung eines anfangenden neuen Lebens, worinnen zu Ablegung der Sünden, Erleuchtung des innern Menschen und Vereinigung mit Gott in möglichster Kürze und Einfalt die erste Anleitung geschieht, zu Dienst einer Gottbegierigen Seele. Frankfurt (Zunner) 1675 (Titel nach Dechent, ChW 3, 1889, 854). — Diese Schrift war mir nicht erreichbar. Jedoch läßt sich feststellen, daß die ältere Datierung dieser Schrift auf das Jahr 1673 (so z. B. bei E. E. Koch, Geschichte des Kirchenlieds und Kirchengesangs I, 1852, 388) gegenüber der seit Dechent üblichen auf 1675 die richtigere ist. Spener schreibt nämlich an Elias Veiel, 26. 5. 1673 (Tübingen Mc 344, p. 30): „Concionibus meis . . . adjeci alium libellum cujusdam amici: Gedenkbüchlein: quem . . . perlegi et quis Vobis de eo sensus sit si grave non est edoceri opto.“ Dadurch erweist sich Dechents Annahme als Irrtum: „Eine oft erwähnte frühere Ausgabe von 1673 hat wohl nie existiert“ (ADB 33,131). Dechent muß eine spätere Auflage zur Hand gehabt haben. Die übliche Datierung auf 1675 (RGG[3] V,1553; Handbuch zum Evang. Kirchengesangbuch II,1, 1957, 210) ist jedenfalls zu korrigieren. Das „Gedenkbüchlein“ wurde auch ins Schwedische und Französische übersetzt, von orthodoxer Seite angegriffen und — wohl von Johann Winckler — in Wertheim um 1680 schriftlich verteidigt (vgl. Bed. 3,430).

[29] Johann Tauler, Predigten auf alle Sonn- und Feiertage . . . in die Hoch-Teutsche Sprach treulich und fleissig übersetzet . . . Wozu noch angehängt werden / 1. Das arme Leben Christi / 2. Medulla Animae 3. Teutsche Theologia / 4. Thomas à Kempis Nachfolgung Christi . . . Auch ist dieser neuen Edition noch beygefügt eine Vorrede D. Philipp Jacob Speners, Frankfurt 1681. Vgl. *Grünberg Nr. 238*. — Die *Grünberg Nr. 239* genannte Vorrede zu Taulers Predigten über die Fest- und Feiertage stammt nicht von Spener. Bei dem von Kuntze und Biesenthal (vgl. Grünberg III,249) dafür ausgegebenen Text handelt es sich um eine vor dem zweiten Teil der Frankfurter Taulerausgabe von 1681 stehende Vorrede ohne Verfasserangabe, die sich wörtlich schon in der Frankfurter Taulerausgabe von 1621 findet. In Grünbergs Spenerbibliographie kann also die *Nr. 239* gestrichen werden.

[30] Johann Jakob Schütz an Theophil Spizel, s. l. s. d. (2° Cod. Aug. 409 Bl. 389): „ . . . Ich hatte ihr (sc. einer verstorbenen Frau Müller, vielleicht Gattin des Augsburger Pfarrers Johann Jakob Müller) vor einigen Jahren gelehnet und nachgehends als sie sonderlich gefallen daran bezeugte, ihr verwilliget, Zeit lebens zubehalten die alte Baßler edition von Tauleri postill: Nun aber ist H. Zunner im begriff, besagten Tauleri opera zusammen, und soviel möglich, wie sie von dem autore selbst herkommen, trucken zu lassen, wozu ich ihm oder vielmehr dem publico mit besagtem buch, wann es noch vor Henden wäre, gern geholfen wüßte: Vielleicht kann mein hochgeehrter Herr hierinnen am besten rathen: Und würde besagten H. Zunner auch sehr lieb sein, wenn mein hochgeehrter Herr gelieben

stoß zu jener Empfehlung der Taulerschriften gegeben, die Spener in die Pia Desideria aufgenommen hat[31]. Von sich selbst gesteht Spener wenige Monate nach Abfassung der Pia Desideria, daß er im Tauler nicht sehr bewandert sei, er sei aber durch die Erfahrung vieler frommer Menschen belehrt worden, wie sehr sie durch Tauler vorangekommen seien[32]. Noch in Dresden charakterisiert er Schütz als einen Mann, der „Taulerum ... vor allen anderen büchern immer gepreiset hat"[33]. Die Bedeutung, die Schütz für die Ausbildung des Frankfurter Pietismus gehabt hat, besteht also zu einem erheblichen Teil in der Weitervermittlung des Gedankengutes der mittelalterlichen deutschen Mystik, wie sie sich in Taulers und den unter seinem Namen laufenden Predigten und Traktaten niedergeschlagen hat.

Nur aus den Erwähnungen anderer wissen wir etwas über die Wirksamkeit von Schütz in den ersten Jahren des Frankfurter Kollegiums. Spener selbst nennt ihn in seinen Briefen vor 1675, soweit ich sehen kann, namentlich nirgends. Eleonore von Merlau berichtet in ihrer Lebensbeschreibung, wie sie 1672 Spener und seinen Freund Schütz kennenlernte und von beiden Förderung ihres Frömmigkeitsstrebens erfuhr[34]. Joachim Neander, der junge und begabte reformierte Kirchenliederdichter, weilt 1673/1674 als Hauslehrer in Frankfurt und soll mit Schütz näheren Umgang gehabt haben[35]. Von Gießen kommt Johann Wilhelm Petersen 1675 nach Frankfurt, wo neben Spener vor allem Schütz durch seine Reden im Spenerschen Kollegium wie auch durch persönliche Unterhaltung auf ihn wirkt[36]. Schließlich ist Schütz um 1675 mit Pierre Poiret bekannt geworden, als dieser schon in der Absicht, sich der Antoinette Bourignon anzuschließen, in Frankfurt weilte. Poiret blieb nach seinem Weggang von Frankfurt mit Schütz in Briefwechsel und hat bereits 1676 ihn als den Führer der Frankfurter Pietisten angesehen[37]. Aus diesen Zeugnissen geht klar hervor, daß in den

---

mögte zu erinnern, was etwa circa hujusmodi editionem desselben hochvernünftiger rath, und sonderlich circa hanc materiam ungemeine erfahrenheit zur erbauung und . . . (unleserlich) publico nützlich erachtet". Da Schütz am Anfang des Briefes für die Zusendung eines 1680 erschienen Buches von Spizel dankt, ist der Brief auf c. 1680 zu datieren.

[31] PD 74,11 ff. [32] Cons. 3,66 (20. 8. 1675). [33] Bed. 3,732 (1687).

[34] Eine Kurtze Erzehlung, wie mich die leitende Hand Gottes geführet und was sie bey meiner Seelen gethan hat, 2. Edition, o. O. 1719, 27 f. Dieser Lebenslauf ist abgedruckt bei W. MAHRHOLZ, Der deutsche Pietismus, 1921, 201–245 (übrigens vollständig, entgegen der Angabe S. 201). Daß es sich bei den beiden Frankfurter Freunden der Merlau, deren Namen nicht genannt werden (aaO 27 f.; bei MAHRHOLZ 217 f.) um Spener und Schütz handelt, ist durch die Angaben J. W. Petersens gesichert, nach denen die Merlau „sich nach Franckfurt, um des Herrn D. Speners, und des Herrn Lic. Schützens Freundschafft und Umgang zu genießen, begeben hatt" (Lebensbeschreibung, aaO [oben S. 282, Anm. 43] 19).

[35] S. RITSCHL I,383. [36] S. unten S. 318, Anm. 50.

[37] Über die Freundschaft zwischen Schütz und Pierre Poiret vgl. M. WIESER, Peter Poiret, 44 ff. Pierre Poiret ist um 1672 (vgl. WIESER, 42) bei einem Frank-

Jahren vor und nach 1675 von einer alleinigen Führerstellung Speners in der Frankfurter pietistischen Bewegung keine Rede sein kann, sondern daß zwei Männer an der Spitze dieser Bewegung stehen: Spener und Schütz.

Für die Zeit ab 1674 gibt es nun noch eine ganz einzigartige Quelle, aus der auf die Gedanken und Bestrebungen von Schütz plötzlich ein zwar indirektes, jedoch sehr helles Licht fällt. Es sind die Briefe, die die Vertraute Labadies und Korrespondentin der labadistischen Separatistengemeinde *Anna Maria van Schurman* (1607—1678) vom Juli 1674 bis zu ihrem Tod 1678 an Johann Jakob Schütz geschrieben hat. Diese zuerst aus der Freistadt Altona, dem Sitz der labadistischen Separatistengemeinde nach der Vertreibung aus Herford, dann aus deren endgültigem Refugium, dem friesischen Wiewerd geschriebenen Briefe, deren Originale die Universitätsbibliothek Basel in einem mit dem Selbstbildnis der Schurman gezierten Bändchen besitzt, sind der Forschung bisher unbekannt geblieben[38]. Das Licht, das durch sie auf die Gedankenwelt von Schütz fällt, vermag ein gutes Teil der von Albrecht Ritschl beklagten, seitdem kaum gelichteten

---

furter reformierten Prediger auf die Schriften Taulers gestoßen, in der Freundschaft mit Schütz dürfte die Verehrung Taulers und überhaupt das mystische Element die Hauptrolle gespielt haben. Aus den auf der Universitätsbibliothek Amsterdam liegenden Briefen und Briefentwürfen Poirets geht hervor, daß er seit seinem Weggang von Frankfurt im Spätsommer 1676 Schütz laufend unterrichtet hat über seine sich komplizierenden Beziehungen zu den Labadisten. Er hat, wie er am 22. 11. 1676 an den reformierten Kaufmann van de Walle in Frankfurt schreibt, Briefabschriften und Extrakte seiner Auseinandersetzung mit Yvon und der Anna Maria van Schurman an Schütz geschickt, wo sie eingesehen werden könnten (UB Amsterdam Ay 248). Vgl. dazu den bei Wieser, aaO 132 f. in Übersetzung wiedergegebenen Brief Poirets an van de Walle.

[38] UB Basel, Mscr. G² II 33. Es handelt sich um insgesamt zehn eigenhändige Briefe der Anna Maria van Schurman auf 26 doppelseitig und zum Teil sehr eng beschriebenen Quartbogen. Beigefügt sind (bl. 27) der französischsprachige Auszug dreier Briefe der Schurmann (nicht von ihrer Hand stammend), zwei nach dem Tod der Schurman im Juni und August 1678 geschriebenen Briefe des Labadisten Strauch aus Wiewerd an Johann Jakob Schütz (bl. 28—31), schließlich ein zu Brief Nr. 9 gehöriges Briefkuvert mit dem Absender der Schurman, adressiert „a Monsieur Monsieur Jean Jacques Schutz Advocat A Francfort, Recommandée a M. Frederic Dorville marchant a Amsterdam“. Die Daten der Briefe mit der von fremder Hand zugefügten Paginierung und Numerierung:

1.	Altona	3./13.	Juli	1674	bl. 1.
2.	Altona	12./22.	August	1674	bl. 2—3.
3.	Altona	10.	November	1674	bl. 4—8.
4.	Altona	22.	Dezember (alter Stil)	1674	bl. 9—12.
5.	Altona	9./19.	Februar	1675	bl. 13.
6.	Altona	19./29.	April	1675	bl. 14.
7.	Wiewerd	2./12.	August	1676	bl. 15—16.
8.	Wiewerd	21./31.	Dezember	1676	bl. 17—20.
9.	Wiewerd	14./24.	März	1677	bl. 21—24.
10.	Wiewerd	4./14.	Februar	1678	bl. 25—26.

Dunkelheit zu erhellen, die über den Anfängen des pietistischen Separatismus liegt.

Schütz hat, wie sich aus dem ersten Brief der Schurman ergibt, im Sommer 1674 von sich aus die Verbindung zu ihr aufgenommen und dabei zwei Herren du Bois und Robert Archer als Mittelsmänner benutzt. Veranlaßt zu diesem Schritt hatte ihn die Lektüre eines Buches der Anna Maria van Schurman, das er durch einen gewissen Brunsellus erhalten und das auf ihn einen tiefen und bewegenden Eindruck gemacht hatte. Dies Buch war die erst kürzlich — 1673 — in Altona gedruckte „Eukleria seu melioris partis Electio“[39]. In diesem in Herford geschriebenen Buch hat die bald siebzigjährige Schurman, die in ihren besten Jahren den Orbis literatus Europas durch ihre gelehrten Arbeiten in Erstaunen gesetzt hatte[40], noch einmal die Feder ergriffen, um Rechenschaft zu geben von ihrer Absage an weltliche Ehre und Wissenschaft und ihrem Übergang zur Sekte Labadies, der sie sich 1669 in Amsterdam angeschlossen hatte. Ein Encomium des Labadismus, das für alle Zeiten eine wahre Perle christlicher Schriftstellerei bleiben wird, hat Wilhelm Goeters die „Eukleria“ genannt[41]. In einem wunderbar klaren und flüssigen Latein, wie man es im 17. Jahrhundert vielleicht kein zweites Mal findet, berichtet die Schurman über ihren Lebenslauf, erzählt von ihrer Ausbildung in den Sprachen, Künsten und Wissenschaften, deren geringen Wert sie jetzt einsehen gelernt hat, über ihr Studium der reformierten Theologie und ihre Frömmigkeitsübungen, die sie nach Anleitung ihres Lehrers und langjährigen Förderers Gisbert Voetius auf den jetzt als Irrtum erkannten Weg strenger Sabbatheiligung führten, über ihr Suchen nach der wahren Kirche und ihre auf wunderbarem und verborgenem Weg von der göttlichen Providenz geleitete Bekanntschaft und Verbindung mit Jean de Labadie und seiner Gemeinde, in der allein sie ein Abbild der wahren, nach dem Vorbild der Jerusalemer Urgemeinde gestalteten und mit dem vollen Geist der göttlichen Gnade ausgestatteten Kirche gefunden hat. Die „Eukleria“ enthält zugleich eine ausführliche Schilderung der holländischen Schicksale Labadies, eine Beschreibung des Lebens der Amsterdamer Hausgemeinde und der von ihr gehaltenen Exercitia, schließlich auch

---

[39] AaO bl. 1 r: „Quod tanto cum affectu amplexus es meam εὐκληριαν . . .“ — Es handelt sich um: A. M. à Schurman, ΕΥΚΛΗΡΙΑ SEU Melioris Partis ELECTIO. Tractatus Brevem Vitae ejus Delineationem exhibens. Luc. 10: 41,42. UNUM NECESSARIUM. Maria optimam partem elegit. Altona (Cornelius van der Meulen) 1673. 8°. 207 S.

[40] Über sie G. D. J. Schotel, Anna Maria van Schurman, 1853; Ritschl, II,206 ff.; Goeters, passim (s. Register); A. M. H. Douma, A. M. v. Schurman en de Studie der Vrouw, Amsterdam 1924 (mit Bibliographie und Verzeichnis der bisher bekannten Briefe). — Das der Basler Sammlung der Schurmanbriefe beigegebene Bild ist überschrieben „Das Wunderwerck der Welt, die in allen Sprachen, Künsten und Wissenschafften unvergleichlich gelehrt u. berühmte Jfr. Schurmanin“.

[41] AaO 258.

den Bericht von der Übersiedlung nach Herford und dem dortigen Aufenthalt der Labadisten unter dem Schutz einer Freundin der Schurman, der Äbtissin Elisabeth von der Pfalz. Dabei nutzt die Schurman jede Gelegenheit, um die Gedankenwelt Labadies und seiner Freunde Yvon und Dulignon darzustellen, die sie sich vollständig und kritiklos zu eigen gemacht hat. Sie versteht ihr Werk offenbar selbst als eine Einführung in den Labadismus und gibt an zahlreichen Stellen Werke von Labadie an, die zu einer genaueren und vollständigen Erkenntnis der von ihr dargelegten Ansichten studiert werden können[42].

Der Helmstedter Jurist Hermann Conring, der die „Eukleria" Anfang 1675 in die Hand bekam, hat aus der Distanz des Humanisten ein sehr lobendes Urteil über das Buch der „Doctae sine exemplo feminae" abgegeben, den ungewöhnlichen Frömmigkeitseifer bewundert und trotz seiner Bedenken gegen die sektiererische Verengung das landläufige abwertende Urteil über Labadie und den Labadismus daraufhin für revisionsbedürftig erklärt[43]. Der Eindruck, den das gleiche Buch auf Schütz macht, geht sehr viel tiefer. Er erkennt in der Schurman und der labadistischen Gemeinde Gesinnungsgenossen, denen er in seinem ersten Brief spontan seine Dienste anbietet, falls sie von Nutzen sein könnten[44]. Der sich nun anspinnende Briefwechsel mit der Anna Maria van Schurman, die sich hocherfreut zeigt, einen „reinen und gläubigen Liebhaber Gottes" kennenzulernen[45], ist von einer ganz erstaunlichen Intensität. Allein für das knappe Dreivierteljahr von Ende Juli 1674 bis Mitte April 1675 besitzen wir sechs Briefe der Schurman, denen ebenso viele Briefe von Schütz entsprochen haben müssen. Das ist eine bei den damaligen Verhältnissen für die Entfernung zwischen Altona und Frankfurt ganz erstaunliche Briefdichte. Dabei wachsen die Briefe der Schurman, abgesehen von dem ersten, aus Krankheitsgründen nur zwei Seiten langen Brief, allmählich zu vielseitigen, engbeschriebenen Lehrbriefen aus, in denen sie Schütz auf seine verschiedenen an sie gerichteten Fragen Antwort und Unterweisung zu geben sucht[46]. Nach dem ersten Dreivierteljahr wird durch den Weggang der Labadisten von Altona und ihre Übersiedlung nach Wiewerd der Briefwechsel stockender. Von Oktober 1676 bis Februar 1678 sind aber noch einmal vier lange Briefe der Schurman an

[42] Schriften Labadies und Pierre Yvons werden angeführt aaO 96. 98. 101. 117. 162. 176. 177. 181 f. 197 (hier allein elf Schriften Labadies). 200.

[43] Conringii iudicium de Annae Schurmanniae optimae partis electione (= Brief vom 9. März 1675 an D. Ch. Ackenhausen), in: J. D. Gruber, Commercii Epistolici Leibnitiani ... Tomus prodromus, qui totus est Boyneburgicus, 1745, 1393 f.

[44] AaO bl. 1 v: Coeterum tua nobis tam oblata officia, si ei utendi detur materies, nullo modo negligemus.

[45] AaO bl. 1 r.

[46] Die Schurman bringt in ihrer kleinen, gestochen sauberen Schrift teilweise bis 60 Zeilen auf eine Quartseite. Die zehn Briefe würden gedruckt ein kleines Bändchen füllen.

Schütz erhalten, denen sich nach dem Tod der Schurman im Frühjahr 1678 zwei von dem Labadisten Strauch im gleichen Jahr an Schütz geschriebene Briefe anschließen.

Die Schurmanbriefe bezeugen für die Zeit ab Sommer 1674 also einen engen Kontakt zwischen der Vertrauten des im Februar 1674 verstorbenen Labadie und dem zweiten Führer des Frankfurter Pietismus. Die Verbindung zur labadistischen Gemeinde ist aber nicht auf den Briefwechsel zwischen Schütz und der Schurman beschränkt geblieben. Schütz ist 1674 auch mit *Pierre Yvon* (1646—1707)[47], dem bedeutenden Schüler Labadies und Führer der Gemeinde nach dessen Tod, in Briefwechsel getreten. Von der Schurman werden einige Themen ausdrücklich nicht berührt, weil Yvon bereits mit Schütz darüber verhandelt[48]. In der labadistischen Propaganda und Missionstätigkeit hat es offensichtlich eine Art von Arbeitsteilung gegeben, so daß wir aus den Schurmanbriefen nur einen Teil der Themen ersehen können, die zwischen Frankfurt und Altona im Gespräch waren. Mit der Schurman tritt aber auch Eleonore von Merlau in Briefwechsel. Es ist Schütz selbst gewesen, der — seit dem kurzen Frankfurter Aufenthalt der Merlau im Jahre 1672 mit ihr in näherer Bekanntschaft — diese Verbindung vermittelt hat[49]. Noch vor ihrer Übersiedlung nach Frankfurt hat die Merlau 1674 mit der Schurman die ersten Briefe gewechselt[50], und es ist nicht ausgeschlossen, daß für ihren Entschluß, den höfischen Dienst zu quittieren, um

[47] Über ihn vgl. Goeters, passim und RGG³ VI,1858.

[48] AaO Nr. 2 bl. 3 v: Inprimis vero Dominus Yvon et Dulignon quorum prior suas ad te literae cum hisce conjungere in animo habebat: sed hac vice illum detinuere aliae non differendae occupationes. Im Brief Nr. 3 schreibt die Schurman, daß man eine Antwort von Schütz auf einen Brief von Yvon erwarte: Hucusque hanc epistolam jam ante binas septimanas exaraveram, quia . . . tuum ad literas eximii ac fidelis nostri Pastoris Dni Yvon responsum nobis expectandum duxi. Im Brief Nr. 5 geht sie auf eine Frage ein, die Yvon in seinem letzten Brief an Schütz nicht berührt hatte: ac verbo tantum attingam quod carus noster Frater D. Yvon in postremis suis ad te datis, se non tetigisse mihi indicavit, de Fide scilicet ad Spe . . . Im Brief Nr. 6 verweist sie wieder auf Dinge, über die Yvon mit Schütz verhandele: ita ad omnia officia Christiana vobis procul dubio tecum aget ipse carus Pastor noster D. Yvon. — Weitere Erwähnungen Yvons auch in den späteren Briefen nach 1675. Die genannten Zeugnisse zeigen, daß dem Briefwechsel zwischen der Schurman und Schütz ein gleichfalls intensiver Briefwechsel zwischen Yvon und Schütz parallel lief.

[49] AaO Nr. 6, bl. 14 v: En iterum responsum ad dulcissimas ac niveas literas dilectae nostrae Sororis Dnae a Merlau; quam ego non tantum, sed nos omnes, uti veram Christi Amatricem, animitus amamus. nec revera ullo externo amplius indiget testimonio, ad sanctam ac plenam Amicitiam inter nos stabiliendam: tuo interim libenter debemus ejus occasionem et initia, veluti rei pretiosissimae dona.

[50] AaO Nr. 3 (10. November 1674) bl. 6 r: Gratum itaque mihi fuit Epistolium istius Nob. Virginis Aulicae quae tantopere prodesse proximo studet . . . Die Merlau befand sich zu dieser Zeit, wie Speners vom Dezember 1674 an sie gerichteter Brief beweist (Bed. 3,99), noch nicht in Frankfurt.

nur noch ihrer Frömmigkeit zu leben, das Zuraten der Schurman den Ausschlag gegeben hat. Spener hatte es ihr jedenfalls nicht geraten[51].

Wenn Schütz durch die Lektüre der „Eukleria" eine vollständige und nähere Kenntnis der Bestrebungen Labadies bekommen hat, so kann dies jedoch schwerlich die erste Kenntnis gewesen sein. Die labadistischen Wirren in Holland sind eines der vorzüglichsten Gesprächsthemen unter den Gebildeten Mitteleuropas, wie man aus manchem Gelehrtenbriefwechsel der Zeit um 1670 ersehen kann[52]. Auch die Zeitungen sind voll von Nachrichten darüber. Das bei dem Frankfurter Buchhändler Wilhelm Serlin erscheinende Diarium Europaeum, das jeweils zu den Meßzeiten Berichte und Urkunden von Begebenheiten in aller Welt in einem stattlichen Quartband vorlegt[53], hat im Frühjahr 1672 eine aus gehässiger Feder stammende Lebensbeschreibung des „durch Holland biß in Teutschland wolbekannten wunderlichen Schwärmers" Jean de Labadie abgedruckt[54]. Sie ist nach Angabe des ungenannten Herausgebers aus verschiedenen französischen und niederländischen Skribenten zusammengezogen und entspricht völlig jenen niedrigen Pamphleten, die in Frankreich und den Niederlanden ihr Gift gegen den wortgewaltigen Sittenprediger verspritzt hatten. Ob diese Veröffentlichung eine Spitze gegen das labadistischer Umtriebe verdächtigte Spenersche Kollegium enthält, ist schwer zu beurteilen. Immerhin ist es merkwürdig, in einem Frankfurter Journal 1672 in Fettdruck hervorgehoben den Labadie zugesprochenen Satz zu lesen „Ich halte eine Stunde von unsern Familiar-Exercitien höher / als die Sonntags-Predigten / ja mehr als von allen Predigten einer gantzen Woche"[55]. In der gleichen Continuation des Diarium Europaeum ist aber auch eine „Apologia und Schutzrede deß Herrn de Labadie" mit einem knappen und wahrheitsgemäßen Abriß seiner Lebensschicksale enthalten, die dem Herausgeber aus Herford

---

[51] Vgl. W. Nordmann, Die Eschatologie des Ehepaares Petersen, 88.

[52] Vgl. etwa den Briefwechsel zwischen Spener und Leibniz aus der Zeit zwischen 1670–1672, in: Leibniz, Sämtliche Schriften (Akademieausgabe) I,1, 1923 (durch diese Edition ist diejenige von H. Lehmann, ZBG XI, 1917, 1–70 überholt). In den aus den Jahren 1670–1672 erhaltenen fünf Briefen Leibniz' an Spener und acht Briefen Speners an Leibniz ist das Thema „Labadie" eines der am häufigsten berührten. — Vgl. auch den Briefwechsel Boyneburgs aus dieser Zeit, abgedruckt bei Gruber, aaO (s. oben Anm. 43).

[53] Diarium Europaeum, Insertis variis actis publicis, Frankfurt a. M. (Wilhelm Serlin), 1653 ff. (vorh. UB Marburg).

[54] Abbildung / Und eigentliche Beschreibung deß Lebens und Lehre Jean de Labadie, Eines in Franckreich neu-entstandenen / und durch Holland biß in Teutschland wolbekannten wunderlichen Schwärmers und listigen Verführers deß leicht-gläubigen Volcks; Zu treuhertziger Nachricht und Warnung für seiner schädlichen Ketzerey und verführerischer Lehre / auß unterschiedlichen Frantzösisch- und Niederländischen Scribenten zusammen gezogen / und an den Tag gegeben. In: Diarium Europaeum, Continuatio XXIII, 172, Appendix, 73–88.

[55] AaO 80.

zugeschickt wurde und die er „umb sich aller Partheylichkeit zu entschütten" abgedruckt hat[56]. In der Ausgabe vom Herbst 1674 enthält das Diarium einen aus Hamburg übersandten Bericht von dem im Februar des Jahres erfolgten Tod des „bekannten Theologen" Labadie[57]. Diese Berichte hat Schütz natürlich gekannt. Da schon der erste Brief der Schurman vom Juli 1674 das Wissen von Labadies Tod voraussetzt, muß Schütz auch noch über andere Nachrichtenquellen verfügt haben. Schließlich ist es ganz undenkbar, daß Schütz nicht mit Spener, der 1670 einen Teil der von Labadie in Holland herausgegebenen Schriften zur Hand hat[58], über Labadie gesprochen hat. Er muß also bereits vor dem Briefwechsel mit der Schurman eine hinlängliche Kenntnis der Bestrebungen Labadies gehabt haben.

Die Zeit vom Sommer 1674 bis zum Frühjahr 1675 wird aber nun für Schütz zu einer Zeit ganz intensiver Beschäftigung mit dem labadistischen Gedankengut. Der Briefwechsel mit der Schurman ist nämlich keineswegs bloßer Gedankenaustausch zwischen verwandten Seelen. Die Schurmanbriefe lassen deutlich erkennen, daß Schütz sich als der Fragende und Suchende an sie wendet und daß die mehr als dreißig Jahre ältere Frau die Rolle einer Lehrmeisterin und Seelenführerin übernimmt. Erst aus den späteren Briefen der Schurman spürt man etwas von einem beginnenden Selbstbewußtsein von Schütz. Mißtrauisch geworden durch den Streit zwischen dem von Schütz geschätzten Pierre Poiret und Pierre Yvon macht sich eine gewisse Distanz des Frankfurter Pietisten zu den Labadisten, besonders zu Yvon, bemerkbar, über die die Schurman unglücklich ist[59]. Davon ist aber in den Jahren 1674 und 1675 noch nichts zu spüren. Die häufigen Ermahnungen und Anzeigen, was noch „fleischlich" an seinen Gedanken sei, scheint Schütz dankbar angenommen zu haben.

Hauptthema der Briefe ist der rechte Weg zur näheren Vereinigung der Seele mit Gott, wobei sich das mystische Element im Denken beider als das dominierende und eine enge Gemeinsamkeit stiftende erweist. In der Liebe zu Tauler treffen sich beide, die Selbstverleugnung ist geradezu das beherrschende Thema der ersten Briefe. Die Schurman freut sich dabei über die deutlichen Anzeichen geistlicher Erfahrungen bei Schütz, die sie aus seinem Reden über die geistliche Vereinigung der Seele mit ihrem Bräutigam erblickt, sie sucht ihn aber gleichzeitig auf den dogmatisch richtigen

---

[56] AaO 265–268. Diesem „Extractum" überschriebenen, auf Herford, 11. März 1672 datierten Bericht folgt im Diarium (aaO 269–275) der Abdruck des vom Reichskammergericht in Speyer am 30. 10. 1671 gegen die Labadisten verhängten Ausweisungsbeschluß aus der Abtei Herford.

[57] Diarium Europaeum, Continuatio XXVII, 1674, Appendix 533–536.

[58] S. oben S. 273, Anm. 83.

[59] Vgl. hierzu die Briefe ab Nr. 7 (Oktober 1676), vor allem den Brief Nr. 8. Zu den Verhandlungen zwischen Poiret und den Labadisten s. die knappen Bemerkungen bei GOETERS, 256. Ausführlicher M. WIESER, Peter Poiret, 51 f. Vgl. auch oben S. 289, Anm. 37.

Standpunkt des Labadismus hinüberzuziehen. Wie in der „Eukleria" verweist sie auch in den Briefen auf die Schriften von Labadie und Yvon, aus deren Lektüre Schütz das Licht der Wahrheit in vollem Glanze aufgehen werde. Dabei gibt sie den bereits genannten Herrn du Bois als Überbringer labadistischer Bücher an, die im übrigen auch von dem Hamburger Buchhändler Gottfried Schultz während der Messe erhalten werden könnten[60].

Wie intensiv sich Schütz auf den Labadismus eingelassen hat, wird in einem Fall besonders deutlich. In ihrem Brief vom 19./20. April 1675 lobt die Schurman das Streben von Schütz, die göttliche Wahrheit und das christliche Leben zu verbreiten und weder Zeit noch sich selbst zu schonen, um beides ins Licht und in die Wirklichkeit zu bringen. Deshalb habe er es auch nicht abgeschlagen, eine Beschreibung der labadistischen Hausgemeinde ins Deutsche zu übersetzen und zum Druck zu geben. Er habe auch den Labadisten die Hoffnung gemacht, daß sie bald diese Frucht seines Fleißes und seines Wohlwollens schmecken könnten[61]. Woran hat die Schurman hier gedacht? Ein Buch dieser Art, das 1675 in Frankfurt erschienen wäre, ist nicht bekannt und auch nicht feststellbar. In dem Band des Diarium Europaeum, welcher zur Herbstmesse 1675 erschien, findet sich nun aber die Übersetzung einer labadistischen Schrift, auf welche die Angaben der Schurman genau zutreffen[62]. Deren Titel lautet: „Kurtzer Bericht Vom Zustand und Ordnungen derjenigen Personen / welche Gott versamlet / und zu seinem Dienst vereiniget hat / durch das Ampt seines treuen Knechts / Weyland Herrn Johann de LABADIE, Und dessen Brüder oder Mit-Arbeiter / Hn. Peter Yvon, und Peter Dulignon."[63] Vorangestellt ist eine kurze Vorrede des ungenannten Übersetzers[64], der die Schrift aus dem Französischen übersetzt hat und angibt, sie sei ihm von sicherem Ort zu Händen gekommen und er habe aus Liebe zur Wahrheit und in der Hoffnung, einigen Nutzen zu stiften, nicht unterlassen wollen, sie mitzuteilen. Es handele sich dabei um eine ausführliche Erzählung von Gelegenheit und Zustand derjenigen Personen, die durch Herrn de Labadie und seine Gehilfen „in Form einer kleinen Kirchen versamlet worden" seien[65]. Nun stimmen Titel und Inhalt der Schrift, Tatsache ihrer Übersetzung und Drucklegung in

---

[60] Brief Nr. 5, bl. 13 v (s. unten S. 333, Anm. 127).

[61] Brief Nr. 6, bl. 14 r: Eodem desiderio te duci video, amplificandi nempe divinam veritatem, et vitam vere Christianam; cum ad utramque in lucem, atque in actum deducendam nec tempore tuo, nec tibi parcas. Inde est quod nostrae Familiae descriptionem Germanico sermone donare praeloque subjicere, in tanta temporis tui penuria, detrectare non voluisti; nobisque spem facis mox gustandi hunc tuae industriae atque benevolentiae fructum, cui Deus noster benedicat.

[62] DIARII EUROPAEI . . . Dreyssigster Theil / Oder Deß neueingerichteten DIARII EUROPAEI Erster Theil, Frankfurt 1675, Appendix, 353–368.

[63] AaO 353. [64] AaO 353–354.

[65] AaO 354. – Hier taucht, erstmals im Frankfurter Pietismus, in deutscher Form der Begriff der Ecclesiola auf! Vgl. oben S. 250 bei Anm. 97.

Frankfurt, dazu das Datum der Veröffentlichung so vollständig mit den Angaben der Schurman überein, daß ein Zweifel an der Identität nicht möglich ist. Johann Jakob Schütz hat also zur gleichen Herbstmesse 1675, zu der auch die Separatausgabe der Pia Desideria erschien, eine von ihm selbst übersetzte Schrift der Labadisten zum Druck gegeben.

Von dieser durch Schütz veröffentlichten Beschreibung der labadistischen Hausgemeinde ist im gleichen Jahr 1675 auch eine niederländische Übersetzung in Amsterdam erschienen, die allein der Forschung bisher bekannt geworden ist[66]. Wilhelm Goeters hat von ihr geurteilt, daß sie unter allen erhaltenen Zeugnissen den besten Eindruck von der Praxis des Zusammenlebens der Gemeinde Labadies vermittelt, und hat ausführliche Passagen aus ihr wiedergegeben[67]. Kurz zusammengefaßt läuft dieser Bericht darauf hinaus, eine genauere Unterscheidung von dreierlei Art von Menschen zu geben, mit denen — abgesehen von den Weltmenschen, mit denen man nur hinsichtlich des bürgerlichen Lebens Umgang hat — die Labadisten Gemeinschaft halten. Es sind dies erstens die eigentlichen Glieder der Hausgemeinde, die vor Gott ein Bekenntnis getan haben, ein Herz und eine Seele zu sein, die sich als wirklich in der Wiedergeburt stehend erweisen, völlig die Selbstverleugnung üben und in einem vollkommenen Vertrauen zueinander leben. Zu dieser innersten Vereinigung werde nur zugelassen, wer eine große und besondere Gnade von Gott empfangen habe, und es bedürfe dazu gründlicher Prüfungen, bei denen die labadistische Kirche sehr sorgfältig und langsam verfahre. Eine zweite Art von Menschen sind solche, die bereits deutliche Zeichen der Gnade erkennen lassen, in denen aber noch der Geist wider das Fleisch streitet und die durch häufige Übungen und Examina erst auf den Weg völligen Absterbens ihrer selbst geführt werden müssen. Diese befinden sich in der Hausgemeinde, sind aber doch nicht Glieder derselben. Schließlich kennt man eine dritte Art von Seelen außerhalb der Hausgemeinde, die mit dem guten Willen kommen, erbaut und unterrichtet zu werden. Denen gibt man Bücher, spricht auch vertraulich zu ihnen, doch werden sie zu den geistlichen Übungen der Hausgemeinde nicht zugelassen.

Schütz hat hier also eine Schrift herausgegeben, die genau jene Eigentümlichkeiten einer frommen Gemeinschaft aufführt, die das Frankfurter Kollegium aus Sorge vor Verdächtigungen hatte fallenlassen müssen: die genaue Prüfung und die Beschränkung der Personenzahl. Diesen Unterschied muß er gegenüber der Schurman auch brieflich zur Sprache gebracht

---

[66] Korte Onderrichtinge Rakende den Staat en de maniere van leven der Personen, die God t'samen vergadert, en tot sijnen Dienst vereenigt heeft, door de Bedieninge sijnes getrouwen Dienstknechts Joannes de Labadie en sijner Broeders en Mede-Arbeiders Petrus Yvon en Petrus Dulignon. Amsterdam 1675. 20 S. 4° (Halle, Waisenhaus). Titel nach Goeters, 264, Anm. 1.

[67] Goeters, 264 f., worauf für eine genauere Kenntnis der Schrift verwiesen sei.

haben, denn diese antwortet, es werde von ihnen nicht gänzlich mißbilligt, daß man von den in Frankfurt gehaltenen Exercitia niemand fernhalte. Der Frankfurter Conventus sei eben nicht eine Ecclesia particularis, sondern nur ein Auditorium, das wahre Christen erst heranbilden solle[68]. Schütz muß sich also sagen lassen, daß durch jene von Spener gewünschte Offenheit das Kollegium keine Möglichkeit hat, sich als eine Erscheinung der wahren Kirche zu verstehen. Eine Entsprechung zu jener labadistischen Gemeinschaft der wahrhaft Wiedergeborenen gibt es nach Ansicht der Schurman in Frankfurt bisher noch nicht. Die Beschäftigung mit solchen Gedanken kann schwerlich ohne Einfluß gewesen sein auf die Gemeinschaftsbildung, die sich unter der Führung von Schütz und der Merlau bald darauf im Frankfurter Saalhof vollzogen und immer deutlicher die Form eines geschlossenen Personenkreises angenommen hat.

Von den Schurmanbriefen fällt Licht aber noch auf eine andere Sache, die unmittelbar mit Speners Pia Desideria zusammenhängt. In den Pia Desideria macht Spener bekanntlich einmal den Vorschlag der Einführung von Gemeindeversammlungen nach der Art von 1. Kor. 14, sodann im Rahmen der Erörterung über die Reform des Theologiestudiums den Vorschlag, besondere Collegia pietatis der Professoren mit den Studenten einzurichten[69]. Spener selbst hat diesen Vorschlag ein Jahr nach Erscheinen der Pia Desideria in Frankfurt in die Tat umgesetzt und seit Juni 1676 zweimal wöchentlich Zusammenkünfte mit Theologiestudenten gehalten, in denen nach der in den Pia Desideria beschriebenen Weise der 1. Johannesbrief behandelt wurde[70]. Der Vorschlag solcher Collegia pietatis für angehende Pastoren stammt nun aber, was merkwürdigerweise bisher noch nicht beachtet worden ist, ursprünglich nicht von Spener selbst. Als Spener am 7. April 1675 die Postillenvorrede an seinen Schwager Joachim Stoll nach Rappoltsweiler schickt, teilt er im Begleitbrief mit, der Vorschlag besonderer Collegia pietatis auf Universitäten werde schon seit einigen Monaten verhandelt. Er füge einige Blätter bei, aus denen Stoll den ersten Entwurf dieses Vorschlages und die Bemerkungen dreier um das Reich Gottes eifernder Männer ersehen könne. Zwei von diesen seien Theologen[71]. Genauere

---

[68] Brief Nr. 6, bl. 14 v: Quod autem neminem a vestris Exercitiis arcetis, sed plures toleratis, successuque temporis multa corrigenda judicatis, non omnino improbamus, cum non tam Ecclesiae quedam particularis sit vester conventus, quam auditorium ac medium ad formandos veros Christianos . . .

[69] PD 76,20–78,26.

[70] Cons. 1,275; 3,243. 294 u. ö.; Grünbergs Bezeichnung dieser Zusammenkünfte als „Kandidatenkränzchen" (aaO I,232; III,400) ist kaum glücklich zu nennen. Spener hat später das Collegium philobiblicum August Hermann Franckes und Paul Antons auf die Linie dieser akademischen Collegia pietatis bringen wollen. S. Grünberg I,232.

[71] Cons. 3,92 (7. 4. 1675): Propositum de Collegiis pietatis in Academiis instituendis jam ab aliquot mensibus agitatur . . . Videbis ex adjectis chartis, quae

Angaben macht Spener in zwei Briefen, die er einen Monat zuvor – also noch während der Abfassung der Pia Desideria – an Theophil Spizel nach Augsburg[72] und an Johann Ludwig Hartmann nach Rothenburg[73] gesandt hat. Nach Speners Bericht haben einige Freunde untereinander darüber gehandelt, ob nicht eine Weise gefunden werden könne, durch welche sich die Studenten auf den Universitäten allmählich an das studium pietatis gewöhnten, um dort schon solche Leute zu werden, wie man sie nachher im Amt zu haben wünscht. Spener nennt die Namen der Freunde nicht, verweist nur auf das beigefügte Papier, auf dem der eine die betreffenden Vorschläge niedergeschrieben habe, während zwei andere ihre Bemerkungen unter den Buchstaben A und B beigefügt hätten[74]. Spener bittet Spizel und Hartmann, den Vorschlag streng geheimzuhalten und höchstens mit einem Freund zu besprechen. Zugleich bittet er um ein Urteil darüber und fragt an, ob sie einen Professor nennen könnten, der für ein erstes Experiment solcher Übungen geeignet erscheine. Er selbst wüßte nicht, ob irgend etwas Heilbringenderes und für die Kirche Nützlicheres unternommen werden könne als dieser Vorschlag[75].

Die Vermutung, daß der Nichttheologe unter den drei Anregern akademischer Collegia pietatis der Jurist Schütz ist, wird nun durch die Schurmanbriefe bestätigt. Ungefähr zur selben Zeit, als Spener an Spizel und Hartmann schrieb, hat nämlich auch Schütz der Schurman über Vorschläge zur Theologenausbildung berichtet. In dem Brief vom 19./29. April 1675 – der vorhergehende ist vom 9./19. Februar – geht sie gelegentlich der Beantwortung des letzten Briefes von Schütz darauf ein. Nachdem sie sich zu den von Schütz unterstützten Bemühungen um die Einrichtung des Frankfurter Arbeitshauses geäußert hat, welchen Plan sie lobt, wenn er auch nicht

---

prima consilii fuerit ichnographia, & trium jam virorum de regno DEI valde solicitorum, ex quibus duo Theologi sunt, in illam observationes.

[72] Spener an Spizel, 5. 3. 1675 (2° Cod. Aug. 409, bl. 591).

[73] Spener an Hartmann, 9. 3. 1675 (Fortgesetzte Sammlung von alten und neuen theologischen Sachen . . .,Leipzig 1742, 509–512).

[74] An Hartmann (aaO 510): Egere inter se nonnulli amici, possetne inveniri modus, quo in academiis Theologiae Studiosi paulatim pietatis exercitiis adsuescerent, & non minus veri Christiani, quorum exemplum olim alios instruerent, quam homines docti evadere studerent. Antequam cum Professore aliquo academico ageretur, visum est nonnihil de re hac inter nos deliberari . . . Fuit ergo qui illa quae hic adjecta vides chartae illineret, alii animadversiones suas sub literis A. & B. adjecerunt. Si me amas, tu etiam quae Tibi circa ista, & universum hoc argumentum videantur, communicare nobiscum dignare . . . Optarim vero ut nemini adhuc alii de negotio isto quidquam aperias, antequam pluribus ea de re actum sit. – Ganz ähnlich der (oben Anm. 72 genannte) Brief an Spizel.

[75] An Spizel (aaO bl. 591 r): Si non omnino ista improbas, significa quaeso etiam, quem initio e numero Theologorum Academicorum huic instituto credas maxime idoneum, apud quem et a quo fiat primum experimentum. Certe si consiliis his, saltem intentioni piae, respondeat ex benedictione divina successus, nescio an aliquid salutarius suscipi possit, et e quo plura Ecclesiae speranda essent.

direkt zum Wachstum des christlichen Lebens gehöre, fährt sie fort: näher auf die Kirche Christi bezöge sich jene andere Aufgabe, die Schütz von Gott aufgetragen sei, nämlich die Besserung und Bildung der Pastoren durch Seminare von Kandidaten der Theologie, welche in die Einfalt der reinen Wahrheit und in das praktische christliche Leben einzuweihen Schütz und seinen vertrauten Freunden am Herzen liege[76]. Diese Stelle macht es doch wohl sicher, daß wir in dem Nichttheologen, der die akademischen Collegia pietatis angeregt hat, Johann Jakob Schütz erblicken müssen. Von ihm und zwei unbekannten Theologen – vermutlich Theologiestudenten – rührt der in die Pia Desideria aufgenommene Vorschlag akademischer Collegia pietatis her, den Spener als den Kern seiner Reform des Theologiestudiums angesehen hat.

Es bleibt noch zu fragen, ob der Vorschlag dieser Collegia als eine Frucht der Beschäftigung mit labadistischem Schrifttum angesehen werden muß. Die Frage wird sich, weil uns der Vorschlag nur in den Worten Speners erhalten und der von den drei Freunden stammende erste Entwurf verschollen ist, nicht mehr mit voller Eindeutigkeit beantworten lassen. Immerhin ist beachtlich, daß die in der älteren Forschung[77] behauptete Abhängigkeit der Spenerschen Reformgedanken von Labadies Schrift „La Réformation de l'Eglise par le Pastorat"[78] ähnlich bereits im April 1675 von der Schurman gegenüber Schütz ausgesprochen wird. Sie zweifle nicht, fährt sie in dem genannten Brief fort, daß Schütz bei diesem Vorhaben in die gleichen Gedanken verfalle, die Labadie in seinem Traktat *De Reformanda Ecclesia per Pastoratum* der Welt vorgelegt habe. Da sie wisse, daß das Buch nach Frankfurt geschickt worden sei, glaube sie auch, daß es in die Hände von Schütz gekommen sei[79]. In dem vorhergehenden Brief vom 9./19. Februar nimmt die Schurman an, daß Herr du Bois, der mit der Beförde-

---

[76] Brief Nr. 6, bl. 14 r: Propius Christi Ecclesiam spectat alia illa, quae divinitus tibi data est, provincia de Reformandis ac formandis Pastoribus per seminaria candidatorum Theologiae, quos tibi, ut et Symmystis tuis, nudae veritatis simplicitate vitaque Christiana practica imbuere cordi esse scribis.

[77] S. darüber ALAND, Spener-Studien, 41 ff.

[78] La || Réformation || de || L'Eglise || par le || Pastorat. || Contenuë || En deus Letres Pastorales de || Jean de Labadie, || Ministre de Jesus Christ. || Ecrites à quelques siens Intimes || Amis & Pasteurs zélez. || Premiere Letre. || Middelbourg 1667. (22+) 253 (+2) S. 8°. Seconde Letre. Middelbourg 1668. (14) + 324 (+12) S. 8°. (Tüb. Ev. Stift; Halle, Waisenhaus). – GOETERS (164, Anm. 1) gibt für den zweiten Teil irrtümlich 1667 statt 1668 an (außer dem Titelblatt ist auch die Widmung bl. 8 v auf 1668 datiert), woraufhin ebenfalls ALAND, 45; BWGN V,464 und RGG³ IV, 193 das Werk auf 1667 datieren. Die korrekte Angabe muß lauten: 1667/68.

[79] (Fortsetzung des Zitats von Anm. 76): in quo instituto non dubito quin saepius incidas in eosdem conceptus, quos Fidelis Christi Servus, D. Joh. de la Badie, suo Tractatu de Reformanda Ecclesia per Pastoratum orbi proposuit; quem cum Francofurtum transmissum sciam, credo ad tuas manus etiam pervenisse.

rung labadistischer Literatur an Schütz beauftragt war, sie zu diesem Zeitpunkt schon überbracht hat[80]. Schütz hat also mit größter Wahrscheinlichkeit im Winter 1674/75 Labadies Reformschrift bekommen und wird sie wie die übrigen übersandten labadistischen Schriften aufnahmewillig studiert haben.

Daß sich Schütz mit zwei Freunden Anfang 1675 ausgerechnet mit Reformplänen für das Studium der zukünftigen Pfarrer beschäftigt, wird, wenn man die Lektüre von Labadies „La Réformation de l'Eglise par le Pastorat" voraussetzen kann, plötzlich durchaus verständlich. In dieser Schrift wird ja, wie der Titel sagt, die Erneuerung der Kirche gänzlich auf die Erneuerung des Pfarrerstandes gestellt. Im Unterschied zu Speners Pia Desideria, deren Reformvorschläge nur zum Teil die Pfarrerausbildung, zum andern Teil unmittelbar das Gemeindeleben betreffen, sind Labadies elf Heilmittel (Remedes), abgesehen von dem ersten, das eine allgemeine Buße fordert, gänzlich auf die Erneuerung des Pastorenstandes bezogen[81]. Die Einrichtung der Exercices prophétiques, die Speners Vorschlag der Wiederherstellung der apostolischen Kirchenversammlungen entspricht, wird von Labadie nicht in „La Réformation", sondern in einer selbständigen Schrift behandelt[82]. Während nun aus der Perspektive der Spenerschen Pia Desideria der Plan von Schütz und seinen Freunden als merkwürdige Vorwegnahme eines *Teils* des Reformprogrammes erscheinen muß, rückt er, wenn man ihn von Labadies Schrift aus betrachtet, in ein ganz anderes Licht. Von hier aus erscheint er gar nicht als ein isolierter Einzelvorschlag, der noch darauf wartet, in ein umfassendes Reformprogramm eingebaut zu werden. Von hier aus erscheint der Plan einer Verbesserung und Erneuerung der Theologenausbildung eher wie eine Aufnahme des Grundgedankens von Labadies „Réformation", daß nämlich die Erneuerung der Kirche durch eine Erneuerung der Pfarrer geschehen müsse. Erst unter der Voraussetzung einer Beeinflussung durch Labadies „Réformation" wird überhaupt verständlich, warum ein einzelner Punkt des Spenerschen Programms einen Monat zuvor von Schütz und seinen Freunden so intensiv verhandelt wird. Dieser einzelne Punkt dürfte für sich bereits ein ganzes Programm beinhaltet haben.

Die Frage, wie weit Schütz mit seinen vertrauten Freunden im einzelnen das Gedankengut Labadies übernahm, kann demgegenüber zurücktreten

---

[80] S. unten S. 334, Anm. 127.

[81] Vgl. das ausführliche Referat der Schrift bei GOETERS, 164 ff. Die letzten drei Heilmittel (La Réformation II,258–324) beziehen den Zustand der Gemeinden zwar mit ein, behandeln ihn aber auch aus dem Blickpunkt des Pfarrers. Die in den Pia Desideria — zum Beispiel im zweiten Vorschlag der Aufrichtung und Übung des allgemeinen Priestertums — geforderte Gemeindereform hat in dieser Schrift Labadies keine Entsprechung.

[82] S. unten Anm. 89.

und läßt sich mangels Quellenmaterial auch gar nicht beantworten. Was Labadie zur Verbesserung der Theologenausbildung vorbringt — die Abwendung von der scholastischen Theologie, Empfehlung der Lektüre mystischer Schriftsteller, Zurückstellen der Polemik, Ausrichten der Kollegs auf die Frömmigkeit, Einzelaussprachen der Professoren mit den Studenten über ihr Wachstum in der Frömmigkeit[83] —, das alles ist nicht so originell, daß man es nicht auch im Reformschrifttum der lutherischen Orthodoxie finden und aus dieser Wurzel herleiten könnte. Allerdings kann man bezweifeln, daß der Jurist Schütz, der nicht einmal den Varenius gekannt hatte, von dieser Literatur eine besondere Kenntnis besaß. Er mag Großgebauers „Wächterstimme" gelesen haben, die ihm Spener vielleicht empfohlen hat, daneben die von Spener 1671 neuedierte „Geistliche Zuchtposaune" Joachim Schröders[84]. Aber niemand kann durch diese Reformschriften auf den Gedanken gebracht worden sein, einen Plan zur Reform des Theologiestudiums durch Einrichtung von Collegia pietatis zu entwickeln[85]. Labadies „Réformation" dagegen fordert geradezu solche Gedanken heraus. So hat die Annahme der Beeinflussung Schütz' und seiner beiden Freunde durch Labadies „La Réformation de l'Eglise par le Pastorat", wie sie die Schurman ausspricht, einen sehr hohen Grad von Wahrscheinlichkeit für sich. Das würde heißen, daß ein zentraler Punkt des Reformprogramms der Pia Desideria, nämlich jener von Schütz übernommene Vorschlag von Collegia pietatis auf Universitäten, mittelbar von Labadie angeregt und beeinflußt worden ist.

Die Angaben der Schurman gehen aber noch weiter. Auch Labadies „L'exercice prophétique" wähnt sie in der Hand von Schütz. Sie freut sich, daß die in diesem einzigartigen Buch beschriebenen Exercitia von ihm in Frankfurt eingeführt werden und erhofft großen Nutzen davon, zumal ihm Spener als ein ebenso zugänglicher wie treuer Mitarbeiter zuteil geworden sei, dessen Gelehrsamkeit die Labadisten, wenn sie fromm sei, keineswegs verachteten[86]. Auffällig ist hier, daß die Schurman von Spener als einem „cooperarius" spricht, den Schütz bei der Einführung der Exercitia pro-

---

[83] Vgl. dazu vor allem Labadies Quatrieme Remede: Du Renouvellement de l'Esprit Pastoral par le Chois, et par l'Education de la Jeunesse propre à être destinée ou appellée au Pastorat (aaO II,99 ff.). Darüber Goeters, 165 ff.

[84] Vgl. oben S. 237 f.

[85] Was Großgebauer am Rand zur Reform des Theologiestudiums beiträgt (in Kap. VI der „Wächterstimme"), zielt auf eine stärkere Ausrichtung des Studiums unmittelbar auf die Praxis des kirchlichen Amtes, nicht auf die Praxis pietatis. Bei Schröder ist für solche Reformgedanken überhaupt kein Platz.

[86] (Fortsetzung des Zitats von Anm. 79): Idem dicendum mihi de ejusdem libro singulari, De Exercitiis Propheticis; quae vos etiam reducere gaudeo, ac spero cum magno fructu, siquidem tibi tam apertus, tamque fidelis, ut dicis, obtigit in illo opere cooperarius Dnus Spenerus; cujus eruditionem, si pia sit, minime aversamur.

phetica erhalten habe. Schütz muß sich also als die eigentlich treibende Kraft der Frankfurter Pietisten ausgegeben haben, womit die früher erwähnten Zeugnisse, die Schütz eine führende Rolle im Collegium pietatis zuschreiben[87], bestätigt werden. Wenn die Schurman nun das Frankfurter Kollegium sofort mit den von Labadie vorgeschlagenen Exercitia prophetica identifiziert, so kann es Schütz ihr nur in der Form beschrieben haben, die es um die Jahreswende 1674/1675 erhalten hat durch das Beiseitelegen menschlicher Bücher und die Lektüre allein der Heiligen Schrift. Denn nur in dieser Form entspricht es den von Labadie gewünschten Exercitia, in denen unter Anleitung eines Predigers die Heilige Schrift ausgelegt und besprochen werden soll[88]. Es ist deshalb anzunehmen, daß das „reducere" der Exercitia prophetica, von dem die Schurman spricht, gar nicht auf die Gründung des Collegium pietatis im Sommer 1670, sondern auf die Umbildung im Winter 1674/1675 blickt.

Da nun die von der Schurman angenommene Lektüre von Labadies „L'exercice prophétique" zeitlich zusammenfällt mit jener Umbildung des Kollegiums, die dasselbe den Exercitia prophetica ähnlich macht, so muß gefragt werden, ob hier nur eine zufällige zeitliche Koinzidenz vorliegt. Hat etwa Schütz unter dem Eindruck der Lektüre von Labadies „L'exercice prophétique" die Gestalt des Frankfurter Kollegiums dem von Labadie beschriebenen Muster angepaßt? Geht also die um die Jahreswende 1674/1675 zu beobachtende Umwandlung des Kollegiums in eine Bibelbesprechungsstunde auf den Einfluß Labadies zurück?

Sucht man diese Fragen zu beantworten, so muß man noch auf etwas anderes achten. Auch jene 1675 auftauchende neue Idee der Collegia pietatis, die wir mit der Umbildung des Kollegiums in eine Bibelbesprechung in engem Zusammenhang sahen, die Idee nämlich, daß Versammlungen der Art des Frankfurter Kollegiums eine Wiederaufnahme der apostolischen Kirchenversammlungen von 1. Kor. 14 sein sollen, entspricht genau den Gedanken von Labadies „L'exercice prophétique". Schon im Titel seiner Schrift sagt Labadie, daß die von ihm behandelten Exercitia die von Paulus in 1. Kor. 14 beschriebenen Versammlungen zum Vorbild haben[89]. In der Berufung auf diese Schriftstelle folgt Labadie nun freilich gemeinreformierter Tradition und er zitiert in seiner Schrift auch ältere reformierte Synodalbeschlüsse, die die Prophezei nach dem Vorbild von 1. Kor. 14 den Gemeinden empfehlen[90]. Die Berufung auf 1. Kor. 14 ist also kein spezieller

---

[87] S. oben S. 282.

[88] Vgl. Goebel, Geschichte des christlichen Lebens II,205 ff.; Goeters, 174 ff.

[89] Der Titel lautet: Traité Ecclesiastique Propre de ce tams, Selon les Sentimans de Jean de Labadie, Pasteur. L'Exercice Prophetique selon St. Pol au Chapitre 14 de sa I^e. Letre aux Corinthiens. Sa Liberté, son Ordre, et sa Pratique Par Jean de Labadie, Pasteur. Amsterdam 1668. 116 + (2) S. (nach Goeters, 174, Anm. 1).

[90] K. D. Schmidt, Labadie und Spener, 577 f.

Gedanke Labadies, und die Erwähnung dieser Stelle in den Pia Desideria drängt aus sich selbst heraus noch nicht zu der Annahme, Spener müsse hier von Labadie abhängig sein[91]. Wenn aber die Idee, Versammlungen nach dem Vorbild von 1. Kor. 14 einzurichten, im Frankfurter Pietismus erst 1675 auftaucht, wenn Johann Jakob Schütz sich gerade zu dieser Zeit intensiven labadistischen Einflüssen hingibt, wenn schließlich die Schurman von der Einführung der Exercitia prophetica durch Schütz und seinen Mitarbeiter Spener spricht und dies mit Labadies Schrift in Verbindung bringt, die kurz vorher an Schütz geschickt wurde, so ergibt sich doch eine ganze Kette von Indizien, die allesamt in die gleiche Richtung weisen. Danach dürfte Schütz unter dem Einfluß von „L'exercice prophétique" im Winter 1674/1675 die Wiedereinführung der urchristlichen Versammlungen von 1. Kor. 14 betrieben und das Frankfurter Kollegium dem von Labadie beschriebenen Muster vollends angepaßt haben. Das heißt aber, daß die endgültige Gestalt und Idee der Spenerschen Konventikel sich unter ganz wesentlichen Einfluß der Gedanken Labadies gebildet haben werden.

Es gibt nun auch keine Äußerung Speners, die solcher entscheidenden Beeinflussung durch Labadie widerspricht. Spener hat sich gegen den Vorwurf gewandt, im Jahre 1670 Versammlungen Labadies, die er in Genf kennengelernt habe, in die evangelische Kirche eingeführt zu haben, und er hat sich außerdem strikt gegen Labadies schismatische Tendenz gewandt. Daß er von Labadie viel Gutes gelernt habe, hat er gerade im Sendschreiben von 1677, seiner ausführlichsten Äußerung über die Collegia pietatis[92], öffentlich bekundet[93]. Spener sagt hier, es sei öfters übelgenommen worden, „daß ich bey ein und andern gelegenheiten von solchem mann solle gutes geredet haben", so daß der Verdacht aufkam, er suchte eine Trennung in dessen Sinne[94]. Da Spener schwerlich von der Kanzel Labadie gelobt hat, dürfte es sich bei den beargwöhnten Äußerungen um solche handeln, die im Collegium pietatis gefallen sind. Es liegt also von seiten Speners gar keine Veranlassung vor, den Einfluß labadistischen Gedankenguts auf das Frankfurter Collegium pietatis zu bestreiten. Ob Spener selbst „L'exercice prophétique" gelesen oder gar bei der Abfassung der Pia Desideria auf dem Schreibtisch zur Hand hatte, ist demgegenüber eine zweitrangige Frage. Daß er sie gar nicht gekannt hat, ist mit keinem Grund zu behaupten[95]. Entscheidend

---

[91] Vgl. K. D. Schmidt, 578. Für die dort offen gelassene Möglichkeit einer Beeinflussung durch andere reformierte Kreise finde ich in den Quellen jedoch keinen Anhalt.

[92] S. oben S. 254, bei Anm. 3. [93] AaO 108 ff. [94] AaO 108.

[95] Gegen Aland, der behauptet, Spener kenne nur die in Frankreich erschienenen Schriften Labadies, „die in Holland verfaßten kennt er dagegen nicht" (Spener-Studien, 44). Diese Behauptung entspricht den von Aland beigebrachten und ausführlich ausgeschriebenen Zeugnissen keineswegs. Hier sagt Spener nur — aus begreiflicher Vorsicht, mit dem holländischen Schisma Labadies in Beziehung gesetzt zu werden — daß er sie wenig gelesen habe und nicht davon urteilen

aber ist, daß man den Einfluß dieser Schrift auf Johann Jakob Schütz, den Motor des Frankfurter Kollegiums, in hohem Grade gewiß machen kann.

Damit steht Spener mit dem Vorschlag seiner Pia Desideria, die apostolischen Kirchenversammlungen von 1. Kor. 14 wieder einzurichten und diese als Bibelbesprechungen der Frommen unter Direktion des Predigtamtes zu gestalten, vermutlich in einer durch Schütz vermittelten Abhängigkeit von Labadie. Spener hat sich diesem Einfluß um so unbefangener aussetzen können, als das, was er selbst seit 1670 an Labadie getadelt hatte, nämlich seine separatistische Tendenz, in „L'exercice prophétique" noch gar nicht hervortritt. Das Buch ist vor Labadies Trennung von der offiziellen reformierten Kirche geschrieben und gedruckt worden und noch ganz für die Bedürfnisse der Volkskirche bestimmt. Wenn sich der Frankfurter Pietismus eines Spener und Schütz 1674/1675 von Labadies „L'exercice prophétique" beeinflussen ließ, so bedeutet das nicht, daß man sich an dem inzwischen zutage getretenen Separatismus Labadies, sondern daß man sich allein an seiner Forderung einer Reform der Kirche nach dem Modell des Urchristentums orientierte. Als Spener 1677 öffentlich die Collegia pietatis verteidigte, hat er auf diese Unterscheidung selbst hingewiesen, indem er sagte, er mache einen Unterschied zwischen Labadies schismatischer Absicht und seinen übrigen Gaben, Eifer, Leben und Schriften[96]. Man kann allerdings, wenn man den weiteren, schließlich ebenfalls zum Separatismus führenden Weg von Schütz in den Blick faßt, kaum annehmen, daß Schütz diese Unterscheidung mit der gleichen Entschiedenheit und Klarheit getroffen hat.

Wenn Schütz durch die Beschäftigung mit labadistischer Literatur zu dem Gedanken der Wiederaufnahme der urchristlichen Versammlungen von 1. Kor. 14 kam, so muß die weitergehende Frage gestellt werden, ob Schütz auch das in den labadistischen Büchern enthaltene Geschichtsbild rezipiert hat, nach welchem die Kirche, die in der Jerusalemer Urgemeinde ihr vollkommenes Urbild auf Erden besessen hat, in der Zeit Konstantins völlig der Welt anheimgefallen ist, in welchem verderbten Zustand sie sich heute noch befindet, wogegen ihr nach den in der Heiligen Schrift offenbarten Verheißungen noch ein herrlicher Zustand auf Erden bevorsteht, dessen alsbaldiger Anbruch sich in der Gegenwart mit dem Erweis außergewöhnlicher Geisteswirkungen ankündigt[97]. In Speners Pia Desideria findet sich bekannt-

---

könne. Stellen wie Cons. 3,336: „Habeo etiam ad manum partem scriptorum ab ipso (sc. Labadie) & ipsius causa in Batavia editorum" hat ALAND nicht erwähnt.

[96] Sendschreiben, 109. Vgl. auch aaO 108: Möchte auch hierbey bemercket werden / wie so weit . . . meine haußübung . . . von der trennung / welche unter dem berühmten Johann von Labadie vor einigen Jahren sich angefangen hat / entfernet seye. Indem sich ja niemand bey uns von der Christlichen offentlichen gemeinde trennet . . . Also daß ich nicht sehe / worin wir mit denselben überein kommen solten / als in solchen dingen / die allen Christen ins gemein ohne das zugehören.

[97] Vgl. dazu GOETERS, 160 ff.

lich beides: die Orientierung an dem Modell der Urchristenheit, das als historischer Beweisgrund für die Möglichkeit eines besseren Zustandes der Kirche herangezogen wird[98], und die Hoffnung besserer Zeiten für die Kirche, die mit den noch ausstehenden Verheißungen von einer allgemeinen Bekehrung der Juden und von einem größeren Fall des antichristlichen Roms begründet wird[99]. Die Übereinstimmung der von Spener in den Pia Desideria in Grundzügen entwickelten pietistischen Eschatologie mit der Eschatologie, die man in den Schriften Labadies, Yvons und der „Eukleria" der Anna Maria van Schurman findet, ist weitreichend und frappierend. Wilhelm Goeters hat die Eschatologie Labadies geradezu mit dem Spenerschen Begriff der „Hoffnung besserer Zeiten" umschreiben können[100]. In besonderen Schriften hat Labadie ebenso von der bevorstehenden Bekehrung der Juden gehandelt wie von der der Kirche nach der Zerstörung des Antichrist in Aussicht gestellten Periode der Blüte und des Ansehens[101]. Anna Maria van Schurman hat sich diese Gedanken in ihrer „Eukleria" völlig zu eigen gemacht[102]. Man darf jedoch aus dieser Übereinstimmung keine schnellen Schlüsse auf eine Beeinflussung des Frankfurter Pietismus durch den Labadismus ziehen. Chiliastische Erwartungen sind unter den Sektierern und mystischen Spiritualisten des 17. Jahrhunderts überall verbreitet, auch schlägt die Begeisterung der englischen Quintomonarchisten um die Jahrhundertmitte ihre Wellen weit auf das westeuropäische Festland. Mit der Frage nach der Herkunft der pietistischen Eschatologie stoßen wir auf das wahrscheinlich schwierigste Problem, das sich einer Darstellung der Anfänge des lutherischen Pietismus stellt.

---

[98] PD 49,6 ff. [99] PD 43,31 ff. [100] AaO 160.

[101] Die Schriften bei Goeters, 160 f. Wichtig vor allem: L'Idée d'un bon Pasteur Et D'une bonne Eglise. Amsterdam 1667. Und: Le Heraut Du Grand Roy Jesus, ou Eclaircissement de la Doctrine de Jean de Labadie, Pasteur, sur le Regne glorieux de Jesus Christ, et ses Saints, & par ses Saints en la terre aux dernier temps. Amsterdam 1667. Die Schurman nennt für die eschatologischen Ansichten Labadies noch die Schrift: L'Empire du S. Esprit (Eucleria I,117), welche Amsterdam 1671 erschien (BWGN V,465).

[102] Da die Eukleria der Schurman die früheste und am sichersten bezeugte Schrift der Labadisten ist, die Schütz studiert hat, wähle ich zur Illustration einen Abschnitt hieraus, in welchem die gesamte labadistische Geschichtsansicht in nuce enthalten ist (aaO 115 ff.): Quamvis enim Deo . . . non placuerit, primam illam Hierosolymitanam proxime subsequentes, eandem abundantiam Spiritus S. assequerentur; & quamvis, ut locus daretur Mysterio iniquitatis, & Anti-Christianismo universali, gratia illa prima a Christianismo degenerante sensim recesserit; maxime tempore Constantini Magni, quo mundus in Ecclesiam irrepere, imo solenniori modo introduci coepit: tamen nullum tempus concipi debet, quo non aliqua ex parte adimpleatur haec prophetia in vere fidelibus, si quidem Christianismum in terris indesinenter exstiturum concedamus: Quotquot enim filii Dei sunt, Spiritu Dei ducuntur. Et sicubi duo aut tres in nomine Christi congregati sunt, Christus in medio ipsorum est . . . Attamen cum Sacris literis statuimus, postremis temporibus, post lapsam Babylonem & ligatum Satanam, & post introitum gentium in

V. Die Anfänge der pietistischen Eschatologie

Die in den Pia Desideria behauptete, mit den Verheißungen von der Judenbekehrung und dem Fall des päpstlichen Roms biblisch begründete *Hoffnung besserer Zeiten* stellt eine Lehre dar, mit welcher Spener nicht nur aus der von Dannhauer überkommenen orthodoxen Lehrtradition ausgebrochen ist[1], sondern mit der er sich in Gegensatz gestellt hat auch zu seinen beiden selbstgewählten maßgebenden Lehrern Martin Luther und Johann Arndt[2]. Spener hat sich zwar gern darauf berufen, daß viele Theologen vor und nach Luther die Verheißung der Bekehrung der Juden in Röm. 11 als noch ausstehend angesehen haben[3]. Er hat aber nicht verdecken können, daß er mit seiner viel weitergehenden Lehre von der Hoffnung besserer Zeiten aus der Tradition des Luthertums heraustrat und sich den meist im außerkirchlich-sektiererischen Bereich lebendigen Ideen des Chiliasmus angenähert hat.

Regnum Christi, & denique post conversionem universalem Judaeorum, fore adimpletionem plenam istarum universalium atque illustrium prophetiarum tum ex V. tum ex N. T. . . . De quibus si quis accuratam ac plenam desideret cognitionem, ea ex binis egregiis Tractatibus D. de Labadie, uno titulo De Imperio Spiritus Sancti, Gallice De l'Empire du S. Esprit: altero ejusdem Autoris, inscriptione Praeco seu Fecialis Magni Regis JESU, Gallice Le Heraut Du Grand Roi JESVS, abunde haurire potest.

[1] Vgl. von Cansteins Bericht über Speners Tod, Vorrede zu L. Bed., 32 f.: Nächst dem hub er an und danckte GOTT . . . daß er also früh in der jugend einen guten begriff von der Evangelischen warheit bekommen, bey der er geblieben und bleiben wolle bis an sein ende. Er bekenne sich also mit gantzem hertzen zu denen libris symbolicis, darinnen der Evangelischen kirchen lehre enthalten, welchen seinen glauben er in denen verschiedenen schrifften bekant, ohne daß er bekennen müsse, er habe anfangs, weil ihn D. Dannhauer also informiret, keine bessere zeiten für die kirche geglaubet, auch nicht die bekehrung der jüden. — Bed. 3,733 (1687): So bekenne auch / daß vor weilen diese meinung von der Juden bekehrung / u. derer fast daran hängender besserung der gesamten kirche / nicht gehabt habe / als der ich ohne weiteren nachbedacht meinem S. Praeceptori D. Dannhauer gefolget war . . .

[2] Der Gegensatz zu Luther ist — bei Erörterung der noch ausstehenden Judenbekehrung — von Spener in den Pia Desideria ausgesprochen worden (PD 44,4 ff.): „Obwol wir nicht bergen / daß nebens unserm sonst werthen Praeceptore D. LUTHERO unterschiedliche der Unserigen / auch vornehme Doctores dergleichen von Paulo (sc. Röm. 11,25 f.) gemeynt zu seyn / wie der buchstabe gleichwol lautet / in zweiffel haben ziehen wollen / und darvor halten / es seye solche verheissung schon allerdings in den von der Apostel zeiten biß daher bekehrten Juden zur gnüge erfüllet." Im Blick auf Johann Arndt schreibt Spener 1687 gelegentlich einer Darlegung seiner Zukunftshoffnung: „Hingegen kan an dem mir angenehmen Arndtio auch gantz wol tragen / daß er anderst davor gehalten . . . ob zwar auch nicht in abrede bin / daß mir sein suffragium, da ihn GOtt auch dazu geführet / würde angenehm gewesen seyn" (Bed. 3,734).

[3] Außer in zahlreichen Briefen vor allem in den späteren Anhängen zu den Pia Desideria. S. dazu PD 44,5 ff. (Anm.).

Es ist hinreichend bezeugt, daß Spener mit seinen Zukunftshoffnungen nicht nur eine persönliche Meinung geäußert hat, sondern daß der Chiliasmus eine unter den Frankfurter Pietisten allgemein verbreitete Anschauung war. Der Vorwurf des Chiliasmus, zu dem Spener 1677 Stellung nehmen muß, ergeht nicht an seine Person, sondern an die Frankfurter Pietisten insgemein und wird auch von ihm so beantwortet, daß „wir" den gewaltsamen Chiliasmus der Münsteraner Wiedertäufer verwerfen, daß aber der Chiliasmus, der an ein von Christus selbst aufgerichtetes herrliches Reich auf Erden glaubt, etwas anderes sei[4]. Das Erwachen chiliastischer Erwartungen ist eines der prägnantesten Merkmale des frühen Frankfurter Pietismus. Hier zum ersten Mal taucht der seit der Reformation in den Untergrund abgedrängte Strom chiliastischer Erwartungen mitten in einer zur lutherischen Volkskirche sich haltenden Gruppe öffentlich wieder auf.

Eine Untersuchung der Anfänge der pietistischen Eschatologie wird die theologie- und frömmigkeitsgeschichtliche Situation nicht außer acht lassen dürfen. Es ist üblich, dem Pietismus einen Neudurchbruch der eschatologischen Dimension des christlichen Glaubens nachzurühmen[5]. Dabei wird leicht übersehen, daß die unmittelbar vorhergehende Zeit bereits durch starke eschatologische Gespanntheit gekennzeichnet ist und der Boden, aus dem die Saat des pietistischen Chiliasmus aufgegangen ist, wie wenig andere in der Kirchengeschichte von den Erwartungen des nahen Endes der Welt durchpflügt worden war. Der Dreißigjährige Krieg und seine Schrecken hatten das bei den Reformatoren, vor allem bei Luther kräftige Bewußtsein, am Ende der Tage zu stehen, wieder neu belebt. Erbauungsbücher, Predigtbände und die Kirchenlieddichtung der Jahrhundertmitte zeugen von der alle Regionen und alle Schichten des deutschen Luthertums erfassenden Gewißheit vom unmittelbar bevorstehenden Ende der Welt und der Erwartung der nahen Wiederkunft Christi zum Jüngsten Gericht[6]. Ein Paul Gerhardt dichtet:

Die Zeit ist nunmehr nah,
Herr Jesu, du bist da;
Die Wunder, die den Leuten
Dein Ankunft sollen deuten,
Die sind, wie wir gesehen,
In großer Zahl geschehen[7].

---

[4] L. Bed. 3,243.

[5] Vgl. KARL BARTHS Meinung: „Man wird es . . . dem Pietismus anrechnen müssen, daß er das Problem der letzten Dinge als aktuelles Problem nicht nur bemerkt, sondern weithin überhaupt erst wiederentdeckt hat." (Die protestantische Theologie im 19. Jahrhundert, 1952², 113). Solcher Wertung widerspricht schon H. E. WEBER, Reformation, Orthodoxie und Rationalismus, I/2, 1940 (1966²), 244.

[6] Vgl. dazu LEUBE, Reformideen, 152 ff. („Der Glaube an das Ende der Zeiten").

[7] Zit. nach A. EBELING, Die Gedichte von Paulus Gerhardt, 1898, 166.

Schließlich auch die ausgedehnte Reformliteratur der lutherischen Orthodoxie ist, wie Leube gezeigt hat, durchgehend von dem Glauben an das nahe Ende der Zeiten geprägt[8]. Demgegenüber wirkt Speners Hoffnung besserer Zeiten eher wie eine Ermattung der eschatologischen Gespanntheit des orthodoxen Luthertums. Der Hinweis auf die noch ausstehende Bekehrung der Juden und einen noch zu erwartenden Fall des päpstlichen Roms widerspricht ja den Versen Paul Gerhardts: Die Zeichen der Ankunft Christi sind noch nicht geschehen.

In den beiden „Bedenken", die den Pia Desideria vom Herbst 1675 beigegeben sind und die eine erste Reaktion befreundeter Theologen auf das in der Postillenvorrede entwickelte Programm darstellen, ist der Eindruck, den Speners Zukunftshoffnungen auf die lutherische Orthodoxie machen mußten, deutlich zu greifen. Der Verfasser des einen Bedenkens, Speners alter Lehrer Joachim Stoll, lehnt bei aller Zustimmung zu den Reformvorschlägen jede Hoffnung auf bessere Zeiten rundweg ab. Daß die Röm. 11 verheißene Bekehrung der Juden noch ausstehen solle, ist ihm ein „Argument / welches uns das Jüngste Gerichte noch ferne machet"[9]. Auch will er nichts wissen von einem weiteren Fall des päpstlichen Roms. Damit „wäre abermal noch eine sicherheitsfristung übrig"[10]. Deutlich und bestimmt bekräftigt Stoll die hergebrachte lutherische Anschauung: „Es ist und bleibet die letzte Stunde."[11]

Etwas anders die Reaktion von Johann Heinrich Horb[12], dem Verfasser des anderen Bedenkens. Horb, zehn Jahre jünger als Spener, kürzlich noch hoffnungsvoller Adept der orthodoxen Schulgelehrsamkeit und zu dieser Zeit mitten in einem Wandlungsprozeß zum Pietismus steckend, vermag sich gegenüber den Zukunftserwartungen noch nicht zu entscheiden. Um so interessanter ist es, wie er die auf eine Reform der lutherischen Kirche dringenden Kräfte hinsichtlich ihrer eschatologischen Vorstellungen deutlich in zwei Parteien sich aufspalten sieht. Die einen, zu denen er Spener rechnet, sind bewegt von der Hoffnung auf einen besseren Zustand der Kirche entsprechend den noch ausstehenden Verheißungen der Schrift, die anderen von der Versicherung des unmittelbar bevorstehenden Jüngsten

---

[8] Leube, aaO.

[9] Pia Desideria, Frankfurt 1676, 324.

[10] AaO 325.

[11] Ebd.

[12] Zu Horb (1645–1695) vgl. zuletzt T. O. Müller, Heinrich Horbius, ein tragisches Pfarrerschicksal, Monatsschr. f. evg. Kircheng. d. Rheinl. XV, 1966, 127 bis 133. – Während seiner Studienreise nach den Niederlanden 1669/70 hat der damals noch ganz vom orthodoxen Gelehrtenideal beseelte Horb, wie aus seinen Briefen an Spener und Leibniz hervorgeht, über Labadie ziemlich verständnislos geurteilt und die chiliastischen Ansichten von Johann Amos Comenius beklagt. Horbs Bedenken zu den Pia Desideria ist das erste Zeugnis seiner Hinwendung zum Pietismus. Über seine weiteren Schicksale s. RE 8,353 ff.; RGG[3] III, 450 f.

Tages, „welchen sie nicht auff tausend und mehr Jahr hinauß zu setzen sich getrauen“[13].

Daß Stoll und Horb Spener nicht mißverstanden haben, wenn sie von einem Hinausschieben des Jüngsten Tages in eine fernere Zukunft reden, wird schließlich auch durch Speners Selbstzeugnis bestätigt. Wahrscheinlich im Anschluß an die Pia Desideria hat Spener mit einem ihm verwandten Theologen eine briefliche Auseinandersetzung geführt über das Thema „ob der jüngste tag allernechst? Und ob dessen entfernung den fleiß der gottseligkeit hindere?“[14] In dieser Kontroverse erklärt sich Spener ausdrücklich gegen die altlutherische, auch von Johann Arndt geteilte Anschauung, daß man sich des Hereinbruchs des Jüngsten Tages täglich zu versehen und zu getrösten habe. Spener bringt eine Vielzahl von Gründen bei für seine Auffassung, „daß der jüngste tag noch so nahe nicht sey“[15]. Einen hervorragenden Platz unter den Spenerschen Argumenten nimmt der Hinweis auf die Spötter und Lästerer ein, denen die ständig wiederholte Predigt von der Nähe des Jüngsten Tages nur die Meinung stärke, „ob würde dasjenige gar nicht kommen / was wir so lang ohne erfolg erwartet hätten“[16]. Die Spenersche Hoffnung besserer Zeiten erwächst offensichtlich in einer Situation, in der die in der Kriegs- und unmittelbaren Nachkriegszeit noch glaubwürdige Predigt von der Nähe des Weltendes in eine Glaubwürdigkeitskrise geraten ist. Deren Ursache kann man geradezu in der Erfahrung von Parusieverzögerung erblicken[17]. Diese ein knappes Menschenalter nach dem Krieg her-

---

[13] AaO 224. Die Stelle ist auch deshalb interessant, weil sie die älteste nicht von Spener stammende Beschreibung der frühen pietistischen Zukunftserwartungen darstellt. Ich gebe sie deshalb im Zusammenhang wieder (aaO 224 f.): Darzu beweget einige / auch zum theil unsern Herrn D. SPENERUM, die Hoffnung eines folgenden bessern Zustandes der Kirchen auff Erden / welche sie schöpffen auß denen Weissagungen Hoseä im 3. Capit. Pauli an die Römer im 11. Cap. Und deß Evangelisten Johannis / Apocal. 18. & 19. Als werde gantz Israel noch bekehret / der Päbstliche Stuhl gestürtzet / und die unter den Christen befindliche meiste Religionen vereiniget werden: Andere hingegen die ungezweiffelte Versicherung deß gar nah instehenden Jüngsten Tages / welchen sie nicht auff tausend und mehr Jahr hinauß zu setzen sich getrauen / sondern in den Gedancken stehen / es werde der gerechte Richter JEsus Christus bald offenbahr werden / Rach zu geben über die Gottlosen / und daher so vielmehr Ursach haben nach den Frommen im Land sich umbzusehen . . .

[14] Speners Briefe: Bed. I,1, 218—223. 223—227. 227—229; Bed. 4,38—43. Wer der von Spener mit „Schwager“ angeredete Adressat dieser Briefe ist, bleibt dunkel. Jedenfalls nicht Horb, wie RITSCHL (II,122) angibt. Daß es Speners Schwager und Lehrer Stoll ist, wird man wegen des zuletzt sehr harten Tones von Spener, der den Disput über diese Frage abzubrechen wünscht, nicht annehmen können. Die Datierung des zweiten Briefes (Bed. I, 1,227) auf 1674 ist Druckfehler (vgl. die wegen der Erwähnung Dilfelds zuverlässige Datierung 1681 für den nächsten Brief). Danach ist RITSCHLS Angabe „schon 1674“ (II,122) zu korrigieren.

[15] Bed. I, 1,218.

[16] Bed. I, 1,222.

[17] Daß die Erkenntnisse der neueren wissenschaftlichen Chronologie auf das

aufziehende Krise der eschatologischen Gerichtspredigt der Orthodoxie muß, sowenig sie positiv das Entstehen chiliastischer Erwartungen erklären kann, bei der Untersuchung der Anfänge der pietistischen Eschatologie mitbedacht werden.

Fragt man nach dem Zeitpunkt, zu dem sich im Frankfurter Pietismus bestimmtere eschatologische Erwartungen gebildet haben, so wird man bei der Beschaffenheit unserer Quellen nur bei Spener selbst einsetzen können. Wie schon Albrecht Ritschl bemerkt hat[18], ist die Hoffnung besserer Zeiten öffentlich erstmals in den *Pia Desideria* ausgesprochen worden. Auch Spener selbst hat 1697 auf den Vorhalt, er wäre in Frankfurt und Dresden mit dieser Lehre nicht hervorgetreten, erwidert, daß er sie schon in Frankfurt vertreten habe, „wie bereits in denen piis desideriis zu sehen ist"[19]. Sie kann sich, wenn man genauer nachforscht, erst kurz vor den Pia Desideria gebildet haben[20]. Zur Zeit der Gründung des Collegium pietatis hat er sie noch nicht gehegt. Dafür zeugt das im Mai 1670 verfaßte Gutachten Speners über den Streit zwischen Wittenberg und Helmstedt für Herzog Ernst von Gotha[21], in welchem ausdrücklich steht, daß es eine Hoffnung auf bessere Zeiten für die Kirche vor dem Jüngsten Gericht nicht gebe[22]. Diese Äußerung ist Spener später von einem orthodoxen Frankfurter Prediger vorgehalten worden, und er hat dabei unumwunden zugegeben, daß er „an den Hertzog von Gotha in den ersten Jahren schreibend / von den letzten zeiten andere gedancken und wenig hoffnung gehabt habe"[23]. Speners Hoffnung besserer Zeiten muß sich also in den gut viereinhalb Jahren vom Sommer 1670 bis zum Winter 1674/1675 gebildet haben. Mit großer Wahrscheinlichkeit datiert sie erst vom Ende dieses Zeitraums. Dafür spricht das

---

Spenersche Geschichtsbewußtsein bestimmend eingewirkt haben, vermag ich nicht zu sehen. Nur ganz gelegentlich spricht Spener einmal von den „gelehrten Chronologi", drückt aber zugleich aus, daß er mehr dem Heiligen Geist als ihren Berechnungen Glauben schenke (Bed. I, 1,225).

[18] AaO II,122. Vgl. Grünberg I,304.

[19] Völlige Abfertigung Pfeiffers, 1697, 191. Vgl. L. Bed. 1,116.

[20] Für die ältere gegenteilige Anschauung Speners vgl. die Äußerung aus einer kurz vor seinem Weggang aus Straßburg gehaltenen Predigt: „Nun eine allgemeine besserung ist nicht zu hoffen; sondern die propheceyung von dem übeln zustand der Kirchen auff die letzte zeiten / die wird gewiß wahr bleiben." Epist. Sonntagsand. I,429 (10. 5. 1666). Im ersten Frankfurter Jahr verurteilt Spener die Hoffnung auf eine bessere Gestalt der Kirche sogar als Schwärmerei. Vgl. Spener an Elias Veiel, 9. 4. 1667: Ecclesiae ubique fere laborantis clades et pericula juxta Tecum tristis intueor et cum suspiriis . . . Meliorem Ecclesiae faciem vix est ut in his terris speremus; nam chiliasticae alicubi renascentes naeniae non satisfaciunt ulli cordato, qui somniis delectari refugit solidamque cui innitatur basin exposcit (Tübingen, Mc 344, 2 f.).

[21] L. Bed. 3,11–27 (31. 5. 1670).

[22] AaO 12: So lesen wir auch in göttlicher schrift von den letzten zeiten der kirchen dergleichen dinge, die nicht viel hoffnung machen eines sonderlich blühenden und erwünschten zustandes deroselben.

[23] Bed. 3,733 (1687).

völlige Schweigen Speners über eine solche Hoffnung in den Predigten und in den Briefen an seine vertrauten Freunde. Er hat sie alle mit den Zukunftserwartungen seiner Pia Desideria überrascht[24]. Wir besitzen aus den Jahren 1672 bis 1674 zehn Briefe Speners an Eleonore von Merlau, die voll sind von Klagen über die allgemeine Verderbnis[25]. Es ist kaum denkbar, daß Spener eine Hoffnung besserer Zeiten, wenn er sie bereits hatte, ihr gegenüber gänzlich verschwiegen hätte. Dagegen schreibt er der Merlau am 15. Mai 1673, er stimme mit ihren Klagen überein, das Betrübteste sei aber, daß er keine Hilfe sehen könne und daß, wenn Gott nicht Mittel zeigte, die jetzt noch nicht erkannt werden könnten, „der schade der kirchen fast unheilsam scheinet"[26]. Das ist noch nicht der Spener, der in der Gewißheit der Hoffnung besserer Zeiten dem kranken Leib Christi Mittel zur Besserung verschreibt! Man findet auch in den übrigen Briefen an die Merlau nichts von solcher Hoffnung, mit der einzigen Ausnahme des letzten, vor ihrer Übersiedlung nach Frankfurt an sie gerichteten Briefes vom Dezember 1674. Hier spricht Spener plötzlich in einer völlig veränderten Sprache, die zu den resignierenden Klagen der früheren Briefe in seltsamem Kontrast steht. Seine Neujahrswünsche kleidet er in die Worte:

„Solte aber GOtt der gesamten kirche eine sonderbare freude geben wollen / hätten wir nichts bessers zu wünschen / als ob seine weißheit allgemach die zeit kommen wolte lassen der erfüllung derjenigen dinge / die er noch zu trost seiner gläubigen hat verheissen und aufzeichnen lassen. Ach solte dieses das jahr seyn / da GOtt wolte lassen anfangen diejenigen frühlings-tage anbrechen /welche wir noch vor den letzten trübsalen und darauf folgenden neuen sommer warten! Wir sehen gleichwol / so zu reden / die bäume / böse und gute / auch wieder ausschlagen: daß etwa die hoffnung nicht vergebens ist / es seye solche liebe zeit nicht mehr so weit."[27]

Die Übereinstimmung mit späteren Zeugnissen, die ebenfalls von dem Frühling des herrlichen Reichs Christi vor dem Sommer der ewigen Seligkeit reden[28], zeigt, daß es die Hoffnung besserer Zeiten ist, die hier, also zu Ende des Jahres 1674, erstmals ausgesprochen wird.

---

[24] Vgl. unten S. 326.

[25] Bed. 3,68—99. Vgl. Grünberg I,173.

[26] Bed. 3,74 f. (Datierung des Briefes nach den Angaben des folgenden Briefes, aaO 76).

[27] Bed. 3,98. Auf diese auffällige Stelle hat schon Grünberg (I,174) hingewiesen.

[28] Vgl. den ausführlich von der Zukunftshoffnung handelnden Brief vom 8. 10. 1688 (Bed. 4,639): „Also, ob wir auch wol ein hertzliches verlangen nach der letzten zukunfft des HERRN, und dem einbruch der seligen ewigkeit haben sollen, glaube ich doch, daß zu unsrer zeit wir unsre häupter vielmehr dazu aufzuheben haben, daß wir sehen, nachdem der HERR an den seinigen sein gericht geübet, wie er die gefängnüß seines volcks auch wiederum wenden, und einigen *frühling* vor jenem *sommer* der ewigkeit uns nach seiner diener weissagung bescheren werde. Dieses ist meine hoffnung . . ." (Auszeichnung von mir).

Ungefähr zur gleichen Zeit muß Spener auch auf der Kanzel von der Erwartung außergewöhnlicher Ereignisse geredet haben. Als er 1681 mit Johann Schilter über chiliastische Anschauungen korrespondiert, kommt er auf eine Predigt zu sprechen, die er vor sieben Jahren am 2. Advent gehalten habe und in der er im Anschluß an das sonntägliche Evangelium Luk. 21,30 (Gleichnis vom Feigenbaum) davon gehandelt haben will, daß, sooft Gott Veränderungen größeren Ausmaßes vorhabe, dem eine heftige Bewegung der Gemüter vorherzugehen pflege. Solche Bewegung sei dem Ausschlagen des Feigenbaums gleich, von dem Christus auf die Nähe des Sommers zu schließen befiehlt[29]. Im Jahre 1698 erinnert sich Spener bei einer Stellungnahme zu Zukunftserwartungen wiederum daran, daß er „bereits 1674. in Franckfurt am Mayn auf den andern des advents" davon geredet habe, daß Gott große Veränderungen durch Zeichen vorankündige, und er fügt hinzu, er habe damals solche Zeichen vor Augen gesehen und deshalb nicht daran gezweifelt, „daß Gott etwas wichtiges vorhabe"[30]. Leider ist diese Predigt nicht erhalten. Speners wiederholte Erinnerung an sie bezeugt aber, daß er zu Ende 1674 von der Gewißheit baldiger gottgewirkter Veränderungen erfüllt gewesen sein muß.

Welche Zeichen hat Spener im Blick gehabt? Gegenüber der Merlau spricht er nur allgemein vom Ausschlagen böser und guter Bäume, das jetzt zu beobachten sei. Ähnlich heißt es im Rückblick von 1698, er hätte mit Augen gesehen, wie die Bosheit der Bösen überhand nahm, aber auch das Gute sich stärker zu regen anfing. Diese Andeutungen darf man wohl auf eine in der Frankfurter Gemeinde sich vertiefende Kluft zwischen den pietistischen und den antipietistischen Kreisen beziehen. Etwas präziser spricht Spener gegenüber Schilter von der den göttlichen Veränderungen vorangehenden kräftigen Bewegung der Gemüter, welche er in dreifacher Weise als diejenige *sehnlich verlangender, seufzender* und *erwartender* Gemüter (anhelantium, suspirantium, expectantium) charakterisiert. Dieser Hinweis auf die Bewegung verlangender und seufzender Gemüter dürfte wohl ein Licht werfen auf jenen bereits von Canstein[31] mit der Entstehung der Hoff-

[29] Spener an Johann Schilter, 21. 12. 1681 (Tübingen Mc 344, p. 150): Memini me ante hos 7 annos aliquando occasione Evang. 2. Adv. de eo ad populum verba facere, quod quoties Deus mutationes majoris ponderis decreverit, has animorum motus vehemens praecedere soleat, tale quid anhelantium, suspirantium, expectantium, quod mox divina directione secuturum est. Sunt haec instar προβολῶν in ficu ex quibus de aestatis propinquitate Christus nos colligere jubet.

[30] L. Bed. 1,234: „Entsinne mich auch dabey, daß bereits 1674. in Franckfurt am Mayn auf den andern des advents aus Luc. 21,30. diese hauptlehre tractirt, wann GOtt große änderung vorhabe, daß er gemeiniglich solche damit voranzeige, daß wie in dem frühling gute und böse bäume stärcker anfangen auszuschlagen, also alsdann die boßheit der bösen mehr überhand nimt, aber das gute sich auch stärcker zu regen anfängt, daher ich dergleichen vor augen sehende, nicht zweiffelte, daß GOtt etwas wichtiges vorhabe." [31] Vorrede zu L. Bed., 75.

nung besserer Zeiten verknüpften Bericht Speners, den Ritschl als das authentische Zeugnis für „die ganz individuelle Veranlassung seiner Hoffnung besserer Zustände der Kirche" angesehen hat[32]. Als er einmal in großer Betrübnis über die Lage der Kirche in die Betstunde ging, so berichtet Spener 1689 gelegentlich einer brieflichen Auslassung über seine Hoffnung auf Besserung[33], seien ihm die bei seinem Eintritt gesungenen Worte „Darum spricht Gott, ich muß auf sein, die Armen sind verstöret, ihr Seufzen dringt zu mir herein, ich hab ihr Klag erhöret" mit einer solchen ungewöhnlichen Kraft ins Herz gedrungen, wie er sie weder vorher noch nachher jemals verspürt habe[34]. Er habe dies als „eine göttliche Antwort" auf seinen Kummer verstanden, „die mich auch nicht trügen wird", wobei er das außer acht lasse, was die Welt von dieser Hoffnung urteile.

Dieses Erlebnis kann ebensowenig aus der Zeit vor der Entstehung der Hoffnung besserer Zeiten datieren wie aus der Zeit, als Spener dieser Hoffnung bereits gewiß war. Daß man zur Hoffnung erweckt werden kann, entspricht durchaus dem, wie Spener auch sonst von der Entstehung von Hoffnung redet[35]. Man wird also mit Ritschl diesen Bericht als Speners Selbstzeugnis für die Entstehung seiner Zukunftshoffnung ansehen können. Es ist aber sehr zu fragen, ob Ritschls psychologische Interpretation ausreichend ist, nach welcher Speners Hoffnung auf Besserung ihren Grund in einer rein individuellen Gemütsbewegung und Stimmung hatte, für die er erst nachträglich in der Schrift Anhaltspunkte fand[36]. Wenn man nach den zuvor beigebrachten Zeugnissen diesen Entstehungsbericht in das Jahr 1674 datieren darf, so muß man weiter fragen, ob jener Spener anrührende Gesang nicht etwas zu tun hat mit der heftigen Bewegung der Gemüter, die er zu dieser Zeit beobachtet hat. Es ist ja nicht der Gesang der volkskirchlichen Gottesdienstgemeinde, den Spener hört, sondern der Gesang jenes kleinen Kreises der Frommen, der sich unmittelbar vor dem Collegium pietatis zur Betstunde in der Sakristei der Barfüßerkirche versammelt. Der Kreis derer, die hier singen, ist also wahrscheinlich identisch mit dem Kreis der seufzenden und verlangenden Gemüter. Ist das richtig, so kann Spener die Worte des Gesangs „Darum spricht Gott, ich muß auf sein, die Armen sind verstöret, ihr Seufzen dringt zu mir herein" keineswegs nur auf seinen persönlichen Kummer und seine eigene Betrübnis bezogen haben. Er wird vielmehr in diesem Moment die Gewißheit bekommen haben, daß, wie es die Worte des Lutherliedes sagen, Gott das Seufzen und Klagen der wenigen

---

[32] Ritschl II, 122. [33] Bed. 3,765 (1. 8. 1689).

[34] AaO: . . . daß ich weder vor noch nach eine solche lieblichkeit auch nur des thons / als damal / gespüret . . .

[35] Vgl. etwa Cons. 1,187.

[36] Ritschl II,124: „Es ist ja erwiesen, daß Spener's Zukunftshoffnung ihren Grund in einer individuellen Gemüthsbewegung hatte; erst gemäß dieser fand er in der h. Schrift die Anhaltspunkte, welche die Stimmung dauernd machten."

Frommen erhören wird, und er wird *darin* die Antwort auf seine Betrübnis empfangen haben. Worauf aber richtet sich das Seufzen und Erwarten dieser Frommen? Man wird damit rechnen müssen, daß in dem Kreis der in der Betstunde singenden Frommen chiliastische Hoffnungen bereits verbreitet waren, von denen Spener gewußt und zu denen er sich in dieser Stunde endgültig hingewandt hat.

Jedenfalls stellt sich die Frage, welche Einflüsse Spener zur Annahme *chiliastischer* Hoffnungen gebracht haben. Ritschls Interpretation, die ein rein individuelles Stimmungserlebnis behauptet, vermag ja gar nicht verständlich zu machen, warum Speners neugeweckte Hoffnung ihren Inhalt in dem zur lutherisch-orthodoxen Tradition in Widerspruch stehenden Chiliasmus fand. Ritschl weist darauf hin, daß Spener sich für seine Hoffnung auf Luther berufen hat, der gerade in den bedrängtesten Situationen besonders kräftig auf Rettung gehofft habe[37]. Aber nun ist Luther dadurch doch nicht zu chiliastischen Erwartungen geführt worden! Die Frage, warum Speners Hoffnung auf göttliche Hilfe chiliastischen Charakter angenommen hat, ist also immer noch zu stellen. Psychologisch läßt sie sich nicht beantworten. Vielmehr ist nach den chiliastischen Einflüssen zu fragen, die auf Spener und auf das Collegium pietatis in den Jahren vor 1675 eingewirkt haben.

Speners literarische Studien in dieser Zeit geben wenig Anhaltspunkte. Die Jahre vor 1675 sind die Jahre seiner intensiven Beschäftigung mit Luther, wodurch er auf chiliastische Ideen jedenfalls nicht gebracht sein kann. Übrigens kann es sich ja nicht darum handeln, wann er mit chiliastischen Ideen bekannt geworden ist. Solche sind ihm von seinen Straßburger Apokalypsestudien her hinreichend vertraut — studiert er doch 1665 den reformierten Chiliasten Polier und den Joachim von Fiore[38]. Es kommt noch dazu, daß er in Frankfurt nur wenig Zeit findet, an der Vollendung des in der Promotionsschrift angekündigten größeren Werks über die Apokalypse zu arbeiten. Auf eine diesbezügliche Anfrage eines Studienfreundes antwortet Spener Anfang 1675, ihn ließen andere Dinge jetzt nicht an die Apokalypse kommen[39]. Zuvor hat er im Juni 1674 Ahasver Fritsch mitgeteilt, dies Jahr gehe ganz mit der Revision des Lutherwerks drauf und an andere Studien sei nicht einmal zu denken[40]. Speners Zukunftshoffnungen bilden sich also

---

[37] AaO II,122 mit Verweis auf Cons. 3,122 (recte 123).

[38] Vgl. oben S. 173 f.

[39] Cons. 1,65 b: Interrogabas, an illis meditationibus aliquod adhuc tempus consecrem: scias, rarissime me accedere, quamvis forte si Deus vitam prorogaverit, promissi semel aliquibus dati fidem exsolvere decretum sit. Nunc nec vacat, nec alia permittunt. — Zur Datierung und Adressierung dieses Briefes s. unten S. 326, Anm. 90.

[40] Spener an Fritsch, 25. 6. 1674: . . . istum enim annum vel quid eius superest revisioni alicuius ex B. Luthero ad explicationem Scripturae tendentis operis unice impendendum, ut de aliis studiis nec cogitatio suscipi possit.

zu einer Zeit, in der dem Fortgang seiner apokalyptischen Studien eine Pause aufgenötigt ist[41]. Diese zeitliche Verschiebung zwischen Apokalypsestudium und Entstehen apokalyptischer Hoffnung, zwischen Bekanntwerden mit dem Chiliasmus und Hinwendung zu demselben ist sehr merkwürdig. Sie spricht nicht dafür, daß sich Speners Zukunftshoffnung unmittelbar aus seiner gelehrten Beschäftigung mit der Johannesoffenbarung ergeben hat. Es wird geraten sein, nicht nur nach solchen Einflüssen zu suchen, mit denen Spener am Schreibtisch bekannt geworden ist[42].

Am Anfang seiner Dresdener Zeit verweist Spener einmal auf zwei Frankfurter Amtsbrüder als diejenigen, die ihm Anleitung gaben, die Bekehrung der Juden und folglich die besseren Zeiten für die Kirche zu glauben[43]. Er

---

[41] Dazu, daß Spener seine apokalyptischen Studien später wieder aufzunehmen hoffte, vgl. die Äußerung oben Anm. 39.

[42] Ich kann außer Betracht lassen die Vermutung von einem Einfluß des Coccejus, wie sie GOTTLOB SCHRENK, Gottesreich und Bund im älteren Protestantismus vornehmlich bei Johannes Coccejus, 305 ff., geäußert hat. Die Gründe, die SCHRENK gegen Ritschls Meinung, daß Coccejus auf die Entstehung des Spenerschen Chiliasmus vermutlich keinen Einfluß ausgeübt habe, vorbringt, können nicht überzeugen. SCHRENK sieht ja, daß Spener 1678 zugibt, die Apokalypse des Coccejus noch nicht gelesen zu haben (Bed. 3,356) und erst 1681 von einer gerade vorgenommenen, bloß kursorischen Lektüre redet (L. Bed. 2,268). Wenn SCHRENK dann aber einem in das Jahr 1679 fallenden, im Zusammenhang einer Erörterung des Chiliasmus geäußerten Lob des Coccejus (Bed. 3,310) den in Sperrdruck hervorgehobenen Kommentar gibt: „Das ist 13 Jahre vor der Abfassung der Behauptung der Hoffnung künfftiger Besserer Zeiten!“ (aaO 306), so ist des Guten etwas zuviel getan. Denn einmal ist ja Spener mit seiner Hoffnung besserer Zeiten nicht erst in dieser 1693 erschienenen Schrift, sondern schon 1675 in den Pia Desideria hervorgetreten. Eine Mitbeeinflussung der Gedanken der späteren Schrift, wie sie vermittelt durch Sandhagen durchaus zuzugeben ist, besagt also noch nichts über eine Beeinflussung bei der *Entstehung* der Zukunftshoffnung. Außerdem blendet Schrenk alle anderen zahlreichen Lobsprüche Speners über Apokalypseausleger etc. ab, und seine Beweisführung verliert alle Kraft, wenn man sich einmal anhand des Spenerschen Briefwechsels vor Augen führt, über wieviel Theologen er *nach* seinen Pia Desideria auf Anfragen Urteile abgegeben hat. Der starke Einfluß, den Coccejus später ausgeübt hat, ist also nicht in die Entstehungszeit des Pietismus zurückzuprojizieren. Die Einschränkungen, die GOETERS (aaO 150) bezüglich eines Einflusses des Coccejus bei Lodensteyn und Labadie gemacht hat, müssen auch bei Spener gemacht werden. Schließlich überzeugt auch nicht der aus einem Lob des Exegeten Coccejus aus dem Jahre 1677 (Cons. 3,149) gezogene Schluß, „wer die Kommentare dieses Theologen fortgesetzt zu Rate zog, der mußte auch, abgesehen von der Auslegung zur Offenbarung, immer wieder auf die Fragen der prophetischen Apokalyptik stoßen“ (305 f.). Die Schwäche dieses Schlusses liegt bereits in der Fehlerhaftigkeit der Prämisse. Spener schreibt kurz vor dem Lob des Coccejus ja gerade, daß er selbst nur selten Zeit zum Lesen der Kommentare finde und sich an die eigene exegetische Arbeit gewöhnt habe (Cons. 3,148 f.).

[43] Bed. 3,733 (10. 10. 1687): „So bekenne auch / daß vor weilen diese meinung von der Juden bekehrung / u. derer fast daran hängender besserung der gesamten kirche / nicht gehabt habe ... Hingegen habe es meinen seligen Collegis H. Gramb-

nennt Joachim Grambs, den Schwiegersohn von Johann Georg Dorsche[44], und Johann Emmel, der in Rostock Schüler von Großgebauer gewesen war[45]. Der Verweis auf diese beiden Theologen ist, soweit ich sehen kann, der einzige nominelle Hinweis, den Spener bezüglich der Entstehung seiner Zukunftshoffnungen gibt. Allein Spener gibt diesen Hinweis mit Einschränkungen, auf die man bei seiner stets diplomatisch abgewogenen Formulierungskunst besonders wird achten müssen. Einmal sagt er, er habe es diesen beiden „vornehmlich" zu danken, sodann fügt er ein bei einer so wichtigen Sache doch seltsames „so viel mich erinnere" bei, schließlich spricht er nur von „Anleitung", die sie gaben, bis er sich mehr und mehr darin befestigt habe[46]. Diese Einschränkungen erlauben es nicht nur, sondern gebieten geradezu, daß man noch nach anderen Anstößen sucht. Bleibt man nämlich bei Speners Hinweis stehen und führt man die Hoffnung besserer Zeiten auf den Einfluß von Grambs und Emmel zurück, so wird man zu der schwer vorstellbaren Konsequenz geführt, daß im Collegium pietatis nur Anschauungen lebendig werden, die schon außerhalb desselben von Frankfurter Predigern vertreten wurden. Daß die eschatologischen Ansichten, die Petersen 1675 im Collegium pietatis als etwas sonst Nichtgehörtes ver-

---

sen und H. Emmeln (so viel mich erinnere) vornehmlich zu dancken / welche mir dazu anleitung gegeben / bis darinnen mich mehr und mehr also befestiget habe / daß nicht leugne / ein grosses itzo darauf zu setzen . . ." Ähnlich, aber ohne Namensnennung, von Cansteins Bericht über Speners letzte Worte vor seinem Tod (Vorrede zu L. Bed., 33).

[44] Johann Grambs (23. 9. 1624–3. 6. 1680), geb. in Frankfurt, Studium 1641 in Helmstedt, 1641–46 in Rostock bei Lütkemann, Varenius und Quistorp, auf Anraten des Vaters Studienreise nach Holland, 1646–47 über ein Jahr Studium in Leiden bei Salmasius, Heinsius, Spanheim, Boxhorn, 1647 Reise nach Amsterdam, Utrecht, Köln. Seit Herbst 1647 Studium in Straßburg bei Johann Schmidt, Dannhauer, vor allem aber Dorsche „dessen Tisch und herrlichen Bibliotheca er mit grossem nutzen sich bedienet" (Speners Leichpredigt auf Grambs, Christliche Leichpredigten II, 1685, 166) und dessen einzige Tochter er 1653 heiratet. Im gleichen Jahr als Prediger nach Frankfurt berufen. Er gab 1674 die Biblia numerata Dorsches mit eigenen Zusätzen heraus. Spener erfährt von ihm Dinge, die in Holland geschehen sind (L. Bed. 1,202). Über ihn Zedler und die Personalia der Spenerschen Leichpredigt.

[45] Johann Emmel (gest. 12. 3. 1680), geb. in Frankfurt, Studium 1652 in Straßburg, seit 1654 in Rostock, wo er 1659 den philosoph. Magistergrad erwarb. Eifriger Schüler Großgebauers, 1667 nach Frankfurt berufen. Seit 1669 Mitarbeiter Speners am Lutherkommentar. Macht sich 1675 durch eine Predigt gegen die Bestechlichkeit der Beamten beim Magistrat verhaßt (Grabau, aaO 517). Spener nennt ihn bereits 1671 „collega meus amantissimus" (Cons. 1,282 f.), nach seinem Tod „mein sonderbar treugewester Collega" (EGS II,203). In dem Dezember 1675 eingeführten Brauch, die Predigthörer die Bibel mit in den Gottesdienst bringen zu lassen, folgt Spener vielleicht Emmel (Cons. 3,116). Spener erfährt von ihm viel Gutes von Großgebauer, aber auch manches von den Widerwärtigkeiten, die dieser wegen seines gottseligen Eifers zu erleiden hatte (EGS II,203).

[46] S. oben Anm. 43.

nimmt[47], auch außerhalb des pietistischen Zirkels von Frankfurter Predigern verkündet wurden, ja sogar von diesen herstammen sollen, ist äußerst unwahrscheinlich. Grambs wird, entsprechend den von Dorsche empfangenen Einflüssen, die Verheißungen von Röm. 11 als noch nicht erfüllt angesehen haben, und er und Emmel mögen Spener exegetische Argumente geliefert haben für diese der Dannhauerschen entgegenstehende Ansicht[48]. Den pietistischen Chiliasmus wird man nicht auf sie zurückführen können.

Dann ist aber der Vermutung nachzugehen, ob chiliastische Ideen nicht schon vor und unabhängig von Spener im Collegium pietatis Eingang gefunden hatten. Hier verdient starke Beachtung der Bericht, den Johann Wilhelm Petersen in seiner Lebensbeschreibung über seinen Frankfurter Aufenthalt gegeben hat. Petersen berichtet, daß er, als er 1675 in Frankfurt weilte[49], Schütz im Collegium öfters reden hörte, auch privat mit ihm sprach und dabei vieles zu wissen kriegte, wovon er auf den Universitäten wenig gehört hätte. Nämlich, wie das Papsttum noch sehr zunehmen und die wahren Evangelischen verfolgen, danach aber fallen würde und wie die Juden noch bekehret würden, worauf eine bessere Kirche auf Erden aufginge und es am Abend dieser Welt noch Licht würde, da Gott einer wäre und sein Name auch einer gemäß Sacharja 14[50]. Daß Petersen die chiliasti-

---

[47] Vgl. unten Anm. 50.

[48] Im Anhang der lateinischen Ausgabe der Pia Desideria von 1678 (191) wird Dorsche unter den Gewährsmännern für Speners Auffassung von der noch ausstehenden Bekehrung der Juden genannt, wobei Spener verweist auf die von ihm bereits in den Pia Desideria von 1675 ausführlich zitierte Diss. inaug. de Mysterio Apostolico Divino Rom. XI. v. 25. 26, Rostock 1658 (vgl. PD 37,9 ff.).

[49] Der Aufenthalt von Petersen in Frankfurt hat noch nicht genau datiert werden können. Ritschl (II,230) gibt „etwa 1675" an, Grünberg (I,271) ebenfalls 1675. Dagegen nennt Dechent (Kirchengeschichte II,80) bereits 1674 und spricht von häufigeren Besuchen seitdem. Die in Halle (AFSt A 196) liegenden Abschriften von Speners Briefen an Petersen datieren bereits ab Februar 1673. Aus ihnen ist aber nichts über den Frankfurter Aufenthalt zu entnehmen. Sicherlich zu spät datiert Nordmann (Die Eschatologie des Ehepaares Petersen, 84) auf Ende 1675 oder Anfang 1676. Da die Merlau nach Petersens Bericht bereits in Frankfurt wohnt, dürfte sein längerer Frankfurter Aufenthalt in das Jahr 1675 fallen.

[50] Lebensbeschreibung, 1719², 20: Ich ward auch sehr in dem Guten bekräfftiget von dem Herrn Lic. Schützen, welchen ich in dem Collegio pietatis, welches der Hr. D. Spener in seinem Hause angestellet hatte, offtmahls reden hörete, und auch mündlich mit ihm conferirte, und von den fatis Ecclesiae vieles zu wissen kriegte, davon ich auf Universitäten wenig gehöret hatte, als da sind, wie das Pabstthum noch sehr würde zunehmen, und die wahren Evangelischen verfolgen, aber darnach, wenn es aufs höchste gekommen, fallen; hingegen aber die Juden noch bekehret werden würden, worauf eine bessere Kirche auf Erden aufgienge, und es am Abend dieser Welt noch Licht werden würde, da GOtt einer wäre, und sein Name auch einer. Zach. XIV. Als ich nun selbst in der Heil. Schrifft darnach forschete, so fand ich darinnen, daß noch vieles rückständig wäre, und das an Juda und Israel noch nicht erfüllet sey, wovon doch die Heil. Schrifft so deutlich zeugete, daß es solte an ihnen erfüllet werden, wovon nachgehends der Herr

schen Anschauungen nicht durch Spener, in dessen Haus er logierte, sondern durch Schütz kennengelernt hat, ist sehr merkwürdig. Ebenso merkwürdig ist die anschließende Bemerkung Petersens, Spener habe diese Ansichten „nachgehends" in den Pia Desideria aus der Schrift bewiesen. Nach dem Bericht Petersens muß Schütz ein sehr eifriger Verfechter der eschatologischen Gedanken gewesen sein. Daß er nur Gedanken Speners verbreitete, ist schon deshalb unwahrscheinlich, weil die Anschauung vom Abend der Welt, da Gott einer wäre und sein Name auch einer, über die von Spener mit der Hoffnung besserer Zeiten verknüpften Vorstellungen hinausgeht[51]. Schütz ist von Petersen ganz offensichtlich als der originale Vertreter dieser eschatologischen Anschauungen angesehen worden[52]. Ist Spener demnach auch in der Hoffnung besserer Zeiten für die Kirche von Schütz beeinflußt worden?

Es ist klar, daß Spener, wenn er in seiner Zukunftshoffnung Schütz gefolgt ist, einen solchen Einfluß später nicht hat zugeben können. Im Zeitalter der Orthodoxie konnte er als Doktor der Theologie unmöglich erklären, in einem vom orthodoxen Lehrsystem abweichenden Punkt einem Laien gefolgt zu sein. Schon gar nicht konnte er das, nachdem sich Schütz von der lutherischen Kirche getrennt hatte[53]. Das seltsame, schon den Hallenser Pietisten auffällige Dunkel, das über der Herkunft der Spenerschen Zu-

D. Spener in seinen piis Desideriis mit mehrern gehandelt, und aus der Schrifft bewiesen hatte.

[51] Dieser „Überschuß" über die von Spener in den Pia Desideria geäußerten Zukunftserwartungen entspricht genau jener (oben S. 310, Anm. 13 wiedergegebenen) Rede Horbs von der Erwartung, daß „die unter den Christen befindliche meiste Religionen vereinigt werden". Aus den Pia Desideria kann Horb solche Erwartung nicht herausgelesen haben. Vermutlich hat er sie aus seinem persönlichen Umgang mit den Frankfurter Pietisten. In diesem Zusammenhang ist Horbs Einschränkung interessant: „Darzu beweget einige / auch *zum theil* unsern Herrn D. SPENERUM, die Hoffnung eines folgenden bessern Zustandes der Kirchen auff Erden" (Auszeichnung von mir).

[52] Daß Schütz es war, der Petersens Aufmerksamkeit auf die zukünftigen Dinge lenkte, wird richtig schon von Ritschl (II,230) gesehen, ist aber bei Grünberg (I,271) und in Artikel „Petersen", RE[3] 15,169 ff. leider übergangen worden. Auch die Artikel „Petersen" in den verschiedenen Auflagen der RGG melden hiervon nichts. Die Unkenntnis dieses für Petersen entscheidenden Einflusses führt neuerdings zu der seltsamen und die Dinge jedenfalls auf den Kopf stellenden Behauptung, Schütz habe sich der chiliastischen Richtung Petersens „angeschlossen" (Art. „Schütz", RGG[3] V,1555) bzw. der von Gießen kommende Petersen habe auf die eschatologischen Schwärmereien der Saalhofpietisten, in deren Kreis Schütz „geriet", einen besonders starken Einfluß gehabt (Lebensbild von Johann Jakob Schütz, in: Handbuch zum Evang. Kirchengesangbuch II,1, 1957, 210). Richtig dagegen Nordmann, Die Eschatologie des Ehepaares Petersen, 85.

[53] Vgl. dazu den oben (S. 316, Anm. 43) erwähnten Brief, in welchem Spener mit der Einschränkung „soviel mich erinnere" auf den Einfluß von Grambs und Emmel verweist. In diesem Brief muß Spener ja gleichzeitig zu schweren Vorwürfen gegenüber Schütz Stellung nehmen (Bed. 3,731 ff.)!

kunftshoffnung liegt, fände von hier aus seine einfachste Erklärung[54]. Andererseits hat Spener ja 1677 erklärt, von Schütz mehr in seinem Christentum gelernt zu haben als vielleicht jemand von ihm[55]. Merkwürdigerweise ist niemals gefragt worden, was das eigentlich gewesen ist, was Spener von Schütz gelernt haben will. Der Vorschlag der Collegia pietatis kann es kaum gewesen sein. Denn wenn Spener nach dem Tod von Schütz erklärt, noch am Jüngsten Tage das Gute rühmen zu müssen, das Schütz an seiner Seele getan habe[56], so kann er schwerlich an eine Einrichtung denken, die Schütz zum Anlaß der Separation wurde und die er selbst in Dresden und Berlin deshalb nicht erneuert hat. Dagegen die Hoffnung besserer Zeiten hat in ganz erheblichem Maße die „Seele" Speners betroffen. Vor seinem Tode hat er verordnet, in einem weißen Sterbekleid und nicht in einem schwarzen Sarg beerdigt zu werden „zum Zeichen, daß er stürbe in der Hoffnung einer Besserung der Kirche auf Erden"[57]. Blickt Spener mit jenen Worten, noch am Jüngsten Tage Schütz rühmen zu müssen, nicht auf das Erwecken dieser Hoffnung?[58]

Die Annahme, daß Speners Hoffnung besserer Zeiten durch den Einfluß von Schütz geweckt worden ist, führt weiter zu der Frage nach den auf Schütz wirkenden Einflüssen. Hermann Dechent, der als einziger bisher den Spuren von Schütz genauer nachgegangen ist, hat die Vermutung ausgesprochen, daß der Umgang mit *Eleonore von Merlau* ihn auf seine besonderen Ideen gebracht habe[59].

Seit 1672 stehen Schütz und Spener in Verbindung mit Eleonore von Merlau, seit Anfang 1675 wird dieselbe in Frankfurt ansässig und steht mit bei-

---

[54] Als 1719 der Freiherr von Canstein einen Entwurf seiner unvollendeten großen Spenerbiographie unter den Hallenser Theologen kursieren ließ, machte Herrnschmid zur Behandlung der Pia Desideria die Bemerkung: „ob nicht die Spuhr zu finden, wie der S. D. Spener auf die Lehre von der Juden Bekehrung und von beßern Zeiten gerathen" (SCHICKETANZ, Cansteins Beziehungen zu Spener, 129). Canstein hat es offensichtlich nicht gewußt.

[55] S. oben S. 283. Vgl. auch die oben S. 287, Anm. 26 genannte Stelle, nach welcher Spener von Schütz' „trefflicher Erkenntnis" in der Heiligen Schrift nicht wenig profitiert haben will.

[56] S. oben S. 283.

[57] Von Cansteins Vorrede zu L. Bed., 38.

[58] Wie unzureichend Spener über seine Hoffnung besserer Zeiten Mitteilungen gemacht hat, kann man ersehen aus jener merkwürdigen Aussage von Cansteins (Vorrede zu L. Bed., 38): „Es hat auch der sel. Mann in seiner letzten kranckheit, auf seinem sterblager, mir im vertrauen noch einiges, angehend die hoffnung der künfftigen bessern zeiten, eröffnet, so ich keinem menschen in der welt offenbaren werde oder kan, sondern ich nehme es mit mir in mein grab." Gegen J. W. Petersen, der hieraus folgerte, Spener wäre noch kurz vor seinem Ende das Geheimnis der Wiederbringung eröffnet worden, hat sich Canstein später zu der Präzision genötigt gesehen, „daß die mir entdeckte sache von der lehre der wiederbringung so zu sagen himmel weit unterschieden ist" (SCHICKETANZ, Cansteins Beziehungen zu Spener, 77).

[59] ChW 3, 1889, 853.

den in dauerndem engen Kontakt[60]. Die Merlau berichtet nun in ihrer Lebensbeschreibung, daß sie in der Reihe von visionären Träumen, in denen ihr von Kindheit an übernatürliche Geheimnisse geoffenbart wurden, bereits im Jahre 1664 einen Traum gehabt habe, in welchem ihr das Geheimnis der noch künftigen Bekehrung der Juden und Heiden enthüllt worden sei[61]. Danach habe sie fünf Sonnen am Himmel gesehen, von denen drei einen Schein warfen und von ihr als die drei christlichen Religionen (lutherisch, papistisch, reformiert) erkannt wurden, während die beiden nichtscheinenden ihr von einer Gestalt als die beiden Völker erklärt wurden, „die noch nicht an Christum glaubeten, aber doch noch würden gläubig werden", das jüdische Volk und das Volk der Heiden. Sie habe dann in der Schrift nachgeforscht und sei dadurch in der Ansicht von der Bekehrung der Juden und Heiden bekräftigt worden. Außerdem berichtet die Merlau noch von einem im Jahre 1662 empfangenen Gesicht, bei dem sie die Zahl 1685 mit großen goldenen Ziffern an den Himmel geschrieben sah. Ein zu ihrer Rechten stehender Mann habe auf die Zahl deutend zu ihr gesagt, es würden zu dieser Zeit anfangen, große Dinge zu geschehen, und ihr selbst würde etwas eröffnet werden. Aus der Rückschau hat die Merlau diese Prophezeiung durch die 1685 – Aufhebung des Edikts von Nantes – anhebende Protestantenverfolgung in Frankreich und die ihr in diesem Jahr zuteil werdende Offenbarung des Tausendjährigen Reichs erfüllt gesehen[62].

In den Visionen der Merlau werden, lange bevor das Frankfurter Collegium pietatis existiert, wesentliche Elemente der pietistischen Eschatologie antizipiert. Nimmt man dazu, daß sie von Jugend an mit der Frage rang, wie die Verdammnis der Menschen mit der Liebe Gottes in Einklang zu setzen sei, und daß sie dabei die bekannten Stellen aus dem 1. Petrusbrief auf die Möglichkeit einer Bekehrung in der Hölle auslegte[63], so kann man mit Albrecht Ritschl sagen, daß die Merlau den Weg zur Lehre von der Wiederbringung aller Kreaturen schon längst beschritten und zur Hälfte zurückgelegt hatte, ehe ihr diese in ihrer Ehe mit Petersen unter dem Eindruck eines Traktats der Jane Leade aufging[64]. Da sie angibt, den Traum von der Bekehrung der Juden und Heiden „dazumal" einigen geistreichen Lehrern erzählt zu haben[65], kann man annehmen, daß auch Schütz und Spener da-

---

[60] DECHENTS Angabe (ebd.), daß die Merlau 1674 nach Frankfurt kam, ist durch Speners Brief vom Dezember 1674 (Bed. 3,99) ausgeschlossen. Richtig GRÜNBERG I,184. NORDMANN, Eschatologie des Ehepaares Petersen, macht keine Angaben.

[61] Lebensbeschreibung 1719², 51 (= MAHRHOLZ, 233): „Das andere Geheimnis, so mir auch in meinem ledigen Stande aufgeschlossen ward, ist die noch künftige Bekehrung der Juden und Heiden, welche mir der treue Gott im Jahre 1664 vermittels eines Traumes eröffnet."

[62] AaO 57 (= MAHRHOLZ, 237).

[63] AaO 49 ff. (= MAHRHOLZ, 232 f.).

[64] RITSCHL II,244.

[65] AaO 53 (= MAHRHOLZ, 234 f.).

von erfahren haben. Speners Briefe an die Merlau aus den Jahren 1672 bis 1674 enthalten zwar von diesen Dingen nichts. Daß aber zwischen Schütz und der Merlau die eschatologischen Erwartungen nicht zur Sprache gebracht wurden, wird man bei dem engen Kontakt, wie er nach den Schurmanbriefen zwischen beiden bestanden haben muß, und angesichts des außerordentlichen apokalyptischen Interesses von Schütz, wie es Petersen bezeugt, noch nicht annehmen müssen. Das, was seit 1675 als ein Wesensbestandteil ihrer Freundschaft zutage liegt, die Gemeinsamkeit in der apokalyptischen Erwartung, dürfte wohl schon ihre frühere enge Verbindung bestimmt haben. Dechents Vermutung von einem Einfluß der Merlau auf Schütz hat also einiges für sich. Mehr als eine Vermutung auszusprechen, erlauben aber die Quellen nicht.

Der Verweis auf die Merlau genügt auch nicht, um die Entstehung jener eigentümlichen Hoffnung besserer Zeiten verständlich zu machen. Denn die Verheißungen von der Bekehrung der Juden bzw. der Juden und Heiden liefern hierfür ja nur das Argument, sind aber nicht die Lehre selbst. Emanuel Hirsch hat nun hingewiesen auf die große Ähnlichkeit zwischen Speners Hoffnung besserer Zeiten und Jakob Böhmes Erwartung einer letzten güldenen Zeit, „in welcher die Gotteskinder aus allen Völkern und Sprachen unter der Herrschaft des prophetischen Geistes zu einem Leben und einer Erkenntnis verbunden werden“[66]. Auch daß den besseren Zeiten eine Steigerung und dann der Sturz des Papsttums voraufgehen solle, sei beiden gemeinsam. Hirsch drückt sich vorsichtig aus, daß eine Abhängigkeit von Böhme deshalb doch nicht angenommen werden muß.

Blickt man auf Speners Urteile über Böhme, so fällt zunächst auf, daß sie sämtlich aus der Zeit nach den Pia Desideria datieren[67]. Vor allem seit 1682 die von Gichtel herausgegebene Böhmeausgabe in Amsterdam erscheint, häufen sich bei Spener, der die Ausgabe selbst besaß[68], die Anfragen, was er von dessen Schriften halte. Spener beantwortet sie durchweg mit großer Zurückhaltung, gibt an, nur wenig gelesen zu haben[69], das meiste nicht zu verstehen[70], sich in die unbiblische Redeweise nicht schicken

---

[66] Geschichte der neueren evangelischen Theologie II,254 (das Zitat 253).

[67] Speners Äußerungen über Böhme sind äußerst zahlreich. Vgl. die Register zu den Cons., Bed., L. Bed.; außerdem Grünberg I,55 f.

[68] L. Bed. 3,165 (3. 7. 1683).

[69] Spener gibt gelegentlich an, Böhme nicht gelesen zu haben (Bed. 3,595 vom 24. 7. 1685) oder „bis auf gantz weniges, nie gelesen“ zu haben (L. Bed. 3,159 vom 1. 8. 1684). Dies ist jedoch wie in ähnlichen Fällen stark untertrieben. Im Jahre 1679 berichtet Spener, daß er auf Begehren einer Standesperson ein Gutachten über Böhmes Traktat „de tribus principiis“ abgeben mußte, auch kennt er das „Mysterium magnum“, den „Weg zu Christo“ (L. Bed. 3,53. 93 f. 135. 141).

[70] L. Bed. 3,53 (22. 4. 1679): Böhmen aber betreffend, habe auf einer standsperson begehren einmal sein tractat de tribus principiiss zum theil durchgelesen, so dann eines (cj. einiges) in dem mysterio magno nur eingesehen. Darauf ich genö-

zu können und im übrigen weder gegen noch für ihn Stellung beziehen zu können. Der Spenerschüler und Theologiestudent Johann Peter Scheffer schreibt 1679, Spener urteile „honorifice" über Böhme und wisse, „daß einige der besten Leute auch ... solche scripta bißher im stillen gebraucht, und große Dinge darmit durch Gottes Gnade ausgerichtet"[71]. Zur gleichen Zeit meldet Spener jedoch, daß er in Frankfurt keinen einzigen kenne, der sich mit den Schriften Böhmes beschäftige[72]. Zwei Jahre zuvor, im September 1677, schreibt er in einem Brief, in dem ich die früheste Erwähnung des Namens Böhme bei Spener finde, dessen Redeweise sei ihm verdächtig, weil sie von der Schrift abweiche, doch könne er nicht behaupten, daß das ihm Verdächtige gottlos, falsch und zu verdammen sei. Einfacheren Leuten würde er die Böhmelektüre widerraten, die Gebildeten dagegen würde er nicht gänzlich daran hindern[73]. Diese wohl früheste Äußerung Speners über Böhme enthält zugleich die interessante Notiz, daß Schütz im Gegensatz zu Spener auch für die Gebildeten die Böhmelektüre als hinderlich ansehe und lieber bei der Einfalt der Schrift bleiben wolle[74]. Diese Äußerung scheint nun eine gewisse Böhmekenntnis von Schütz zu bezeugen, sie macht aber zugleich die Annahme eines Einflusses von Böhme auf Schütz sehr zweifelhaft. Der Verehrer Johann Taulers ist ein Anhänger Böhmes jedenfalls nicht gewesen[75]. Es ist also unwahrscheinlich, daß von Böhme, dem „Vater des separatistischen Pietismus"[76], eine direkte Einflußlinie zu der von Schütz und Spener vertretenen Hoffnung besserer Zeiten läuft.

Die Frage nach dem Einfluß Jakob Böhmes ist mit dieser Fehlanzeige allerdings noch nicht erledigt. Böhmes apokalyptisch-chiliastische Erwartungen, in seinen eigenen Schriften eher am Rande stehend, wirken ja wie die ähnlichen Ideen eines Paracelsus und Valentin Weigel durch das ganze

---

thiget worden, meine meinung darvon zu geben, welche ungefehr da hinaus ging, daß ich ihn nicht verstünde, indem mir alles, was ich gelesen, so dunckel und obscur vorgekommen, daß ich schier nicht wuste, ob ich teutsch oder was ich lese.

[71] J. P. Scheffer an Spizel, Frankfurt 17./27. 5. 1676 (Augsburg, 2° Cod. Aug. 409, bl. 293).

[72] Cons. 1,161 (27. 8. 1679). Ebenso L. Bed. 3,94 (13. 1. 1681). Allerdings redet Spener L. Bed. 3,54 (22. 4. 1679) von einem Studenten, der — freilich als einziger in Frankfurt — Böhme lese. Vgl. auch Cons. 3,445 a (1682).

[73] Cons. 3,212 (17. 9. 1677). — Das Datum des Böhme erwähnenden Briefes L. Bed. 3,140—142 (15. 6. 1676) ist sicherlich unrichtig. Der Brief — vgl. auch die Einordnung in die Briefe der Zeit von 1682 ff. — gehört vermutlich in das Jahr 1682.

[74] Ebd.: Dn. Schüzius noster tamen his (sc. Doctis) lectionem autoris putat impedimento potius esse; Praestare simplicitat (sic!); inhaerere Scripturae & sublimiora illa suo reservare tempori.

[75] Im Jahre 1685 erklärt Spener, daß die Frankfurter Separatisten mit Jakob Böhme nichts zu schaffen hätten und ihm „aufs wenigste von einem bekant / daß er ernstlich dessen lesung mißrathen" (Bed. I 1,321). Nach der Anm. 74 genannten Stelle dürfte es sich bei diesem Mann um Schütz gehandelt haben.

[76] Hirsch II,256.

17. Jahrhundert weiter in der reichen, von uns kaum noch zu überblickenden mystisch-spiritualistischen Literatur, die in oft popularisierter Form die Gedanken Böhmes erst eigentlich unter das Volk bringt. Abraham von Frankenberg (1593–1652), Paul Felgenhauer (1593– ca. 1677), Christian Hoburg (1607–1675), Friedrich Breckling (1629–1711) und Johann Georg Gichtel (1638–1710) sind hier mit ihrem vielgelesenen Traktatschrifttum an erster Stelle zu nennen. Sie alle verkünden im Widerspruch zur kirchlichen Eschatologie die Hoffnung auf ein zukünftiges, herrliches Reich Christi auf Erden[77]. Wenn irgendwo in Deutschland, dann müssen ihre meist in den Niederlanden zum Druck kommenden Traktate in Frankfurt am Main, dem großen Umschlagplatz des vom Ausland kommenden Geistesgutes, bekannt gewesen sein. Die schnelle Ausbreitung chiliastischer Ideen im frühen Frankfurter Pietismus wird sich ohne diese breite literarische Vorbereitung durch mystisch-spiritualistisches Schrifttum kaum erklären lassen.

Im einzelnen sind nun aber kaum Spuren auszumachen, die einen unmittelbaren Einfluß von dieser Seite auf Spener und Schütz erkennen lassen. Bis jetzt haben wir, von den Labadisten abgesehen, noch keine Zeugnisse für eine Verbindung der Frankfurter Pietisten mit den in den Niederlanden lebenden Spiritualisten aus der Zeit vor 1675. Erst seit 1677 sind briefliche Verbindungen zu Breckling und Gichtel nachweisbar, sie sprechen nicht für einen engen Kontakt[78]. Was literarische Einflüsse betrifft, so muß Spener bei Abfassung der Pia Desideria den von Christian Hoburg unter dem

[77] Die umfassendste Materialsammlung zur chiliastischen Literatur des 17. Jahrhunderts bietet immer noch: J. W. Petersen, Nubes testium veritatis de Regno Christi glorioso in septima tuba futuro testantium, Frankfurt (Zunner) 1696. Das in drei Bücher gegliederte Werk bringt mit jeweils ausführlichen Textauszügen eine Sammlung aller Zeugen für den Chiliasmus von Adam über Christus bis zu Johann Wilhelm Petersen und seiner Ehefrau Eleonora geb. von Merlau. Die Chiliasten des 17. Jahrhunderts im 3. Buch, §§ 19 ff. Hier auch ausführliche Belege für die chiliastischen Ansichten der oben genannten Autoren.

[78] Die bei Johann Gerhard Meuschen, Eröffnete Bahn des wahren Christentums, Frankfurt 1716, 960–1040 abgedruckten Briefe Speners an Friedrich Breckling (vgl. *Grünberg Nr. 202,* wo aber die Angabe des Adressaten Breckling fehlt; Originale von Spenerbriefen an Breckling in Hamburg, Suppellex epistolica 40,6) datieren erst vom Jahr 1677. Nach Speners Brief vom 22. 6. 1678 muß Breckling zu dieser Zeit auch mit Schütz korrespondiert haben. – Ebenfalls die Briefe Johann Georg Gichtels an Eleonore von Merlau, gedruckt in der Sammlung seiner Briefe *Theosophia practica,* Leiden 1722, Bd. 1, datieren von 1677–1679. Gichtel schreibt am 30. 7. 1678 „In Frankfurt hat es zwar auch ein Ansehen, als ob Gott ein Häuflein versammeln will, weil aber noch keine Hitze der Verfolgung über sie gekommen, so weiß ich nicht, wie weit Christus eine Gestalt gewonnen. Die Briefe sind ja gut, aber vom Kreuz hören sie nicht gern . . .“ (aaO 95, zit. nach GOEBEL, Geschichte des christlichen Lebens II,564 Anm. 1). – Gichtel hat Spener zwar von Straßburg her persönlich gekannt und dort bei ihm ein Kolleg über Heraldik gehört, auch Breckling mag Spener von Straßburg her gekannt haben. Die briefliche Verbindung scheint aber erst nach Erscheinen der Pia Desideria zustande gekommen zu sein.

Pseudonym Elias Prätorius herausgegebenen „Spiegel der Mißbräuche beim Predigtamt" gekannt haben[79]. Die in dieser Anklageschrift geäußerte chiliastische Hoffnung[80], die Hoburg unter dem gleichen Pseudonym in der „Apologia Prätoriana" gegen die Angriffe des Hamburger orthodoxen Theologen Johann Müller ausführlich begründet und verteidigt hat[81], ist der Spenerschen Hoffnung besserer Zeiten für die Kirche in vielem ähnlich[82]. Spener hat jedoch für die unter dem Namen Prätorius herausgegebenen Schriften Hoburgs nur ein sehr hartes Urteil übrig gehabt und will sie, ohne sie zu Ende zu lesen, bald ärgerlich aus der Hand gelegt haben[83]. Selbst wenn man seine Äußerung gegenüber Dilfeld, er habe in diesen Schriften „kaum einige Blätter gelesen"[84], mit Zurückhaltung aufnimmt, wird man von dieser Seite keinen wesentlichen Einfluß herleiten können. Von einer Kenntnis der chiliastischen Hauptschrift Friedrich Brecklings „Das Geheimnis des

---

[79] Spiegel Der Misbräuche beym Predig-Ampt im heutigen Christenthumb Vnd wie selbige gründlich vnd heilsam zu reformiren . . . Von ELIA PRAETORIO Euangelischen Prediger in Lieffland, o. O. 1644. — Aus der gelegentlichen Erwähnung seiner Kenntnis dieses Buches — Cons. 3,273 b (März 1678); 369 a (10. 7. 1680) — darf man schließen, daß er sich PD 16,9 f. („Ich bin auch nicht deß gemüths / mit einem Elia Praetorio auff die extrema zu gehen") auf den Spiegel der Mißbräuche bezieht. So auch M. Schmidt, ThLZ 83, 1958, 120.

[80] AaO 599 f. Vgl. auch Petersen, Nubes testium veritatis (s. oben Anm. 77), III,89.

[81] APOLOGIA PRAETORIANA. Das ist: Spiegels derer Mißbräuche beym heutigen Predig-ampt Gründliche Verthedigung, o. O. 1653. — Darin besonders Cap. VI (271 ff.): Vom Tausend-Jahrigen Reiche Christi.

[82] Apologia Praetoriana, 271: „Mit der Chiliasten Meinung aber / die auff eine Fleischliche Irdische Wollust vnd Gluckseeligkeit gegangen / habe ich nichts zu thun: nur ist mein Glaube dahin gerichtet vnd mein Hoffnung vnd Wunsch / daß sich der liebe GOTT seiner armen elenden Kirchen wolle annehmen / alle blindheyt von unsern Augen abthun / seine Gemein mit reicheren Erkenntnis / vnd rechten gebrauch der Sacramenten begnädigen / sampt zu gehörigen Schlüsseln / auch rechten Apostolischen Exemplarischen Dienern wieder anrichten / die schädliche Trennung vnd Sectereyen, sampt allen Antichristischen Weesen im Lehr vnd Leben dempffen / die irrige vnd verführte Juden vnd Heyden wiederbringen / vnd also seyn Reich erweitern / daß seyn Heyliger Nahme nicht also lenger auff seinen Erdboden / so möge von falschen Christen vnd blinden Heyden geschendet werden: Das wünsche vnd hoffe ich . . ." Oder auch 282: „Wir halten / daß für den Jüngsten Tag / die Juden werden bekehret / die Heyden zur gemeinschafft der Kirchen kommen / vnd daß zuvor jhr Sectirisch Babel-weesen fallen werde: Vnd ehe dieses nicht geschieht / ist kein Jüngster Tag zu hoffen . . ." Unabhängig von der Frage der Beeinflussung liegt die Verwandtschaft dieser Anschauungen mit denen Speners und der Frankfurter Pietisten auf der Hand. Merkwürdigerweise sieht Martin Schmidt, der eine wesentliche Beeinflussung Speners durch Hoburg annimmt, in Speners Zukunftshoffnung gerade den Punkt des Gegensatzes zwischen beiden (Artikel „Spener", RGG³ VI,239; Zeitalter des Pietismus, XXIX).

[83] Cons. 3,273 b, 369 a. Vgl. auch Völlige Abfertigung Pfeiffers, 1697, 277.

[84] Bed. 3,271 (5. 12. 1678).

Reichs von der Monarchie Christi auf Erden" (1663)[85] läßt sich bei Spener, der auch in späteren Jahren nur den geringeren Teil der Schriften Brecklings gesehen haben will, nichts entdecken.

Man wird sich an die wenigen Spuren halten müssen, die uns Einflüsse chiliastischen Gedankenguts in der fraglichen Zeit der ersten Jahre des Collegium pietatis sicher verbürgen. An die erste Stelle gehört die im Spenerschen Briefwechsel seit 1675 nicht seltene Erwähnung[86] eines 1670 in Amsterdam erschienenen Apokalypsekommentars betitelt „Eigentliche Erklärung über die Gesichter der Offenbarung S. Johannis Voll unterschiedlicher neuer Christlicher Meinungen ... Geschrieben durch Peganium"[87]. Eine in klarem, ungekünstelten Deutsch verfaßte Auslegung der Johannesapokalypse, die das Tausendjährige Reich noch nicht für vergangen hält und in genauer, mathematischer Berechnung und mit Hilfe beigefügter Tabellen „die Geheimnüsse von dem künfftigen Zustand der Kirchen Gottes"[88] aus den Gesichten des letzten biblischen Buchs herauszulesen sucht. Spener erwähnt das Buch erstmals im Briefwechsel mit Elias Veiel, den er als einzigen seiner gelehrten Korrespondenten schon kurz vor den Pia Desideria andeutungsweise mit seinen Zukunftshoffnungen bekannt gemacht hat. In seinem Begleitschreiben zur Arndtschen Postillenvorrede vom 16. 4. 1675 spricht er von der Übersendung des Peganius[89]. Offenbar hatte sich Veiel das Buch erbeten, nachdem Spener in einem vorhergehenden Brief dem Freund eine erste Andeutung von seiner Hoffnung gemacht hatte – „Si vero Apocalypsin intueor, in aliquam spem erigor" – und dabei auf den Peganius mit wenigen Sätzen eingegangen war[90]. Jemand, der unter dem Namen Peganius

---

[85] Vgl. Petersen, aaO III,132.

[86] Vgl. Cons. 1,65 f. 198; 3,98. 197. 228. 445; Bed. 3,258; L. Bed. 1,268; 3,57. Außerdem UB Tübingen Mc 344, p. 44.

[87] Eigentliche Erklärung || über die || Gesichter der Offenba- || rung S. Johannis / || Voll unterschiedlicher neuer Christ- || licher Meinungen. || Darinnen || Das wahre und falsche Chri- || stenthum / kürtzlich doch eigentlich || abgemahlet / und eines jedern Zeit ziem- || lich genau ausgerechnet / || auch auf Mathematische Art / gar gründlich bewiesen / || und anbey die Zeit des allgemeinen Jüngsten Tags mit vorge- || stellet wird. Geschrieben || durch || Peganium, o. O. 1670. 12°. 260 S. (Theol. Sem. Herborn). Dasselbe Amsterdam 1671 (LB Stuttgart).

[88] AaO 37.

[89] UB Tübingen Mc 344, p. 44 f.

[90] Cons. 1,65 b. Das hier (Cons. 1,63–66) abgedruckte undatierte Schreiben kann nach einer ganzen Reihe inhaltlicher Indizien (Vagedesius, Causa Strauchiana etc.) auf Ende 1674 oder Anfang 1675 datiert werden. Thematisch fügt es sich in den Briefwechsel mit Elias Veiel vorzüglich ein, welcher für diese Zeit auch eine Lücke aufweist. In dem Brief Speners an Elias Veiel vom 16. 4. 1675 weist Spener darauf hin, daß er in den Pia Desideria seine Meinung über die Judenbekehrung dargelegt habe, worüber in ihren letzten Briefen bereits Erwähnung geschehen sei (Tübingen Mc 344, p. 43). Die Frage der Judenbekehrung ist ausführlich in diesem Schreiben behandelt (Cons. 1, 64 b f.). Nach meiner Kenntnis des Spenerschen Briefwechsels kann kaum jemand anderes als Veiel als Adressat in Frage kommen.

anonym bleiben wolle, habe ein Buch über die Apokalypse geschrieben, worin sich sehr viel Solides befände, so daß er wünsche, den Autor kennenzulernen, noch mehr aber wünsche, daß ein dieser Dinge Kundiger es unternähme, das Buch zu prüfen, um Spreu und Weizen voneinander zu sondern[91]. Unmittelbar anschließend berichtet Spener von einem Freund, der baldiger großer Umwälzungen gewiß sei. „Nuper ad me amicus: Von Zeitungen mag nichts berichten. Alle letzte Capitel der Proph. sonderlich Esa. verschiedener Orten / wann sie mit Christi herrlichem Commentario conferirt werden / sagen so viel specialia von grossen und particular mutationibus, daß alle Zeitungs-Schreiber von Fürstenthumen / Ständen und Städten / gnug zu schreiben bekommen werden."[92] Spener fügt hinzu, er selbst habe noch nicht die gleiche klare Einsicht wie dieser Freund, spricht aber gleichzeitig von der Notwendigkeit, die göttlichen Aktionen und Gerichte aufmerksam zu beobachten. Ob und wie weit zwischen dem Freund und der Schrift des Peganius ein Zusammenhang besteht, ist nicht zu erkennen. Daß in diesem wohl ersten theologisch reflektierten Niederschlag der Spenerschen Zukunftshoffnung, den wir besitzen, als einzige Literaturangabe der Peganius erscheint, nötigt dazu, in dieser Richtung weiterzufragen.

Spener hat sich vergeblich bemüht, das Dunkel um das Pseudonym Peganius zu erhellen. Im April 1675 spricht er von eifrigem, aber vergeblichem Suchen[93]. Später hört er, Franciscus Mercurius van Helmont (1614 bis 1699), der von Paracelsus und der Kabbala herkommende Naturforscher und Philosoph, sei der Verfasser[94]. Gegenüber diesem Gerücht, das durch Johann Wilhelm Petersen[95] und Gottfried Arnold[96] literarisch weitergegeben wird, bleibt Spener aber skeptisch. Er vermutet 1681 den Sulzbacher Arzt Dr. Kohlhaas als Autor[97]. Seine Vermutung zielt an den richtigen Ort, irrt aber in der Person. Hinter Peganius verbirgt sich *Christian Knorr von Rosenroth* (1636—1689), Kanzler im oberpfälzischen Sulzbach[98]. Der durch seine Liederdichtung und die Herausgabe der Kabbala denudata bekannte Jurist hat sich nach seinem schlesischen Geburtsort Alt-Raudten mit Vorliebe das Pseudonym Rautner gegeben[99]. Peganius, sein zweites Pseudonym, ist die

---

[91] Cons. 1,65 f. [92] AaO 66. Ist dieser Freund Johann Jakob Schütz?

[93] Tübingen Mc 344, p. 45. [94] Cons. 3,197 (1678).

[95] Nubes Testium veritatis III,136.

[96] Unparteiische Kirchen- und Ketzerhistorie, T. III, C. VIII, § 26 (Frankfurter Ausgabe 1715, II, 79 a).

[97] L. Bed. 1,268 (1681). Über Speners Zusammentreffen mit Kohlhaas vgl. Bed. 3,731 (1687).

[98] Die gründlichste Arbeit über Knorr von Rosenroth, den Verfasser des noch in den heutigen Gesangbüchern stehenden Liedes „Morgenglanz der Ewigkeit", ist: C. E. Paulig, Christian Knorr von Rosenroth, Correspondenzblatt des Vereins für Geschichte der evangel. Kirche Schlesiens, XVI, 1918/19, 100—170. 177—242; XVIII, 1926, 333—366. Vgl. außerdem K. Salecker, Christian Knorr von Rosenroth. Palaestra 178, Leipzig 1931 (Bibliographie). [99] Paulig, 336.

graecolatinisierte Form von Rautner[100]. Unter den Zeitgenossen Speners hat immerhin Friedrich Breckling, der „Bibliothecarius Dei“[101], die Identität von Peganius und Knorr von Rosenroth erkannt[102].

Spener hat die Kabbala denudata sehr geschätzt, ihren Herausgeber aber persönlich nicht gekannt, auch niemals mit ihm Briefe gewechselt[103]. Nach dessen Tod (1689) gesteht er aber, seit langer Zeit seinen Fleiß, das Gute zu befördern, geliebt und geehrt zu haben[104]. Dagegen wissen wir von Schütz, daß er mit Knorr von Rosenroth in persönlichem Kontakt gestanden hat, offensichtlich sogar in einem sehr engen. Schütz hat das — nach der Apokalypseerklärung — zweite theologische Werk Knorr von Rosenroths, die „Harmonia Evangeliorum“[105], im Jahre 1672 bei Zunner in Frankfurt zum Druck gegeben und das Vorwort dazu geschrieben[106]. Er ist ein Jahr später, im Juli 1673, in Sulzbach gewesen und hat Pate gestanden bei der Taufe der zweiten Tochter Knorr von Rosenroths[107]. Nach C. E. Paulig, dem

---

[100] Vgl. ebd.

[101] So Breckling über sich selbst an Joh. H. May (Hamburg, Sup. ep. [4°] 17, 157).

[102] Breckling an May: „ . . . dem auch der Peganius oder Sultzbachsche Rath Rosenroth Knorr folget . . .“ (Sup. ep. [4°] 17, 149).

[103] Bed. 4,626 (1689). [104] Ebd.

[105] Harmonia Evangeliorum Oder Zusammenfügung der vier H. Evangelisten. Worinnen alle und jede deroselben Wort beydes nach Lutheri und der Englischen Version in Ordnung gebracht . . . Dem ist beiygefüget eine Chronologische Vorbereitung Uber das Neue Testament . . . Welche beyde Schrifften in Jacobi Usserii Ertzbischoffen zu Armach . . . hinterlassener Bibliothec gefunden worden. Auß dem Englischen ins Teutsche übersetzt. Frankfurt (Zunner) 1672. 8° [16] + [68] + 891 S. (vorh. Wolfenbüttel). — Eine weitere Auflage besorgte A. H. Francke, Halle 1700, mit einer sich über dieses Werk sehr lobend äußernden Vorrede.

[106] Über die verwickelte Vorgeschichte dieses Buches vgl. J. A. Schmid in: C. Sagittarius, Introductio in Historiam Ecclesiasticam II, 1718, 14 f., außerdem die handschriftlichen Eintragungen von Hermann von der Hardt in dem Wolfenbütteler Exemplar der Harmonia Evangeliorum vor dem Titelblatt. Danach ist Knorr von Rosenroth der Autor des Buches, Franciscus Mercurius van Helmont der Expedient des Manuskripts, der es dem Heidelberger reformierten Theologieprofessor Johann Ludwig Fabricius vorlegte, welcher den Druck befürwortete, den Titel zu ändern und einen englischen Autor vorzutäuschen riet, auf die Reinigung anstößiger Passagen drang und schließlich im Blick auf die Lutheraner die Zufügung der deutschen Version aus der Lutherbibel empfahl. Schütz hat dann die Vorrede hinzugefügt und das Werk herausgegeben (von der Hardt, aaO: Praefationem addidit Doctor Schuz, ICtus [= Iurisconsultus] Francofurtensis, qui et sumptibus Helmontianis edidit). Von der Hardt schließt seine Eintragungen in dem Wolfenbütteler Exemplar mit der Bemerkung: Sic Autor Knorr à Rosenroth, Curator Helmontius, Castrator Fabritius, Editor Schuzius.

[107] Das Taufregister des evang. Pfarramtes Sulzbach verzeichnet: „Den 28. Julij 1673 ist Herrn Christian Knorren von Rosenroth . . . eine Tochter Nahmens Maria Johanna getauft worden. Gevattern waren Maria Isolda Schiferin . . . und Herr Johann Jakob Schütz, J. V. Licentiatus und Practicus in Frankfurt am Meyn“ (zit. nach Paulig, 148). — Daß Schütz Pate war im Haus Knorr von Rosenroths ist

fleißigen Erforscher der Lebensgeschichte des Sulzbacher Kanzlers, ist eine enge Freundschaft zwischen den beiden Juristen anzunehmen[108], von der uns leider die Briefzeugnisse fehlen. Das, was wir wissen, ist aber bedeutsam genug. Bereits in den Anfangsjahren des Frankfurter Kollegiums hat Schütz demnach in enger Verbindung gestanden mit dem bedeutendsten Kopf jenes pansophisch-kabbalistischen Gelehrtenkreises, den unter dem Einfluß van Helmonts der Graf Christian August von Pfalz-Sulzbach (1622 bis 1708) um sich gesammelt hat[109]. Sulzbach, wo sich van Helmont zwischen seinen vielen Reisen als philosophischer Freund und Lehrer des Pfalzgrafen aufhielt und zusammen mit Knorr von Rosenroth an der Herausgabe eines alle Wissensgebiete umfassenden Schrifttums arbeitete, hat als eines der Zentren jener von paracelsischen und kabbalistischen Ideen erfüllten Pansophie zu gelten, die als eine mächtige geistige Unterströmung den Boden des konfessionell-orthodoxen Zeitalters und seiner aristotelischen Schulphilosophie unterspült und damit dem Pietismus vorgearbeitet hat. Durch Schütz tritt der Frankfurter Pietismus mit dem Sulzbacher Kreis und damit auch mit dem dort gehegten Chiliasmus in Berührung. Dabei spielt keine Rolle, ob der stets um die Anonymität seiner Schriften besorgte Knorr von Rosenroth seinen Frankfurter Freund in seine Pseudonyme eingeweiht hat. Der Chiliasmus des Sulzbacher Kreises ist auch von Spener erkannt worden. Schließlich sind auch in der von Schütz zum Druck beförderten „Harmonia Evangeliorum“ die chiliastischen Ideen nicht zu übersehen[110].

Wo liegen die Wurzeln des Chiliasmus, der in den 1670 und 1672 herausgegebenen Werken Knorr von Rosenroths — es sind seine beiden einzigen im engeren Sinn theologischen Schriften — verbreitet wird? Durch van Helmont ist Knorr von Rosenroth in den Wirkungsbereich des Paracelsismus hineingezogen worden, er mag auch von der chiliastischen paracelsischen

---

neuerdings (nach den Angaben Pauligs) beachtet worden von W. Lueken, Handbuch zum Evangelischen Kirchengesangbuch II, 1, 1957, 204. Sonst habe ich in der Pietismusliteratur keine Kenntnis dieser aufschlußreichen Beziehung feststellen können.

[108] Paulig (216) nimmt noch an, daß Schütz identisch ist mit dem ungenannten „samlenden Freund“, der die Liedersammlung „Neuer Helicon“ (1684) herausgegeben hat.

[109] Eine neuere Untersuchung über den Sulzbacher Kreis, der in seiner Bedeutung für die frühpietistische Zeit noch kaum gewürdigt ist, fehlt leider. Vgl. über ihn M. Simon, Evangelische Kirchengeschichte Bayerns, 1952², 458.

[110] Harmonia Evangeliorum, 1672, 240: . . . diese Außbreitung deß Zustandes der wahren Gottseligkeit und deß recht göttlichen Lebens / ist noch nie also vorgegangen / und ist also noch zu hoffen: daß dieses geistliche Gnadenreich annoch dermal eins das gröste seyn werde auff Erden / wie auch die Offenbarung Johannis am 20. 21. und 22. cap. zur Gnüge zu erkennen gibt / andrer Propheceyungen als Esa. 2/2. Dan. 2/35.44. c. 7/14. ec. zugeschweygen. — Vgl. auch Speners Urteil über die Harmonia Evangeliorum und deren Chiliasmus: Cons. 3,533 b (undatiert, nach 534 a Ende 1675).

Eschatologie beeinflußt worden sein. Die Gedanken seiner theologischen Werke sind jedoch aus anderer Quelle geschöpft. Knorr von Rosenroth hat sich nach seinen Studienjahren längere Zeit in England aufgehalten[111]. Von dort kommt auch die Apokalypseauslegung, die er der „Eigentlichen Erklärung" zugrunde gelegt hat und aus der er, wie er im Vorwort gesteht, den größten Teil seiner Erkenntnisse nimmt. Es ist diejenige des großen Cambridger Bibeltheologen *Joseph Mede* (1586–1638), des Verfassers der oft aufgelegten und noch von Leibniz hochgeschätzten Clavis apocalyptica (1627)[112]. Auch Spener, der in Frankfurt die Schriften Joseph Medes zur Hand hat, bestätigt die Herkunft der chiliastischen Auslegung des Peganius aus dem Gedankengut des Cambridger Theologen[113]. Die Wurzeln des von Knorr von Rosenroth verbreiteten Chiliasmus liegen also in England. Bei der „Harmonia Evangeliorum" weist schon die Vortäuschung der Vorlage eines englischen Manuskripts auf diese Herkunft hin[114].

Englische Wurzeln hat wahrscheinlich auch ein zweiter chiliastischer Einfluß, der sich für Schütz aus den Jahren vor 1675 nachweisen läßt. Unter den Resten der Schützschen Bibliothek auf Schloß Laubach befindet sich eines der interessantesten chiliastischen Werke des 17. Jahrhunderts: Pierre Serrurier, Assertion du Règne de Mille Ans ou de la Prospérité de l'Eglise de Christ en la Terre, Amsterdam 1657[115]. Auf dem Titelblatt hat Schütz mit eigener Hand eingetragen: Joh. Jac. Schütz, 1672.

---

[111] PAULIG, 169.

[112] PAULIG, 337. Die Bedeutung Joseph Medes und der außergewöhnliche Einfluß seiner Clavis apocalyptica auf das Wiedererwachen des Chiliasmus im England des 17. Jahrhunderts sind in der angelsächsischen Forschung wiederholt hervorgehoben worden. Vgl. den Zitatenkatalog mit Äußerungen über Mede bei ROBERT G. CLOUSE, Johann Heinrich Alsted and English Millenialism, Harvard Theological Review 62, 1969, (189–207) 203, Anm. 35. WILBUR SMITH, A Preliminary Bibliography for the Study of Biblical Prophecy, Boston 1952, 27, stellt fest: „The greatest work, however, of the 17th century on the Apocalypse was written by Joseph Mede (1586–1638) *Clavis apocalyptica* . . . Probably no work on the Apocalypse by an English author from the time of the Reformation down to the beginning of the 19th century, and even later, has exercised as much influence as this profound interpretation" (zit. nach CLOUSE ebd.). In der deutschen Pietismusforschung ist Mede praktisch noch unbekannt. Nur anmerkungsweise vermerkt SCHRENK seinen Einfluß auf Campegius Vitringa (Gottesreich und Bund, 303, Anm. 1). Leider vermittelt der Art. „Mede", RGG³ IV, 823, nichts davon, „that his works have done more to revive the study of the prophecies, and to furnish guides to others in promoting millenarianism, than any other man before or since his day" (bei CLOUSE, ebd.).

[113] An Veiel, 16. 4. 1675 (Tüb. Mc 344, p. 45); Bed. 3,258 (1678): „Ist ihnen Peganii tractätlein in apocalypsin bekant, welches zimlichen theils aus Josepho Medo genommen, aber sehr viel solides in sich fasset?"

[114] S. oben Anm. 105.

[115] Assertion || DU REGNE DE || MILLE ANS, || ou de la || PROSPERITÉ DE L'EGLISE || DE CHRIST en la Terre. || Pour servir de Responce au Traitté || de Monsieur MOYSE AMYRAUT || sur ce méme sujet. || Descrouvant || Le triste

Pierre Serrurier (ca. 1600—1669) ist ein niederländischer Kollegiant und neben Johann Amos Comenius derjenige, der in dem Jahrzehnt vor der Ankunft Labadies in den Niederlanden am kräftigsten für den Chiliasmus eingetreten ist[116]. Man nimmt an, daß er sich seinen Chiliasmus aus England geholt hat, wo er geboren ist und wohin er von den Niederlanden öfters reiste[117]. Mit Labadie nach dessen Eintreffen in den Niederlanden freundschaftlich verbunden, hat Serrurier in seinen letzten Lebensjahren auf Labadies eschatologische Vorstellungen einen nicht unwesentlichen Einfluß ausgeübt. Unter der Anregung Serruriers hat Labadie, der in Genf noch englischen Exulanten ihren Chiliasmus ausredete[118], die Reihe seiner chiliastischen Schriften begonnen mit einem Werk über die bevorstehende Bekehrung der Juden[119], das von Serrurier sofort ins Holländische übersetzt wurde[120]. Auch wenn Yvons Bericht, daß Labadie der Gedanke an ein herrliches Reich Christi bereits in Genf aufgegangen sei[121], zutreffend ist und nicht nur die Originalität seines Helden retten soll, so muß der Einfluß Serruriers auf die Ausbildung der erst in den Niederlanden literarisch werdenden chiliastischen Gedankenwelt Labadies ein beträchtlicher gewesen sein. Es ist interessant, daß der gleiche Einfluß auch auf Schütz nachweisbar ist.

Die „Assertion du Règne de Mille Ans", die Schütz 1672 erwirbt, ist eine fast 400 Seiten starke Rechtfertigungsschrift, die den Chiliasmus gegenüber dem gleichen Gegner verteidigt, gegen den sich der von Spener in Straßburg studierte Lausanner Chiliast Polier zu wehren hatte: gegen Moyse Amyrault (1594—1664), den großen universalistischen Theologen aus Saumur[122]. Eine bessere Einführung in die chiliastische Gedankenwelt und eine besserer Zurüstung zur Widerlegung orthodoxer Einwände gibt es zu dieser Zeit wohl nirgendwo. Serrurier behandelt ausführlich das für den Chiliasmus klassische zwanzigste Kapitel der Johannesoffenbarung[123]. Entschieden wehrt er ab, aus den Schwierigkeiten der Interpretation sich mit Amyrault in die Resignation zu flüchten. Das hieße annehmen, daß die Prophetie für nichts gegeben sei[124]. Darüber hinaus gibt er eine ausführliche Besprechung der prophetischen Weissagungen des Alten Testaments vom messianischen Reich, besonders aus Daniel und Jesaja 65, wobei die gegen die chiliastische Interpretation erhobenen Einwürfe widerlegt werden. Was Schütz hier fand, war schon materialiter mehr, als der Peganius bot. Man wird weiter

---

Préjugé qui possede aujourd'huy la pluspart || des Eglises contre le Regne du Seigneur de || toute la Terre, || Amsterdam (Christoph Luycken) 1657. 8°. 397 S. (Gräfl. Solms'sche Bibliothek Laubach).

[116] Über Serrurier (lat. Petrus Serrarius) vgl. GOETERS, 47 ff. [117] GOETERS, 48.

[118] Dies will Spener in Grenf von Tridon erzählt bekommen haben. An Stenger, Cons. 3,139 a (1676).

[119] GOETERS, 160. [120] AaO 160, Anm. 3. [121] Vgl. GOETERS, 150.

[122] Serrurier wendet sich gegen Amyrault's Schrift: Du règne de mille ans ou de la prospérité de l'église. Saumur 1654.

[123] AaO 261—396. [124] AaO 261.

sagen können, daß gegenüber der logisch rechnenden Beweisführung, die Knorr von Rosenroth aus Joseph Mede übernahm und die in ihrer Verständigkeit eher aufklärerische als pietistische Züge hat, Schütz in der Assertion du Règne de Mille Ans ein von religiös-prophetischem Geist geprägtes Werk in die Hände kam, das entschiedener in die Richtung der pietistischen Zukunftshoffnung weist.

Wir haben die Spuren auf Johann Jakob Schütz wirkender chiliastischer Einflüsse verfolgt und sind darauf gestoßen, daß er in den Jahren vor 1675 durch seine Verbindung zu dem Sulzbacher Kreis und durch die Bekanntschaft mit dem chiliastischen Hauptwerk Pierre Serruriers mit einem Chiliasmus in Berührung gekommen ist, dessen Ursprünge in England gesucht werden müssen. Abschließend ist nun noch zu untersuchen, ob auf die eschatologische Gedankenbildung von Schütz auch derjenige Einfluß von wesentlicher Bedeutung gewesen ist, dem er sich seit dem Sommer 1674 in so außerordentlicher Weise ausgesetzt hat: der Einfluß der Labadisten[125].

---

[125] Selbstverständlich muß der Raum für weitere Einflüsse offengehalten werden. Ich weise noch hin auf eine merkwürdige Schrift, die auf die Verbreitung chiliastischer Anschauungen unter den Frankfurter Pietisten möglicherweise von erheblichem Einfluß gewesen ist: Johann Lobwasser, Einige kurtze Anweisungen Aus dem Reichthum und Überfluß der heiligen Schrifft / Belangend das herrliche Reich Christi Welches noch vor dem letzten und Jüngsten-Gericht auff Erden kommen soll, Frankfurt (Abraham Antonisoon) 1674. — Eine zweite, mir allein erreichbare Auflage erschien Frankfurt (A. C. Ilßner) 1725 (Stadtbibl. Soest). — Der Verfasser, ein Theologiestudent, teilt in der am 15. Juni 1674 geschriebenen Vorrede mit, er lasse an die Öffentlichkeit kommen, was er „anfangs allein für einige besondere Freunde auf ihr Begehren" habe aufsetzen wollen. Mit reichen Schriftbelegen, vor allem aus Jesaja, Daniel und Sacharja, wird die Lehre vorgetragen, daß Christus, bevor er zum Jüngsten Gericht kommt, in einer besonderen Wiederkunft auf den Wolken des Himmels erscheint, um sein herrliches Königreich der Gerechten aufzurichten. Der Verfasser, offenbar selbst erst kürzlich zum Chiliasmus bekehrt, weiß, daß er eine ungewohnte Lehre vorträgt: „Es wird manchen wohl was frembd vorkommen . . . dieweil uns von Jugend auff anders nicht eingepredigt ist / als die Erscheinung Christi zum jüngsten Tage oder Gericht und wir daraus diese ungegründete opinion (praeconceptam opinionem) in unserem Hertzen geschmiedet haben / daß Christus nicht mehr als nur noch einmahl / und das am jüngsten Tage oder Gericht / soll erscheinen." (13) Demgegenüber demonstriert Lobwasser, daß alles, was die Schrift von der Bekehrung der Juden, von der Vernichtung des Antichrist und von der Aufrichtung des Königreiches Christi prophezeit, noch nicht erfüllt, daß „dieses alles noch zu erwarten ist". Genauere apokalyptische Berechnungen wie bei Peganius fehlen, auch spürt man nichts von einer besonderen, baldige Veränderungen erwartenden Erregtheit. Lobwassers Absicht ist es, daß lehrsame Gemüter „in dieser wichtigen Wahrheit / die auch fürnehmlich gehöret zur Gottseligkeit . . . erbauet werden" (28).

Ob die Schrift in Frankfurt geschrieben ist, ist ungewiß. Eine Erwähnung der Schrift ist bei Spener und im Umkreis des frühen Frankfurter Pietismus ebensowenig feststellbar wie ein Theologiestudent Lobwasser. Auffällig ist, daß die zweite Auflage 1725 von Christian Fende, dem Freund und Schüler von Schütz, besorgt worden ist. Fende, der 1676 nach Frankfurt kommt, gibt in seiner Vorrede zur

Daß der Kontakt mit den Labadisten auf die *Entstehung* der Zukunftserwartungen im Frankfurter Pietismus eingewirkt hat, brauchte nach den zuvor erwähnten, in die Jahre 1672 und 1673 zurückweisenden Einflüssen noch nicht ausgeschlossen zu sein. Die verfolgten Spuren bezeugen ja nur Einflüsse des Chiliasmus, nicht aber dessen Rezeption. Gegenüber Speners Straßburger Beschäftigung mit Joachim von Fiore haben sie nur deshalb mehr Gewicht, weil sie unmittelbar in die Entstehungszeit der Zukunftserwartungen fallen. Wendet man sich nun der Beschäftigung mit dem Labadismus zu, so ist zunächst festzuhalten, daß Schütz im Sommer 1674 durch die Lektüre der Eukleria mit der labadistischen Geschichtsansicht, der Erwartung einer allgemeinen Bekehrung der Juden, des Falles Babylons und des anbrechenden Reichs des Geistes, vertraut geworden sein muß[126]. In den ersten Briefen der Schurman an Schütz wird aber der ganze Fragenkreis der eschatologischen Erwartungen nicht berührt. Erst in ihrem fünften Brief, im Februar 1675, geht die Schurman wegen einer Anfrage von Schütz auf die labadistische Lehre von der Hoffnung ein. Schütz hatte von anderer Seite gehört, die Labadisten lehrten nichts vom Glauben und von der Hoffnung. Er hatte Yvon davon geschrieben, der aber in seinem letzten Brief an Schütz diese Anfrage unberührt gelassen hatte. Von Yvon darum gebeten, antwortet nun die Schurman und gibt Schütz Belehrung, um das Gegenteil nachweisen zu können. Allerdings findet sie in ihrem nicht sehr langen Brief, einem Begleitbrief zu einem ausführlichen Schreiben an die Merlau, nur Raum für einige Erklärungen zum labadistischen Glaubensbegriff. Für die labadistische Lehre von der Hoffnung verweist sie Schütz einfach auf die gedruckten Schriften der Labadisten, unter denen sie Labadies Abregé du Christianisme (1672), Veritas sui Vindex sive Declaratio Fidei (1672) und Yvons Essentia Religionis Christianae (1673) besonders hervorhebt. Die Schurman nimmt an, daß Schütz diese Bücher zugesandt bekommen hat, andernfalls könnten sie auch auf der Frankfurter Messe leicht erworben werden[127].

Neuauflage aber an, nichts über die Person dieses Lobwasser zu wissen. In J. W. Petersens chronologisch geordneter Aufzählung der Zeugen des Chiliasmus ist Lobwassers Schrift diejenige, die Speners Pia Desideria zeitlich am nächsten kommt. Jedenfalls ist sie ein Zeugnis für die besondere Rolle, die das Jahr 1674 für das Eindringen des Chiliasmus in die Volkskirche spielt.

[126] Vgl. oben S. 306, Anm. 102.

[127] A. M. v. Schurman an J. J. Schütz, 9./19. 2. 1675 (oben S. 290, Anm. 38): ac verbo tantum attingam, quod carus noster Frater D. Yvon in postremis suis ad te datis, se non tetigisse mihi indicavit, de Fidei scilicet ac Spe, quas nostros Doctores non docere tibi a quibusdam relatum esse scribis, ut habeas unde contrarium ipsis ostendere possis . . . De Spe non minus convenientia cum S. Literarum dogmatis docent, uti ex publicis eorum Scriptis notum fieri possit omnibus, si illa legere non dedignarentur; in primis vero ex iis, quorum Tituli sunt *Abregé du Christianisme* fidelis Christi Servi Joh. delaBadie. *Essentia Religionis Christianae sive Doctrina Foederum Dei Dni. Yvon* atque universalissime *Veritas sui Vindex sive Declaratio*

Die Anfrage von Schütz bei Yvon ist merkwürdig. Daß er die Eukleria so oberflächlich gelesen haben sollte, daß er von den eschatologischen Erwartungen der Labadisten nichts merkte, läßt sich schlecht vorstellen. Nun bezeugt aber Spener in einem Brief aus dem Jahre 1676, daß er von dem Chiliasmus Labadies erst neuerdings erfahren habe, dagegen während seines Genfer Aufenthalts mit Bestimmtheit geglaubt habe, Labadie sei ein Gegner des Chiliasmus[128]. Sicherlich wird Spener diese Meinung gegenüber seinem vertrauten Freund ausgesprochen haben, vielleicht ist die Bemerkung von Schütz nur eine vergewissernde Anfrage in dieser Richtung. Aber wie dem auch sei, die Tatsache, daß die Schurman im Februar 1675 die Lektüre labadistischer Literatur zum Thema „Hoffnung" anraten muß, spricht dagegen, daß Schütz sich zu diesem Zeitpunkt bereits intensiv auf die labadistische Zukunftshoffnung eingelassen hatte. Im Februar 1675 müssen wir jedoch bei Schütz die Hoffnung besserer Zeiten bereits voraussetzen. So bezeugen die Schurmanbriefe zwar sein Interesse an der Zukunftshoffnung. Die Anstöße zur Hoffnung besserer Zeiten können aber nicht aus labadistischen Einflüssen herrühren.

Trotzdem wird der enge Kontakt, den Schütz 1674 mit der Schurman und mit Yvon herstellt und der den Kreis um ihn schon fast zu einer labadistischen Kolonie zu machen droht, auf die *Ausbildung* und *Festigung* der eschatologischen Gedankenwelt des Frankfurter Pietismus nicht ohne Einfluß gewesen sein. Jedenfalls noch bevor Spener seine Zukunftserwartungen erstmals im Zusammenhang aufs Papier gebracht hat – wenige Wochen vorher –, hat Schütz von den Labadisten genaue Anweisungen zum Studium ihrer Lehre von der Hoffnung bekommen. Mindestens Kräftigung und Bestätigung seiner Ansichten hat er dort gefunden. Und da er mit Spener in dieser Zeit im engsten Austausch steht und mit den Plänen zur Reform des Theologiestudiums unmittelbar auf die Pia Desideria eingewirkt hat, so ist auch Spener mittelbar oder unmittelbar mit dem labadistischen Chiliasmus vertraut geworden und muß sich bei der Abfassung der Pia Desideria der Übereinstimmung seiner Hoffnung besserer Zeiten mit dem Gedanken Labadies bewußt gewesen sein. Möglicherweise verhält es sich mit der pietistischen Eschatologie ebenso wie mit der Idee der Wiederaufnahme der urchristlichen Kirchenversammlungen: Die Bedingungen für die Aufnahme dieser Ideen, die entscheidenden Anstöße sind im Kreis der Frankfurter Frommen bereits da. Aber erst in der Berührung und Verbindung mit der in Gestalt und Ideenbildung seit Jahren fertigen, in höchster kirchlicher Aktivität befindlichen Gemeinschaft der Labadisten gewinnt der Frankfurter Pietismus seine ideelle Vollendung, gewinnt er Sicherheit, nun auch sei-

Fidei: quae si forte tibi non communicaverit carus noster du Bois, haberi facile poterunt in Nundinis vestris apud Godefridum Schultz Bibliopolam Hamburgensem. Sed finio, cum salutatione . . . (die Auszeichnungen bei der Schurman unterstrichen).

[128] An Stenger, 10. 8. 1676 (Cons. 3,139 f.).

nerseits die Hoffnung besserer Zeiten als einen offiziellen Punkt in sein Programm aufzunehmen.

Man wird schließlich das zeitliche Zusammenfallen bestimmterer eschatologischer Erwartungen im Frankfurter Pietismus mit jener Umbildung des Collegium pietatis und der dabei auftauchenden Idee der Wiederaufnahme der urchristlichen Gemeindeversammlung kaum ohne Zusammenhang denken und für eine rein zufällige Koinzidenz halten können. Daß erst um die Wende 1674/75 sich unter den Frankfurter Pietisten die Absicht kundgibt, nicht nur aus der Verderbnis der Volkskirche sich auf einen Kreis frommer Freunde zurückzuziehen, sondern inmitten der äußerlich verderbten Kirche die Gestalt der urchristlichen Kirche wieder lebendig zu machen, dies dürfte im Innersten zusammengehören mit der Erwartung, daß die Erfüllung göttlicher Verheißungen und der Anbruch besserer Zeiten für die Kirche nicht mehr weit sind. Die Orientierung am Ideal der Urchristenheit und die chiliastische Hoffnung gehören, wie so oft in der Kirchengeschichte, auch im Frankfurter Pietismus in der Wurzel zusammen. Indem wir die Entstehung beider Gedanken in die Frühzeit des Frankfurter Collegium pietatis (1670—1675) datiert haben, wird diese Zeit zur Geburtsstunde des lutherischen Pietismus. Philipp Jakob Spener und Johann Jakob Schütz sind, in dieser Zeit miteinander noch eng verbunden, die beiden Urheber desselben, und es ist schwer festzustellen, welchem von beiden der größere Anteil zuzusprechen ist. Sicherlich hat nur Spener es vermocht, der Urheber einer die ganze evangelische Kirche erneuernden Bewegung zu werden. Nur er hatte, nicht zuletzt durch sein Lutherstudium, die Kraft, die lutherische Orthodoxie nicht nur zu kritisieren, sondern als Epoche zu antiquieren und zu überwinden. Nicht der labadistische Gedanke der ecclesiola, dem Schütz folgte, sondern der Spenersche Gedanke der ecclesiola in ecclesia hat die Kraft zu einer Erneuerung des evangelischen Kirchenwesens gehabt. Diese Kraft zu geschichtsmächtiger Wirkung hat Schütz gefehlt, und der Kreis der um ihn sich sammelnden Frommen hat sich noch schneller wieder aufgelöst als die Gemeinschaft der Labadisten. Aber den Keim des Neuen, der den Pietismus von der Orthodoxie ablöst, der die Pia Desideria über das Reformschrifttum der lutherischen Orthodoxie hinaushebt und zur Programmschrift einer neuen Epoche im lutherischen Deutschland macht, den hat Spener wohl von Schütz empfangen: den Gedanken der Sammlung der Frommen in besonderen Versammlungen urchristlichen Musters und den Gedanken an ein den Frommen verheißenes herrliches Reich Christi auf Erden. Beide Gedanken haben sich gegen 1675 im Frankfurter Pietismus gebildet. Die Pia Desideria, in denen sie erstmals öffentlich ausgesprochen werden, sind deshalb nicht nur die Programmschrift, sie sind zugleich das klassische Dokument der Entstehung des Pietismus.

QUELLEN UND LITERATUR

A) Quellen

Die Quellen, aus denen die vorliegende Arbeit schöpft, mußten aus einer großen Anzahl öffentlicher und privater Archive und Bibliotheken in Deutschland (BRD und DDR), Frankreich, den Niederlanden und der Schweiz zusammengesucht werden (vgl. die Fundortangaben im Anmerkungsteil). Der Form nach reichen sie von gedrucktem Material wie Büchern, Broschüren, Meßkatalogen, Leichpredigtdrucken, Plakaten und Zeitungen bis zu handschriftlichem Material wie Briefen, Kirchenbüchern, Protokollbüchern und Eintragungen in Büchern. Ein Quellenverzeichnis ist deshalb wenig sinnvoll; es müßte einen beträchtlichen Teil der Anmerkungen wiederholen.

In größerem Umfang habe ich die Bestände des Straßburger Thomas-Archivs (aufbewahrt im Archive Municipale Strasbourg) für die beiden ersten Teile dieser Arbeit heranziehen können. Sie werden unter dem Siglum AST zitiert.

Das Archivmaterial aus Speners Frankfurter Zeit ist im letzten Krieg fast vollständig vernichtet worden. Die Protokolle des Predigerministeriums sind nicht erhalten, die erhaltenen Ratsprotokolle (Stadtarchiv Frankfurt a. M.) unergiebig.

Ein Teil von Speners Nachlaß befindet sich im Archiv der Franckeschen Stiftungen (Handschriftenhauptabteilung) in Halle/S. Das daraus herangezogene Material lag mir in Mikrofilm vor. Es wird zitiert unter dem Siglum AFSt.

Das weitzerstreute handschriftliche Material an Briefen Speners ist für die Zeit bis 1675 vollständig herangezogen worden, sofern es noch erreichbar ist und nicht durch Kriegseinwirkung vernichtet wurde. Ein grobes Verzeichnis des handschriftlichen Materials gibt GRÜNBERG III, 265 ff. („Standorte von Spener-Manuskripten [alphabetisch geordnet]"); Ergänzungen bei ALAND, Spener-Studien, 67 ff. Ich gebe im folgenden nur an, wo ich über GRÜNBERG hinausgehend die handschriftliche Basis erweitert oder genauer bestimmt habe (Brieffunde aus der Zeit nach 1675 sind nicht aufgeführt):

Augsburg, Staats- und Stadtbibliothek. Spizelsche Briefsammlung 2° Cod. Aug. 407 u. 409. 82 Briefe Speners, davon 78 Originale, an Theophil Spizel aus den Jahren 1665–1688.

Basel, Öffentliche Bibliothek der Universität. Mscr. G I 61: 7 Briefe Speners an Johann Buxtorf II aus den Jahren 1660—1664. — Mscr. G 2 I 6 und G 2 I 8: 16 Briefe Speners an Johann Caspar Bauhin aus den Jahren 1668—1680.

Berlin, Staatsbibliothek der Stiftung Preußischer Kulturbesitz. Ms. lat. 4° 363. 54 Briefe an Ahasver Fritsch aus den Jahren 1673–1686 (tatsächlich 55 Briefe, da zwei Briefe unter Nr. 47). Vgl. ALAND, Spener-Studien, 80 (die weiteren bei ALAND ebd. und bei GRÜNBERG III, 265 für Berlin nachgewiesenen handschriftlichen Quellen aus Speners elsässischer und Frankfurter Zeit gingen im Krieg verloren).

Erlangen, Universitätsbibliothek. Ms. 1823. 8 Briefe Speners an J. M. Faber aus den Jahren 1662–1685 (Korrektur zu *Grünberg Nr. 329 a*). Ediert von H. Jordan (s. Lit.-Verz.).

Frankfurt a. M., Freies Deutsches Hochstift. 16 Briefe an Elias Veiel aus den Jahren 1667–1687, 14 Briefe an Johann Schilter aus den Jahren 1681–1695 (Beglaubigte Abschriften dieser Briefe in UB Tübingen Mc 344, vgl. *Grünberg Nr. 338 a*).

Halle, Archiv der Franckeschen Stiftungen (Handschriftenhauptabteilung). Faszikel A 196, Kopien von 94 Briefen Speners an Johann Wilhelm Petersen aus den Jahren 1673–1692. Vgl. Schicketanz, Cansteins Beziehungen zu Spener, 119 f.

Hamburg, Staats- und Universitätsbibliothek. Uffenbach-Wolfsche Briefsammlung (Supellex epistolica), 70 Briefe von Spener an verschiedene Adressaten ab 1653, davon 51 Originale (Ergänzung zu *Grünberg Nr. 333*).

Kempten/Allg., Ev. Kirchenbibliothek St. Mang. Faulhabers Briefbuch, Kopien von 5 Briefen Speners an Johann Jacob Müller aus den Jahren 1669–1688.

Stuttgart, Württembergische Landesbibliothek. Cod. hist. 4° 279, Kopien von 4 Briefen Speners an Christoph Forstner aus dem Jahr 1665 (vgl. *Grünberg Nr. 338*).

Tübingen, Universitätsbibliothek. Mc 344, Abschriften von 19 Briefen Speners an Elias Veiel und 18 Briefen Speners an Johann Schilter *(Grünberg Nr. 338 a)*. Originale (unvollständig) in Frankfurt a. M. (s. o. unter Frankfurt).

Das gedruckte Schrifttum Speners umfaßt etwa 225 Titel. Es ist mit dem Anspruch auf Vollständigkeit erfaßt in der „Spener-Bibliographie" von Grünberg (III, 205–388). Diese für jede Beschäftigung mit Spener vorläufig noch unentbehrliche Bibliographie hat auch der vorliegenden Arbeit zugrunde gelegen (zitiert *Grünberg Nr.*). Von den Grünberg entgangenen Speneriana ist für den in der vorliegenden Arbeit behandelten Zeitraum zu nennen:

Farrago Epistolarum ad Dan. Guil. Mollerum missarum, in Decades distributa, Altdorf 1710–1712 (LB Dresden, Reproduktion nach dem Dresdner Exemplar in Stadtbibliothek Nürnberg). Darin 18 Briefe Speners an Moller aus den Jahren 1674–1687.

Weitere Ergänzungen bzw. Korrekturen zu Grünbergs Spener-Bibliographie für die Zeit bis 1675 finden sich in der vorliegenden Arbeit auf den Seiten: 45[32]; 57[78]; 120 f.; 122[146]; 231[4.6]; 238[44]; 240[49].

B) Literatur

Adam, Johann, Evangelische Kirchengeschichte der Stadt Straßburg bis zur Französischen Revolution, Straßburg 1922.

–, Evangelische Kirchengeschichte der elsässischen Territorien bis zur Französischen Revolution, Straßburg 1928.

Aland, Kurt, Spener-Studien, AKG 28 (= JBrKG 36/37), Berlin 1943.

–, Philipp Jakob Spener. Sein Lebensweg von Frankfurt nach Berlin (1666–1705), dargestellt an Hand seiner Briefe nach Frankfurt, in: Kirchengeschichtliche Entwürfe, Gütersloh 1960, 523–542.

ALTHAUS, HANS-LUDWIG, Speners Bedeutung für Heiden- und Judenmission, Luth. Missions-Jb. 1961, 22–44.

APPEL, HELMUT, Philipp Jacob Spener. Vater des Pietismus, Berlin 1964.

BARBIER, HENRY, Philippe-Jacques Spener, Les Années d'Alsace Ribeauvillé, Colmar, Strasbourg, Straßburg 1936.

BARTHOLD, FRIEDRICH WILHELM, Die Erweckten im protestantischen Deutschland während des Ausgangs des 17. und der ersten Hälfte des 18. Jahrhunderts, in: F. von RAUMER, Historisches Taschenbuch 3. Folge Bd. 3, 129–320 und Bd. 4, 169–390, Leipzig 1852 und 1853 (Neudruck Darmstadt 1968).

BECK, AUGUST, Ernst der Fromme, Herzog zu Sachsen-Gotha und Altenburg. Ein Beitrag zur Geschichte des siebenzehnten Jahrhunderts, 2 Bde., Weimar 1865.

BECK, HERMANN, Die Erbauungsliteratur der evangelischen Kirche Deutschlands, Erster Teil: Von Dr. Martin Luther bis Martin Moller, Erlangen 1883.

–, Die religiöse Volkslitteratur der evangelischen Kirche Deutschlands, Gotha 1891.

BECKER, KARL CHRISTIAN, Ueber die Kirchenagende der evangelisch lutherischen Gemeinde zu Frankfurt am Main, Frankfurt 1848.

BELLARDI, WERNER, Die Vorstufen der Collegia pietatis, Diss. Theol. Breslau 1931 (Masch.).

BENZING, JOSEF, Die deutschen Verleger des 16. und 17. Jahrhunderts, in: Archiv für Geschichte des Buchwesens 2, 1960, 445–509.

–, Die Buchdrucker des 16. und 17. Jahrhunderts im deutschen Sprachgebiet, Beiträge zum Buch- und Bibliothekswesen 12, Wiesbaden 1963.

BEYREUTHER, ERICH, Der Ursprung des Pietismus und die Frage nach der Zeugenkraft der Kirche, EvTh 11, 1951/52, 137–144.

BOPP, MARIE-JOSEPH, Die evangelischen Geistlichen und Theologen in Elsaß und Lothringen von der Reformation bis zur Gegenwart, Genealogie und Landesgeschichte 1, Neustadt a. d. Aisch 1959.

–, Die evangelischen Gemeinden und Hohen Schulen in Elsaß und Lothringen von der Reformation bis zur Gegenwart, Genealogie und Landesgeschichte 5, Neustadt a. d. Aisch 1963.

BORNEMANN, MARGARETE, Der mystische Spiritualist Joachim Betke (1601–1663) und seine Theologie, Diss. Theol. Berlin 1959.

BORNKAMM, HEINRICH, Mystik, Spiritualismus und die Anfänge des Pietismus im Luthertum, Gießen 1926.

BRECHT, MARTIN, Philipp Jakob Spener und die württembergische Kirche, in: Geist und Geschichte der Reformation, Festgabe Hanns Rückert, AKG 38, 1966, 443–459.

COSACK, C. J., Zur Geschichte der evangelischen ascetischen Literatur in Deutschland. Ein Beitrag zur Geschichte des christlichen Lebens wie zur Cultur- und Literaturgeschichte, Basel u. Ludwigsburg 1871.

DECHENT, HERMANN, Johann Jakob Schütz. Der Dichter des Liedes „Sei Lob und Ehr dem höchsten Gut", ChW 3, 1889, 849–854. 864–868. 935–937. 952–956.

–, Kirchengeschichte von Frankfurt am Main seit der Reformation, 2 Bde., Leipzig u. Frankfurt a. M. 1913–1921.

DEPPERMANN, KLAUS, Der hallesche Pietismus und der preußische Staat unter Friedrich III. (I.), Göttingen 1961.
DIETZ, ALEXANDER, Frankfurter Handelsgeschichte, Bd. III, Frankfurt a. M. 1921.
–, Frankfurter Bürgerbuch, Frankfurt a. M. 1897.
DOUMA, A. M. H., Anna Maria van Schurman en de Studie der Vrouw, Amsterdam 1924.
DUBNOW, SIMON, Die Geschichte des jüdischen Volkes in der Neuzeit, Weltgeschichte des jüdischen Volkes Bd. VI und VII, Berlin 1927–28.
FOURNIER, MARCEL, Les Statuts et Privilèges des Universités Françaises depuis leur Fondation jusqu'en 1789, Deuxième Partie: Seizième siècle, Tom. IV, Fascicule I, Gymnase, Académie. Université de Strasbourg, par MARCEL FOURNIER – CHARLES ENGEL, Paris 1894 (zitiert Fournier-Engel).
GOEBEL, MAX, Geschichte des christlichen Lebens in der rheinisch-westphälischen evangelischen Kirche, 3 Bde., Coblenz 1849–1860.
GOETERS, WILHELM, Die Vorbereitung des Pietismus in der reformierten Kirche der Niederlande bis zur labadistischen Krisis 1670, Leipzig 1911.
GRABAU, RICHARD, Das evangelisch-lutherische Predigerministerium der Stadt Frankfurt a. M., Frankfurt-Leipzig 1913.
GRÜN, WILLI, Speners soziale Leistungen und Gedanken. Ein Beitrag zur Geschichte des Armenwesens und des kirchlichen Pietismus in Frankfurt a. M. und in Brandenburg Preußen, Würzburg 1934.
GRÜNBERG, PAUL, Philipp Jakob Spener, 3 Bde., Göttingen 1893–1906.
–, Art. „Philipp Jakob Spener", in: RE[3] 18, 609–622; 24, 524 f.
HAGENBACH, V., M. Philipp Jacob Spener in Basel, Zeitschrift f. d. histor. Theologie X, N. F. IV, 1840, Heft 1, 161–164.
HALLIER, CHRISTIAN, Das Kirchenwesen Straßburgs als Glied des deutschen Luthertums im 16. und 17. Jahrhundert, Elsaß-Lothringisches Jahrbuch 9, 1930, 209 bis 227.
HÄUSSERMANN, FRIEDRICH, Pictura docens. Ein Vorspiel zu Fr. Chr. Oetingers Lehrtafel der Prinzessin Antonia von Württemberg, Blätter f. württemberg. Kirchengeschichte 66/67, 1966/67, 65–153.
HEITJAN, ISABEL, Zum Besuch der Frankfurter Fastenmesse 1671, Gutenberg-Jahrbuch 1963, 141–150.
HEPPE, HEINRICH, Geschichte des Pietismus und der Mystik in der reformierten Kirche, namentlich der Niederlande, Leiden 1879.
HIRSCH, EMANUEL, Geschichte der neuern evangelischen Theologie im Zusammenhang mit den allgemeinen Bewegungen des europäischen Denkens, Bd. II, Gütersloh 1951.
HOLL, KARL, Die Bedeutung der großen Kriege für das religiöse und kirchliche Leben innerhalb des deutschen Protestantismus, in: Ges. Aufs. III (Der Westen), 1928, 302–384.
HORNING, WILHELM, Lebensbild von Dr. Johann Schmidt, Beiträge zur Kirchengeschichte des Elsasses vom 16.–18. Jahrhundert, I, 23–35. 51–59. 81–89. 100–104; II, 6–18. 89–134; III, 384–424; Straßburg 1881–1883.
–, Der Straßburger Universitäts-Professor, Münsterprediger und Präsident des Kirchenkonvents Dr. Johann Conrad Dannhauer, geschildert nach unbenützten Druckschriften und Manuskripten aus dem 17. Jahrhundert, Straßburg 1883.

–, Philipp Jacob Spener in Rappoltsweiler, Colmar und Strassburg. Aus noch unbenützten Quellen, Straßburg 1883.

–, Dr. Sebastian Schmidt von Lampertheim, Professor und Präses des Kirchenconvents in Straßburg, Straßburg 1885.

–, Dr. Johann Dorsch, Professor der Theologie zu Straßburg im 17. Jahrhundert, Straßburg 1886.

–, Dr. Balthasar Bebel, Professor der Theologie und Münsterprediger zu Straßburg im 17. Jahrhundert, Straßburg 1886.

–, Ein Kleeblatt Rappoltsteinischer Gräfinnen aus dem 17. Jahrhundert. Beitrag zur Geschichte des Verhältnisses des elsäßischen Adels zur evang.-luth. Kirche, Straßburg 1886.

–, Joachim Stoll, Hofprediger der gräflichen Herrschaft von Rappoltstein und Pfarrer in Rappoltsweiler, Straßburg 1889.

–, Johann Jakob, der letzte Derer von Rappoltstein (1598–1673), Rappoltsweiler 1890.

–, Kirchenhistorische Nachlese oder Nachträge zu den ‚Beiträgen zur Kirchengeschichte des Elsasses', Straßburg 1891.

–, Handbuch der Geschichte der evang-luth. Kirche in Straßburg in XVII. Jahrh., Straßburg 1903.

–, Des Rappoltsweiler Ph. J. Speners Predigten im Elsaß. Eine homiletische Studie, Straßburg 1905.

–, Dr. Jean Conrad Dannhauer, Supplément à sa Biographie, Straßburg 1919.

Hossbach, Wilhelm, Philipp Jakob Spener und seine Zeit, 2 Bde., Berlin 1861[3] (1828).

Jordan, Hermann, Briefe des jungen Spener an einen befreundeten Arzt, NKZ 29, 1918, 105–110. 156–162. 199–212.

Kantzenbach, Friedrich Wilhelm, Orthodoxie und Pietismus, Evangelische Enzyklopädie 11/12, Gütersloh 1966.

Kapp, Friedrich – Goldfriedrich, Johann, Geschichte des deutschen Buchhandels, Bd. I–II, Leipzig 1886–1908.

Knod, Gustav Carl, Die alten Matrikeln der Universität Strassburg 1621–1793, Urkunden und Akten der Stadt Straßburg III, 3 Bde., Straßburg 1897–1902.

Koepp, Wilhelm, Johann Arndt, Eine Untersuchung über die Mystik im Luthertum, Neue Studien zur Geschichte der Theologie und Kirche 13, Berlin 1912.

Kramer, Gustav, Beiträge zur Geschichte August Hermann Francke's enthaltend den Briefwechsel Francke's und Spener's, Halle 1861.

Kruse, Martin, Die Kritik am landesherrlichen Kirchenregiment bei Philipp Jacob Spener und die Vorgeschichte, Diss. Theol. Heidelberg 1969.

Lang, August, Puritanismus und Pietismus, Studien zu ihrer Entwicklung von M. Butzer bis zum Methodismus, Beiträge zur Geschichte und Lehre der reformierten Kirche 6, Neukirchen 1941.

Leube, Hans, Die Reformideen in der deutschen lutherischen Kirche zur Zeit der Orthodoxie, Leipzig 1924.

–, Die Theologen und das Kirchenvolk im Zeitalter der lutherischen Orthodoxie, AELKZ 57, 1924, 243–247. 260–265. 276–282. 292–297. 310–314.

–, Die Bekämpfung des Atheismus in der deutschen lutherischen Kirche des 17. Jahrhunderts, ZKG 43, 1924, 227–244.

LUEKEN, WILHELM, Lebensbilder der Liederdichter und Melodisten, in: Handbuch zum Evangelischen Kirchengesangbuch, Bd. II, 1, Berlin 1957.

MAHRHOLZ, WERNER, Der deutsche Pietismus. Eine Auswahl von Zeugnissen, Urkunden und Bekenntnissen aus dem 17., 18. und 19. Jahrhundert, Berlin 1921.

MIRBT, CARL, Art. „Pietismus", in: RE³ 15, 774–815.

MÖCKEL, KARL-HEINZ, Die Eigenart des Straßburger orthodoxen Luthertums in seiner Ethik, dargestellt an Johann Conrad Dannhauer, Diss. Theol. Greifswald 1952 (Masch.).

NORDMANN, W., Die Eschatologie des Ehepaares Petersen, ihre Entwicklung und Auflösung, ZKGPrSa 26, 1930, 83–108 und 27, 1931, 1–19.

OBST, HELMUT, Speners Lehre vom Heilsweg, Diss. Theol. Halle 1966 (Masch.).

OSWALT, ELSE, Christian Fende. Ein Beitrag zur Geschichte des Pietismus in Frankfurt/M., Diss. Phil. Frankfurt 1921 (Masch.).

PAULIG, C. E., Christian Knorr von Rosenroth, in: Correspondenzblatt des Vereins für Geschichte der evangel. Kirche Schlesiens XVI, 1918/19, 100–170. 177–242 und XVIII, 1926, 333–366.

PEUCKERT, WILL-ERICH, Die Rosenkreutzer. Zur Geschichte einer Reformation, Jena 1928.

QUECKBÖRNER, MARIANNE, Das Frankfurter Gemeindeleben und Ph. J. Speners Reformbestrebungen, Frankfurter Kirchliches Jahrbuch 1959, 30–41.

REINER, HERMANN, Die orthodoxen Wurzeln der Theologie Philipp Jakob Speners, Diss. Theol. Erlangen 1969.

REUSS, RODOLPHE, L'Alsace au dix-septième Siècle, 2 Bde., Paris 1897/98.

RITSCHL, ALBRECHT, Geschichte des Pietismus, 3 Bde., Bonn 1880–1886 (Neudruck Berlin 1966).

SACHSSE, EUGEN, Ursprung und Wesen des Pietismus, Wiesbaden 1884.

SALECKER, KURT, Christian Knorr von Rosenroth (1636–1689), Palaestra 178, Leipzig 1931.

SCHATTENMANN, PAUL, Eigenart und Geschichte des deutschen Frühpietismus mit besonderer Berücksichtigung von Württembergisch Franken, Blätter f. württemberg. Kirchengeschichte 40, 1936, 1–32.

–, Dr. Johann Ludwig Hartmann, Superintendent in Rothenburg (1640–1680). Ein Beitrag zur Kirchengeschichte des 17. Jahrhunderts, Rothenburg o. T. 1921.

–, Luthertum und Pietismus im Urteil von Karl Holl, ELKZ 2, 1948, 223–225.

–, Neues zum Briefwechsel des Rothenburger Superintendenten Dr. J. L. Hartmann mit Ph. J. Spener in Frankfurt/M., ZBKG 6, 1931, 207–216 und 7, 1931, 36–44.

SCHEUNEMANN, HORST, Der Heiligungsbegriff in der theologischen Gedankenwelt Dannhauers, Diss. Theol. Kiel 1929.

SCHIAN, MARTIN, Orthodoxie und Pietismus im Kampf um die Predigt. Ein Beitrag zur Geschichte des endenden 17. und des beginnenden 18. Jahrhunderts, Gießen 1912.

SCHICKETANZ, PETER, Carl Hildebrand von Cansteins Beziehungen zu Philipp Jacob Spener, Arbeiten zur Geschichte des Pietismus 1, Witten 1967.

SCHLEIFF, ARNOLD, Selbstkritik der lutherischen Kirchen im 17. Jahrhundert, Neue deutsche Forschungen, Abt. Religions- und Kirchengeschichte 162, Berlin 1937.

SCHMIDT, KURT-DIETRICH, Labadie und Spener, ZKG 46, 1928, 566–583.

SCHMIDT, MARTIN, Wiedergeburt und neuer Mensch. Gesammelte Studien zur Geschichte des Pietismus, Arbeiten zur Geschichte des Pietismus 2, Witten 1969.
–, Speners Wiedergeburtslehre, ThLZ 76, 1951, 17–30 (= Wiedergeburt und neuer Mensch 169–194).
–, Speners Pia Desideria, Versuch einer theologischen Interpretation, ThViat III, 1951, 70–112 (= Wiedergeburt und neuer Mensch 129–168).
–, Eigenart und Bedeutung der Eschatologie im englischen Puritanismus, ThViat IV, 1952, 205–266.
–, England und der deutsche Pietismus, EvTh 13, 1953, 205–224.
–, Spener und Luther, LuJ 1957, 102–129.
–, Teilnahme an der göttlichen Natur, 2. Petrus 1,4 in der theologischen Exegese des Pietismus und der lutherischen Orthodoxie, in: Dank für Paul Althaus, Gütersloh 1958, 171–201 (= Wiedergeburt und neuer Mensch 238–298).
–, Die spiritualistische Kritik Christian Hoburgs an der lutherischen Abendmahlslehre und ihre orthodoxe Abwehr, in: Bekenntnis zur Kirche, Festgabe für Ernst Sommerlath, Berlin 1960, 126–138 (= Wiedergeburt und neuer Mensch 91–111).
–, (und JANNASCH, WILHELM), Das Zeitalter des Pietismus, Klassiker des Protestantismus VI, Bremen 1965.
–, Luthers Vorrede zum Römerbrief im Pietismus, in: Vierhundertfünfzig Jahre lutherische Reformation, Festschrift Franz Lau, Berlin 1967, 309–332 (= Wiedergeburt und neuer Mensch 299–330).
SCHOTEL, G. D. J., Anna Maria van Schurman, 's Hertogenbosch 1853.
SCHRENK, GOTTLOB, Gottesreich und Bund im älteren Protestantismus vornehmlich bei Coccejus, zugleich ein Beitrag zur Geschichte des Pietismus und der heilsgeschichtlichen Theologie, Gütersloh 1923 (Neudruck Darmstadt 1967).
SCHRÖTTEL, GERHARD, Johann Michael Dilherr und die vorpietistische Kirchenreform in Nürnberg, Einzelarbeiten aus der Kirchengeschichte Bayerns XXXIV, Nürnberg 1962.
SCHWAGER, HANS-JOACHIM, Johann Arndts Bemühen um die rechte Gestaltung des neuen Lebens der Gläubigen, Diss. Theol. Münster 1961.
SCHWETSCHKE, GUSTAV, Codex nundinarius Germaniae literatae bisecularis. Meß-Jahrbücher des Deutschen Buchhandels von dem Erscheinen des ersten Meß-Kataloges im Jahre 1564 bis zu der Gründung des ersten Buchhändler-Vereins im Jahre 1765, Halle 1850–1877 (Neudruck Nieuwkoop 1963).
SEEBERG, ERICH, Gottfried Arnold, Die Wissenschaft und die Mystik seiner Zeit. Studien zur Historiographie und zur Mystik, Meerane 1923 (Neudruck Darmstadt 1964).
SITZMANN, FR. EDOUARD, Dictionnaire de Biographie des Hommes célèbres de l'Alsace, 2 Bde., Rixheim 1909/10.
STAEHELIN, ERNST, Der Briefwechsel zwischen Johannes Buxtorf II. und Johannes Coccejus, ThZ 4, 1948, 372–391.
STEITZ, HEINRICH, Geschichte der Evangelischen Kirche in Hessen und Nassau, Zweiter Teil: Orthodoxie, Pietismus, Rationalismus, Marburg 1962.
STEPHAN, HORST, Der Pietismus als Träger des Fortschritts in Kirche, Theologie und allgemeiner Geistesbildung, SgV 51, Tübingen 1908.
–, Luther in den Wandlungen seiner Kirche, Berlin 1951[2].
STOEFFLER, F. ERNEST, The Rise of Evangelical Pietism, Leiden 1965.

STUMPFF, ALBRECHT, Philipp Jakob Spener über Theologie und Seelsorge als Gebiete kirchlicher Neugestaltung, Diss. Theol. Tübingen 1934 (Teilabdruck).

TAPPERT, THEODORE G., Pia Desideria by Philip Jacob Spener, Translated, edited and with an Introduction, Philadelphia 1964.

THOLUCK, AUGUST, Der Geist der lutherischen Theologen Wittenbergs im Verlaufe des 17. Jahrhunderts, Hamburg und Gotha 1852.

–, Das akademische Leben des siebzehnten Jahrhunderts, mit besonderer Beziehung auf die protestantisch-theologischen Fakultäten Deutschlands, Vorgeschichte des Rationalismus I, Halle 1853/54.

–, Lebenszeugen der lutherischen Kirche aus allen Ständen vor und während der Zeit des dreißigjährigen Krieges, Berlin 1859.

–, Das kirchliche Leben des siebzehnten Jahrhunderts, Vorgeschichte des Rationalismus II, Berlin 1861/62.

–, Geschichte des Rationalismus I, Berlin 1865.

TRILLHAAS, WOLFGANG, Philipp Jakob Spener, in: Die großen Deutschen, Deutsche Biographie V, 1958, 136–146.

TROELTSCH, ERNST, Leibniz und die Anfänge des Pietismus, in: Aufsätze zur Geistesgeschichte und Religionssoziologie (Ges. Schriften IV), Tübingen 1925, 488 bis 531.

WALLMANN, JOHANNES, Der Theologiebegriff bei Johann Gerhard und Georg Calixt, BHTh 30, Tübingen 1961.

–, Pietismus und Orthodoxie. Überlegungen und Fragen zur Pietismusforschung, in: Geist und Geschichte der Reformation, Festgabe Hanns Rückert, AKG 38, 1966, 418–442.

–, Spener und Dilfeld. Der Hintergrund des ersten pietistischen Streites, in: Theologie in Geschichte und Kunst, Festschrift Walter Elliger, Witten 1968, 214–235.

WEIGELT, HORST, Pietismus-Studien I: Der spener-hallische Pietismus, Arbeiten zur Theologie II, 4, Stuttgart 1965.

WENDLAND, WALTER, Die pietistische Bekehrung, ZKG 38, 1920, 193–238.

WENTZCKE, PAUL, Die alte Universität Straßburg 1621–1793, Elsaß-Lothringisches Jahrbuch 17, 1938, 37–112.

WIESER, MAX, Peter Poiret. Der Vater der romanischen Mystik in Deutschland, München 1932.

WINKLER, DIETRICH, Grundzüge der Frömmigkeit Heinrich Müllers, Diss. Theol. Rostock 1954 (Masch.).

WINKLER, EBERHARD, Die Leichenpredigt im deutschen Luthertum bis Spener, FGLP 10. Reihe, Bd. 34, München 1967.

WUNDT, MAX, Die deutsche Schulmetaphysik des 17. Jahrhunderts, Heidelberger Abhandlungen zur Philosophie und ihrer Geschichte 29, Tübingen 1939.

ZABEL, KURT, Die Einwirkung des englischen und des niederländischen Frühpietismus auf Ph. J. Speners Lehre von der Rechtfertigung und Heiligung, Diss. Theol. Rostock 1942 (Masch.).

ZEEDEN, ERNST WALTER, Martin Luther und die Reformation im Urteil des deutschen Luthertums, 2 Bde., Freiburg 1950–1952.

ZELLER, WINFRIED, Der Protestantismus des 17. Jahrhunderts, Klassiker des Protestantismus V, Bremen 1962.

Personenregister